#내신 대비서
#고득점 예약하기

국어전략

Chunjae
Makes
Chunjae

▼

[국어전략] 중학 3

개발총괄	김덕유
편집개발	고명선, 노신희
제작	황성진, 조규영
조판	동국문화(양영주)
디자인총괄	김희정
표지디자인	윤순미, 한은비
내지디자인	박희춘, 이혜미

발행일	2022년 5월 1일 초판 2022년 5월 1일 1쇄
발행인	(주)천재교육
주소	서울시 금천구 가산로9길 54
신고번호	제2001-000018호
고객센터	1577-0902
내용 문의	(02)3282-8526

국어전략
중학 3
BOOK 1

이 책의 **구성과 활용**

이 책은 3권으로 이루어져 있는데
본책인 BOOK1, 2의 구성은 아래와 같아.

주 도입

재미있는 만화를 보며 한 주에 공부할 내용을 미리 떠올릴 수 있습니다.

1일 개념 돌파 전략

성취 기준별로 뽑은 핵심 개념을 익힌 뒤 문제로 개념을 잘 이해했는지 확인할 수 있습니다.

2일

3일 필수 체크 전략

꼭 알아야 할 학습 요소들을 뽑아 교과서에 실린 문학 작품과 학습 활동을 통해 살펴보며 개념을 이해하는 과정과 방법을 체계적으로 익힐 수 있습니다.

4일 교과서 대표 전략

학교 시험에 자주 나오는 대표 유형 문제를 모았습니다. 문제를 해결하기 어려울 때에는 '유형 해결 전략'과 '도움말'을 참고할 수 있습니다.

부록 **시험에 잘 나오는 개념BOOK**

점선대로 자르면 미니북으로 활용할 수 있습니다.
시험 전에 개념을 확실하게 짚어 보세요.

주 마무리와 권 마무리의 특별 코너들로
국어 실력이 더 탄탄해질 거야!

주 마무리 코너

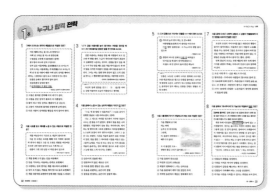

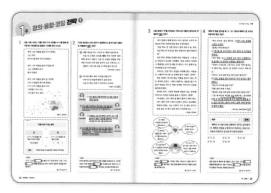

누구나 합격 전략

누구나 쉽게 풀 수 있는 쉬운 문제로 학습 자신감을
높일 수 있습니다.

창의·융합·코딩 전략

융·복합적 사고력을 길러 주는 문제로 문제 해결력을
기를 수 있습니다.

권 마무리 코너

시험 대비 마무리 전략

학습 내용을 표와 그림으로 정리하여 배운 내용을 한눈에 파악
할 수 있습니다.

신유형·신경향·서술형 전략

최근 시험에 나오는 새로운 유형의 문제로 구성하여
신유형·신경향·서술형 문제를 대비할 수 있습니다.

적중 예상 전략

실전 문제를 2회로 구성하여 실제
시험에 대비할 수 있습니다.

이 책의 차례

BOOK 1

이 개념들만 알면
문학 작품 감상은
문제없지!

문학 (1)

💧 심미적 체험이란 무엇일까?

우리는 문학 작품을 읽으며 아름다움과 감동 등을 느끼게 됩니다.
이러한 심미적 체험을 공유함으로써 세상을 더 깊이 이해할 수 있어요.

공부할 내용

❶ 문학 작품을 통한 심미적 체험   ❷ 작품의 사회·문화적 배경

🅛 사회·문화적 배경을 왜 알아야 할까?

문학 작품의 사회·문화적 배경을 알면 작품에 담긴 의미를 잘 이해할 수 있어요.
또 작가가 작품을 창작한 의도도 알 수 있지요.

개념 돌파 전략 ①

개념 1 문학 작품을 통한 심미적 체험

○ 심미적 체험

어떤 대상에서 감동이나 깨달음을 얻으며 **❶ [   ]** 을 느끼는 것.

○ 독자의 심미적 체험

독자가 문학 작품을 읽으며 그 내용과 **❷ [   ]** 을 두고 아름답다, 추하다, 숭고하다, 비장하다, 조화롭다, 우스꽝스럽다 등과 같이 느끼는 것.

예
밤하늘을 그어 버리는
노란 손톱자국 //
놀란 거인이 쿵쿵거리
며 달려 나온다
– 이성미, 〈벼락〉

번개가 치는 모습을
손톱자국에 비유한
표현에서 아름다움이
느껴져.

❶ 아름다움 **❷** 표현

개념 2 심미적 체험의 공유와 소통

○ 심미적 체험의 공유와 소통

작가	문학 작품	독자
자신의 경험이나 정서를 다양한 갈래의 문학 작품으로 표현함. 시, 소설, 수필 등	작가의 경험이나 정서가 문학적 언어로 표현된 것임.	문학 작품을 읽으며 다양한 정서를 느끼는 심미적 체험을 함.

• **❶ [   ]** 는 자신이 전달하고자 하는 바를 문학 작품으로 표현하여 독자와 공유하고자 함.

• 독자는 작품을 읽으며 그 내용을 파악하고, 자기 나름의 방식으로 해석함.

• 독자는 같은 작품을 읽은 또 다른 독자와 감상을 나누기도 함.

○ 심미적 체험의 공유와 소통의 효과

• 인간과 세계를 깊이 **❷ [   ]** 하고 삶의 의미를 성찰할 수 있음.

• 문학 작품을 주체적으로 감상하며 상상력과 공감 능력을 기를 수 있음.

❶ 작가 **❷** 이해

1-1 문학 작품을 통한 심미적 체험에 대한 설명으로 적절하지 **않은** 것은?

① 문학 작품을 읽으며 내용뿐만 아니라 표현에서도 아름다움을 느낄 수 있다.

② 문학 작품을 읽으며 감동, 교훈이나 깨달음을 얻고 성찰하며 심미적 체험을 하게 된다.

③ 문학 작품을 읽으며 추함과 우스꽝스러움을 느끼는 것은 심미적 체험과는 관련이 없다.

정답 해설 | 문학 작품을 읽으며 그 내용과 표현을 두고 아름다움, 추함, 비장함, 조화로움, 우스꽝스러움 등을 느끼는 것을 독자의 심미적 체험이라고 한다.　　　　　　　　　　답 | ③

1-2 심미적 체험에 대한 설명으로 적절한 것은?

① 문학 작품 가운데 시를 읽을 때만 심미적 체험을 할 수 있다.

② 문학 작품을 통한 심미적 체험은 반드시 아름다움과 숭고함의 정서를 느낄 때만 할 수 있다.

③ 독자는 문학 작품을 읽으며 아름답다, 추하다, 비장하다, 조화롭다, 우스꽝스럽다 등을 느끼는 심미적 체험을 할 수 있다.

2-1 다음을 참고할 때 심미적 체험의 문학적 소통에 대한 설명으로 적절한 것은?

여우가 말했다.
"네가 나를 길들인다면 우리는 서로가 필요하게 되는 거야."

－ 생텍쥐페리, 〈어린 왕자〉

어린 왕자가 여우를 길들인다는 의미는 무엇일까?

서로에게 의미 있는 존재가 된다는 것 아닐까?

① 독자들은 같은 문학 작품을 읽으며 모두 같은 심미적 체험을 한다.

② 독자와 작가는 같은 작품을 읽은 또 다른 독자를 매개로 하여 서로 소통한다.

③ 독자는 작품을 통해 심미적 체험을 공유하면서 인간과 세계를 깊이 이해하게 된다.

정답 해설 | 작가는 자신의 의미 있는 경험이나 정서를 작품으로 표현하고, 독자는 그 작품을 읽으며 자기 나름의 방식으로 해석한다. 이렇게 독자와 작가는 문학 작품을 매개로 소통한다. 답 | ③

2-2 심미적 체험의 문학적 소통에 대한 설명으로 적절하지 **않은** 것은?

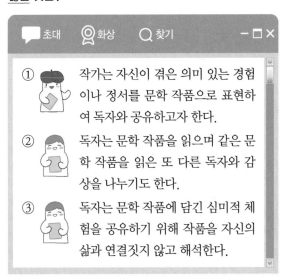

💬 초대　　◎ 화상　　🔍 찾기　　－ □ ✕

① 작가는 자신이 겪은 의미 있는 경험이나 정서를 문학 작품으로 표현하여 독자와 공유하고자 한다.

② 독자는 문학 작품을 읽으며 같은 문학 작품을 읽은 또 다른 독자와 감상을 나누기도 한다.

③ 독자는 문학 작품에 담긴 심미적 체험을 공유하기 위해 작품을 자신의 삶과 연결짓지 않고 해석한다.

개념 3 사회·문화적 배경의 뜻과 기능

○ **사회·문화적 배경**: 어떤 시대의 사회 환경과 ❶ [　　], 사상, 제도 등 그 시대의 전반적인 상황과 모습을 말함.

○ **문학 작품과 사회·문화적 배경의 관계**

• 문학 작품은 당시의 사회·문화적 배경을 바탕으로 창작됨.

• 사회·문화적 상황은 작품의 창작 배경으로 작용하기도 하고, 작품에 직접 드러나기도 함.

예

1945년 팔월 하순.
아직 해방의 감격이 온
누리를 뒤덮어 소용돌이
칠 때였다.
– 전광용, 〈꺼삐딴 리〉

→ 8·15 광복 상황을
바탕으로 창작됨.

○ **문학 작품 속 사회·문화적 배경의 기능**

• 작품을 더 깊이 ❷ [　　]하고 전체 의미를 발견할 수 있게 함.

• 작품을 통해 작가가 전달하고자 하는 바를 잘 파악할 수 있게 함.

❶ 문화 ❷ 이해

Quiz

다음 설명에 해당하는 알맞은 말을 고르시오.

> 어떤 시대의 사회 환경과 문화, 사상, 제도 등 그 시대의 전반적인 상황과 모습으로, '병자호란', '일제 강점기' 등이 이에 해당한다.

(공간적 배경 , 사회·문화적 배경)

답 | 사회·문화적 배경

개념 4 사회·문화적 배경을 파악하는 방법

○ **문학 작품 속 사회·문화적 배경을 파악하는 방법**

• 시대 상황이 드러나는 소재를 바탕으로 파악함.

• 인물의 ❶ [　　]과 행동, 인물들 간의 관계를 바탕으로 파악함.

• 인물들 간에 벌어지는 다양한 ❷ [　　]을 바탕으로 파악함.

예

대포를 쏘는 소리인 '포성'으로 보아 전쟁(6·25 전쟁) 중이 사회·문화적 배경임.

포성과 포성의 사이사이를 뚫고 피란민의 행렬이 줄지어 밀어닥쳤고, 마을에서 잠시 머물며 노독을 푸는 동안에 그들은 옷가지나 금붙이 따위 물건을 식량하고 바꾸었다.
– 윤흥길, 〈기억 속의 들꽃〉

→ 전쟁으로 '피란민'이 생김.

→ 사람들은 전쟁을 피해 살던 곳을 떠났고, 식량이 귀했음.

❶ 말 ❷ 사건

Quiz

다음 설명이 맞으면 ○, 틀리면 X에 표시하시오.

(1) 시대 상황이 드러나는 소재를 통해 문학 작품 속의 사회·문화적 배경을 파악할 수 있다. (○ , X)

(2) 문학 작품 속 인물의 말과 행동, 사건이 사회·문화적 배경을 드러내지는 않는다. (○ , X)

답 | (1) ○ (2) X

3-1 문학 작품의 사회·문화적 배경에 대한 설명으로 적절하지 <u>않은</u> 것은?

① 문학 작품은 당시의 사회 모습이나 문화 등을 반영하여 창작된다.

② 문학 작품의 배경이 되는 시대의 사회 환경과 문화 등 전반적인 상황을 가리킨다.

③ 문학 작품의 사회·문화적 배경은 항상 직접적으로 드러나 사건의 의미를 뒷받침한다.

정답 해설 | 사회·문화적 배경이란 어떤 시대의 사회 환경과 문화, 사상, 제도 등 그 시대의 전반적인 상황과 모습을 말한다. 문학 작품의 사회·문화적 배경은 작품에 직접 드러날 수도 있고 작품의 창작 배경으로 작용할 수도 있다. 답 | ③

3-2 ㉠에 들어갈 내용으로 적절하지 <u>않은</u> 것은?

아, 들판이 적막하다
메뚜기가 없다!

이 시에 반영된 사회·문화적 배경을 파악하면 (㉠)

– 정현종, 〈들판이 적막하다〉에서

① 작품에 사용된 표현 방법을 알 수 있어.

② 작품 전체의 의미를 깊이 이해할 수 있어.

③ 작가가 전달하고자 하는 바를 좀 더 잘 파악할 수 있어.

4-1 문학 작품의 사회·문화적 배경을 파악하기 위한 독자의 계획으로 적절하지 <u>않은</u> 것은?

• **계획 1**: 시대 상황을 짐작하게 하는 소재가 있는지 찾아봐야겠어. ······①

• **계획 2**: 인물들 간의 관계를 통해 시대 상황이 드러나기도 하니 대화와 행동을 살펴봐야겠어. ······②

• **계획 3**: 시대 상황은 작가의 의도와는 관계가 없으니 사실을 객관적으로 반영했는지 판단하며 감상해야겠어. ······③

정답 해설 | 작가는 자신이 전달하고자 하는 주제 의식을 효과적으로 전달하기에 적합한 사회·문화적 배경을 바탕으로 하여 작품을 창작한다. 따라서 문학 작품의 사회·문화적 배경은 작가의 창작 의도와 밀접한 관련이 있다. 답 | ③

4-2 ㉠에 들어갈 알맞은 말을 한 단어로 쓰시오.

문학 작품의 사회·문화적 배경은 어떻게 파악할 수 있지?

우선 작품에서 (㉠) 상황이 드러나는 소재를 찾으면 돼. 그리고 소설이나 시나리오, 희곡이라면 인물들의 말과 행동, 인물들 간의 관계를 파악하는 것이 도움이 돼.

천송

바탕 문제

다음 감상에서 다루고 있는 아름다움의 종류에 표시하세요.

> 시 〈햇빛이 말을 걸다〉에서 '햇빛이 이마를 툭 건드린다'는 시구가 인상적이야. 사람이 아닌 햇빛을 사람처럼 표현한 의인법이 쓰였어.

내용의 아름다움 ☐
표현의 아름다움 ☐

답 | 표현의 아름다움

1 다음 시에 나타난 아름다움에 대한 감상으로 적절하지 <u>않은</u> 것은?

> 길을 걷는데 / 햇빛이 이마를 툭 건드린다
> 봄이야 / 그 말을 하나 하려고
> 수백 광년을 달려온 빛 하나가
> 내 이마를 건드리며 떨어진 것이다 (중략)
> 봄이야
> 라고 말하며 떨어지는 햇빛에 귀를 기울여 본다
> 그의 소리를 듣고 푸른 귀 하나가
> 땅속에서 솟아오르고 있었다

① 햇빛이 눈부시게 쏟아지는 평화로운 풍경이 떠올라.
② 화자와 햇빛의 대화를 직접적으로 나타낸 장면이 재미있어.
③ 같은 시어 '봄이야'나 '하나가'를 반복하여 리듬감이 잘 드러나.
④ 새싹이 솟아오르는 모습을 '푸른 귀'라고 표현한 것이 인상적이야.
⑤ 햇빛에 귀를 기울이며 자연과 교감하는 태도에서 조화로움이 느껴져.

바탕 문제

소설을 심미적으로 체험하기 위한 방법으로 적절하지 <u>않은</u> 것은?
① 운율에서 느껴지는 아름다움 느끼기
② 등장인물과 자신의 삶의 태도 비교하기
③ 구체적인 배경 묘사 등의 표현에서 아름다움 느끼기

답 | ①

2 다음 글을 읽고 감상한 내용으로 가장 적절한 것은?

> 이지러는 졌으나 보름을 가제 지난 달은 부드러운 빛을 흐붓이 흘리고 있다. 대화까지는 칠십 리의 밤길, 고개를 둘이나 넘고 개울을 하나 건너고 벌판과 산길을 걸어야 된다. 길은 지금 긴 산허리에 걸려 있다. 밤중을 지난 무렵인지 죽은 듯이 고요한 속에서 짐승 같은 달의 숨소리가 손에 잡힐 듯이 들리며 콩 포기와 옥수수 잎새가 한층 달에 푸르게 젖었다. 산허리는 온통 메밀밭이어서 피기 시작한 꽃이 소금을 뿌린 듯이 흐뭇한 달빛에 숨이 막힐 지경이다.

이제 막

① 인물 간의 대화에 드러난 갈등에서 긴장감이 느껴졌어.
② 제주도에 갔을 때 바닷가에서 놀았던 경험이 떠올랐어.
③ 등장인물이 직접 배경을 설명해 주어 느낌이 생생하게 다가왔어.
④ 풍경을 그림 그리듯 표현하여 달밤의 분위기가 신비롭게 느껴졌어.
⑤ 산길을 자세히 묘사하여 인물을 둘러싼 사회적 배경을 알 수 있었어.

바탕 문제

㉠에 공통으로 들어갈 말로 적절한 것은?

(㉠)는 이야기를 전개하기 위해 사용하는 글의 재료이다. 문학 작품에 반영된 사회·문화적 배경을 파악하려면 시대 상황이 드러난 (㉠)를 살펴봐야 한다.

① 갈래   ② 소재   ③ 주제

답 | ②

3 다음 글에서 ㉠, ㉡의 공통된 기능으로 적절한 것은?

수하: (으잉?) …… 근데, 여태 집에 안 가구 뭐 하는 거냐?
홍연: 저…… ㉠벤또를 놓구 가서요.
수하: 허어, 그래. 얼른 찾아보거라.

돌아서는 수하에 홍연은 어쩔 수 없이 도시락 찾는 척 교실로 들어서려는데.
홍연이 발걸음을 옮길 때마다 둘러맨 ㉡책보 속 빈 도시락에서 수저가 맞부딪치며 내는 달그락거리는 소리.

① 인물의 심리 변화를 드러낸다.
② 인물들의 갈등 상황을 강조한다.
③ 1960년대 학생들의 생활상을 보여 준다.
④ 새로운 사건이 전개될 것임을 짐작하게 한다.
⑤ 시간의 흐름에 따라 이야기가 진행됨을 나타낸다.

바탕 문제

밑줄 친 부분을 통해 짐작할 수 있는 것은?

성한, 어색하게 굽실거린 후 지나친다.

재철: 누구냐?
병환: (불쾌한 표정으로) 에휴, 전에 우리 집에서 머슴 살던 놈이다. 참!

① 서술자의 태도
② 독자의 경험과 관심
③ 작품의 사회·문화적 배경

답 | ③

4 다음 글에서 알 수 있는 사회·문화적 배경으로 적절한 것은?

병환: 네가 여긴 뭐 하러 왔나?
성한: 예, 그 운동 가르쳐 준다고 그래서 왔습죠.

성한, 어색하게 굽실거린 후 지나친다.

재철: 누구냐?
병환: (불쾌한 표정으로) 에휴, 전에 우리 집에서 머슴 살던 놈이다. 참!

광태의 모습이 보인다.

병환: (광태를 보고) 어이, 이봐! 거 같이 다니는 선비는 안 왔소?

① 우리나라가 남과 북으로 분단되었다.
② 힘없는 백성을 억압하는 지배층이 있었다.
③ 전쟁 직후로 사람들이 모두 어렵게 살았다.
④ 신분의 구별이 엄격해 계층 간에 갈등이 있었다.
⑤ 신분제가 사라졌지만 사람들의 인식이 쉽게 변하지 않았다.

전략 1   시를 통해 심미적 체험하기

내가 그의 이름을 불러 주기 전에는
　　　　'나'가 '그'를 인식하기 전
그는 다만 / 하나의 몸짓에 지나지 않았다.
　　　　　　의미 없는 존재

내가 그의 이름을 불러 주었을 때
　　　　'나'가 '그'를 인식하였을 때
그는 나에게로 와서 / 꽃이 되었다.
　　　　　　　의미 있는 존재

내가 그의 이름을 불러 준 것처럼

나의 이 빛깔과 향기에 알맞는
　　　존재의 본질　　올바른 표기: 알맞은
누가 나의 이름을 불러 다오.

그에게로 가서 나도 / 그의 꽃이 되고 싶다.
누군가에게 의미 있는 존재가 되고 싶다는 '나'의 소망이 드러남.

우리들은 모두 / 무엇이 되고 싶다.
　　　　　　의미 있는 존재
너는 나에게 나는 너에게

잊혀지지 않는 하나의 눈짓이 되고 싶다.
올바른 표기: 잊히지　　의미 있는 존재

－ 김춘수, 〈꽃〉 천재(박)

☑ **이 시에서 '이름'을 부르는 것과 '꽃'이 되었다는 것의 의미는?**
• '이름'을 부르는 것: '그'(대상)를 ❶ 있는 존재로 생각한다는 것
• '꽃'이 되었다는 것: 관계가 이루어지며, 서로에게 의미 있는 존재가 되었다는 것

☑ **이 시의 화자가 말하고자 하는 바는?**
의미 있는 존재와 진정한 ❷ 를 맺고 싶다.

☑ **이 시의 내용을 통한 심미적 체험은?**
진정한 관계를 소망하는 것에서 아름다움을 느낄 수 있음.

❶ 의미 ❷ 관계

필수 예제 1

이 시의 내용으로 보아 화자가 소망하는 바로 적절한 것은?

① 떠나간 '그'가 돌아오기를 바란다.
② 우리 모두가 본질적 자아를 찾기를 바란다.
③ 의미 있는 존재와 진정한 관계를 맺고 싶다.
④ 사람들과의 관계를 더 이상 지속하고 싶지 않다.
⑤ 자신의 이름을 모르는 이가 없는 인기인이 되고 싶다.

정답 해설 | 3연에서 화자는 누가 자신의 이름을 불러 주기를 바라고 자신의 이름을 불러 주는 이에게 가서 그의 '꽃'이 되고 싶어 한다. 또한 4연에서는 '무엇'이 되고 싶어 하고 서로에게 잊히지 않는 하나의 '눈짓'이 되고 싶어 한다. 이로 보아 이 시의 화자는 존재의 참된 모습을 인식함으로써 의미 있는 진정한 관계를 맺는 것을 소망하고 있다.　　　　　**답 | ③**
오답 풀이 | ① '그'는 화자가 진정한 관계를 맺고자 하는 대상이다.
② 누군가가 자신의 본질(빛깔과 향기)을 알아봐 주기를 바라고 있다.
④ 화자는 누군가와 서로 의미 있는 관계가 되기를 바라고 있다.
⑤ '이름'이 불리는 것은 본질을 인식하는 행동을 의미하며, 인기와는 관련이 없다.

확인 문제 1

이 시를 감상한 내용으로 적절하지 않은 것은?

① 평생 서로 소중한 친구로 지내자고 약속한 친구가 생각이 났어.
② 현대 사회에서 바람직한 인간관계에 대해 생각해 보게 되었어.
③ 나에 대한 주변 사람들의 평가가 무엇보다 중요함을 알게 되었어.
④ 나도 누군가에게 '꽃'과 같은 의미 있는 존재가 되고 싶다는 생각을 했어.
⑤ 내가 힘들 때 큰 위로가 되어 주는 우리 집 강아지가 내게 가장 의미 있는 존재라는 걸 깨달았어.

전략 2   시조를 통해 심미적 체험하기

개를 여남은이나 기르되 요 개같이 얄미우랴
　　열이 조금 넘는 수.　　　　화자의 마음을 직설적으로 표현함.
[미운 임 오면은 꼬리를 홰홰 치며 치뛰락 내리뛰락 반겨서 내닫고 고운 임 오면
　□: 의성어와 의태어 사용-개의 행동을 실감 나고 익살스럽게 표현함.
은 뒷발을 버둥버둥 무르락 나락 캉캉 짖어서 도로 가게 하느냐]
　[ ]: 개의 행동 - 개가 얄미운 까닭이 드러남.
쉰밥이 그릇그릇 난들 너 먹일 줄이 있으랴
　　　　　　개에 대한 원망이 나타남.

– 작자 미상의 사설시조 [동아]

☑ 이 시조의 화자가 얄미워하는 대상과 그 까닭은?
　❶
　→ 미운 임이 오면 꼬리를 치며 반기고, 고운 임이 오면 짖어서 도로 가게 함.

☑ 이 시조의 화자가 바라는 것과 그것을 표현한 방법은?
　그리워하는 고운 **❷**　이 오는 것
　→ 임이 오지 않는 까닭을 개의 탓으로 돌려 말함. 개를 원망하는 화자의 마음을 구체적이고 직설적으로 표현함.

☑ 이 시조를 통한 심미적 체험은?
　임이 오지 않는 까닭을 개의 탓으로 돌리면서 원망하는 모습이 우스꽝스럽고 재미있게 느껴짐.

❶ 개 ❷ 임

필수 예제 2

이 시조에서 아름다움을 느끼게 하는 표현 방법으로 적절한 것은?

① 긍정적 대상과 부정적 대상을 나열한 표현
② 비판하고자 하는 대상을 동물에 빗대어 풍자한 표현
③ 임이 오지 않는 까닭을 개의 탓으로 돌린 익살스러운 표현
④ 초장과 종장에 같은 시행을 반복하여 운율을 느끼게 한 표현
⑤ 따뜻한 느낌을 떠올리게 하는 시어로 친근한 분위기를 만든 표현

정답 해설 | 이 시조의 화자는 '고운 임'이 오기를 간절히 바라면서, 임이 오지 않는 상황에 대한 원망을 '개'의 탓으로 돌리고 있다. 즉 개가 미운 임은 반기고 고운 임은 쫓아 버린다며 개에게 화풀이한 것을 통해 화자가 임을 간절히 기다리는 상황을 생생하게 표현함으로써 재미를 느낄 수 있다.
답 | ③

오답 풀이 | ① 화자가 원망하는 '개'를 부정적 대상, 화자가 기다리는 '임'을 긍정적 대상으로 볼 수 있으나, 여러 대상을 나열하고 있지는 않다.
② 개를 얄미워할 뿐 특정 대상을 동물에 빗대어 풍자하고 있지 않다.
④ 초장과 종장에 같은 시행이 반복되고 있지는 않다.
⑤ 따뜻한 느낌을 주는 시어는 찾을 수 없다.

확인 문제 2

⊙에 들어갈 말로 적절하지 않은 것은?

이 시조를 읽으며 (　⊙　)에서 아름다움을 느낄 수 있었어요.

① 임을 기다리는 마음을 담담한 어조로 표현한 것
② 기다려도 임이 오지 않는 것을 개의 탓으로 돌리는 모습
③ '요 개같이 얄미우랴'라며 개를 원망하는 마음을 직설적으로 표현한 것
④ '너 먹일 줄이 있으랴'와 같이 절대 먹이지 않겠다는 마음을 의문문 형식으로 강조하여 표현한 것
⑤ '홰홰', '치뛰락 내리뛰락', '버둥버둥', '캉캉' 등의 말을 사용하여 '개'의 행동을 실감 나게 표현한 것

전략 3   소설을 통해 심미적 체험하기

그이는 매일 아침 9시에 일터로 나와서 다시 저녁 9시가 되면 가운을 벗고 집으
<u>김밥 아줌마</u>
로 돌아간다. 일터에서의 그이는 다소 무뚝뚝하고 뻣뻣하다. (중략)

김밥 아줌마는 작품을 만들 때 사람들이 보고 있으면 막 화를 낸다. 누군가 쳐다

보면 마음이 흔들려서 실패작만 나온다는 것
이다. 김밥을 말고 있을 때는 누가 무슨 말을
<u>김밥 만드는 일에만 집중함.</u>
해도 들은 척을 하지 않는다. 한 번 더 말을 시
키면 여지없이 성질을 내며 일손을 놓아 버린
다. 그이는 파는 일엔 전혀 관심이 없고 오직
김밥을 만드는 그 행위에만 몰두해 있는 사람
<u>김밥 아줌마에 대한 '나'의 생각</u>
처럼 보인다.

언젠가 나도 무심히 김밥 마는 것을 구경하고 있다가 당했다. 쳐다보고 있으니
<u>김밥 만드는 것을 보았다고 김밥 아줌마가 '나'에게 화를 냄.</u>
까 김밥 옆구리가 터지는 실수를 다 한다고 신경질을 내는 그이가 무서워서 주문
한 김밥을 싸는 동안 멀찌감치 떨어져 있었다. 그러나 집에 돌아와서 먹어 본 김
밥은 그이에게 당한 것쯤이야 까맣게 잊어버리고도 남을 만큼 그 맛이 환상적이
었다. 그 김밥은 돈 몇 푼의 이익을 위해 말아진 그런 김밥이 아니었다. 나는 그래
<u>경제적 이익보다 김밥 만드는 것 자체를 중요하게 생각하고 최선을 다해 김밥을 만듦.</u>
서 그이의 김밥을 서슴지 않고 '작품'이라 부른다.
<u>'나'가 김밥 아줌마를 긍정적으로 바라봄.</u>

– 양귀자, 〈길모퉁이에서 만난 사람〉 천재(박)

☑ **김밥 아줌마의 특징은?**
- 매일 아침 9시부터 저녁 9시까지 일함.
- ❶ □□□ 하고 뻣뻣함.
- 김밥을 만들 때 누가 보고 있으면 화를 냄.

☑ **'나'가 김밥 아줌마가 만드는 김밥을 '작품'이라고 부르는 까닭은?**
김밥을 만드는 일에만 몰두해서 환상적인 맛의 김밥을 만들기 때문에
→ '나'가 김밥 아줌마를 ❷ □□□ (우호적, 예찬적) 태도로 바라봄.

☑ **이 소설을 통한 심미적 체험은?**
자신의 일에 최선을 다하며 열심히 살아가는 이웃의 모습에서 아름다움을 느낄 수 있음.

❶ 무뚝뚝 ❷ 긍정적

필수 예제 3

'나'가 김밥 아줌마를 긍정적으로 바라보는 이유로 적절한 것은?

① 실패해도 포기하지 않기 때문에

② 사람들에게 친절하게 대하기 때문에

③ 자신의 일에 열정을 갖고 최선을 다하기 때문에

④ 김밥을 팔아 번 돈을 이웃을 위해 기부하기 때문에

⑤ 다른 사람의 말을 잘 듣고 차분하게 행동하기 때문에

정답 해설 | '나'는 김밥 아줌마가 김밥 마는 일에 몰두하며 최선을 다하는 모습을 긍정적으로 바라보며 그가 만든 김밥을 '작품'이라고 예찬하고 있다. **답 | ③**

오답 풀이 | ① 김밥을 말 때 누군가 쳐다보면 실패작이 나온다며 화를 낸다고 했을 뿐이며, 이는 실패해도 포기하지 않는 것과는 관련이 없다.
② 김밥 마는 것을 구경하는 사람들에게 화를 내고 있으므로 친절하게 행동하는 것과 거리가 멀다.
④ 이웃을 위해 기부하는 모습은 나타나 있지 않다.
⑤ 다른 사람의 말을 잘 듣는 모습은 나타나 있지 않다.

확인 문제 3

보기를 참고하여 이 글을 감상한 내용으로 적절하지 않은 것은?

> **보기**
> 〈길모퉁이에서 만난 사람〉은 김밥을 만드는 아줌마 등 평범한 이웃의 삶을 긍정적인 시선으로 바라보며, 그 삶에서 찾은 가치를 표현하고 있는 작품이다.

① 김밥 아줌마를 바라보는 '나'의 따뜻한 시선이 느껴져.

② '나'를 통해 이웃에 관심을 가지는 태도를 보여 주고 있어.

③ '나'는 김밥 아줌마와 같은 평범한 이웃의 삶을 아름답다고 인식하는군.

④ 김밥 아줌마를 통해 자신의 일에 최선을 다하는 삶의 가치를 전하고 있어.

⑤ 김밥 아줌마를 통해 예술가가 경제적 이익을 얻기 힘든 현실을 보여 주는군.

전략 4 수필을 통해 심미적 체험하기

가 실수라면 나 역시 일가견이 있는 사람이다. 언젠가 비구니들이 사는 암자에
<u>어떤 문제에 대해 독자적인 경지나 체계를 이룬 견해.</u>   <u>출가한 여자 승려.</u>
서 하룻밤을 묵은 적이 있다. 다음 날 아

침 부스스해진 머리를 정돈하려고 하는

데, 빗이 마땅히 눈에 띄지 않았다. 원래

여행할 때 빗이나 화장품을 찬찬히 챙겨
<u>글쓴이의 성격 - 꼼꼼하지 못하고 덤벙댐.</u>

가지고 다니는 성격이 아닌 데다 그날은

아예 가방조차 가지고 있지 않았다. 그

러던 중에 마침 노스님 한 분이 나오시기에 나는 아무 생각도 없이 이렇게 여쭈었다.

"스님, 빗 좀 빌릴 수 있을까요?" / 스님은 갑자기 당황한 얼굴로 나를 바라보셨다.
<u>글쓴이가 저지른 실수 - 머리를 깎았기 때문에 빗이 필요 없는 스님에게 빗을 빌려 달라고 함.</u>

나 나는 그 빗으로 머리를 빗으면서 자꾸만 웃음이 나오는 걸 참을 수가 없었다.

절에서 빗을 찾은 나의 엉뚱함도 우물가에서 숭늉 찾는 격이려니와, 빗이라는 말
<u>일의 절차를 무시하고 성급하게 행동함을 이르는 속담.</u>

한마디에 그토록 당황하고 어리둥절하던 노스님의 표정이 자꾸 생각나서였다.

그러나 그 순간 나는 보았다. 시간을 거슬러 올라가 검은 머리칼이 있던, 빗을 썼

던 그 까마득한 시절을 더듬고 있는 그분의 눈빛을. 이십 년 또는 삼십 년, 마치 물

길을 거슬러 올라가는 연어 떼처럼 참으로 오랜 시간이 그 눈빛 위로 스쳐 지나가
<u>스님이 속세에서의 시간을 추억하는 모습을 비유적으로 나타냄.</u>

는 듯했다. 그 순식간에 이루어진 회상의 끄트머리에는 <u>그리움인지 무상함인지</u>

모를 묘한 미소가 반짝하고 빛났다. (중략)
<u>글쓴이의 실수가 불러온 긍정적 효과</u>

이처럼 악의가 섞이지 않은 실수는 봐줄 만한 구석이 있다.

– 나희덕, 〈실수〉 천재(노)

☑ 글쓴이가 겪은 경험은?

스님에게 ❶ □□ 을 빌려 달라고 하
는 실수를 저지름.
→ 스님은 머리카락이 없어서 빗을 쓰지
않기 때문에 스님이 당황함.

☑ 글쓴이가 겪은 경험을 통해 깨달은 바
는?

자신의 실수가 스님에게 잊고 있던 때를
회상하게 하였으므로 실수에는 긍정적
효과가 있다고 봄.

☑ 이 수필을 통한 심미적 체험은?

글쓴이가 스님에게 실수한 ❷ □□ 을
통해 실수의 의미에 대한 깨달음을 얻을
수 있음.

필수 예제 4

글쓴이가 깨달은 바로 적절한 것은?

① 실수에도 긍정적인 면이 있다.

② 실수는 창의적인 발상의 바탕이 된다.

③ 실수를 반복하지 않도록 조심해야 한다.

④ 실수는 객관적인 자아 성찰을 방해한다.

⑤ 실수는 웃음을 자아내므로 일부러 해야 한다.

정답 해설 | 글쓴이는 스님에게 실수한 경험을 바탕으로 악의 없는 실수에
는 긍정적 효과가 있다는 깨달음을 드러내고 있다.   답 | ①

오답 풀이 | ② 창의적 발상에 대한 내용은 확인할 수 없다.

③, ④ 글쓴이는 실수의 긍정적 효과를 깨닫고 있으므로, 실수를 반복해서
는 안 되는 대상이나 자아 성찰을 방해하는 부정적 경험이라고 깨닫는 것
과는 거리가 멀다.

⑤ 실수가 웃음을 자아낸 경험을 말하고 있지만, 일부러 실수를 해야 한다
고 말하고 있지 않다.

확인 문제 4

이 글을 읽은 뒤 반응으로 적절하지 않은 것은?

① 글쓴이가 스님에게 빗을 빌리려는 장면이 재밌어서 기
억에 남았어.

② 실수가 예상 밖의 긍정적인 결과를 불러올 수 있다는 점
을 알게 되었어.

③ '우물가에서 숭늉 찾는 격'이라는 속담을 인용해서 '나'의
태도가 더 실감 나게 느껴졌어.

④ 스님의 눈빛을 '물길을 거슬러 올라가는 연어 떼'에 빗대
어 표현한 것이 아름답게 느껴졌어.

⑤ 평소에 실수를 자주 하는 편이어서 스스로에게 실망하
지 않도록 실수를 절대 하지 말아야겠다고 다짐했어.

[1~2] 다음 시를 읽고 물음에 답하시오.

보도블록 틈에 핀 씀바귀꽃 한 포기가 나를 멈추게 한다

어쩌다 서울 하늘을 선회하는 제비 한두 마리가 나를 멈추게 한다
돌레롤 빙글빙글 도는.

육교 아래 봄볕에 탄 까만 얼굴로 도라지를 다듬는 할머니의 옆모습이 나를 멈추게 한다

굽은 허리로 실업자 아들을 배웅하다 돌아서는 어머니의 뒷모습은 나를 멈추게 한다

나는 언제나 나를 멈추게 한 힘으로 다시 걷는다

– 반칠환, 〈나를 멈추게 하는 것들–속도에 대한 명상13〉 [지학사]

◇ **시의 화자**
'나'

◇ **시의 대상**
씀바귀꽃, 제비 한두 마리, 육교 아래에서 도라지를 다듬는 할머니, 실업자 아들을 배웅하는 어머니

◇ **화자의 상황**
어느 봄날 길을 걷다가 사소하고 일상적이지만 가치 있는 대상들을 발견하고 길을 멈춤.

1 이 시의 표현에 대한 설명으로 적절하지 **않은** 것은?

① 시각적 심상을 통해 대상을 생생하게 드러내고 있다.

② 대상에서 얻은 깨달음을 차분한 말투로 드러내고 있다.

③ '나를 멈추게 한다'를 반복하여 리듬감이 느껴지고 있다.

④ '나'를 멈추게 한 대상을 열거하여 성찰적 태도를 보여 주고 있다.

⑤ 일상에서 보기 어려운 소재를 통해 환상적 분위기를 만들고 있다.

문제 해결 전략

문학 작품의 내용뿐만 아니라 **❶** [　] 에서도 아름다움을 느낄 수 있음을 알고 **❷** [　], 운율, 어조(말투) 등을 통해 표현의 특징을 파악해 본다.

❶ 표현 **❷** 심상(이미지)

2 이 시를 읽고 깨달은 바로 적절한 것은?

① 가까운 이들부터 살피며 그들을 배려해야겠어.

② 일상의 사소한 대상이 지닌 가치를 다시 돌아봐야겠어.

③ 평범한 대상도 큰일을 할 수 있으니 꿈을 크게 가져야겠어.

④ 어려움에 처한 사람을 보면 지나치지 말고 도와주어야겠어.

⑤ 반복되는 단조로운 삶을 살지 않도록 계획적으로 살아야겠어.

문제 해결 전략

화자를 멈추게 한 대상들의 **❶** [　] 을 정리해 보고, 마지막 연에서 화자가 걸음을 멈춘 까닭을 바탕으로 화자의 **❷** [　] 을 파악해 본다.

❶ 공통점 **❷** 깨달음

[3~4] 다음 글을 읽고 물음에 답하시오.

연이 하늘에 떠올라 있는 동안은 어머니도 마음이 차라리 편했다.

들에서나 산에서나 어머니는 이따금 자신도 모르게 그 연을 찾아 일손을 멈추곤 했다. (중략)

"우리 집 처지에 상급 학교가 당하기나 한 소리냐. 이름자나마 쓰고 읽게 된 걸 다행으로 알거라." / 어미 곁에서 함께 땅이나 파고 살자던 소리가 아들놈의 어린 가슴에 못을 박은 모양이었다.

사리에 마땅하거나 가능하거나.

"상급 학교 못 가면 연이나 실컷 띄우고 놀 거야. 상급 학교 안 보내 준 대신 연실이나 많이 만들어 줘."

상급 학교 진학을 단념한 대신 아들놈은 그 철 늦은 연날리기 놀이를 시작했다. 연실 마련이 어려워서 제철에는 남의 집 애들 연 띄우는 거나 곁에서 늘 부러워해 오던 녀석이었다. / 어머니는 큰맘 먹고 연실을 마련해 냈고, 아들놈은 그때부터 하고한 날 연에만 붙어 지냈다. (중략)

많고 많은.

어머니는 언제 어디서나 그 아들의 연을 볼 수 있었다. / 연을 보면 아들의 얼굴을 보는 것 같았고, 아들의 마음을 보는 것 같았다. / 연은 언제나 머나먼 하늘 여행을 꿈꾸고 있는 작은 새처럼 보였고, 그래서 언젠가는 실줄을 끊고 마을의 하늘을 떠나가 버릴 것처럼 어머니의 마음을 불안하게 했다. / 하지만 연이 그렇게 하늘에 떠올라 있는 동안엔 어머니도 아직은 마음을 놓을 수 있었다.

– 이청준, 〈연〉 천재(노)

○ **인물**
- 아들: 더 넓은 세계로 떠나고 싶은 욕망을 지님.
- 어머니: 늘 아들을 마음에 품고 있으며, 아들을 걱정함.

○ **배경**
봄, 어느 농촌 마을

○ **사건**
가난한 처지 때문에 상급 학교 진학을 포기한 아들이 연을 날리며 속상함을 달램.

3 이 글에 대한 감상으로 적절하지 <u>않은</u> 것은?

① 늘 아들 생각뿐인 어머니의 사랑이 애틋하게 느껴졌어.

② 하늘의 연을 보는 어머니의 심리를 구체적으로 느낄 수 있었어.

③ 연을 날리는 아들을 걱정하는 어머니의 마음이 잔잔하게 전해졌어.

④ 어머니의 말에 수긍하는 아들의 모습에서 아들의 효심이 느껴졌어.

⑤ 가정 형편이 어려워 상급 학교에 가지 못한 아들의 상황이 안타까웠어.

문제 해결 전략

소설에 등장하는 인물들이 겪는 상황, 즉 ❶ □□ 에서 느껴지는 아름다움, 배경 묘사나 비유, 상징 등의 ❷ □□ 에서 느껴지는 아름다움에 주목하여 작품을 감상해 본다.

❶ 내용 ❷ 표현

4 이 글의 '연'에 대한 설명으로 적절하지 <u>않은</u> 것은?

① 더 넓은 세계로 떠나고 싶은 아들의 욕망을 상징한다.

② 하늘에 떠 있을 때는 어머니가 안도감을 느끼게 한다.

③ 자유와 미지의 세계에 대한 아들의 동경과 희망을 상징한다.

④ 가난 때문에 상급 학교에 진학하지 못한 아들에게 위안이 된다.

⑤ 언젠가 실줄을 끊고 날아가 버릴 듯해 어머니에게 희망을 준다.

문제 해결 전략

소설의 중심 소재인 '❶ □'을 날리는 아들의 심리를 짐작해 봄으로써 소재의 상징성을 파악하고, 연을 바라보는 어머니의 ❷ □□ 를 파악해 본다.

❶ 연 ❷ 심리

전략 1 사회·문화적 배경을 중심으로 시 감상하기

[가을 햇볕에 공기에
[ ]: 가을 들판의 풍요로움
익는 벼에

눈부신 것 천지인데,]
가을 햇볕, 공기, 익는 벼
그런데,
시의 분위기가 바뀜.
[아, 들판이 적막하다—
[ ]: 가을 들판의 적막함.
메뚜기가 없다!]
들판이 적막한 이유

오 이 불길한 고요—
화자는 적막한 들판에서 불길함을 느낌.
생명의 황금 고리가 끊어졌느니……
먹이 사슬, 생명체들 사이의 유기적인 연결, 생태계의 조화

– 정현종, 〈들판이 적막하다〉 [천재(박)]

☑ 들판이 적막한 까닭은?
❶ [   ] 가 없기 때문에
→ 사람들이 벼 수확량을 늘리기 위해 농약을 사용한 결과임.

☑ '생명의 황금 고리가 끊어졌느니……'의 의미는?
메뚜기가 없어진 것은 메뚜기를 먹이로 하는 다른 생물에도 영향을 미쳐 생태계를 무너지게 할 것임.
↓
생태계의 조화가 파괴됨.

☑ 이 시가 창작된 사회·문화적 배경은?
사람들이 수확량을 늘리려고 사용한 농약 때문에 ❷ [   ] 가 파괴된 상황

❶ 메뚜기 ❷ 생태계

필수 예제 1

이 시가 창작된 사회·문화적 배경으로 적절한 것은?

① 농민들이 농촌을 떠나 도시로 감.
② 농사가 잘되어서 사람들의 삶이 넉넉해짐.
③ 외래 동물의 영향으로 토종 동물이 사라짐.
④ 사람들이 농약을 사용하여 생태계가 무너짐.
⑤ 농기구가 발달하여 농민들의 힘든 일을 덜어 줌.

정답 해설 | 이 시의 화자는 가을 들판의 풍요로움 속에서 적막함을 느끼고, 그 적막함이 메뚜기가 없기 때문임을 알게 되었다. 이는 사람들이 사용한 농약 때문에 생태계가 무너진 상황을 반영한다.   답 | ④
오답 풀이 | ① 농민들이 농촌을 떠난 상황은 나타나지 않는다.
②, ⑤ 가을 들판의 풍요로움이 나타날 뿐 농사일의 변화나 사람들의 삶이 넉넉해졌다는 내용은 나타나지 않는다.
③ 메뚜기가 사라진 것은 외래 동물 때문이 아니다.

확인 문제 1

독자가 이 시를 감상한 내용으로 적절하지 않은 것은?

① 급격한 산업화는 인간 소외 현상을 가져올 수 있다는 점을 깨달았어.
② 메뚜기가 없는 들판을 통해 생태계의 위기를 전달하려고 한 것 같아.
③ 생명체가 사라지며 먹이 사슬이 끊어지는 문제를 생각해 보게 되었어.
④ 인간도 생태계의 일원인 만큼 생명체가 사라지는 현상은 인간에게도 부정적인 영향을 미칠 거야.
⑤ 생명체의 생존이 위협받고 있는 원인과 이를 해결하기 위해 내가 할 수 있는 일들을 생각해 보았어.

전략 2 사회·문화적 배경을 중심으로 시조 감상하기

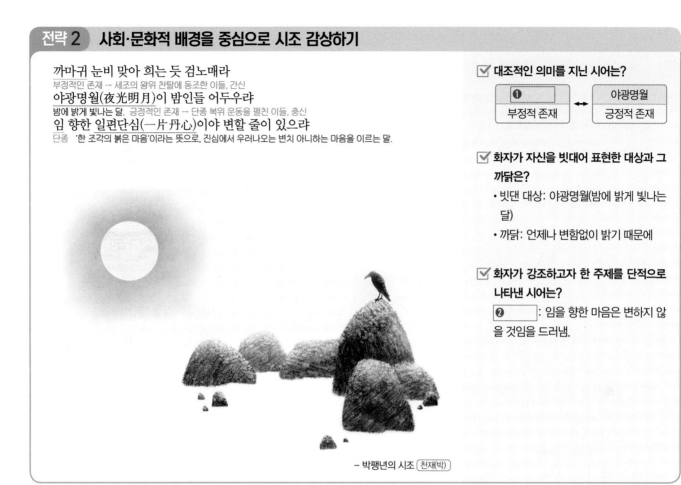

까마귀 눈비 맞아 희는 듯 검노매라
부정적인 존재 → 세조의 왕위 찬탈에 동조한 이들, 간신
야광명월(夜光明月)이 밤인들 어두우랴
밤에 밝게 빛나는 달. 긍정적인 존재 → 단종 복위 운동을 펼친 이들, 충신
임 향한 일편단심(一片丹心)이야 변할 줄이 있으랴
단종 '한 조각의 붉은 마음'이라는 뜻으로, 진심에서 우러나오는 변치 아니하는 마음을 이르는 말.

☑ 대조적인 의미를 지닌 시어는?

❶	↔	야광명월
부정적 존재		긍정적 존재

☑ 화자가 자신을 빗대어 표현한 대상과 그 까닭은?
• 빗댄 대상: 야광명월(밤에 밝게 빛나는 달)
• 까닭: 언제나 변함없이 밝기 때문에

☑ 화자가 강조하고자 한 주제를 단적으로 나타낸 시어는?
❷ ⬚ : 임을 향한 마음은 변하지 않을 것임을 드러냄.

– 박팽년의 시조 [천재(박)]

❶ 까마귀 ❷ 일편단심

필수 예제 2

이 시조를 이해한 내용으로 적절하지 <u>않은</u> 것은?

① 화자는 달을 긍정적으로 보고 있다.
② 화자는 까마귀를 부정적으로 보고 있다.
③ 화자는 달을 보고 자신을 반성하고 있다.
④ 달은 쉽게 변하지 않는 속성을 지니고 있다.
⑤ 화자는 까마귀의 검은 속성에 주목하고 있다.

정답 해설 | 야광명월은 화자를 빗댄 대상으로, 화자는 이를 통해 임을 향한 변함없는 마음을 강조하고 있다.   답 | ③
오답 풀이 | ① 달의 밝은 속성을 긍정적으로 인식하고 있다.
② 까마귀는 일시적으로 하얗게 보일 수 있지만 결국 검은 속성을 지닌 존재라는 부정적 인식을 드러내고 있다.
④ 달은 어두운 밤에도 항상 변함없이 밝게 빛나는 존재이다.
⑤ 까마귀가 검다는 것에 주목하여 까마귀에 대한 부정적 인식을 드러내고 있다.

확인 문제 2

| 보기 |를 참고하여 이 시조를 감상할 때 적절하지 <u>않은</u> 것은?

┌ 보기 ┐

　1455년 수양 대군은 어린 조카인 단종의 왕위를 빼앗고
왕이 된다. 이 사람이 곧 세조이다. 이때 세조의 왕위 찬탈
　　　　　　　　　　　　　　　　　　　억지로 빼앗음.
에 동조한 이들도 있었지만 그렇지 않은 사람들도 있었는
데, 박팽년은 후자에 속했던 인물이다. 그는 두 임금을 섬
　　　　조선 세종 때의 집현전 학자.
길 수 없다는 신념으로 성삼문 등과 함께 단종 복위 운동
을 펼치다가 실패하여 처형되었다.

① '까마귀'는 세조의 왕위 찬탈에 동조한 이들을 상징하겠군.
② '야광명월'은 단종 복위 운동을 펼친 사람들을 상징하겠군.
③ 박팽년은 이 시조를 통해 단종을 향한 '일편단심'을 전한 것이군.
④ 세조를 왕으로 인정할 수 없다는 작가의 생각을 드러내고 있군.
⑤ '까마귀'가 하얗게 보일 수 있다는 것은 단종 복위에 대한 기대를 의미하는군.

전략 3 사회·문화적 배경을 중심으로 소설 감상하기

"진수야!" / "예." / "니 우짜다가 그래 댔노?"

"전쟁하다가 이래 안 댔십니꺼, ㉠수류탄 쪼가리에 맞았심더."

사회·문화적 배경(6·25 전쟁 중)을 짐작할 수 있음.

"수류탄 쪼가리에?" / "예." / "음······."

"얼른 낫지 않고 막 썩어 들어가기 땜에 군의관이 짤라 버립띠더. 병원에서예."

"······." / "아부지!" / "와?" / "이래 가지고 우째 살까 싶습니더."

"우째 살긴 뭘 우째 살아. 목숨만 붙어 있으면 다 사능 기다. 그런 소리 하지 마라."

진수에게 용기를 주며 위로함. 굳건하고 긍정적인 만도의 성격이 드러남.

"······." / "나 봐라. 팔뚝이 하나 없어도 잘만 안 사나. 남 봄에 좀 덜 좋아서 그

만도는 일제 강점기 때 징용에 끌려가 팔 하나를 잃음.
렇지. 살기사 왜 못 살아." (중략) / 만도는 아랫배에 힘을 주며 끙! 하고 일어났

다. 아랫도리가 약간 후들거렸으나 걸어갈

만은 했다. ㉡외나무다리 위로 조심조심

만도와 진수에게 닥친 시련과 고난. 6·25 전쟁이라는 상황을 상징함.
발을 내디디며 만도는 속으로,

'이제 새파랗게 젊은 놈이 벌써 이게 무

슨 꼴이고. 세상을 잘못 타고나서 진수

진수의 불행을 안타까워하는 만도의 마음이 드러남.
니 신세도 참 똥이다, 똥.'

이런 소리를 주워섬겼고, 아버지의 등에 업힌 진수는 곧장 미안스러운 얼굴을

하며 / '나꺼정 이렇게 되다니, 아부지도 참 복도 더럽게 없지. 차라리 내가 죽어

아버지의 처지에 대한 안타까움과 아버지를 실망시킨 데 대한 미안함.
버렸더라면 나았을 낀데······.' / 하고 중얼거렸다.

– 하근찬, 〈수난이대〉 교학사, 금성, 지학사

❶ 전쟁 ❷ 외나무다리

☑ **진수가 한쪽 다리를 잃게 된 까닭은?**
6·25 ❶[ ] 중에 수류탄 파편에 맞
았기 때문에
→ 역사적 사건으로 개인이 수난을 당함.

☑ **만도가 진수를 업고 외나무다리를 건너는 장면에 나타난 만도의 심리는?**
한쪽 다리를 잃은 진수에게 느끼는 연민과 자기에게 닥친 시련을 이겨 내려는 의지

☑ **작가가 이 글을 창작한 의도는?**
만도와 진수가 힘을 합쳐 ❷[ ]를 건넜듯이, 위기의 상황에서 서로 힘을 합쳐 노력하면 상처, 시련, 고난을 극복할 수 있다는 희망과 용기를 주기 위해

필수 예제 3

이 글에서 전쟁이라는 시대 상황에 대응하는 만도와 진수의 태도에 대한 설명으로 적절하지 <u>않은</u> 것은?

① 진수는 앞으로의 삶을 걱정하고 있다.

② 만도는 진수의 불행을 안타까워하고 있다.

③ 만도는 진수가 처한 현실을 받아들이고 있다.

④ 진수는 상황의 원인을 상대방에게 돌리고 있다.

⑤ 만도는 진수와 서로 의지하며 시련을 극복하고자 한다.

정답 해설 | 진수는 6·25 전쟁에 참전했다가 수류탄에 맞았는데, 열악한 의료 상황 탓에 다리를 잃게 되었다. 그러나 진수는 자신의 다리를 자른 군의관이나, 만도를 원망하고 있지는 않다. 답 | ④

오답 풀이 | ① "이래 가지고 우째 살까 싶습니더."에서 알 수 있다.
② 외나무다리를 건너며 세상을 잘못 타고난 아들의 신세를 안타까워하고 있다.
③ 다리를 잃은 진수에게 목숨만 붙어 있으면 다 살 수 있다고 위로하고 있다.
⑤ 만도가 진수를 업고 외나무다리를 함께 건너는 장면에서 알 수 있다.

확인 문제 3

㉠과 ㉡에 대한 설명으로 가장 적절한 것은?

① ㉠은 사회·문화적 배경을 제시하고, ㉡은 계절적 배경을 제시한다.

② ㉠은 시련의 원인을 나타내고, ㉡은 시련의 극복 가능성을 나타낸다.

③ ㉠은 인물들이 원망하는 대상이고, ㉡은 인물들이 예찬하는 대상이다.

④ ㉠은 인물들이 갈등하는 원인이 되고, ㉡은 인물들이 교감하는 계기가 된다.

⑤ ㉠은 현실에 대한 인물의 절망적 태도를 상징하고, ㉡은 현실에 대한 인물의 비판적 태도를 상징한다.

전략 4 사회·문화적 배경을 중심으로 희곡 감상하기

안유식: (일단은 떠밀려 나와) 흐흠, 미안하오. (궁리를 하듯) 우리 어머니가, 병이

오래되셨는데, 뭐, 오늘을 넘기기가 힘들다고 한단 말이지요. 그래서 하는 말인
<small>재산 이야기를 빼고 사정을 이야기하려 함.</small>

데……. (또 궁리) 으흠, (포기하고) 아는 사람은 알겠지만, 우리 어머님이 재산
<small>재산 이야기까지 솔직하게 이야기하려 함.</small>

이 꽤 됩니다. 아버님 집안이 재산가이신 데다가 우리 집이 부동산이 워낙 많았

고, 아버님 돌아가시고 난 다음에 이 노인네가 재산을 관리하면서 어디다 잘 둔

다고 하긴 한 모양인데, 건강하실 때 다 두루 분배두 하구 알려두 주고 해야 할

일을, 말 한마디 못하고 덜커덕 풍을 맞아 갖구, 저렇게 식물인간으루다가 누워
<small>할머니의 상황</small>

지내다가 오늘 돌아가신다 하니까,[무슨 정신이 나는지 '세탁', '세탁' 이렇게 두
<small>[ ]: 할머니의 가족들이 세탁소를 습격한 이유</small>

마디 간신히 하고 입을 달싹 못 하시니 노인네는 인전 가신다고 봐야겠고 재산
<small>'인제'의 방언.</small>

은 보전해야 되는 게 장남의…….]

안경우, 안미숙: (자신들의 존재를 알리는 헛기침) 험!
<small>재산에 대한 권리가 자신들에게도 있음을 알림.</small>

허영분: (비아냥) 흥! / **안유식:** (안 패거리 눈치 보고) 또

자식들 된 도리가 아닌가 하는 말이지요. 나는 똥 싼

바지에다 숨기셨나 했는데 그건 아닌 거 같고, 뭔가

이 세탁소에다 뭘 하시긴 한 것 같은데, 통 모르겠단 말이지……. (중략)

안유식: (받는다.) 여보세요. 아, 김 박사님. 예? 임종이요? 아니 찾지도 못했는
<small>부모가 돌아가실 때 그 곁에 지키고 있음.</small>

데……. 아, 예, 그런 게 있어요. 아, 가야지요. (소리 지른다.) 지금 간다니까!
<small>어머니의 임종 소식을 듣고 슬퍼하기는커녕 돈을 찾지 못한 것을 아쉬워함.</small>

– 김정숙, 〈오아시스 세탁소 습격 사건〉 [비상]

인물들이 세탁소를 습격한 까닭은?

안유식, 허영분(할 머니의 첫째 아들 과 며느리)	안경우, 안미숙(할 머니의 둘째 아들 과 막내딸)

↓

세탁소에서 할머니의 **①** 과 관련 된 단서를 찾아 돈을 차지하려고

인물들의 가치관은?

② 의 도리보다는 물질(돈)을 가 장 우선시함.

이 글이 1990년대 세태를 반영한다고 할 때 당시의 사회·문화적 상황은?
물질만을 중요시하고 인간성을 상실해 감.

① 재산 **②** 인간(자식)

필수 예제 4

이 글의 등장인물들에 대한 설명으로 가장 적절한 것은?

① 안경우는 형제들 사이의 갈등을 중재하고 있다.

② 허영분은 어머니를 모시고 살고자 하는 의지가 있다.

③ 안유식은 어머니의 임종 소식을 듣고 절망하고 있다.

④ 안유식은 어머니의 재산을 찾지 못해 아쉬워하고 있다.

⑤ 안씨 가족은 자식으로서 도리를 다하고자 노력하고 있다.

<small>정답 해설 | 안유식은 어머니의 임종 소식을 전해 듣고도 관심을 보이거나 슬퍼하는 대신 재산을 찾지 못한 것을 아쉬워하고 있다.   답 | ④
오답 풀이 | ① 안경우는 안유식이 재산 이야기를 하며 장남임을 강조하자 이를 경계하려 헛기침을 했을 뿐 갈등을 중재하고 있지는 않다.
② 허영분은 안유식의 말에 헛기침을 하는 안경우, 안미숙의 태도에 비아냥 거리는 모습을 보이며, 어머니의 재산에만 관심을 가질 뿐 어머니를 모시려 는 의지를 보이고 있지는 않다.
③ 안유식은 어머니의 임종 소식을 듣고도 슬퍼하지 않았다.
⑤ 안씨 가족은 자식의 도리를 말하지만, 실상은 돈을 중시하고 있다.</small>

확인 문제 4

이 글이 창작된 1990년대의 세태를 드러낸 신문 기사로 보아, 작가가 이 글을 쓴 의도로 적절한 것은?

동아일보	1991년 12월 27일

일반 지폐보다 다섯 배 정도 큰 이 복돈은, 어른은 물론 청소년에게도 날개 돋친 듯 팔리고 있다. 이러한 복돈 열 풍에 대해 한 시민은 "아무리 돈이 좋다는 세상이지만, 집 안에 돈을 걸어 놓고 섬기며 사는 세태가 왠지 서글프고 무섭다는 생각이 듭니다."라고 말했다.

① 형제간의 우애를 중시하자고 말하기 위해

② 전통적 가치관이 필요함을 주장하기 위해

③ 타인을 배려하는 마음을 갖자고 말하기 위해

④ 물질만을 중요하게 여기는 태도를 비판하기 위해

⑤ 물건을 소중히 여기는 태도의 중요성을 일깨우기 위해

[1~2] 다음 시조를 읽고 물음에 답하시오.

천만리 머나먼 길에 고운 임 여의옵고
　　　　　　　　　　　　　　이별하옵고.
내 마음 둘 데 없어 냇가에 앉았으니

저 물도 내 안 같아서 울어 밤길 예놋다
　　　　내 마음.　　　　　　　　가는구나.

　　　　　　　　　　　　　　　– 왕방연의 시조 [지학사]

○ **시조의 화자**
'나'

○ **시조의 대상**
고운 임

○ **화자의 상황**
'나'가 '고운 임'과 이별하고 돌아오는 길에 냇가에 앉아 슬퍼하고 있음.

개념➕ **왕방연**
조선 전기의 문신. 강원도 영월에 유배된 단종에게 사약을 내리는 일을 수행하였던 금부도사이다. 그때의 심정을 읊은 시조가 〈천만리 머나먼 길에〉이다.

1 |보기|를 참고하여 이 시조를 이해한 내용으로 적절하지 <u>않은</u> 것은?

> ── 보기 ├─
>
> 　조선 초기, 임금인 문종이 죽은 후, 그 아들인 단종이 어린 나이로 왕위에 오른다. 이후 단종의 숙부로, 왕위 계승권이 없던 수양 대군은 힘으로 단종을 몰아내고 왕위에 오른다. 왕이 된 수양 대군(세조)은 단종을 복위시키려는 움직임이 일자 단종을 영월로 유배 보내는데, 이때 단종을 유배
> 　　　　　　　　　강원도 영월군에 있는 읍. (옛날에) 죄인에게 형벌을 주어 먼 시골이나 섬으로 보냄.
> 지로 호송하는 임무를 맡았던 왕방연은 안타까운 마음으로 이 시조를 썼다.

① '천만리'는 임과 이별한 후의 심리적 거리감을 과장하여 나타냈군.
② '고운 임'은 영월로 유배된 어린 단종을 가리키는군.
③ '여의옵고'는 단종과 이별하고 돌아오는 상황을 의미하겠군.
④ '내 마음 둘 데 없어'는 호송 임무를 거부하는 태도를 드러내는군.
⑤ '냇가'는 화자가 시냇물을 바라보며 슬픔을 드러내는 공간이군.

문제 해결 전략
시조의 ❶ [　　] 배경을 고려하여 '고운 임'이 누구인지 짐작해 보고 시조에 드러난 화자의 ❷ [　　]를 파악해 본다.

❶ 창작 ❷ 정서

2 다음 설명에 해당하는 시어를 찾아 쓰시오.

> 이 시조의 화자는 자연물에 빗대어 임과 이별한 슬픔을 표현하였다.

문제 해결 전략
시조에 드러난 화자의 주된 ❶ [　　]를 파악하고, 이러한 정서를 드러내기 위해 사용한 ❷ [　　]와 표현 방법을 파악해 본다.

❶ 정서 ❷ 소재(시어)

[3~4] 다음 글을 읽고 물음에 답하시오.

'국어(國語) 상용(常用)의 가(家)'
　　　　　　　일상적으로 씀.

해방되던 날 떼어서 집어넣어 둔 것을 그동안 깜박 잊고 있었다.

그는 액자 틀 뒤를 열어 음식점 면허장 같은 두터운 ㉠모조지를 빼내어 글자 한 자도 제대로 남지 않게 손끝에 힘을 주어 꼼꼼히 찢었다.

이 종잇장 하나만 해도 일본인과의 교제에 있어서 얼마나 떳떳한 구실을 할 수 있었던 것인가. 야릇한 미련 같은 것이 섬광처럼 머릿속을 스쳐갔다.
　　　　　　　　　　　　　순간적으로 강렬히 번쩍이는 빛.

환자도 일본 말 모르는 축은 거의 오는 일이 없었지만 대외 관계는 물론 집 안에서도 일체 일본 말만을 써 왔다. 해방 뒤 부득이 써 오는 제 나라 말이 오히려 의사 표현에 어색함을 느낄 만큼 그에게는 거리가 먼 것이었다.

마누라의 솔선수범하는 내조지공도 컸지만 애들까지도 곧잘 지켜 주었기에 이
　　　　　안에서 돕는 공이란 뜻으로, 아내가 집안일을 잘 다스려 남편을 돕는 일.
종잇장을 탄 것이 아니던가. 그것을 탄 날은 온 집안이 무슨 경사나 난 것처럼 기뻐들 했었다. / "잠꼬대까지 국어로 할 정도가 아니면 이 영예로운 기회야 얻을 수 있겠소." 하던 국민 총력 연맹 지부장의 웃음 띤 치하 소리가 떠올랐다.
　　1940년에 조선 총독부 차원에서 조직된 친일 단체.　　남이 한 일에 대하여 고마움이나 칭찬의 뜻을 표시함.
그 순간, 자기 자신은 아이들을 소학교부터 일본 학교에 보낸 것을 얼마나 다행으로 여겼던 것인가. / 그는 후 한숨을 내뿜었다. 그리고는 저금통장의 잔액을 깡그리 내주던 은행 지점장의 호의에 새삼 고마움을 느끼는 것이었다.

그것마저 없었더라면…… 등골에 오싹하는 한기가 느껴 왔다.

　　　　　　　　　　　　　　　　　　　　　　　– 전광용, 〈꺼삐딴 리〉 [천재(박)], [창비]

◆ 인물
'그'(이인국): 일제 강점기에 제국 대학을 졸업한 외과 의사로 현재는 종합 병원의 원장. 상황에 따라 일본, 소련, 미국을 따르며 부와 권력을 좇아 살아감.

◆ 배경
일제 강점기가 끝나고 광복을 맞이함.

◆ 사건
광복을 맞이한 후 친일파, 민족 반역자에게 죄를 묻는 상황에 두려움을 느낀 이인국이 자신의 친일 행적을 없애고 있음.

3 |보기|로 보아 '그'(이인국)가 ㉠과 같이 행동한 까닭으로 적절한 것은?

　　┌─ 보기 ─────────────────────────────┐
　　일제 강점기에 '국어'는 일본어를 가리키므로, '국어 상용의 가'라는 말은 '일본어를 늘 사용하는 집'이라는 뜻이다.
　　└──────────────────────────────────┘

① 해방이 되자 일제에 동조한 사실을 숨기기 위해
② 해방이 되어 일제에 동조한 사실을 반성하기 위해
③ 해방이 되어 일본어를 배우는 것이 어렵기 때문에
④ 해방이 되자 일제의 정책이 잘못되었다는 것을 깨달았기 때문에
⑤ 해방이 되어 지배층이 바뀌자 자신이 한 일을 그들에게 알리기 위해

4 이 글에서 작가가 비판하고 있는 '그'(이인국)의 삶의 태도로 적절한 것은?

① 모든 일에 무관심한 태도　　② 현실의 문제를 피하려는 태도
③ 가족보다 출세를 중시하는 태도　　④ 겉모습만으로 사람을 판단하는 태도
⑤ 이익만을 중시하는 기회주의적 태도

문제 해결 전략
인물이 처한 **❶** 의 변화에 따라 행동이 어떻게 바뀌었는지를 살펴본다. 또한 인물의 **❷** 을 통해 인물이 그러한 행동을 한 까닭을 파악해 본다.

❶ 상황 ❷ 생각

문제 해결 전략
인물의 **❶** 과 생각을 통해 인물이 어떤 태도로 살아왔는지를 파악하고, 이 글의 **❷** 를 생각해 본다.

❶ 행동 ❷ 주제

대표 작품 & 예제 1~2

어린 매화나무는 꽃 피느라 한창이고

사백 년 고목은 꽃 지느라 한창인데

구경꾼들 고목에 더 몰려섰다

둥치도 가지도 꺾이고 구부러지고 휘어졌다
_{큰 나무의 밑동.}
갈라지고 뒤틀리고 터지고 또 튀어나왔다

진물은 얼마나 오래 고여 흐르다가 말라붙었는지

주먹만큼 굵다란 혹이며 패인 구멍들이 험상궂다

거무죽죽한 혹도 구멍도 모양 굵기 깊이 빛깔이 다 다르다

새 진물이 번지는가 개미들 바삐 오르내려도

의연하고 의젓하다

사군자 중 으뜸답다
_{동양화의 주된 소재가 되는 매화·난·국화·대나무}
꽃구경이 아니라 상처 구경이다

상처 깊은 이들에게는 훈장(勳章)으로 보이는가
_{잡귀를 쫓고 재앙을 물리치려고 붉은색으로 글씨를 쓰거나 그림을 그려 지니는 종이.}
상처 도지는 이들에게는 부적(符籍)으로 보이는가
_{나아지거나 나았던 병이 도로 심해지는.}
백 년 못 된 사람이 매화 사백 년의 상처를 헤아리랴마는

감탄하고 쓸어 보고 어루만지기도 한다

만졌던 손에서 향기까지 맡아 본다

진동하겠지 상처의 향기

상처야말로 더 꽃인 것을.

– 유안진, 〈상처가 더 꽃이다〉 미래엔

1 이 시로 보아 시인이 겪은 다음과 같은 경험을 시로 표현한 방법으로 적절하지 <u>않은</u> 것은?

구경꾼들이 고목의 상처를 보며 감탄하는 한편, 상처를 쓸거나 어루만지고 향기도 맡는 모습을 바라봄.

① 어린 매화나무와 고목을 대조하였다.
② '–고'를 반복하여 운율을 형성하였다.
③ 고목의 모습을 시각적으로 생생히 드러내었다.
④ 어순을 뒤바꾸어 향기의 강렬함을 강조하였다.
⑤ 전할 내용과 반대로 표현하여 주제를 강조하였다.

유형 해결 전략

시에 쓰인 표현 방법을 파악하는 문제이다. **❶** 들의 행동을 중심으로 내용을 정리하고, **❷** , 표현, 심상 등을 바탕으로 표현 방법을 파악해 본다.

❶ 구경꾼 ❷ 운율

2 이 시를 감상한 내용으로 적절하지 <u>않은</u> 것은?

① 상처에서 향기가 난다는 말이 참신하게 느껴졌어.
② 상처가 많지만 의연한 고목의 모습이 감동적이야.
③ 꽃보다 상처가 더 아름답다는 인식이 새로웠어.
④ 구경꾼들이 꽃보다 상처에 더 주목하는 모습이 인상적이었어.
⑤ 참된 아름다움은 겉으로 보기에도 아름다워야 한다는 것을 깨달았어.

유형 해결 전략

시의 내용과 표현에 담긴 아름다움을 바탕으로 감상을 묻는 문제이다. 시인이 느낀 **❶** 이 시의 주제와 관련이 있는지 살펴보고, 이 시를 통해 얻을 수 있는 감동, 교훈, **❷** , 성찰 등을 생각해 본다.

❶ 아름다움 ❷ 깨달음

대표 작품 & 예제 3~4

가 우리는 아무 말 없이 그렇게 나란히 앉아 있었어요. 만약 여러분이 한번이라도 한데서 밤을 새워 보았다면 알 겁니다. 우리가 잠든 시간에 고독과 침묵 속에서 신비로운 세상이 깨어난다는 것을 말이죠. 그럴 때 샘물은 낮보다 한결 또랑또랑한 소리로 노래하듯 흐르고, 연못은 작은 불꽃들을 밝히지요. 산의 모든 정령들이 자유로이 왔다 갔다 하고요. 허공 중에는 뭔가 삭삭 스치는 듯한 소리, 알아들을 수 없는 소리들이, 마치 나뭇가지가 자라나고 풀들이 쑥쑥 커 오르는 소리처럼 들려온다니까요.

집채의 바깥.

나 "어쩜 별이 많기도 하지! 아, 아름다워라! 이렇게 많은 별들을 본 적이 없어……. 양치기는 저 별들 이름을 알아?"
"알다마다요, 아가씨……. 자 보세요! 우리 머리 바로 위에 있는 저게 '성 자크의 길(은하수)'이에요. 프랑스에서 곧장 에스파냐까지 가지요. 갈리시아의 성 자크가 사라센 사람들과 전쟁을 할 때 용감한 샤를마뉴 왕에게 길을 알려 주느라 저걸 표시로 삼은 거랍니다. 좀 더 멀리 보시면, '영혼들의 수레(큰곰자리)'가 있어요. 수레의 굴대 네 개가 반짝반짝 빛나고 있죠. 그 앞에 보이는 별 세 개는 '세 마리 짐승'이고요."

에스파냐 북서부에 있는 지방.

다 별들의 결혼이라는 게 무엇인지 설명하려는데, 뭔가 상큼하면서도 여릿한 것이 내 어깨에 살포시 기대는 느낌이 들었지요. 잠결에 무거워진 아가씨의 머리가, 예쁜 리본과 레이스와 굽슬굽슬한 머리칼이 부딪혀 사각대는 소리를 내며 기대어 온 것이었어요. 아가씨는 이렇게, 희부옇게 밝아 오는 새벽빛으로 하늘의 별빛이 바래어 마침내 안 보이게 될 때까지 꼼짝 않고 그대로 있었어요. 나는 아가씨가 자는 모습을 지켜보았지요.

– 알퐁스 도데, 〈별〉 지학사

---

3 (가)를 읽은 독자의 반응으로 적절하지 <u>않은</u> 것은?
① 공간적 배경의 구체적 지명을 통해 현장감을 느꼈어.
② 다른 사물에 빗댄 다양한 밤의 소리를 구체적으로 느꼈어.
③ '샘물', '연못'과 같이 사람처럼 표현한 자연물에서 친근감을 느꼈어.
④ '삭삭', '쑥쑥' 같은 흉내 내는 말에서 밤 풍경을 생동감 있게 느꼈어.
⑤ 시각적 심상이 쓰인 부분을 통해 밤의 모습을 눈으로 직접 보는 듯이 느꼈어.

유형 해결 전략

소설의 표현에서 아름다움이 드러난 부분을 파악하는 문제이다. 심미적 체험의 의미를 되새겨 보고, **❶** 의 풍경을 표현한 부분에 드러난 **❷** 을 찾아본다.

❶ 밤 ❷ 아름다움

4 (나), (다)를 감상한 내용으로 적절하지 <u>않은</u> 것은?

① '나'가 어깨에 기대어 잠든 아가씨를 지켜보는 모습에서 순수한 사랑이 느껴져.

② 별에 관한 정보를 전달하려는 목적에 맞게 별자리에 대해 쉽게 알 수 있어서 좋았어.

③ '나'의 별 이야기가 낭만적인 분위기를 만들어 주어서 아름답게 느껴졌어.

④ '나'와 아가씨의 이야기를 통해 순수함과 정신적 사랑의 아름다움이라는 가치를 생각했어.

⑤ '나'가 아가씨에게 별 이야기를 해 주는 부분에서 별을 통해 사랑을 표현한 노래가 떠올랐어.

유형 해결 전략

소설의 내용에 담긴 아름다움을 파악하는 문제이다. 소설의 **❶**, 사용한 표현 방법과 효과, '나'의 행동에서 알 수 있는 '나'의 **❷** 등을 파악해 본다.

❶ 주제 ❷ 성격

대표 작품 & 예제 5~6

가난하다고 해서 외로움을 모르겠는가

너와 헤어져 돌아오는

눈 쌓인 골목길에 새파랗게 달빛이 쏟아지는데.

가난하다고 해서 두려움이 없겠는가

두 점을 치는 소리

방범대원의 호각 소리 메밀묵 사려 소리에

눈을 뜨면 멀리 **육중한 기계 굴러가는 소리.**

가난하다고 해서 그리움을 버렸겠는가

어머님 보고 싶소 수없이 뇌어 보지만

집 뒤 감나무에 까치밥으로 하나 남았을

새빨간 감 **바람 소리**도 그려 보지만.

가난하다고 해서 사랑을 모르겠는가

내 볼에 와 닿던 네 입술의 뜨거움

사랑한다고 사랑한다고 속삭이던 네 숨결

돌아서는 내 등 뒤에 터지던 네 울음.

가난하다고 해서 왜 모르겠는가

가난하기 때문에 이것들을

이 모든 것들을 버려야 한다는 것을.

– 신경림, 〈가난한 사랑 노래 – 이웃의 한 젊은이를 위하여〉 천재(노), 금성

5 이 시의 사회·문화적 배경을 드러내는 부분이 <u>아닌</u> 것은?

① 두 점을 치는 소리

② 방범대원의 호각 소리

③ 메밀묵 사려 소리

④ 육중한 기계 굴러가는 소리

⑤ 바람 소리

유형 해결 전략

사회·문화적 배경이 드러나는 시구를 파악하는 문제이다. 오늘날과 다른 ❶ [　　　]의 삶을 바탕으로 시에서 ❷ [　　　] 상황이 드러나는 부분을 찾아본다.

❶ 과거 ❷ 시대

6 다음 기사를 참고하여 이 시를 이해한 내용으로 적절하지 <u>않은</u> 것은?

> 한국일보 　　　　　　　　　　2014년 11월 7일
>
> 1960년대 후반 봉제 공장 800여 개가 밀집해 있던 평화 시장에는 2만여 명의 노동자가 일하고 있었는데 대부분 농촌 출신이었다. 학교를 다니며 미래를 꿈꿔야 할 10대 중반의 나이에, 환기 장치 하나 없고 햇빛조차 들지 않는 비위생적인 환경에서 하루에 14시간 이상 허리도 펴지 못하고 일했다.

① 제목의 '이웃의 한 젊은이'는 도시 노동자겠군.

② '나'는 힘들게 일한 끝에 가난에서 벗어났겠군.

③ '나'는 가난한 처지 때문에 사랑도 포기하려 했군.

④ '나'는 공장에서 일하기 위해 고향을 떠나왔겠군.

⑤ '나'는 열악한 환경에서 일하며 고향의 바람 소리를 그리워했겠군.

유형 해결 전략

시의 사회·문화적 배경을 바탕으로 창작 의도를 파악하는 문제이다. 기사에 제시된 힘들게 일해도 ❶ [　　　]을 벗어날 수 없었던 당시 ❷ [　　　] 노동자의 상황을 바탕으로 시의 내용을 이해해 본다.

❶ 가난 ❷ 도시

가 먼저, 쫓기는 사람들의 무리가 드문드문 마을에 나타나기 시작했다. 그리고 곧이어 포성이 울렸다. 돌산을 뚫느라고 멀리서 터뜨리는 남포의 소리처럼 은은한 포성이 울릴

<u>대포를 쏠 때 나는 소리.</u>
<u>도화선 장치를 하여 폭발시킬 수 있게 만든 다이너마이트.</u>

때마다 집 안의 기둥이나 서까래가 울고 흙벽이 떨었다. 포성과 포성의 사이사이를 뚫고 피란민의 행렬이 줄지어 밀어

<u>난리를 피하여 가는 백성.</u>

닥쳤고, 마을에서 잠시 머물며 노독(路毒)을 푸는 동안에 그

<u>먼 길에 지치고 시달려서 생긴 피로나 병.</u>

들은 옷가지나 금붙이 따위 물건을 식량하고 바꾸었다. 바꿀 만한 물건이 없는 사람들은 동냥을 하거나 훔치기도 했다.

나 "얘." / 생판 모르는 녀석이 간드러진 소리로 나를 부르고 있었다. 주제꼴은 꾀죄죄해도 곱살스러운 얼굴에 꼭 계집애처럼 생긴 녀석이었다. 우선 생김새에서 풍기는, 어딘지 모르게 도시 아이다운 냄새가 나를 당황하도록 만들었다.

다 "아아니, 너, 고거 금가락지 아니냐!" (중략)

옷고름의 실밥을 뜯어 그 속에 얼른 금반지를 넣고 웅숭

<u>사물이 되바라지지 않고 깊숙한.</u>

깊은 저 밑바닥까지 확실히 닿도록 두어 번 흔들고 나서 어머니는 서울 아이한테 물었다. 놀랍게도 어머니의 목소리는 서울 아이의 그것보다 훨씬 더 간드러지게 들렸다.

"땅바닥에서 주웠어요. 숙부네가 떠난 담에 그 자리에 가 봤더니 글쎄 요게 떨어져 있잖아요."

라 어느 날, 명선이는 부모가 죽던 순간을 나에게 이야기했다. 피란길에서 공습을 만나 가까운 곳에 폭탄이 떨어졌

<u>비행기에서 총이나 폭탄을 쏴 적을 공격하는 일.</u>

는데, 한참 정신을 잃었다가 깨어나 보니 어머니의 커다란 몸뚱이가 숨도 못 쉴 정도로 전신을 무겁게 덮어 누르고 있더라는 것이었다.

"그래서 마구 소릴 지르면서 엄마를 떠밀었단다. 난 그때 엄마가 죽은 줄도 몰랐어." / ㉠그리고 명선이는 숙부네가 저를 버리고 도망치던 때의 이야기도 들려주었다.

– 윤흥길, 〈기억 속의 들꽃〉 (천재(노), 동아)

---

7 이 글에 드러난 사회·문화적 상황으로 적절하지 <u>않은</u> 것은?

① 전쟁 때문에 부모님을 잃은 아이가 생겨났다.
② 사람들이 포성 속에서 쫓기듯 피란길에 올랐다.
③ 사람들이 살기 위해 음식을 동냥하거나 훔쳤다.
④ 사람들이 전쟁의 고통을 극복하기 위해 힘썼다.
⑤ 피란민들이 옷가지나 금붙이를 식량과 바꿀 정도로 식량을 구하기 어려웠다.

유형 해결 **전략**

소설에 드러나는 사회·문화적 배경을 파악하는 문제이다. '❶ ____', '피란민', '공습' 등의 소재와 서술자인 '나'의 눈에 비친 인물의 말과 ❷ ____ 을 통해 사회·문화적 상황을 파악해 본다.   ❶ 포성 ❷ 행동

8 다음은 ㉠에서 명선이가 들려준 이야기와 '나'의 생각이다. 이를 통해 작가가 전하려는 의미로 적절한 것은?

① 협력을 통한 전쟁의 극복 가능성
② 전쟁 중에 순수함을 잃지 않는 태도
③ 독립적으로 살아가는 자세의 중요성
④ 인간성을 상실하게 하는 전쟁의 비극성
⑤ 삶의 힘겨움을 이겨 내게 하는 따뜻한 인정

유형 해결 **전략**

소설에서 작가가 말하고자 하는 바를 파악하는 문제이다. 명선이를 대하는 인물들의 ❶ ____ 와 그 까닭을 정리해 보고 ❷ ____ 이라는 상황이 인물들에게 어떤 영향을 주었는지와 연결하여 작가의 창작 의도를 파악해 본다.   ❶ 태도 ❷ 전쟁

[1~2] 다음 시를 읽고 물음에 답하시오.

나무는 몸이 아팠다

눈보라에 상처를 입은 곳이나

빗방울들에게 얻어맞았던 곳들이

오래전부터 근지러웠다

땅속 깊은 곳을 오르내리며

겨우내 몸을 덥히던 물이

이제는 갑갑하다고

한사코 나가고 싶어 하거나

살을 에는 바람과 외로움을 견디며

봄이 오면 정말 좋은 일이 있을 거라고

스스로에게 했던 말들이

그를 못 견디게 들볶았기 때문이다

그런 마음의 헌데 자리가 아플 때마다
　　　　살갗이 헐어서 상한 자리
그는 하나씩 이파리를 피웠다

　　　　　　　　　　　　　　　　　　– 이상국, 〈봄나무〉 천재(노)

1 보기를 참고할 때 이 시에 담긴 시인의 의미 있는 경험으로 적절한 것은?

> **보기**
>
> 아무리 혹독한 추위가 닥쳐도 나무들은 갈 곳이 없다. 저 자신이 집이기 때문이다. 그래서 눈의 무게가 몸을 찢고 얼음이 전신을 뒤덮더라도 나무들은 견딘다. …… 이제 날이 풀리고 바람이 순해지면 몸을 덥히던 물들이 갑갑하다고 밖으로 나가고 싶어 하는 자리마다 나무들은 새잎을 낼 것이다.
> – 이상국, 〈나무들은 몸이 아팠다〉에서

① 눈보라에 죽어 가는 나무들을 보고 슬픔을 느낌.

② 봄에 새잎을 내는 나무들을 보고 싱그러움을 느낌.

③ 나무들을 잘라 집을 짓는 모습을 보고 안타까워함.

④ 나무가 가득한 산에서 아이들이 노는 모습을 보고 자연과 인간의 조화를 생각함.

⑤ 추위를 견디는 나무들의 모습을 보고 시련을 견뎌야 새잎을 피워 낼 수 있다는 사실에 감동받음.

> **도움말**
>
> 시에 담긴 시인의 경험을 파악하는 문제이다. 시인이 겪은 경험을 시로 표현하고자 한 까닭을 생각해 보고, ❶　　　　가 시련을 견디고 ❷　　　　를 내는 과정의 의미를 파악해 보자.
>
> ❶ 나무 ❷ 이파리

2 이 시에 나타난 표현의 아름다움으로 적절한 것은?

① 검은색과 흰색을 대비하여 내용을 전개하였다.

② 같은 시구를 반복하여 화자의 의지를 강조하였다.

③ 첫 행과 끝행을 비슷하게 반복하여 안정감을 주었다.

④ 청유형 말투를 사용하여 독자의 공감을 유도하였다.

⑤ 나무의 모습을 사람처럼 그려 내어 주제를 효과적으로 전달하였다.

> **도움말**
>
> 시에 담긴 표현의 아름다움을 파악하는 문제이다. 시에 나타난 ❶　　　　의 상황을 정리해 보고, 의미를 효과적으로 전달하기 위해 주로 사용한 ❷　　　　 방법을 파악해 보자.
>
> ❶ 나무 ❷ 표현

[3~4] 다음 글을 읽고 물음에 답하시오.

가 "당신은 평생 과거도 보러 가지 않으면서 대체 글은 읽어

뭘 하시렵니까?"

그러나 허생은 아무렇지도 않게 껄껄 웃으며 말하였다.

"내가 아직 글이 서툴러 그렇소."

"그럼 공장이 노릇도 못 한단 말입니까?"
예전에, 물건을 만드는 일을 직업으로 하던 사람.

"배우지 않은 공장이 노릇을 어떻게 한단 말이오?"

"그러면 장사치 노릇이라도 하시지요."

"가진 밑천이 없는데 장사치 노릇을 어떻게 한단 말이오?"
장사나 사업을 처음 시작할 때 들어가는 돈.

나 허생은 그다음 날부터 시장

에 나가서 대추, 감, 배, 석류, 유

자 따위 과일이란 과일은 몽땅

사들였다. 파는 사람이 부르는

대로 값을 다 주고, 팔지 않는 사

람에게는 값을 배로 주고 사들

였다. 그리고 사는 족족 창고 깊숙이 넣어 두었다.

얼마 안 가서 나라 안의 과일이란 과일은 모두 동이 나 버렸

다. 잔치나 제사를 지내려고 해도 과일이 없으니 상을 제대로

차릴 수가 없었다. 이렇게 되니, 과일 장수들은 너나없이 허생

한테 몰려와서 제발 과일 좀 팔라고 통사정을 하였다. 결국 허
딱하고 어려운 형편을 털어놓으면서 사정함.
생은 처음 값의 열 배를 받고 과일을 되팔았다.

"허허, 겨우 만 냥으로 나라의 경제를 흔들어 놓았으니, 이

나라 형편이 어떤지 알 만하구나."

다 "다섯 해 동안에 어떻게 백만 냥을 벌었소?"

"그건 어려운 일이 아니오. 우리 조선은 외국과 무역이 적

고, 수레가 나라 안을 두루 돌아다니지 못하는 까닭에 모든

물건이 한자리에서 나고 한자리에서 소비되지요. 천 냥은

적은 돈이니 그 돈으로는 한 가지 물건을 몽땅 사들여 독점

할 수는 없겠지. 하지만 그것을 백 냥씩 열로 쪼개면 열 가지

물건을 골고루 살 수가 있소. 단위가 적으면 그만큼 돈을 굴

리기가 쉬우니 한 가지 물건에서 실패를 보더라도 다른 아홉

가지 물건으로 재미를 볼 수 있지 않겠소."

– 박지원, 〈허생전〉 미래엔

3 이 글에 반영된 당시의 사회·문화적 배경으로 적절하지

않은 것은?

① 과거 제도가 있었다.

② 경제적으로 무능력한 양반이 있었다.

③ 양반은 글만 읽는 사람이라는 생각이 여전했다.

④ 물건을 독점하거나 몰아서 사들이는 사재기가 가

능했다.

⑤ 만 냥으로 나라의 경제를 흔들 만큼 경제 구조가

무르고 약했다.

도움말

사회·문화적 배경이 그 **❶_____** 의 전반적인 상황과 모습

을 의미한다는 것을 바탕으로 하여 등장인물의 말과 행동, 인

물 간의 관계, 다양한 **❷_____** 등에서 소설의 사회·문화적

배경을 파악해 보자.

❶ 시대 **❷** 사건

4 보기 를 참고할 때 (다)에서 작가가 말하고자 한 바로 적절

하지 **않은** 것은?

보기

박지원은 상공업의 중요성을 강조했으며, 청나라

의 앞선 문물을 받아들이자는 북학론을 주장한 대

표적인 인물이다. 그는 청나라에 가서 문화적인 충

격을 받고 백성의 삶에 도움이 되는 기술들을 유심

히 보았다. 그가 관심 있게 본 것은 벽돌 굽는 가마,

사람이나 물건을 실어 나르는 수레와 선박 등이었다.

① 청나라의 앞선 문물을 배워야 한다.

② 다른 나라와의 교류를 활발히 해야 한다.

③ 우리 고유의 전통과 예법을 지켜 나가야 한다.

④ 수레와 배 등을 만들어 유통 구조를 개선해야 한다.

⑤ 백성의 삶에 실질적인 도움이 되는 정책을 펼쳐야

한다.

도움말

사회·문화적 상황은 작품의 **❶_____** 배경으로 작용하기

도 한다는 것을 이해하고, 그 시대에 대한 작가의 **❷_____**

가 어떠한지 파악해 보자.

❶ 창작 **❷** 태도

1 ㉠에서 드러나는 화자의 깨달음으로 적절한 것은?

> 어린 매화나무는 꽃 피느라 한창이고
> 사백 년 고목은 꽃 지느라 한창인데
> 구경꾼들 고목에 더 몰려섰다 (중략)
> 꽃구경이 아니라 상처 구경이다
> 상처 깊은 이들에게는 훈장(勳章)으로 보이는가
> 상처 도지는 이들에게는 부적(符籍)으로 보이는가
> 백 년 못 된 사람이 매화 사백 년의 상처를 헤아리
> 랴마는 / 감탄하고 쓸어 보고 어루만지기도 한다
> 만졌던 손에서 향기까지 맡아 본다
> 진동하겠지 상처의 향기
> ㉠상처야말로 더 꽃인 것을.
>
> – 유안진, 〈상처가 더 꽃이다〉에서

① 고통은 꽃처럼 연약해 이겨 내기가 쉽다.

② 고통을 견딘 상처가 꽃보다 더 아름답다.

③ 꽃이 피고 지듯 상처도 생겼다가 곧 낫는다.

④ 고통이 지속되면 꽃처럼 선명하게 남게 된다.

⑤ 다른 사람이 상처받을 행동을 하지 말아야 한다.

2 다음 시조를 읽고 재미를 느낄 수 있는 까닭으로 적절한 것은?

> 개를 여남은이나 기르되 요 개같이 얄미우랴
> 미운 임 오면은 꼬리를 홰홰 치며 치뛰락 내리뛰
> 락 반겨서 내닫고 고운 임 오면은 뒷발을 버둥버둥
> 무르락 나락 캉캉 짖어서 도로 가게 하느냐
> 쉰밥이 그릇그릇 난들 너 먹일 줄이 있으랴
>
> – 작자 미상의 사설시조

① 개를 통해 오지 않는 임을 비판해서

② 임을 기다리는 마음과는 반대로 표현해서

③ 사랑하는 임과 얄미운 개를 대조하여 표현해서

④ 임이 오지 않는 까닭을 개의 탓으로 돌려 표현해서

⑤ 개를 사람처럼 표현하여 임에 대한 사랑을 드러내서

3 '나'가 김밥 아줌마를 높이 평가하는 까닭을 정리할 때 보기의 ㉠에 들어갈 알맞은 말을 한 단어로 쓰시오.

> 김밥 아줌마는 작품을 만들 때 사람들이 보고 있으면 막 화를 낸다. 누군가 쳐다보면 마음이 흔들려서 실패작만 나온다는 것이다. 김밥을 말고 있을 때는 누가 무슨 말을 해도 들은 척을 하지 않는다. 한 번 더 말을 시키면 여지없이 성질을 내며 일손을 놓아 버린다. 그이는 파는 일엔 전혀 관심이 없고 오직 김밥을 만드는 그 행위에만 몰두해 있는 사람처럼 보인다.
>
> – 양귀자, 〈길모퉁이에서 만난 사람〉에서

> ┌ 보기 ┐
> 자신의 일에 열정을 갖고 (㉠)을/를 다하는 김밥 아줌마의 모습이 아름답다고 생각함.

4 다음 글에서 느낄 수 있는 심미적 체험과 거리가 <u>먼</u> 것은?

> "스님, 빗 좀 빌릴 수 있을까요?" / 스님은 갑자기 당황한 얼굴로 나를 바라보셨다. (중략)
> 나는 그 빗으로 머리를 빗으면서 자꾸만 웃음이 나오는 걸 참을 수가 없었다. 절에서 빗을 찾은 나의 엉뚱함도 우물가에서 숭늉 찾는 격이려니와, 빗이라는 말 한마디에 그토록 당황하고 어리둥절해하던 노스님의 표정이 자꾸 생각나서였다. 그러나 그 순간 나는 보았다. 시간을 거슬러 올라가 검은 머리칼이 있던, 빗을 썼던 그 까마득한 시절을 더듬고 있는 그분의 눈빛. 이십 년 또는 삼십 년, 마치 물길을 거슬러 올라가는 연어 떼처럼 참으로 오랜 시간이 그 눈빛 위로 스쳐 지나가는 듯했다.
>
> – 나희덕, 〈실수〉에서

① 글쓴이의 진솔한 태도

② 일반적이지 않은 새로운 인식

③ 비유를 통한 생동감 있는 표현

④ 웃음을 유발하는 글쓴이의 경험

⑤ 잘못을 반성하는 글쓴이의 성찰적 태도

5 ㉠, ㉡이 공통으로 가리키는 인물을 | 보기 |에서 찾아 쓰시오.

> **가** 까마귀 눈비 맞아 희는 듯 검노매라
> 야광명월(夜光明月)이 밤인들 어두우랴
> ㉠임 향한 일편단심(一片丹心)이야 변할 줄이
> 있으랴
>
> — 박팽년의 시조
>
> **나** 천만리 머나먼 길에 ㉡고운 임 여의옵고
> 내 마음 둘 데 없어 냇가에 앉았으니
> 저 물도 내 안 같아서 울어 밤길 예놋다
>
> — 왕방연의 시조

> | 보기 |
>
> 단종은 1452년 12세의 나이로 왕위에 오르지만 수양 대군(세조)은 힘으로 단종을 몰아내고 1455년에 왕위에 오른다. 2년여가 지나 단종을 복위시키려는 움직임이 일자 세조는 단종을 강원도 영월로 귀양 보낸다.

6 다음 시를 통해 작가가 전달하고자 하는 바로 적절한 것은?

> 가을 햇볕에 공기에
> 익는 벼에
> 눈부신 것 천지인데,
> 그런데,
> 아, 들판이 적막하다—
> 메뚜기가 없다!
>
> 오 이 불길한 고요—
> 생명의 황금 고리가 끊어졌으니……
>
> — 정현종, 〈들판이 적막하다〉

① 가을 들판의 풍요로움
② 자연과 인간의 조화로움
③ 계절의 변화에서 느끼는 신비로움
④ 가을 들판에서 메뚜기를 잡던 추억
⑤ 적막한 들판에서 깨달은 생태계의 위기

7 다음 글에 드러난 사회적 상황과 그 상황이 인물들에게 미친 영향을 바르게 연결한 것은?

> 포성과 포성의 사이사이를 뚫고 피란민의 행렬이 줄지어 밀어닥쳤고, 마을에서 잠시 머물며 노독(路毒)을 푸는 동안에 그들은 옷가지나 금붙이 따위 물건을 식량하고 바꾸었다. 바꿀 만한 물건이 없는 사람들은 동냥을 하거나 훔치기도 했다. (중략)
> 언제 끝날지 모르는 전쟁 때문에 뒤주 속에 쌀바가지를 넣었다 꺼내는 어머니의 인심이 날로 얄팍해져 갔다.
>
> — 윤흥길, 〈기억 속의 들꽃〉에서

① 조선 시대 후기 – 신분 제도가 무너짐.
② 병자호란 – 우리나라 사람들이 청나라로 끌려 감.
③ 1930년대 일제 강점기 – 하층민들이 비참한 삶을 삶.
④ 6·25 전쟁 중 – 피란민이 생기고 식량이 부족해짐.
⑤ 1970~80년대 산업화 – 노동자들이 열악한 환경에서 힘들게 일함.

8 다음 글에서 '외나무다리'의 기능으로 적절하지 않은 것은?

> **[앞부분 줄거리]** 일제 강점기 때 징용에 끌려가 한쪽 팔을 잃은 만도는 6·25 전쟁에서 한쪽 다리를 잃고 돌아온 진수를 마중나가고 둘은 집으로 향한다.
> 개천 둑에 이르렀다. 외나무다리가 놓여 있는 그 시냇물이다. 진수는 슬그머니 걱정이 되었다. 물은 그렇게 깊은 것 같지 않지만, 밑바닥이 모래흙이어서 지팡이를 짚고 건너가기가 만만할 것 같지 않기 때문이다. 외나무다리 위로는 도저히 건너갈 재주가 없고……. 진수는 하는 수 없이 둑에 퍼지고 앉아서 바짓가랑이를 걷어 올리기 시작했다. 만도는 잠시 멀뚱히 서서 아들의 하는 양을 내려다보고 있다가
> "진수야, 그만두고 자아, 업자." / 하는 것이었다.
>
> — 하근찬, 〈수난이대〉에서

① 인물들의 화합을 상징한다.
② 시련을 가져온 역사적 상황을 상징한다.
③ 인물들이 갈등을 해소하는 계기가 된다.
④ 인물들이 극복해야 하는 고난을 상징한다.
⑤ 다가올 시련을 극복할 수 있다는 희망을 보여 준다.

1 다음 시에 나타난 '이름 부르기'의 의미를 보기를 통해 탐구할 때 ㉠에 들어갈 알맞은 시어를 찾아 쓰시오.

> 내가 그의 이름을 불러 주기 전에는
> 그는 다만
> 하나의 몸짓에 지나지 않았다.
>
> 내가 그의 이름을 불러 주었을 때
> 그는 나에게로 와서
> 꽃이 되었다.
>
> 내가 그의 이름을 불러 준 것처럼
> 나의 이 빛깔과 향기에 알맞는
> 누가 나의 이름을 불러 다오.
> 그에게로 가서 나도
> 그의 꽃이 되고 싶다.
>
>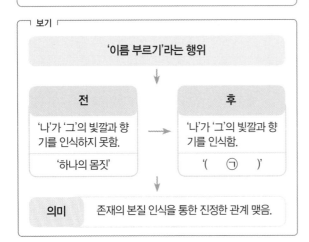
>
> – 김춘수, 〈꽃〉에서

보기

'이름 부르기'라는 행위

전	후
'나'가 '그'의 빛깔과 향기를 인식하지 못함.	'나'가 '그'의 빛깔과 향기를 인식함.
'하나의 몸짓'	'(㉠)'

의미	존재의 본질 인식을 통한 진정한 관계 맺음.

도움말

'나'가 '그'의 ❶ □□ 을 불러 주기 전과 후의 '나'와 '그'의 ❷ □□ 변화를 중심으로 하여 시어의 상징적 의미를 파악해 본다.

❶ 이름 ❷ 관계

2 (가)의 화자와 (나)의 화자가 대화한다고 할 때 대화 내용으로 적절하지 <u>않은</u> 것은?

> **가** 개를 여남은이나 기르되 요 개같이 얄미우랴
> 미운 임 오면은 꼬리를 홰홰 치며 치뛰락 내리
> 뛰락 반겨서 내닫고 고운 임 오면은 뒷발을 버둥
> 버둥 무르락 나락 캉캉 짖어서 도로 가게 하느냐
> 쉰밥이 그릇그릇 난들 너 먹일 줄이 있으랴
>
> – 작자 미상의 사설시조

> **나** 내 마음 베어 내어 저 달을 만들고자
> 구만 리 먼 하늘에 번듯이 걸려 있어
> 고운 임 계신 곳에 가 비추어나 보리라
>
> – 정철의 시조 동아

> (가)의 화자 ① 저는 얄미운 개를 바라보며 오지 않는 임을 생각하고 있어요.
>
> (나)의 화자 ② 저는 달을 바라보면서 곁에 없는 고운 임을 생각하고 있어요. (가)님은 왜 '개'가 얄미운가요?
>
> (가)의 화자 ③ 사랑하는 임이 올 때마다 짖어서 임이 저를 싫어하게 됐으니 얄미울 수밖에요. (나)님은 왜 달을 보며 고운 임을 생각하나요?
>
> (나)의 화자 ④ 내 마음을 달로 만들어서 고운 임이 있는 곳을 비추고 싶어서요. ⑤ 우리는 모두 사랑하는 임을 그리워하며 기다리고 있군요.

도움말

(가)의 화자와 (나)의 화자가 처한 상황을 살펴보며 두 시조에 나타난 표현 방법과 ❶ □□ 를 비교해 보자. 특히 (가) 시조에서 독자의 ❷ □□ 을 자아내는 요인을 파악해 보자.

❶ 주제 ❷ 웃음

3 다음 글에서 '연'을 바라보는 어머니와 아들의 생각으로 적절하지 <u>않은</u> 것은?

> 어미 곁에서 함께 땅이나 파고 살자던 소리가 아들놈의 어린 가슴에 못을 박은 모양이었다.
>
> "상급 학교 못 가면 연이나 실컷 띄우고 놀 거야. 상급 학교 안 보내 준 대신 연실이나 많이 만들어 줘."
>
> 상급 학교 진학을 단념한 대신 아들놈은 그 철 늦은 연날리기 놀이를 시작했다. 연실 마련이 어려워서 제철에는 남의 집 애들 연 띄우는 거나 곁에서 늘 부러워해 오던 녀석이었다.
>
> 어머니는 큰맘 먹고 연실을 마련해 냈고, 아들놈은 그때부터 하고한 날 연에만 붙어 지냈다. (중략)
>
> 연은 언제나 머나먼 하늘 여행을 꿈꾸고 있는 작은 새처럼 보였고, 그래서 언젠가는 실줄을 끊고 마을의 하늘을 떠나가 버릴 것처럼 어머니의 마음을 불안하게 했다.
>
> 하지만 연이 그렇게 하늘에 떠올라 있는 동안엔 어머니도 아직은 마음을 놓을 수 있었다. (중략)
>
> "아지매요. 건이 새끼 좀 빨리 쫓아가 봐야 혀요. 건이 새긴 아까 도회지 돈벌이 간다고 읍내께로 튀었다니께요. 지는 도회지 가서 돈 벌어 온다고 연실 같은 건 내나 실컷 감아 가지라면서요……."
>
> — 이청준, 〈연〉에서

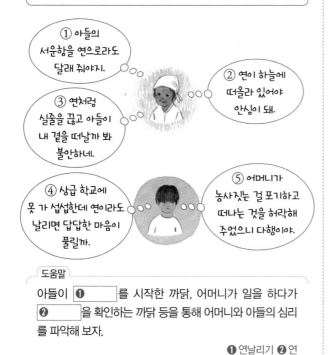

① 아들의 서운함을 연으로라도 달래 줘야지.

② 연이 하늘에 떠올라 있어야 안심이 돼.

③ 연처럼 실줄을 끊고 아들이 내 곁을 떠날까 봐 불안하네.

④ 상급 학교에 못 가 섭섭한데 연이라도 날리면 답답한 마음이 풀릴까.

⑤ 어머니가 농사짓는 걸 포기하고 떠나는 것을 허락해 주었으니 다행이야.

도움말
아들이 **❶** 를 시작한 까닭, 어머니가 일을 하다가 **❷** 을 확인하는 까닭 등을 통해 어머니와 아들의 심리를 파악해 보자.

❶ 연날리기 **❷** 연

4 '해학'의 뜻을 참고할 때 ㉠~㉤ 가운데 해학이 잘 드러난 부분끼리 묶은 것은?

> "여보 마누라, 울지 말아요. ㉠내가 오늘 읍내를 나갔다 오리다."
>
> "읍내는 무엇 하려요?"
>
> ㉡"양식을 좀 꾸어서라도 얻어 와야 저 자식들을 먹이지."
>
> "여보 영감, ㉢그 모양에 곡식 먹고 도망한다고 안 줄 테니 가 보아야 소용없는 일입니다."
>
> "가장이 나서는데 그게 무슨 소리! 어찌 될지는 가 봐야 아는 일이니 장 안에서 도포나 꺼내 와요."
>
> "아이고, 우리 집에 무슨 장이 있단 말이오?"
>
> ㉣"어허, 닭장은 장이 아닌가? 가서 내 갓도 챙겨 내와요."
>
> "갓은 또 어디에 있답니까?"
>
> "뒤뜰 굴뚝 속에 가 봐요."
>
> "세상에, 갓을 어찌 굴뚝 속에 두었단 말입니까?"
>
> "그런 게 아니라 지난번 국상 뒤에 어느 친구한테 ㉤흰 갓 하나를 얻었는데 우리 형편에 칠해 쓸 수도 없고 연기에 그을려 쓰려고 굴뚝 속에 넣어둔 지 벌써 오래요."
>
> — 작자 미상, 〈흥부전〉에서 [비상]

국민 전체가 상중에 상복을 입던 왕실의 초상

─────────────

| 해학 ▼ | 검색 |

해학은 우스꽝스러운 상황에서 생기는 즐거움이다. 해학은 대상을 긍정적으로 바라보는 웃음으로, 인물의 약점이나 실수를 부드럽게 감싼다.

① ㉠, ㉡ ② ㉡, ㉢ ③ ㉡, ㉣
④ ㉢, ㉣ ⑤ ㉣, ㉤

도움말
글을 읽을 때 재미와 즐거움을 느낄 수 있는 것도 **❶** 체험에 해당한다는 것을 기억하고, **❷** 의 뜻을 참고하여 웃음을 자아내는 부분을 찾아보자.

❶ 심미적 **❷** 해학

5 |보기|의 신문 기사와 연결하여 다음 시를 이해한 내용으로 적절하지 **않은** 것은?

> 가을 햇볕에 공기에 / 익는 벼에
> 눈부신 것 천지인데,
> 그런데,
> 아, 들판이 적막하다—
> 메뚜기가 없다!
>
> 오 이 불길한 고요—
> 생명의 황금 고리가 끊어졌느니……
>
> – 정현종, 〈들판이 적막하다〉

> | 보기 |
>
> 반달가슴곰, 서아프리카매너티 등 지난 3년 반 동안 멸종 위기에 처한 야생동식물종의 국제 거래에 관한 협약에 따라 수입되어 폐사한 멸종 위기종 18만 마리 가운데 약 3000마리가 동물 실험 등 인위적 요인으로 죽은 것으로 드러났다.
>
> – 〈한겨레〉, 2017년 10월 15일 자

① 〈보기〉의 '반달가슴곰'처럼 이 시의 '메뚜기'도 소중한 생명체이다.

② 〈보기〉에서 '동물 실험'이 지속되면 이 시의 '불길한 고요'가 심화될 것이다.

③ 〈보기〉의 '인위적 요인'은 이 시의 '들판'을 적막하게 만든 원인과 관계 깊다.

④ 〈보기〉는 '협약'을 통해 생태계가 '눈부신 것 천지'인 공간으로 변화할 수 있다는 것을 보여 준다.

⑤ 〈보기〉에서 수입된 멸종 위기종이 '폐사'하는 상황은 이 시의 '생명의 황금 고리'가 끊어지는 결과를 가져올 것이다.

> | 도움말 |
>
> '그런데'를 전후로 달라진 ❶ □□ 의 분위기와 그 원인을 시에서 살펴보고, 〈보기〉의 상황을 연결하여 메뚜기가 없는 상황이 ❷ □□□ 의 조화와 어떤 연관이 있는지 생각해 보자.
>
> ❶ 들판 ❷ 생태계

6 다음 시와 아래 편지글에서 공통으로 말하고자 한 내용으로 적절한 것은?

> 가난하다고 해서 외로움을 모르겠는가
> 너와 헤어져 돌아오는
> 눈 쌓인 골목길에 새파랗게 달빛이 쏟아지는데.
> 가난하다고 해서 두려움이 없겠는가
> 두 점을 치는 소리
> 방범대원의 호각 소리 메밀묵 사려 소리에
> 눈을 뜨면 멀리 육중한 기계 굴러가는 소리. (중략)
> 가난하다고 해서 왜 모르겠는가
> 가난하기 때문에 이것들을
> 이 모든 것들을 버려야 한다는 것을.
>
> – 신경림, 〈가난한 사랑 노래 – 이웃의 한 젊은이를 위하여〉에서

> 늦은 밤 편의점에서 일하는 형에게
> 안녕하세요? 어젯밤 컵라면을 사러 갔다가 늦은 밤에도 쉬지 못하고 열심히 일하는 형을 봤어요. 많이 피곤해 보였는데 틈틈이 영어 단어장을 보며 공부하더라고요. 비록 오늘은 힘들지만 내일은 웃을 수 있는 날이 왔으면 좋겠어요. 제가 열심히 응원할게요!
> 힘내세요. ♥♥

① 물질문명에 대한 비판

② 자신의 꿈을 향한 도전

③ 힘든 이웃에 대한 위로

④ 사랑하는 이를 위한 인내

⑤ 우리가 잃어버린 전통적 가치

> | 도움말 |
>
> 시의 부제에 나타난 '이웃의 한 젊은이'가 어떤 사람일지 생각해 보고, 시의 ❶ □□ 이 1970~80년대가 아닌 오늘날이라면 '이웃의 한 젊은이'는 어떤 사람일지도 생각해 보며 작가가 말하고자 한 바, 즉 ❷ □□ 를 파악해 보자.
>
> ❶ 배경 ❷ 주제

7 다음 글의 '이인국'에게 |보기|의 화자가 삶의 태도에 대해 조언할 만한 내용으로 가장 적절한 것은?

 이인국 박사는 그때나 지금이나 자기의 처세 방법에 대하여 절대적인 자신을 가지고 있다.

"애, 너 그 노어(露語) 공부를 열심히 해라."

"왜요?" / 아들은 갑자기 튀어나오는 아버지의 말에 의아를 느끼면서 반문했다.

"야 원식아, 별수 없다. 왜정 때는 그래도 일본 말이 출세를 하게 했고 이제는 노어가 또 판을 치지 않니. 고기가 물을 떠나서 살 수 없는 바에야 그 물속에서 살 방도를 궁리해야지. 아무튼 그 노서아 말 꾸준히 해라." (중략)
_{일본의 통치.}
_{노어(러시아어).}

그는 두 주먹을 불끈 쥐며 얼굴에 경련을 일으키듯 긴장을 띠다가 어색한 미소를 흘려보냈다.

'흥, 그 사마귀 같은 일본 놈들 틈에서도 살았고, 닥싸귀 같은 로스케 속에서 살아났는데, 양키라고 다를까……'
_{러시아 사람을 낮잡아 이르는 말. 미국 사람을 낮잡아 이르는 말.}

– 전광용, 〈꺼삐딴 리〉에서

|보기|
수박같이 두렷한 임아 참외같이 단 말씀 마소
_{둥글둥글한.}
가지가지 하시는 말이 말마다 왼말이로다
_{거짓말.}
구시월 씨동아같이 속 성긴 말 말으시소.
_{박과의 한해살이 덩굴성 식물.}
– 작자 미상의 시조 [금성]

① 말과 행동을 꾸미지 말고 진실된 삶을 사십시오.
② 다른 사람을 험담하지 말고 장점을 크게 보세요.
③ 약자에게는 약하게 강자에게는 강하게 대하십시오.
④ 부정적으로 표현하지 말고 듣기에 좋은 말을 하세요.
⑤ 게으름 피우지 말고 끊임없이 자기 계발에 힘쓰세요.

도움말
이인국이 시대의 흐름에 따라 어떻게 살아왔는지 정리해 보고 이인국의 **❶** 의 태도를 파악해 보자. 〈보기〉의 화자가 '임'에게 하는 말을 통해 알 수 있는 태도를 바탕으로 **❷** 을 평가해 보자.

❶ 삶 ❷ 이인국

8 |보기|의 뉴스를 참고하여 다음 글에 나타난 허생의 행동을 오늘날의 관점에서 평가하시오.

허생은 그다음 날부터 시장에 나가서 대추, 감, 배, 석류, 유자 따위 과일이란 과일은 몽땅 사들였다. 파는 사람이 부르는 대로 값을 다 주고, 팔지 않는 사람  에게는 값을 배로 주고 사들였다. 그리고 사는 족족 창고 깊숙이 넣어 두었다.

얼마 안 가서 나라 안의 과일이란 과일은 모두 동이 나 버렸다. 잔치나 제사를 지내려고 해도 과일이 없으니 상을 제대로 차릴 수가 없었다. 이렇게 되니, 과일 장수들은 너나없이 허생한테 몰려와서 제발 과일 좀 팔라고 통사정을 하였다. 결국 허생은 처음 값의 열 배를 받고 과일을 되팔았다.

"허허, 겨우 만 냥으로 나라의 경제를 흔들어 놓았으니, 이 나라 형편이 어떤지 알 만하구나."

– 박지원, 〈허생전〉에서

|보기|
 **앵커:** 최근 마스크와 손소독제를 매점매석하는 행위가 발생하고 있어 정부가 규제에 나섰습니다. 매점매석이란 특정한 상품의 가격이 오르거나 내릴 것을 예상하여 그 상품을 한꺼번에 많이 사 두고 팔지 않는 것을 말합니다. 정부에서는 물가 안정과 공정 거래에 관한 법률로써 부당한 이익을 목적으로 물품을 사거나 팔지 않는 행위를 규제하고 있습니다.

도움말
〈보기〉의 뉴스에 나타난 **❶** 의 의미를 이해하고, 소설 속의 사회·문화적 **❷** 과 오늘날의 모습을 비교하여 허생의 행위에 나타난 부정적인 면을 평가해 보자.

❶ 매점매석 ❷ 배경

문학 (2)

💧 과거의 삶을 다룬 작품은 어떻게 읽어야 할까?

과거의 삶을 다룬 작품을 읽을 때는 과거의 삶과 오늘날의 삶을 비교하면서
작품을 자신의 삶에 비추어 감상해 보아요.

💧 작품에 대한 감상이 다양한 까닭은 뭘까?

사람마다 가치관, 배경지식, 경험이 다르므로 작품에 대한 감상이 달라져요.
또 작품, 작가, 현실, 독자 중 어디에 초점을 맞추느냐에 따라 작품 해석에 차이가 나지요.

개념 1 과거의 삶이 반영된 작품 감상 1

○ **오늘날의 삶에 비추어 작품 감상**

작품에 반영된 과거의 삶과 오늘날의 삶을 ❶[　　　]해 보고, 오늘날 자신이 사는 시대의 가치나 관점을 바탕으로 주체적으로 수용해야 함.

<u>어떤 일을 하는 데 스스로의 의지에 따라 처리하는 성질이 있는 것.</u>

○ **과거의 삶이 반영된 작품을 오늘날의 삶에 비추어 감상하면 좋은 점**

• 과거의 삶이 반영된 문학 작품을 감상하며 과거를 돌아보고 오늘날의 삶을 ❷[　　　]할 수 있음.

• 오늘날까지 변하지 않는 가치나 오늘날의 관점에서 새롭게 평가할 수 있는 가치를 발견할 수 있음.
<u>보편적 가치</u>

| 과거의 삶과 오늘날의 삶 비교, 평가 | ← 문학 작품 → | 시간의 흐름에 따라 이어지기도 변하기도 하는 삶의 가치 발견 |

인간의 삶에 대한 이해를 넓힘.

❶ 비교 ❷ 이해

개념 2 과거의 삶이 반영된 작품 감상 2

○ **과거의 삶이 반영된 작품 감상 방법**

• ❶[　　　] 상황이 반영된 소재나 인물 간의 대화, 작품 속에 그려진 당시의 삶의 모습을 바탕으로 작품에 반영된 과거의 삶을 파악함.

• 작품에 반영된 과거의 삶을 오늘날의 삶에 비추어 봄으로써 자신과 우리 사회를 ❷[　　　]함.
<u>자기의 마음을 반성하고 살핌.</u>

예 〈심청전〉

과거에도 효는 중요한 가치였구나.

눈먼 아버지를 두고 인당수에 빠진 것을 효라고 볼 수 있을까?

심 봉사가 공양미 삼백 석을 약속한 것은 무책임한 행동이야.

❶ 시대 ❷ 성찰

1-1 과거의 삶이 반영된 문학 작품의 감상에 대한 설명으로 적절하지 <u>않은</u> 것은?

① 문학 작품에 반영된 과거의 삶의 가치는 시대나 문화에 관계없이 동일하게 평가된다.

② 자신이 사는 시대의 가치나 관점을 바탕으로 감상하며 새로운 가치를 발견할 수 있다.

③ 과거의 삶과 오늘날의 삶을 비교해 보며 과거의 가치를 바탕으로 오늘날의 삶을 수용할 수 있다.

정답 해설 | 과거의 삶이 반영된 작품에 드러난 가치는 시대나 문화에 따라 다양하게 평가된다. 따라서 문학 작품을 감상할 때는 과거의 삶과 오늘날의 삶을 서로 비교해 보고 작품 속 상황을 자신의 상황에 비추어 보며 주체적으로 수용해야 한다.   답 | ①

1-2 ㉠에 공통으로 들어갈 말로 적절한 것은?

> • 과거의 삶이 반영된 작품을 감상하면 시대에 따른 인식의 변화 속에서도 오늘날까지 변하지 않는 (㉠)을/를 발견할 수 있다.
> • 과거의 삶이 반영된 작품을 감상하면 오늘날 우리의 관점에서 새롭게 평가될 수 있는 (㉠)을/를 발견할 수 있다.

① 가치   ② 생활   ③ 기술

2-1 | 보기 |의 (   ) 안에 들어갈 알맞은 말을 고르시오.

> 고전 소설 〈심청전〉에서 심청이는 눈먼 아버지의 눈을 뜨게 하려고 자신의 몸을 팔아 공양미 삼백 석을 마련한 뒤 인당수에 빠졌다.

> ┌ 보기 ┐
> 〈심청전〉에서는 부모님에 대한 효도를 강조하는데, 이는 (오늘날까지 변하지 않는 , 새롭게 평가할 수 있는) 가치이다.

정답 해설 | 〈심청전〉에는 아버지를 위해 자신을 희생한 심청이의 효심이 그려져 있다. 부모님에게 효도하는 태도는 오늘날에도 중시되므로 〈심청전〉에서 발견할 수 있는 효라는 가치는 오늘날까지 변하지 않는 가치라고 할 수 있다.

답 | 오늘날까지 변하지 않는

2-2 다음 〈흥부전〉에 대한 감상을 바르게 이해한 것은?

> 고전 소설 〈흥부전〉 속의 놀부는 물려받은 많은 재산을 지켜 나가는 인물로, 무능한 흥부와 대비된다. 이러한 놀부는 오늘날의 관점에서 볼 때 재산을 잘 관리한 인물로 볼 수 있다.

① 오늘날에 사라져 버린 과거의 삶의 가치를 깨닫고 있군.

② 시대가 변화하는 가운데서도 변하지 않는 가치를 발견했군.

③ 현대인의 관점에서 작품에 반영된 과거 삶의 모습을 새롭게 평가했군.

개념 3 문학 작품의 해석

◎ 문학 작품에 대한 해석이 다양한 까닭
- 문학 작품의 ❶ [   ] 방법에 따라 달라질 수 있음.
- 독자의 배경지식, 관심, 경험, 가치관 등에 따라 달라질 수 있음.

◎ 문학 작품을 해석하며 감상하는 바람직한 자세
- 작품의 내용을 주체적인 관점에서 올바르게 이해함.
- 적절하고 타당한 ❷ [   ]를 들어 작품을 해석함.

◎ 문학 작품의 해석을 비교하며 감상하면 좋은 점
- 독자 스스로 문학 작품의 가치를 깨달을 수 있음.
- 문학 작품의 의미를 능동적으로 감상함으로써 작품의 내용을 깊이 이해할 수 있음.

❶ 해석 ❷ 근거

Quiz

( ) 안에 들어갈 수 <u>없는</u> 것을 한 개 고르시오.

> 독자의 (관심 , 경험 , 가치관 , 배경지식 , 건강 상태)에 따라 문학 작품에 대한 해석이 다양하게 나타날 수 있다.

답 | 건강 상태

개념 4 문학 작품의 해석 방법

◎ 문학 작품을 해석하는 방법
- 문학 작품의 해석은 문학 작품의 내용과 ❶ [   ]를 파악하는 것임.
- 문학 작품은 작품 자체, ❷ [   ], 시대적 배경(현실), 독자에 주목하여 그 내용과 의미를 다양하게 해석할 수 있음.

예 〈청포도〉

작품 자체에 주목하는 방법
'청포도'가 '주저리주저리' 열려서 '알알이' 익어 간다는 것에서 넉넉한 고향의 모습이 떠오르네. 해석한 근거   → 작품의 내용, 구조(형식), 표현 등 작품의 내적 측면을 중심으로 해석하는 방법.

작가에 주목하는 방법
시인이 독립운동가로 활동한 것으로 보아, 이 시는 광복의 소망을 드러내고 있어. 해석한 근거   → 작가의 경험이나 생각, 작품 경향, 창작 의도 등을 중심으로 해석하는 방법.

시대적 배경에 주목하는 방법
이 시는 일제 강점기인 1939년에 발표되었으니, 찾아올 '손님'은 광복을 의미해. 해석한 근거   → 작품의 배경이 되는 시대적 상황과 관련지어 해석하는 방법.

독자에 주목하는 방법
화자가 손님을 맞이하려고 정성껏 준비하는 모습을 보고 내게 '손님'과 같은 소중한 존재가 누구인지 생각해 보았어. 해석한 근거   → 작품이 독자에게 미친 감동과 교훈 등을 중심으로 해석하는 방법.

청포도

❶ 의미 ❷ 작가

Quiz

문학 작품의 해석 방법과 그 내용을 바르게 연결하시오.

(1) 작가에 주목 •	• ㉠ 작품과 작가의 관계를 중심으로 해석
(2) 작품에 주목 •	• ㉡ 작품이 독자에게 주는 영향을 중심으로 해석
(3) 독자에 주목 •	• ㉢ 작품의 배경이 되는 현실과 관련지어 해석
(4) 시대적 배경에 주목 •	• ㉣ 작품 자체의 내용이나 구조(형식), 표현을 중심으로 해석

답 | (1) ㉠ (2) ㉣ (3) ㉡ (4) ㉢

3-1 문학 작품의 해석에 대한 설명으로 적절하지 <u>않은</u> 것은?

① 문학 작품에 대한 해석은 자신의 생각에 따라 주체적으로 이루어져야 한다.

② 문학 작품에 대한 해석은 독자의 배경지식이나 경험, 가치관에 따라 달라질 수 있다.

③ 문학 작품에 대한 해석은 사람마다 다르므로 해석에 대한 근거를 제시하지 않아도 된다.

정답 해설 | 문학 작품의 해석이란 문학 작품의 내용이나 의미를 파악하는 것으로 문학 작품을 해석할 때는 관점에 따른 적절하고 타당한 근거를 들어야 한다.　　　　　　　　　　답 | ③

3-2 문학 작품의 해석을 이해한 내용으로 적절한 것은?

① 문학 작품을 해석할 때 내 관심이나 경험이 영향을 끼치지 않도록 주의해야지.

② 문학 작품을 해석할 때 해석의 근거가 다르더라도 해석한 내용은 언제나 같아.

③ 문학 작품을 해석할 때는 내 해석을 뒷받침할 수 있는 타당한 근거를 제시해야지.

4-1 다음 학생이 사용한 문학 작품의 해석 방법으로 적절한 것은?

시 〈청포도〉가 일제 강점기인 1939년에 창작되었음을 고려하여 시를 해석하니 시어의 상징적 의미를 깊이 있게 이해할 수 있었어.

① 작품 자체의 특징을 중심으로 해석함.

② 작품과 작가의 관계를 중심으로 해석함.

③ 작품에 반영된 시대적 상황을 중심으로 해석함.

정답 해설 | 문학 작품은 작가, 시대적 배경, 독자, 작품 등에 주목하여 다양하게 해석할 수 있다. 학생은 작품의 창작 배경인 일제 강점기를 고려하여 시를 감상하고 있으므로, 시대적 상황과 관련지어 작품을 해석한 방법이 나타난다.　　　답 | ③

4-2 ㉠에 들어갈 말로 적절한 것은?

소설 〈심청전〉을 글에 나타난 인물, 사건, 배경에 주목하여 읽었어.

아, (㉠)을/를 중심으로 문학 작품을 해석하며 읽었구나.

① 작품 자체의 특징

② 작품과 작가의 관계

③ 작품이 독자에게 미치는 영향

바탕 문제

㉠에 들어갈 적절한 말은?

> 시대적 배경이 드러나는 (㉠)
> (이)나 인물 간의 대화, 사건 등을 통
> 해 작품에 반영된 당시의 삶의 모습
> 을 추측할 수 있다.

① 구조　　② 소재　　③ 운율

답 | ②

1 ㉠~㉤ 중, 과거의 삶의 모습을 짐작할 수 있는 소재로 볼 수 <u>없는</u> 것은?

> 술래잡기 ㉠고무줄놀이
> ㉡말뚝박기 ㉢망 까기 ㉣말타기
> 놀다 보면 하루는 너무나 짧아.
>
> 아침에 눈뜨면 마을 앞 공터에 모여
> 매일 만나는 그 친구들
> 비싸고 ㉤멋진 장난감 하나 없어도
> 하루 종일 재미있었어.

① ㉠　　② ㉡　　③ ㉢　　④ ㉣　　⑤ ㉤

바탕 문제

㉠에 들어갈 알맞은 말을 |보기|에서 고
르세요.

> 과거의 삶이 반영된 작품을 읽을
> 때는 과거의 삶과 오늘날의 삶을 서
> 로 (㉠)하며 감상하는 것이 좋다.

┌ 보기 ─────────────
│　비교　　비판　　반성
└──────────────────

답 | 비교

2 다음 시조에 나타난 과거의 삶의 모습을 오늘날과 비교한 내용으로 적절한 것은?

> 형제가 열이라도 처음은 한 몸이라
> 하나가 열인 줄을 뉘 아니 알랴마는
> 어쩌다 욕심에 걸려 한 몸인 줄 모르는가

① 형제간에 서로 돕고 사는 모습이 오늘날과 비슷하네.
② 형제가 함께 부모를 모시는 모습은 오늘날과 다르네.
③ 형제 수가 많은 가정이 흔한 것은 오늘날도 마찬가지야.
④ 형제 사이가 멀어지는 원인이 대화 부족인 것은 여전하네.
⑤ 욕심 때문에 형제간에 갈등이 생기는 모습은 오늘날에도 볼 수 있어.

| 보기 | 중에서 ( ) 안에 들어가기에
적절하지 **않은** 것을 한 개 고르세요.

> 문학 작품을 해석하는 방법은 다양
> 한데, ( )와 같은 요소를 중심
> 으로 해석할 수 있다.

보기
작품 자체, 작가, 시대, 독자, 과거

답 | 과거

3 세 학생이 문학 작품을 해석한 방법에 대한 설명으로 적절하지 <u>않은</u> 것은?

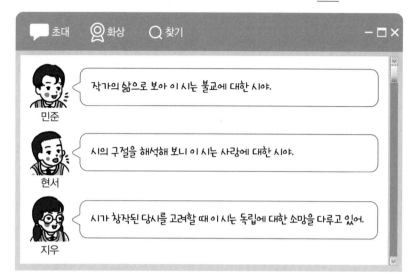

① 민준이는 독자와 관련지어 작품을 해석하고 있다.

② 현서는 작품의 내용에 주목하여 작품을 해석하고 있다.

③ 지우는 시대적 배경을 중심으로 주제를 파악하고 있다.

④ 민준, 현서, 지우는 모두 해석의 근거를 제시하고 있다.

⑤ 민준, 현서, 지우는 모두 주체적으로 작품을 이해하고 있다.

다음에서 주목한 문학 작품의 해석 방법
에 표시하세요.

> 작품의 내용, 구조, 표현 등에 초점
> 을 맞추어 해석하는 방법

작품 자체의 특징 ☐
작품과 작가와의 관계 ☐
작품이 독자에게 미치는 영향 ☐

답 | 작품 자체의 특징

4 다음 시에 대한 은주의 감상을 읽고, | 보기 |의 ㉠에 들어갈 알맞은 말을 쓰시오.

> 내를 건너서 숲으로
> 고개를 넘어서 마을로
>
> 어제도 가고 오늘도 갈
> 나의 길 새로운 길
>
> 민들레가 피고 까치가 날고
> 아가씨가 지나고 바람이 일고

↓

은주: 화자는 늘 새로운 길을 가겠다고 말하고 있고, 인생에서 다양한 사
람을 만나듯 길에서 '민들레', '까치', '아가씨', '바람'을 만나고 있어. 이
러한 모습으로 보아 이 시에서 '길'은 인생을 의미한다고 생각해.

보기
은주는 작품의 (㉠)을 바탕으로 시어의 의미를 파악하고 있다.

전략 1 오늘날까지 이어지고 있는 과거의 삶을 중심으로 감상하기

물먹는 소 목덜미에

할머니 손이 얹혀졌다.
소를 위로해 주려는 할머니의 모습

이 하루도

함께 지났다고,
할머니와 소가 함께하는 모습

서로 발잔등이 부었다고,
고된 농사일에 발등이 부음. → 할머니와 소의 고달픈 삶

서로 적막하다고,
할머니의 쓸쓸하고 외로운 삶

– 김종삼, 〈묵화〉 지학사
수묵화(먹으로 짙고 엷음을 이용하여 그린 그림.).

☑ **이 시의 주된 내용은?**
할머니가 소 목덜미에 손을 얹으며 소를 ❶ □□□하고 있음.
→ 힘든 하루 일을 마친 할머니와 소의 고달픈 삶을 노래함.

☑ **이 시에 담긴 할머니의 삶의 모습은?**
힘든 농사일을 하지만 곁에서 도와주며 항상 함께하는 소가 있어서 삶의 위안을 얻음.

☑ **이 시에 담긴 삶의 가치는?**
소는 할머니에게 힘든 농사일과 적막함을 덜어 주는 친구나 가족 같은 존재임.
→ 오늘날에도 이어지고 있는, 주변 대상과 서로 위로하고 ❷ □□하는 삶의 가치가 담겨 있음. 말로 하지 않아도 서로의 감정이나 생각을 느낌.

❶ 위로 ❷ 교감

┌─ **필수 예제 1** ─┐

이 시에서 할머니에게 소가 지니는 의미로 적절한 것은?

① 항상 보살펴야 하는 귀찮은 존재

② 적막한 삶을 더욱 힘들게 하는 존재

③ 자신이 돌보아 주어야 하는 부담스러운 존재

④ 힘든 농사일과 적막함을 덜어 주는 가족 같은 존재

⑤ 육체적 노동은 도와주지만 삶을 쓸쓸하게 만드는 존재

정답 해설 | 할머니는 소의 목덜미에 손을 얹고 소를 위로하고 있으며, 힘든 농사일을 도와주며 삶을 함께하는 소에게서 위안을 얻고 있다. 즉 소는 할머니와 정신적으로 교감하는 친구 같은 존재라고 볼 수 있다.   답 | ④
오답 풀이 | ①, ② '함께', '서로'로 보아 소는 적막한 삶을 사는 할머니 곁에서 힘든 일을 도와주며 항상 위안이 되어 주는 존재이다.
③ '할머니 손이 얹혀졌다.'와 '함께 지났다고,'로 보아 할머니는 소를 위로하기도 하지만, 더불어 소에게서 부담이 아닌 위안을 얻고 있다.
⑤ '서로 발잔등이 부었다고,'에서 할머니와 소의 고달픈 삶이 드러나기는 하지만, 소는 할머니의 적막함을 덜어 주는 존재이다.

┌─ **확인 문제 1** ─┐

다음 신문 기사를 참고할 때 이 시에 담긴 오늘날까지 이어지고 있는 삶의 가치로 적절한 것은?

○○일보   20○○년 ○○월 ○○일

국내에서 반려동물을 키우는 인구수가 어느덧 천만 명을 넘어섰으며, 반려동물과 반려인의 관계가 점점 돈독해지고 있다.

① 오늘날도 약자를 배려하는 삶을 강조함.

② 오늘날도 동물과 함께하는 삶을 소중히 여김.

③ 오늘날도 자연 속에서의 삶을 의미 있게 생각함.

④ 오늘날도 동물이 인간에게 미치는 영향을 걱정함.

⑤ 오늘날도 자신을 희생하며 사는 사람을 높이 평가함.

전략 2 오늘날에 사라져 가는 과거의 삶을 중심으로 감상하기

오늘 낮에 지서에서 나온 사람이 우리 노새가 뛰는 바람에 많은 피해를 입었으
본서에서 갈려 나가, 그 관할 아래 특정 지역의 일을 맡아 하는 관서.   '도망가는'을 속되게 이르는 말.
니 도로 무슨 법이라나 하는 법으로 아버지를 잡아넣어야겠다고 이르고 갔다는

것이었다. 아버지는 술이 확 깨는 듯 그 자리에 선 채 한동안 눈만 데룩데룩 굴리

고 서 있더니 힝 하고 코를 풀었다. 그러고는 아무 말 없이 스적스적 문밖으로 걸
시적시적. 힘들이지 아니하고 느릿느릿 행동하거나 말하는 모양.
어 나갔다. 나는 '아버지' 하고 따랐으나 아버지는 돌아보지도 않고 어두운 골목길

을 나가고 있었다. 나는 그 순간 또 한 마리의 노새가 집을 나가는 것 같은 착각을
'아버지'를 의미함.
일으켰다. 그러고는 무엇인가가 뒤통수를 때리는 것을 느꼈다. 아, ㉠우리 같은

노새는 어차피 이렇게 비행기가 붕붕거리고, 헬리콥터가 앵앵거리고, 자동차가
변화에 적응하지 못하는 존재   다양한 교통수단: 산업화·도시화가 이루어졌음을 알 수 있음.
빵빵거리고, 자전거가 쌩쌩거리는 대처에서는 발붙이기 어려운 것인가 하는 생각
도회지. 사람이 많이 살고 상공업이 발달한 번잡한 지역.
이 들었다. 언젠가 남편이 택시 운전사인 칠수 어머니가 하던 말, ㉡'최소한도 자

동차는 굴려야지 지금이 어느 땐데 노새를 부려.' 했다는 말이 생각났다. 그러나
노새는 당시의 현실에 맞지 않는 구시대적인 생계 수단이라는 의미
그것은 잠깐 동안이고 나는 금방 아버지를 쫓았다. 또 한 마리의 노새를 찾아 캄
아버지: 힘들고 고단한 삶을 살아왔으며 시대 변화에 제대로 적응하지 못하는 존재
캄한 골목길을 마구 뛰었다.

– 최일남, 〈노새 두 마리〉 [미래엔, 비상]
노새와 아버지를 의미함.

☑ **이 글에 나타난 아버지의 삶의 모습은?**

산업화·도시화로 매우 빠르게 발전한
도시에서 ❶□□로 연탄 배달을 하
면서 힘겹게 삶.

☑ **'노새'와 아버지를 비교하면?**

노새	아버지
자동차가 증가하는 도시에서 쫓겨날 위기에 처함.	변화하는 도시의 삶에서 소외됨.

☑ **이 글에 나타난 '노새'의 의미는?**

시대의 ❷□□에 적응하지 못하는
것, 사라져 가는 것

→ 오늘날 사라져 가는 과거의 삶의 모
습을 전달함.

❶노새 ❷변화

필수 예제 2

이 글의 내용으로 보아 ㉠의 의미로 적절한 것은?

① 우리가 지켜야 할 전통

② 희망을 품고 살아가는 사람

③ 자연으로 돌아가고 싶어 하는 사람

④ 시대 변화에 적응하지 못하는 사람

⑤ 빠르게 발전한 산업 사회에서 기계화된 노동자

정답 해설 | '우리 같은 노새'는 '비행기', '헬리콥터', '자동차' 같은 교통수
단과 대조되는, 1970년대 도시화·산업화되어 가는 과정에서 사라져 가는
것, 시대의 변화에 적응하지 못하는 존재를 의미한다.   **답 |** ④
오답 풀이 | ① 사라져 가는 모습이지만 전통과는 관련이 없다.
② '우리'는 도시 하층민으로 희망을 품는 모습을 보이고 있지 않다.
③ 시대 변화에 따르지 못했을 뿐 자연과는 관련이 없다.
⑤ 산업 사회에 적응하지 못한 존재로 기계화와는 거리가 멀다.

확인 문제 2

㉡에 담긴 '노새'에 대한 칠수 어머니의 생각으로 적절한 것은?

① 노새는 빠르게 변화하는 시대에 꼭 필요한 존재야.

② 노새는 사람 간의 신뢰를 돈독하게 만드는 중요한 수단
이야.

③ 노새는 가난하게 사는 사람들의 삶을 더욱 힘들게 하는
존재야.

④ 노새는 도시화·산업화되어 가는 시대에 맞지 않는 생계
수단이야.

⑤ 노새는 물질의 풍요로움 속에서도 행복을 유지하게 하
는 수단이야.

전략 3 오늘날 새롭게 평가할 수 있는 과거의 삶을 중심으로 감상하기

"나는 이 동네 사람인데, [우리 아버지가 앞을 못 보셔서 '공양미 3백 석을 지성
_{부처에게 바치는 쌀.}   _{지극한 정성.}

으로 불공하면 눈을 떠 보리라.' 하기로, ㉠집안 형편이 어려워 장만할 길이 전

[ ]: 심청이가 아버지의 눈을 뜨게 하기 위해 자신의 몸을 팔려 함.

혀 없어 내 몸을 팔려 하니 나를 사 가는 것이 어떠하실는지요?"]

뱃사람들이 이 말을 듣고, / "효성이 지극하나 가련하군요."
_{심청이의 행동을 '효'라고 평가하고 있음.}

하며 허락하고, 즉시 쌀 3백 석을 몽운사로 날라다 주고,

"오는 3월 보름날에 배가 떠나기로 되어 있습니다."

하고 가니, 심청이 아버지께 여쭙기를,

"공양미 3백 석을 이미 실어다 주었

으니, 이제는 근심치 마셔요."

심 봉사가 깜짝 놀라,

"너, 그 말이 웬 말이냐?"

심청같이 타고난 효녀가 어찌 아버

지를 속이랴마는, 어찌할 수 없는 형편이라 잠깐 거짓말로 속여 대답한다.

["장 승상 댁 노부인이 달포 전에 저를 수양딸로 삼으려 하셨는데 차마 허락지
_{한 달이 조금 넘는 기간.}   _{남의 자식을 데려다가 제 자식처럼 기른 딸.}

않았습니다. 그러나 지금 형편으로는 공양미 3백 석을 장만할 길이 전혀 없기

[ ]: 자신이 제물로 팔렸다고 하면 아버지가 슬퍼할까 봐 장 승상 댁 수양딸로 가게 되었다고 거짓말을 함.

로 이 사연을 노부인께 말씀드렸더니, 쌀 3백 석을 내어 주시기에 수양딸로 팔

리기로 했습니다."]

– 작자 미상, 〈심청전〉 [지학사]

☑ 이 글에 나타난 과거의 삶의 모습은?

> 심청이가 눈먼 아버지의 눈을 뜨게 하기 위해 절에 ❶ ◯◯◯ 3백 석을 지성으로 불공하려고 함.

↓

> 부처와 같은 신적 대상에게 소원을 빌면 그것이 이루어질 수 있다고 생각함.

☑ 심청이가 공양미 3백 석에 자신의 몸을 판 까닭은?

쌀 3백 석을 구해 앞 못 보는 아버지의 눈을 뜨게 하기 위해

☑ 이 글에 나타난 삶의 가치에 대한 평가는?

• 자신을 길러 준 부모에게 ❷ ◯◯ 하는 것이 자식의 도리라는 생각은 오늘날에도 변함없음.

• 눈먼 아버지를 두고 심청이가 죽음으로 희생하려는 행동은 오늘날의 관점에서 진정한 효가 아니라고 평가할 수 있음.

❶ 공양미 ❷ 효도

필수 예제 3

심청이의 행동에 반영된 당시 삶의 가치로 적절한 것은?

① 자식은 부모에게 효도해야 한다.

② 사람의 목숨은 소중하므로 사고팔 수 없다.

③ 형제간에 서로 도우며 의리를 지켜야 한다.

④ 자연재해는 피할 수 없으므로 받아들여야 한다.

⑤ 자식은 어떤 경우에도 부모에게 거짓말해서는 안 된다.

정답 해설 | 자신의 목숨을 바쳐서라도 아버지의 눈을 뜨게 하려는 심청이의 행동을 통해 부모에게 효도하는 것이 자식의 도리라는 당시 삶의 가치를 알 수 있다.   **답 | ①**

오답 풀이 | ② 뱃사람들이 심청이의 목숨을 쌀 3백 석으로 사고 있으므로 적절하지 않다.

③ 형제간의 도리가 아니라 부모와 자식 간의 도리를 말하고 있다.

④ 자연재해를 받아들여야 한다는 내용은 나타나지 않는다.

⑤ 심청이가 아버지를 위해 거짓말을 하고 있으므로 적절하지 않다.

확인 문제 3

㉠에 나타난 심청이의 행동을 오늘날의 삶과 비교하여 감상한 내용으로 적절하지 않은 것은?

① 자신을 길러 준 부모에게 효도하는 것은 자식의 도리야. 그런 면에서 심청이는 효녀야.

② 아버지를 위해 하나밖에 없는 자신의 목숨을 내놓았으니 진정한 효녀라고 할 수 있지.

③ 아버지의 눈을 뜨게 하려고 죽기로 결심한 것을 아버지가 받아들였으니 심청이는 효를 실천한 거야.

④ 눈먼 아버지를 홀로 남겨 두고 죽는 것은 아버지의 입장을 배려하지 않은 행동이니 효도와 거리가 멀어.

⑤ 자신 때문에 딸이 죽었다는 것을 안다면 아버지는 평생 죄책감에 괴로워할 것이니 효도라고 볼 수 없어.

[1~2] 다음 시를 읽고 물음에 답하시오.

어릴 때, 두 손으로 받들고 싶도록 반가운 말은 저녁 무렵 아버지가 돼지고기 두어 근 끊어 왔다는 말

정육점에서 돈 주고 사 온 것이지마는 칼을 잡고 손수 베어 온 것도 아니고 잘라 온 것도 아닌데

신문지에 둘둘 말린 그것을 어머니 앞에 툭 던지듯이 내려놓으며 한마디, 고기 좀 끊어 왔다는 말

가장으로서의 자랑도 아니고 허세도 아니고 애정이나 연민 따위 더더구나 아니고 다만 반갑고 고독하고 왠지 시원시원한 어떤 결단 같아서 좋았던, 그 말

남의 집에 세 들어 살면서 이웃에 고기 볶는 냄새 퍼져 나가 좋을 거 없다, 어머니는 연탄불에 고기를 뒤적이며 말했지

그래서 냄새가 새어 나가지 않게 방문을 꼭꼭 닫고 볶은 돼지고기를 씹으며 입 안에 기름 한입 고이던 밤

– 안도현, 〈돼지고기 두어 근 끊어 왔다는 말〉 천재(노)

◐ **시의 화자**
어른이 된 화자(시에 직접 드러나지 않음.)

◐ **시의 대상**
돼지고기

◐ **화자의 상황**
어린 시절에 아버지가 돼지고기를 사 오던 경험을 떠올림.

1 이 시에 나타난 당시 삶의 모습으로 적절하지 **않은** 것은?
① 집에서 주로 연탄불을 사용하여 음식을 만들었다.
② 이웃의 눈치를 볼 만큼 고기 먹는 것이 특별한 일로 여겨졌다.
③ 돼지고기를 자주 먹지 못할 만큼 지금보다 경제적으로 어려웠다.
④ 아버지보다 고기를 반길 정도로 가정에서 소외된 아버지들이 많았다.
⑤ 고기 냄새가 새어 나가지 않게 문을 닫을 정도로 이웃의 평판에 신경 썼다.

문제 해결 전략
시에 드러난 인물의 ❶ □□ 이나 행동, 대화 등에 담긴 ❷ □□ 을 파악하여 당시 삶의 모습을 추측해 본다.

❶ 생각 ❷ 경험

2 이 시의 내용으로 보아 '돼지고기'에 담긴 삶의 가치로 적절한 것은?
① 사회적 약자에 대한 이해와 배려
② 부모에게 효를 다하는 자식의 도리
③ 누구도 불평등을 겪지 않는 공정한 사회
④ 가난하지만 단란하고 화목한 가족의 사랑
⑤ 이웃에게 피해를 주지 않고 예의를 지키는 모습

문제 해결 전략
시에 담긴 화자의 경험과 ❶ □ 의 모습을 바탕으로 하여 어린 시절의 화자와 현재의 화자에게 ❷ □□□ 라는 소재가 지닌 의미를 생각해 본다.

❶ 삶 ❷ 돼지고기

[3~4] 다음 글을 읽고 물음에 답하시오.

그의 어머니는 그렇게 팔 남매를 낳았다. 집은 토담집이었다. 그의 아버지와
흙으로 담을 쌓아 만든 집.
어머니가 신접살림을 나면서 손수 지은 집이었다. (중략)

그 집은 그 집 아이들에게 작은 우주였다. 그곳에는 많은 비밀이 있었다. 자연
속에는 눈에 보이는 것 말고도 눈에 보이지 않는 무한한 비밀이 감춰져 있었다.
그는 그 집에서 크면서 자연 속에 감춰진 비밀들을 깨달아 갔다.

석양의 북새, 혹은 낮게 깔리는 굴뚝 연기를 보고 그는 비설거지를 했다. 그런
'북풍'의 방언.   비가 오려고 하거나 비가 올 때, 비에 맞으면 안 되는 물건을 치우거나 덮는 일.
다음 날은 틀림없이 비가 올 것이므로. 비가 온 날 저녁에는 또 지렁이가 밤새 운
다는 것을 그는 알고 있었다. 똑또르 똑또르 하는 지렁이 울음소리. 냄새와 소리
와 맛과 색깔과 형태들이 그 집에서는 선명했다. 모든 것들이 말이다. 왜냐하면
봄과 여름과 가을과 겨울과 아침과 낮과 저녁과 밤이 그 집에서는 뚜렷했으므로.
자연이 그러한 것처럼 사람들의 삶이 명료했다.

이제 그 집을 떠난 그에게는 모든 것이 불분명하다. 아침과 저녁이 불분명하고
사계절이 불분명하고 오감이 불분명하다. 병원에서 태어나 수십 군데 이사를 다
니고 나서 겨우 장만한 아파트. ㉠그 사각진 콘크리트 벽 속에 살고 있는 그의 아
이는 여름에 긴팔 옷을 입고 겨울에 반팔 옷을 입는다.

– 공선옥, 〈그 시절 우리들의 집〉 [지학사]

◇**인물**
• '그': 어렸을 때 토담집에서 태어나고 자
랐으나, 현재는 아파트에서 살고 있음.
• '그'의 아이: 아파트에서 살면서 자연의
이치를 거스르며 살아감.

◇**소재**
토담집: '그'가 태어나 자란 곳

◇**경험**
과거 토담집에서 살았던 '그'의 삶과 현재
아파트에서 사는 '그'의 아이의 삶의 모습
을 비교함.

3 이 글에 나타난 '토담집'에서의 '그'의 삶의 모습으로 적절하지 <u>않은</u> 것은?

① 비가 온 날 저녁에 지렁이 울음소리를 들었다.

② 사계절과 밤낮의 변화를 분명하게 인식하였다.

③ 인간의 기술을 통해 자연의 한계를 극복하였다.

④ 아버지와 어머니가 직접 지은 토담집에서 태어났다.

⑤ 석양의 북새나 굴뚝 연기를 보고 비설거지를 하였다.

문제 해결 전략

과거 ❶ 에서의 '그'의 삶과 현재
❷ 에서의 '그'의 아이의 삶의 모
습을 비교하며 글의 내용을 정리해 본다.

❶토담집 ❷아파트

4 ㉠을 바탕으로 오늘날 우리가 잃어버린 삶의 가치를 적절하게 말한 것은?

① 물질문명의 혜택을 누리던 편한 삶의 가치를 잃어버렸어.

② 유교 질서에 따라 부모의 말에 순응하던 삶의 가치를 잃어버렸어.

③ 가족 구성원 간에 유대감을 형성하며 살던 삶의 가치를 잃어버렸어.

④ 집이 자연의 이치에 순응하고 조화를 이루던 삶의 가치를 잃어버렸어.

⑤ 이웃이 서로가 처한 어려움을 도와가며 살던 삶의 가치를 잃어버렸어.

문제 해결 전략

과거 ❶ 에서 산 '그'의 경험을 통
해 토담집의 의미를 파악해 본다. 이를
현재의 아파트와 비교하여 오늘날 우리
가 잃어버린 ❷ 를 생각해 본다.

❶토담집 ❷가치

[5~6] 다음 글을 읽고 물음에 답하시오.

"오늘 이 경사는 평생에 두 번 보지 못할 경사입니다. 이런 날, 대감의 낯빛이 좋지 않은 것은 무슨 까닭입니까? 추한 박씨가 이 자리에 없어서 그런 것입니까? 참으로 우습습니다."

상공은 즉시 얼굴빛을 고치고 엄숙하게 말했다. / "부인의 소견이 아무리 얕고 짧다고 한들, 어찌 그렇게 가벼운 말을 하는 것이오? 며느리의 신통한 재주는 옛날 제갈공명의 부인 황씨를 누를 것이고, 뛰어난 덕행은 주나라의 임사(姙姒)
<small>제갈량. 중국 촉한의 뛰어난 군사 전략가.   문왕의 어머니 태임과 무왕의 어머니 태사.</small>
에 비할 것이오. 우리 가문에 과분한 며느리이거늘, ㉠부인은 다만 생김새만 보고 속에 품은 재주는 생각하지 않으시니 그저 답답할 따름이오."

박씨 곁에는 계화만이 남아 잔치에도 참여하지 못하고 적막한 초당에 앉아 있는 박씨를 위로했다. / "그간 서방님은 한번도 부인께 정을 주지 않으셨고, 대부인의 박대마저 심해 이렇게 밤낮으로 홀로 지내고 계십니다. 집안의 대소사에 참여하지 못할 뿐 아니라 오늘같이 기쁜 날에도 독수공방(獨守空房)만 하고 계시
<small>아내가 남편 없이 혼자 지내는 것.</small>
니, 곁에서 지켜보는 소인조차도 슬픔을 이길 수 없을 듯합니다."

"사람의 길흉화복은 하늘에 달린 것이라 인력으로는 어찌할 수 없다. 그러기에
<small>좋은 일과 나쁜 일, 불행한 일과 행복한 일.   사람의 힘.</small>
탕왕은 하걸에게 간힘을 당하고 문왕도 유리옥에 갇혔으며, 공자 같은 성인도 진채에게 욕을 보신 것이 아니겠느냐?"

– 작자 미상, 〈박씨전〉 [천재(노)]

◆ **인물**
· 박씨: 재주가 뛰어나고 사려가 깊음.
· 이 상공: 박씨의 재주를 인정함.
· 부인: 외모가 추하다며 박씨를 무시함.
· 계화: 박씨의 여종. 박씨를 안타까워함.

◆ **배경**
조선 후기

◆ **전체 사건**
외모 때문에 박대를 받던 박씨가 아름다운 모습으로 변신한 뒤, 병자호란에서 큰 활약을 펼쳐 위기에 빠진 나라를 구함.

5 이 글에 나타난 박씨의 가치관으로 적절한 것은?

① 부모에게 효도하고 가문을 빛내야 한다.
② 남자와 여자 사이에는 지켜야 할 법도가 있다.
③ 사람은 신분의 높고 낮음에 따라 차이가 있다.
④ 어린 사람은 나이가 많은 사람을 공경해야 한다.
⑤ 사람의 운명은 정해져 있으므로 거스를 수 없다.

문제 해결 전략
인물의 가치관은 인물의 ❶⬜⬜ 이나 행동을 통해 알 수 있으므로 박씨와 계화의 대화를 바탕으로 하여 박씨의 ❷⬜⬜ 이나 태도를 파악해 본다.
❶ 말 ❷ 가치관

6 ㉠과 같은 가치관을 지닌 상공이 비판할 우리 사회의 모습으로 적절한 것은?

① 상대방을 성별에 따라 차별하며 무시하는 모습
② 사람의 능력보다는 출신 배경을 중시하는 모습
③ 겉모습을 중시하며 외모로 사람을 평가하는 모습
④ 자신의 이익을 위해 타인에게 거짓말을 일삼는 모습
⑤ 자신의 욕심을 채우려고 힘없는 사람을 이용하는 모습

문제 해결 전략
상공이 ❶⬜⬜ 을 나무라는 이유를 파악해 보고, 과거의 삶의 모습을 ❷⬜⬜ 과 비교하여 비판받아야 할 우리 사회의 모습을 생각해 본다.
❶ 부인 ❷ 오늘날

전략 1 작품 자체에 주목하여 작품 해석하기

토끼와 별주부는 넓고 너른 푸른 바다를 다 지나고 바닷가 기슭에 도착했다.

토끼가 앞에 서고 별주부는 뒤를 따라 바삐 걸어갔다. 토끼의 분한 마음이야 별<u>주부가 지은 죄를 크게 꾸짖고 싶었으나 아직은 때가 아닌 줄을 알기에 묵묵히 걸</u>
용왕을 살리기 위해 토끼를 속여 용궁으로 데려간 뒤 죽이려 한 것.
어갔다. 괜히 건드려 보았자 저 단단한 주둥이로 팔다리 꽉 물고서 도로 물에 들어가면 어찌할까 싶어 꾹 참았던 것이다. (중략)

"이놈 자라야! 네 죄를 따지자면 죽여도 아깝지 않도록 괘씸하다.

만일 내 말재주가 네 <u>용왕처럼 미련했더라면</u>, 아까운 이내 목
용왕은 토끼의 꾀에 넘어가 토끼를 살려 줌.
숨 수중 원혼(水中冤魂)이 되었겠구나. 옛 책에는 '짐승이 미
물속에서 원통하게 죽은 이의 넋.
련하기가 물고기와 같다.' 했는데 너희 물고기들이 미련하기는

우리 털 있는 짐승보다 더하구나. / <u>오장에 붙어 있는 간을 어찌 넣고 빼고 할</u>
<u>수가 있겠느냐?</u> 네 소행을 생각하면 산속으로 잡아다가 푹 삶아서
자신의 말이 거짓이었음을 밝힘.
백소주 안줏감으로 초장이나 찍어 먹으며 우리 동무들과 잔치를 벌이고 싶은 마음 간절하구나. 그러나 임금을 위하는 마음에서 그런 것이며, 만경창파(萬頃蒼波) 그 먼 길을 네 등으로
만 이랑의 푸른 물결이라는 뜻으로, 한없이 넓고 넓은 바다를 이르는 말.
왕래하며 죽고 사는 고생을 함께하였기에 목숨만은 살려 보내주겠다. 그리 알고 속히 궁으로 돌아가거라."

– 작자 미상, 〈토끼전〉 천재(노)

☑ **등장인물의 상황은?**
- 토끼: 별주부의 꼬임에 넘어가 수궁에 가지만 ❶ ▢▢ 를 발휘하여 위기에서 벗어남.
- 별주부: 토끼와 육지로 나가 토끼의 간을 찾으려 했지만 토끼에게 속아 토끼를 놓침.
- 용왕: 자신의 병을 고치려고 토끼의 간을 얻으려 하지만 토끼에게 속아 토끼를 다시 육지로 돌려보냄.

☑ **등장인물을 중심으로 한 글의 주제는?**
- 토끼: 헛된 욕심을 버리는 태도와 위기를 극복하는 지혜의 중요성
- 별주부: 우직한 ❷ ▢▢▢
- 용왕: 힘없는 백성을 희생시키는 지배층을 향한 비판

❶ 지혜 ❷ 충성심

필수 예제 1

다음과 같이 토끼를 평가할 때 그 근거로 적절한 것은?

> 토끼는 지혜롭고 주도면밀한 인물이야.

① 임금을 위하는 별주부의 마음을 칭찬했다.
② 자신의 말에 속은 별주부를 미련하다고 꾸짖었다.
③ 간을 빼고 넣는다는 자신의 말이 거짓말임을 밝혔다.
④ 죽고 사는 고생을 같이했다며 별주부를 살려 주었다.
⑤ 육지의 안전한 곳에 다다를 때까지 분한 마음을 참았다.

정답 해설 | 토끼는 별주부를 꾸짖고 싶었으나 위험이 없는 상황이 될 때까지 기다리는 주도면밀함과 지혜로운 면모를 보였다.   답 | ⑤
오답 풀이 | ①, ②, ③, ④ 별주부에 대한 토끼의 태도와 토끼의 지혜가 드러나는 부분이나, 주도면밀한(주의를 기울여 빈틈이 없는.) 모습과는 거리가 멀다.

확인 문제 1

다음과 같이 이 글을 해석할 때 적용한 방법으로 적절한 것은?

> 토끼는 별주부의 꾐에 넘어가 죽을 위기에 처했으나 자신은 간을 넣고 뺄 수 있다고 꾀를 내어 탈출했으니 토끼는 지혜로운 인물이야.

① 글의 내용에 주목하여 작품을 해석하였다.
② 작가의 작품 세계에 주목하여 작품을 해석하였다.
③ 글에 나타난 시대적 배경을 고려하여 작품을 해석하였다.
④ 글이 독자에게 미친 영향을 중심으로 작품을 해석하였다.
⑤ 글을 읽고 떠올린 자신의 경험을 바탕으로 작품을 해석하였다.

전략 2   작가에 주목하여 작품 해석하기

내 고장 칠월은

청포도가 익어 가는 시절
풍요로움, 희망, 평화를 상징함.

□ : 푸른색
○ : 흰색
푸른색과 흰색을 대비하여 평화롭고 아름다운 고향의 모습을 보여 줌.

이 마을 전설이 주저리주저리 열리고

먼 데 하늘이 꿈꾸며 알알이 들어와 박혀
이상, 희망을 상징함.

하늘 밑 푸른 바다가 가슴을 열고

흰 돛단배가 곱게 밀려서 오면

내가 바라는 손님은 고달픈 몸으로
화자가 간절히 기다리는 대상

청포를 입고 찾아온다고 했으니

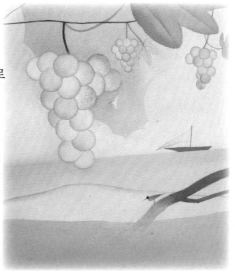

내 그를 맞아 이 포도를 따 먹으면

두 손은 함뿍 적셔도 좋으련
화자의 희생적 태도가 나타남.

[아이야 우리 식탁엔 은쟁반에

하이얀 모시 수건을 마련해 두렴]
[ ] : 손님을 맞이하는 화자의 정성스러운 태도

– 이육사, 〈청포도〉 천재(노), 천재(박)

☑ **이 시의 화자가 소망하는 일은?**
고달픈 몸으로 청포를 입고 찾아오는
❶ [   ]을 맞아 청포를 따 먹고 싶음.

☑ **이 시의 화자가 '손님'을 대하는 태도는?**
정성스럽게 손님을 맞을 준비를 하며 손님을 간절히 기다림.

☑ **이 시를 쓴 이육사와 관련지어 이 시를 해석할 때 '손님'의 의미는?**

| 이육사 | 각종 독립운동 단체에 가담하여 독립운동가로 활동함. |

↓

| '손님'의 의미 | 조국의 ❷ [   ] |

❶ 손님 ❷ 광복(독립)

필수 예제 2

준영이가 이 시를 읽고 해석한 내용에서 | 보기 |의 ㉠에 들어갈 알맞은 말을 찾아 2어절로 쓰시오.

나는 이 시를 쓴 시인이 독립운동가로 활동했다는 점에 주목해야 한다고 생각해. 이를 고려하면 이 시는 조국 광복을 기다리는 시인의 간절한 염원을 드러내는 것 같아.

┌ 보기 ┐
준영이는 (㉠   )(이)라는 점을 근거로 들어 시 〈청포도〉가 조국 광복을 염원하는 마음을 담고 있다고 해석하였다.

정답 해설 | 준영이는 독립운동가였던 시인의 삶을 근거로 시 〈청포도〉를 해석하였다. 이는 작가와 작품의 관계를 중심으로 작품을 해석하는 방법에 해당한다.   **답** | 시인이 독립운동가

확인 문제 2

이 시를 읽고 해석한 내용 가운데 작가에 주목하여 해석한 것은?

① 이 시를 읽으면서 소망을 이루려면 정성껏 준비해야 한다는 깨달음을 얻었어.

② 이 시가 발표된 1939년은 일제 강점기였으므로 '손님'은 시인이 바라는 조국 광복을 의미한다고 봐.

③ 이 시를 쓴 이육사는 일제에 맞서 싸우는 독립투사로서의 삶을 살아왔으므로 '손님'은 조국 광복을 의미해.

④ 이 시는 고향의 청포도가 '주저리주저리' 열려서 '알알이' 익어 가고 있다고 하여 넉넉하고 여유로운 고향의 모습을 떠오르게 해.

⑤ 이 시는 '청포도', '푸른 바다', '청포'의 푸른색과 '흰 돛단배', '은쟁반', '하이얀 모시 수건'의 흰색을 대비하여 평화로운 고향의 모습을 보여 주고 있어.

전략 3 시대적 배경에 주목하여 작품 해석하기

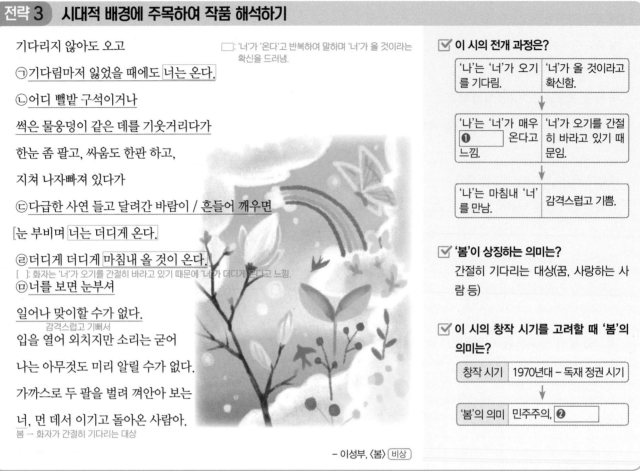

기다리지 않아도 오고

㉠기다림마저 잃었을 때에도 너는 온다.

□ '너'가 '온다'고 반복하여 말하며 '너'가 올 것이라는 확신을 드러냄.

㉡어디 뻘밭 구석이거나

썩은 물웅덩이 같은 데를 기웃거리다가

한눈 좀 팔고, 싸움도 한판 하고,

지쳐 나자빠져 있다가

㉢다급한 사연 들고 달려간 바람이 / 흔들어 깨우면

눈 부비며 너는 더디게 온다.

㉣더디게 더디게 마침내 올 것이 온다.

[ ]: 화자는 '너'가 오기를 간절히 바라고 있기 때문에 '너'가 더디게 온다고 느낌.

㉤너를 보면 눈부셔

일어나 맞이할 수가 없다.

감격스럽고 기뻐서

입을 열어 외치지만 소리는 굳어

나는 아무것도 미리 알릴 수가 없다.

가까스로 두 팔을 벌려 껴안아 보는

너, 먼 데서 이기고 돌아온 사람아.

봄 → 화자가 간절히 기다리는 대상

– 이성부, 〈봄〉 [비상]

☑ 이 시의 전개 과정은?

| '나'는 '너'가 오기를 기다림. | '너'가 올 것이라고 확신함. |

↓

| '나'는 '너'가 매우 ❶ 온다고 느낌. | '너'가 오기를 간절히 바라고 있기 때문임. |

↓

| '나'는 마침내 '너'를 만남. | 감격스럽고 기쁨. |

☑ '봄'이 상징하는 의미는?

간절히 기다리는 대상(꿈, 사랑하는 사람 등)

☑ 이 시의 창작 시기를 고려할 때 '봄'의 의미는?

| 창작 시기 | 1970년대 – 독재 정권 시기 |

↓

| '봄'의 의미 | 민주주의, ❷ |

❶ 더디게 ❷ 자유

필수 예제 3

다음에서 '봄'의 의미를 해석한 방법을 |보기|에서 골라 기호를 쓰시오.

시인이 이 시를 지은 1970년대는 독재 정권이 강한 권력으로 국민을 통제하던 시기이다. 이 점을 바탕으로 볼 때, '봄'은 그 시대 사람들이 간절하게 원했던 '민주주의', 또는 '자유'를 상징한다고 해석할 수 있다.

┌ 보기 ┐

ㄱ. 작품과 작가의 관계를 중심으로 해석하기

ㄴ. 작품 자체의 내적 특징을 중심으로 해석하기

ㄷ. 작품에 반영된 시대적 상황을 중심으로 해석하기

ㄹ. 작품을 읽고 독자가 받은 영향을 중심으로 해석하기

정답 해설 | 제시된 글은 시가 창작된 당시의 시대적 상황을 근거로 들어 '봄'의 의미를 해석하고 있으므로, ㄷ의 방법으로 작품을 해석한 것이다.

답 | ㄷ

확인 문제 3

|보기|의 관점으로 ㉠～㉤을 해석할 때 적절하지 않은 것은?

┌ 보기 ┐

문학 작품은 작품이 창작된 당시의 시대 배경과 관련지어 해석하기도 한다. 이런 관점에서 1970년대, 독재 정권이 강한 권력으로 국민을 통제하던 시기에 창작된 〈봄〉은 민주주의가 올 것이라는 믿음을 노래한 시로 볼 수 있다.

① ㉠에서 화자가 간절히 기다리는 '너'는 민주주의라고 할 수 있다.

② ㉡에서 민주주의가 오는 데 시련이 있음을 알 수 있다.

③ ㉢에는 독재 정권에 대한 화자의 두려움이 드러나 있다.

④ ㉣에는 민주주의가 반드시 올 것이라는 화자의 확신이 담겨 있다.

⑤ ㉤에는 민주주의를 맞이한 화자의 감격스러운 마음이 드러나 있다.

전략 4 독자에 주목하여 작품 해석하기

처마 끝에 명태(明太)를 말린다

명태(明太)는 꽁꽁 얼었다

명태(明太)는 길다랗고 파리한 물고긴데
　　명태의 모습을 생생하게 표현함.
꼬리에 길다란 고드름이 달렸다
　올바른 표기: 기다란
해는 저물고 날은 다 가고 볕은 서러웁게 차갑다
　　　'볕'이 '차갑다'는 앞뒤가 모순된 표현(역설)을 사용하여 서러운 감정을 강조함.
나도 길다랗고 파리한 명태(明太)다
　　'나'를 '명태'와 동일시함.
문(門)턱에 꽁꽁 얼어서

가슴에 길다란 고드름이 달렸다
　　　'나'의 기다림과 쓸쓸함을 나타냄.

– 백석, 〈멧새 소리〉 지학사

☑ **이 시에서 '명태'와 '나'의 관계는?**

명태의 모습	'나'의 모습
• 처마 끝에 꽁꽁 얼어붙어 있음. • 꼬리에 기다란 고드름이 달림.	• 문턱에 꽁꽁 얼어 있음. • 가슴에 기다란 고드름이 달림.

→ '나'는 명태를 자신과 동일시함.(명태는 '나'의 분신이자 자화상임.)

☑ **이 시에 나타난 '나'의 모습은?**
• 누군가를 기다리며 ❶[　　　]을 서성임.
• 가슴에 기다란 고드름이 달릴 만큼 적막하고 쓸쓸함을 느낌.

☑ **이 시를 읽은 독자가 받을 영향은?**
누군가를 애타게 기다렸던 ❷[　　　]을 떠올릴 수 있음.

❶ 문턱 ❷ 경험

필수 예제 4

다음에서 이 시를 해석한 주된 근거로 적절한 것은?

> 　명태처럼 외롭고 쓸쓸한 화자, 그런 화자에게 제목의 '멧새 소리'는 따뜻한 희망의 소리가 아니었을까? 지금은 나도 명태처럼 외롭다고 생각하지만, 언젠가는 넓은 세상 속으로 여행을 떠날 수 있을 것이라는 멧새의 지저귐이 있어서 외롭지만은 않다.

① 시인의 삶
② 시에 사용된 표현
③ 시가 창작된 시기
④ 시인의 창작 의도
⑤ 시가 독자에게 미친 영향

정답 해설 | 제시된 글에서 글쓴이는 작품의 내용이 자신에게 전달되는 의미를 고려하여 이 시의 제목인 '멧새 소리'를 따뜻한 희망을 주는 소리라고 해석하고 있다. 이는 독자 자신의 경험을 반영한 해석으로, 즉 독자를 중심으로 해석하였다.　　　　　　　　　　　　　　　　　답 | ⑤

확인 문제 4

| 보기 |와 같은 방법으로 이 시를 해석한 것은?

> ┌ 보기 ┐
> 　문학 작품은 작품이 독자에게 주는 즐거움과 감동, 교훈 등의 효과에 주목하여 해석할 수 있다.

① 시인은 고향을 떠나 혼자 생활했으므로 '나'는 시인 자신과도 같다.
② 일제 강점기에 창작되었으므로 '명태'는 우리 민족의 분신을 상징한다.
③ 제목 '멧새 소리'와 시어 '문턱'은 '나'와 외부의 소통 가능성을 보여 준다.
④ 일하느라 늦게 오시는 부모님을 홀로 기다렸던 어린 시절을 떠올리며 화자의 외로움에 공감하였다.
⑤ 시인이 홀로 머물렀던 함흥의 겨울 풍경이 얼어붙은 채 말라 가는 명태의 모습으로 시각화되어 작품 속에 반영되어 있는데 이는 시인의 쓸쓸한 내면을 보여 준다.

[1~3] 다음 글을 읽고 물음에 답하시오.

가 봄은 / 남해에서도 북녘에서도 / 오지 않는다.

너그럽고 / 빛나는 / 봄의 그 눈짓은,

제주에서 두만까지

우리가 디딘 / 아름다운 논밭에서 움튼다.

겨울은, / 바다와 대륙 밖에서 / 그 매운 눈보라 몰고 왔지만

이제 올 / 너그러운 봄은, 삼천리 마을마다

우리들 가슴속에서 / 움트리라.

움터서, / 강산을 덮은 그 미움의 쇠붙이들

눈 녹이듯 흐물흐물 / 녹여 버리겠지.

― 신동엽, 〈봄은〉 [미래엔]

나 시인이 노래하는 '봄'이란 곧 통일, 또는 통일이 이루어지는 시대를 의미한다. 봄은 '남해에서도 북녘에서도 / 오지 않는다.'라고 시인은 분명하게 말한다. '남해'와 '북녘'은 모두 한반도를 둘러싼 외부의 힘이다. 그러면 봄은 어디에서 오는가? 그것은 '제주에서 두만까지 / 우리가 디딘 / 아름다운 논밭에서', 즉 우리 민족이 살고 있는 바로 이 땅에서 이루어지는 것이다.

　제3연에서 시인은 그 필연성을 노래한다. 분단된 민족으로서 우리가 겪고 있는
_{사물의 관련이나 일의 결과가 반드시 그렇게 될 수밖에 없는 요소나 성질.}
괴로움, '겨울'은 어디에서부터 온 것인가? 그는 '바다와 대륙 밖에서' 온 것으로 생각한다. 분단은 우리가 원해서가 아니라 한반도를 둘러싼 국제 정치의 상황, 즉 제2차 세계 대전이 끝나면서 한반도에 들어온 미국과 소련 사이의 대립에 따른 결과였다. 그러니 이제 봄을 그 밖으로부터 바란다는 것은 어리석은 일일 따름이다. 이제올 봄은, '삼천리 마을마다 / 우리들 가슴속에서' 움터야만 한다. 민족의 분단에 의한 고통은 바로 그 고통을 겪는 사람들 스스로의 힘에 의해서만 풀릴 수 있기 때문이다.

　시인은 찾아올 통일의 미래를 마지막 연에서 그린다. 우리 강토를 덮고 있는 것은 '미움의 쇠붙이들', 즉 증오와 불신으로 가득 찬 군사적 대립과 긴장이다. 우리 모두의 마음속에서 싹트고 훈훈하게 자라나는 봄은 마침내 이 '쇠붙이들'을 모두 녹여 버리고 아름다운 세계를 새롭게 열 것이다.

― 김흥규, 《한국 현대시를 찾아서》 [미래엔]

○ **가** 시의 화자
　봄을 기다리는 '우리'

○ **가** 시의 대상
　봄, 겨울

○ **가** 화자의 상황
　추운 겨울 속에서 봄을 기다리고 있음.

○ **나** 설명 대상
　시 〈봄은〉

○ **나** 글을 쓴 목적
　독자가 시 〈봄은〉을 쉽게 이해하도록 근거를 들어 설명하기 위해

1 두 학생이 (가)를 읽고 감상한 내용이 서로 다른 까닭으로 적절한 것은?

지난봄 학교 운동장에서 나무에 싹이 난 모습을 봤어. 시를 읽으니 그때 보았던 빛나는 봄 햇살과 파릇파릇한 새싹이 떠올랐어.

난 해와 바람이 나그네의 외투를 벗기는 경기를 한다는 동화가 떠올랐어. 역시 바람보다 강한 것은 따뜻한 햇볕이야.

① 작가의 생애에 대한 지식이 없기 때문에
② 독자의 배경지식이나 경험이 다르기 때문에
③ 작가의 의도를 제대로 파악하지 못했기 때문에
④ 작품에 반영된 현실을 알아내지 못했기 때문에
⑤ 시어의 상징적 의미를 이해하지 못했기 때문에

문제 해결 전략

두 학생이 시를 읽고 떠올린 생각이나 느낌, 깨달음 등을 바탕으로 하여 시를 해석한 내용과 **①** 를 정리해 보고, 시에 대한 **②** 의 해석이 서로 다른 까닭을 생각해 본다.

① 근거 **②** 독자

2 다음은 (가)를 읽고 해석한 내용이다. 이에 대한 설명으로 적절하지 <u>않은</u> 것은?

> (가)는 겨울에서 봄으로 가는 계절 변화를 노래한 작품이야. 겨울은 '매운 눈보라'와 '미움의 쇠붙이들'처럼 차갑고 딱딱한 느낌을 주는 시어로, 봄은 '너그럽고 / 빛나는'처럼 따뜻하고 부드러운 느낌을 주는 시어로 표현한 뒤, 이를 대비함으로써 계절이 변화하는 모습을 보여 주고 있어.

① 작품 자체의 내적 특징에 주목하여 작품을 해석하였다.
② 작품이 주는 교훈적 의미를 끌어내어 작품을 해석하였다.
③ 겨울에서 봄으로 가는 계절 변화를 노래한 시라고 해석하였다.
④ 시에 사용된 시어가 주는 느낌을 근거로 들어 작품을 해석하였다.
⑤ 대비되는 시어를 사용하여 계절의 변화를 보여 준다고 해석하였다.

문제 해결 전략

먼저 작품의 해석 **①** 이나 독자의 경험, 배경지식, 관심, 가치관 등에 따라 시를 다양하게 해석할 수 있음을 이해하고, 제시된 글이 어떠한 **②** 를 들어 (가) 시를 해석하고 있는지 살펴보아 작품의 해석 방법을 파악해 본다.

① 방법 **②** 근거

3 (나)에 대한 다음 설명에서 ㉠, ㉡에 들어갈 알맞은 말을 쓰시오.(㉠은 한 단어로, ㉡은 2어절로 쓸 것.)

(나)의 글쓴이는 시 〈봄은〉이 (㉠)을/를 바라는 마음을 담은 시라고 해석했어. 이는 문학 작품을 (㉡)와/과 관련지어 해석한 거야.

문제 해결 전략

문학 작품은 작품 자체, **①** , 작가, 독자 등에 주목하여 해석할 수 있음을 이해하고, 비평문에서 글쓴이가 제시한 **②** 가 어떠한 해석 방법에 해당하는지 파악해 본다.

① 시대 **②** 근거

대표 작품 & 예제 1~2

어버이 사라실 제 섬길 일란 다하여라

지나간 후면 애닯다 어찌하리

평생에 고쳐 못할 일이 이뿐인가 하노라
　　　　　다시.

　　　　　　　　　　　　　　　　－ 제4수

오늘도 다 새거다 호미 메고 가쟈스라
　　날이 밝았든.　　　　　가자꾸나.
내 논 다 매거든 네 논 좀 매어 주마

오는 길에 뽕 따다가 누에 먹여 보쟈스라
　　　　　　　　　　　보자꾸나.

　　　　　　　　　　　　　　　　－ 제13수

이고 진 저 늙은이 짐 풀어 나를 주오

나는 젊었거니 돌이라 무거울까

늙기도 설워라커든 짐을 조차 지실까

　　　　　　　　　　　　　　　　－ 제16수

　　　　　　　　　　－ 정철, 〈훈민가〉 [미래엔]

1 이 시조의 각 수에서 강조하는 가치로 적절한 것은?

	제4수	제13수	제16수
①	우애	헌신	효도
②	충성	우애	헌신
③	효도	근면, 상부상조	노인 공경
④	노인 공경	충성	근면, 상부상조
⑤	근면, 상부상조	효도	우애

유형 해결 전략

시조의 주제를 파악하는 문제이다. 화자가 ❶[　　]하
는 행동을 통해 각 수의 ❷[　　]를 생각해 본다.
　　　　　　　　　　　　　　❶ 권유 ❷ 주제

2 '제16수'와 오늘날의 신문 기사에 나타난 삶의 자세를
비교한 내용으로 적절한 것은?

뉴시스	2015년 12월 31일

오○○ 지구 대장은 차디찬 땅바닥에 앉아 신
호등의 신호가 켜지기만을 기다리고 있던 한 할
머니를 보게 됐다. 할머니의 모습이 안타까웠던
오 대장은 어르신을 비롯해 몸이 불편한 장애인,
임산부 등을 위한 의자를 설치하기로 마음먹었다.

① 욕심을 경계하는 것은 과거나 오늘이나 비슷하군.
② 옛날에 중시했던 가치가 오늘날까지도 이어지네.
③ 옛날에 중시했던 가치지만 오늘날에는 무의미해.
④ 옛날과는 달리 오늘날에는 어른을 공경해야 해.
⑤ 옛날에는 순수하게 지켜졌던 가치가 오늘날에
는 이익을 바라고 하는 행동으로 변질되었어.

유형 해결 전략

시조에 드러난 과거의 삶을 바탕으로 오늘날의 삶을
❶[　　]하는 문제이다. '제16수'와 오늘날 신문 기사에
실린 삶의 자세를 ❷[　　]해 본다. ❶ 성찰 ❷ 비교

가 "그래그래, 그 전기가 니들 동네에 들어오게 됐다. 신나지?" / "야아!" / "와아아!"

꼬마들은 외치며 마구 뛰기 시작했다. 전봇대 가설 공사
└ 전깃줄, 전화선, 다리 등의 시설을 설치함.
소식은 삽시간에 온 동네에 퍼져 나갔다. 누구나 처음엔 설마 했고, 나무가 아닌 시멘트 전봇대가 길가에 번듯번듯 누워 있는 것을 보고서야 비로소 감격 어린 기쁨의 숨을 내쉬게 되었다. / 밤골 사람들이 전기가 들어온다는 사실에 하나같이 설마를 앞세웠던 것은 그동안 여러 번 속아 왔기 때문이었다. 시꺼먼 그을음이 오르는 석유 등잔 신세를 이제야 면하는가 보다고 잔뜩 벼르다 보면 공염불이 되곤 했었다.
└ 실제 행동이 따르지 않는 주장이나 말을 비유적으로 이르는 말.

나 공사 기간을 한 달 이상 단축시켜 온 동네에 전깃불이 들어오게 된 날 밤, 돼지를 세 마리나 잡는 잔치가 벌어졌다. 이렇게 밤골 전체가 흥겨움에 넘친 잔치는 보기 드문 일이었다. (중략) / 양복을 미끈하게 뽑아 입은 청년들이 밤골에 나타난 건 잔치가 끝난 바로 그다음 날이었다.

다 "저게 뭐예요, 아저씨?"

누군가가 더 못 견디겠다는 듯 쨍한 목소리로 물었다.

"하아 요놈들, 오래 참았구나." / 한 청년이 그럴 줄 알았다는 듯이 씩 웃으며 꼬마들 앞으로 바싹 다가섰다.

"너희들 텔레비전이라는 말 들어 봤니? 저게 바로 텔레비전이라는 거야." / "테에레에……."

꼬마들은 전혀 귀에 익지 않은 말을 어물어물 흉내 냈다.

"저게 뭐 하는 기곈데요?" / 어느 꼬마가 힘들게 물었다.

"응, 저기에 이쁜 여자가 나와서 노래도 부르고, 군인 아저씨가 나와 총싸움도 하고, 아주 신나는 기계다."

– 조정래, 〈마술의 손〉 [동아]

---

3 이 글에 나타난 당시 삶의 모습으로 적절한 것은?

① 전기와 텔레비전이 보급되기 시작하였다.

② 도시로 인구가 몰리자 주택 공급을 늘렸다.

③ 인구 증가가 심각하여 저출산을 권장하였다.

④ 텔레비전을 보며 여가를 보내는 모습이 사라졌다.

⑤ 일자리를 찾아 도시로 떠나는 사람들이 늘어났다.

> **유형 해결 전략**
>
> 글에 드러난 당시의 삶을 파악하는 문제이다. 시대적 배경이 드러나는 **①**[   ], 인물 간의 **②**[   ], 사건을 통해 글에 반영된 당시 삶의 모습을 파악해 본다.
>
> ❶ 소재 ❷ 대화

4 다음은 (다) 이후 밤골 마을의 모습이다. 밑줄 친 '야릇한 변화'에 해당하는 오늘날의 모습으로 적절한 것은?

> 가을로 접어들면서 잔칫집이 생겼지만 일손이 예전과 같지 않았다. 누구도 예전과 같이 밤늦게까지 일을 도와주려 들지 않았다. (중략)
>
> 주인은 전에 없던 이 야릇한 변화를 얼핏 알아차리지 못했고, 평소에 앙큼한 짓 잘하던 어린 딸년이 텔레비전 때문이라고 일깨워서야 그렇구나 싶었고, 텔레비전 없는 집만 골라 일손을 모아야 했다.

① 지구 온난화로 빙하가 빠른 속도로 녹고 있다.

② 로봇이 인간의 일자리를 점점 더 차지하고 있다.

③ 일회용품 사용을 줄여 자연환경을 보호하고 있다.

④ 일인가구가 증가하면서 소포장 상품들이 늘고 있다.

⑤ 집에서도 각자 스마트폰을 보느라 가족 간의 대화가 사라지고 있다.

> **유형 해결 전략**
>
> 글에 드러난 삶과 오늘날의 삶을 비교하는 문제이다. 마을에 생긴 '야릇한 변화'를 파악하고, 전기, **①**[   ]과 같은 역할을 하는 **②**[   ]를 오늘날의 삶에서 찾아본다.
>
> ❶ 텔레비전 ❷ 소재

대표 작품 & 예제 5~6

가 아무도 그에게 수심(水深)을 일러 준 일이 없기에
흰나비는 도무지 바다가 무섭지 않다.

청(靑)무우밭인가 해서 내려갔다가는
어린 날개가 물결에 절어서 / 공주처럼 지쳐서 돌아온다.

삼월달 바다가 꽃이 피지 않아서 서글픈
나비 허리에 새파란 초생달이 시리다.

– 김기림, 〈바다와 나비〉 동아

나 이 시는 1930년대 한국 문단의 모더니즘을 주도하면서
사상, 형식, 문체 따위가 전통적인 기반에서 급진적으로 벗어나려는 창작 태도.
서구 문명 지향의 '새로운 생활'을 동경하였던 김기림 시인
의 대표작이다. 이미지를 중시한 1930년대 모더니스트의
시답게 '흰나비'와 '청무우밭', '초생달'과 삼월의 '바다'가 대
비를 이루는 흰색과 청색의 시각적 이미지가 선명하다.

다 "어린 날개가 물결에 절어서"라는 구절부터 살펴보자. '절
다'라는 동사는 '무언가가 배어들거나 무언가에 의하여 영향
을 받게 되다.' 혹은 '걸을 때 기우뚱거리다.'라는 뜻으로 쓰인
다. 바다 물결과 그 짜디짠 소금기에 흰나비의 날개가 젖어서
절었을 수도 있고, 그래서 날개를 기우뚱하게 절 수도 있겠다.

라 이 시의 중심 이미지인 '바다'와 '나비'는 무엇에 대한
은유일까. '바다'가 냉혹한 현실이라면 '나비'는 순진한 꿈의
표상이다. 꿈은 언제나 현실의 냉혹함을 모른 채 도전한다.
대표로 삼을 만큼 상징적인 것.
더 구체적으로는 근대 혹은 일제 강점기라는 시대와 그 앞
에서 좌절감을 느낄 수밖에 없었던 시인 스스로의 자화상을
바다와 나비로 은유하였을 것이다.

– 정끝별, 〈나비의 '허리'를 보다〉 동아

5 (나)~(라)를 바탕으로 (가)를 이해한 내용으로 적절하지
않은 것은?

① '바다'는 근대 혹은 일제 강점기를 의미한다.
② '나비'는 시대 앞에서 좌절감을 느낀 시인을 의
미한다.
③ '바다'는 새로운 생활에 대한 동경을, '초생달'은
순진한 꿈을 의미한다.
④ '어린 날개가 물결에 절어서'는 '절다'의 의미에
따라 두 가지로 해석된다.
⑤ '흰나비'와 '청무우밭'은 흰색과 청색의 시각적
이미지가 선명하게 대비된다.

유형 해결 전략

비평문을 바탕으로 시를 이해하는 문제이다. 다양한
❶ 으로 시를 해석하고 있음을 이해하고 **❷**
의 의미를 정리해 본다.   ❶ 방법 ❷ 시어

6 보기 를 참고할 때 (나)~(라)에서 (가)를 해석하는 데
주목한 요소를 바르게 연결한 것은?

┌─ 보기 ─┐

문학 작품은 작품의 구조나 표현 등을 중심으
로 해석할 수 있다. 또는 작가의 작품 경향, 창작
의도에 따라서나 작품을 둘러싸고 있는 시대적
배경을 바탕으로 해석할 수 있고, 독자에게 미친
영향을 중심으로 해석할 수도 있다.

	(나)	(다)	(라)
①	작가	시대	독자
②	독자	작품	시대
③	시대	작품	독자
④	작품	작가	시대
⑤	작가	작품	시대

유형 해결 전략

작품의 해석 방법을 파악하는 문제이다. 시를 해석한
❶ 를 바탕으로 **❷** , 작가, 시대, 독자 가운
데 주목한 요소를 연결지어 본다.   ❶ 근거 ❷ 작품

가 아이들은 그 사다리를 이용해서 2층의 창문으로 올라갔지. 그리고 안으로 들어갔어. 도대체 코르니유 영감이 무엇을 그 안에 숨겨 놓았는지 확인해 보기로 했던 거야.

아아, 그런데 이게 웬일이란 말인가? 방앗간 안이 텅텅 비어 있던 거야. 산더미처럼 쌓여 있을 줄 알았던 밀가루 부대는 하나도 없었고, 밀알 한 톨도 보이지 않았어.

나 자, 이제 코르니유 영감의 비밀을 알겠나? 영감은 마을 사람들에게 아직도 자신의 풍차 방앗간이 밀을 빻고 있다고 믿게 하려고 저 자루를 노새에게 짊어지게 하여 오솔길을 오르내렸던 것이야.

그래, 맞아. 영감이 밀이라고 싣고 오가던 것은 바로 부서진 옛 방앗간의 폐기물들이었어. 그렇게 해서라도 풍차 방앗간의 명예를 지키고 싶었던 것이지. 아아, 불쌍한 코르니유 영감…… . 사실 영감도 증기 방앗간에 일거리를 빼앗긴 지 한참이 지났던 거야. 늘 풍차 날개는 돌아가고 있었지만, 방아는 헛돌고 있었던 것이지. (중략) 나는 즉시 달려 나가 마을 사람들에게 그 이야기를 해 주었네. 그리고 말했지.

"우리가 모을 수 있는 밀을 최대한 많이 모아서 코르니유 영감에게 가져다줍시다."

다 우리는 비로소 그동안 우리가 무엇을 잘못했는지 알 수 있었어. 그래서 다짐했지. 영감에게 끊임없이 일감을 주기로 말이야. 물론 그 다짐은 오래도록 지켜졌네. / 하지만 오랜 세월이 흐른 뒤 어느 날, 코르니유 영감이 세상을 떠나자, 결국 우리의 마지막 풍차 방앗간도 멈췄지. 이번에는 잠시 동안이 아니라 아주 영원히 말일세. 안타깝게도 영감의 풍차 방앗간을 물려받으려 하는 사람이 아무도 없었거든.

– 알퐁스 도데, 〈코르니유 영감의 비밀〉 [비상]

7 이 글을 해석한 방법이 <u>다른</u> 것은?

 ① 이 소설의 '나'는 따뜻한 마음씨를 지녔고 배려심이 있어.

 ② 이 소설은 누군가 이야기를 들려주는 말투를 사용하여 친근감을 주고 있어.

 ③ 이 소설은 극적 반전을 통해 전통을 지키려는 코르니유 영감의 집념이라는 주제를 전하고 있어.

 ④ 이 소설의 서술자는 작품 안에 등장해 다른 인물을 관찰하여 이야기를 전달하고 있어.

 ⑤ 이 소설이 산업화가 진행되던 시기에 창작되었다는 점을 고려하면, '풍차 방앗간'은 전통적인 삶의 방식을 의미한다고 볼 수 있어.

유형 해결 전략

작품의 해석 방법을 파악하는 문제이다. 소설을 읽고 ❶ 을 파악한 뒤, 각각 어떠한 ❷ 를 들어 작품을 해석했는지 살펴본다.　❶내용 ❷근거

8 |보기|에서 이 글을 해석한 방법으로 적절한 것은?

┌ 보기 ┐

알퐁스 도데는 그의 고향인 남프랑스의 프로방스 지방을 배경으로 많은 작품을 썼는데, 특히 프로방스 주민들의 순수하고 인간적인 면모를 작품화하였다. 마을 사람들이 코르니유 영감을 돕는 모습에서도 이러한 경향이 잘 드러난다.

① 독자의 경험을 바탕으로 해석하였다.
② 작가의 작품 경향에 주목하여 해석하였다.
③ 등장인물 간의 관계를 파악하여 해석하였다.
④ 작가의 생각을 비판하는 입장에서 해석하였다.
⑤ 글에 드러난 시대적 배경을 고려하여 해석하였다.

유형 해결 전략

작품의 해석 방법을 파악하는 문제이다. 〈보기〉에 사용된 ❶ 방법이 작품, ❷ , 시대, 독자 가운데 무엇과 연관되는지 파악해 본다.　❶해석 ❷작가

[1~2] 다음 글을 읽고 물음에 답하시오.

가 우리 동네는 변두리였으므로 얼마 전까지도 모두 그날그날 벌어먹고 사는 사람들이 많아 연탄 배달도 일거리가 그리 많지 않았다. 기껏해야 구멍가게에서 두서너 장을 사서는 새끼줄에 대롱대롱 매달고 가는 게 고작이었다. 그랬는데 이삼 년 전부터 아직도 많은 빈터에 집터가 다져지고, 하나둘 문화 주택이 들어서더니 이제는 제법 그럴듯한 동네 꼴이 잡혀 갔다.
　生활하기에 편리하고 보건 위생에 알맞은 새로운 형식의 주택.

나 그러나 동네의 모습이 이처럼 달라지기는 했어도 구동네와 새 동네 사람들이 서로 어울리는 법이 없었다. 너는 너, 나는 나 하는 식으로 새 동네 사람들은 문을 꼭꼭 걸어 잠그고 누가 다가오는 것을 거절하고 있었다.

중간 부분 줄거리 아버지와 '나'가 노새 마차로 연탄 배달을 하다 마차가 넘어지고 노새는 도망친다. '나'와 아버지는 노새를 찾아 나선다.

다 아버지는 서울에 올라와서는 내내 말 마차 하나로 버텨 나왔는데 어떻게 마음먹었는지 노새로 바꾸고 만 것이다. (중략) 노새나 말이나 요즘은 그놈의 삼륜차 때문에 아버지의 일감이 자칫 줄어드는 듯하기도 했다. 웬만한 오르막길도 끄떡없이
　바퀴가 세 개 달린, 주로 짐을 실어 나를 때 쓰는 차.
오르고, 웬만한 골목 안 집까지도 드르륵 들이닥치니 아버지의 말 마차가 위협을 느낌 직도 했고, 사실 일감을 빼앗기기도 했다. 그런데도 그때마다 아버지는 큰소리였다.

"휘발유 한 방울 안 나오는 나라에서 자동차만 많으면 뭘 해."

라 아버지와 손을 잡고 길을 걷는다는 것은 꿈에도 상상할 수 없는 일이었다. 그렇게 지내왔는데, 오늘 나는 아주 자연스럽게 아버지와 손을 맞잡고 길을 걷고 있다. 좀 우쭐한 생각이 들었다.

－ 최일남, 〈노새 두 마리〉

---

1 이 글에 나타난 삶의 모습으로 적절하지 **않은** 것은?

① 가정에서 연료로 연탄을 일반적으로 사용했다.
② 변두리 동네에 사는 사람들은 그리 풍요롭지 못했다.
③ 새 동네 사람들은 구동네 사람들과 어울리지 않았다.
④ 시골에서 도시로 온 사람들은 대개 연탄 배달을 했다.
⑤ 삼륜차가 보급되면서 말 마차로 일하던 사람들이 어려움을 겪게 되었다.

　도움말
이 글은 1970년대를 시대적 ❶□□□□으로 하고 있다. 시대 상황을 짐작할 수 있는 ❷□□□를 찾아보고, 당시의 사회·문화적 상황을 정리해 보자.

❶ 배경 ❷ 소재

2 다음 질문에 대한 댓글의 내용으로 적절하지 **않은** 것은?

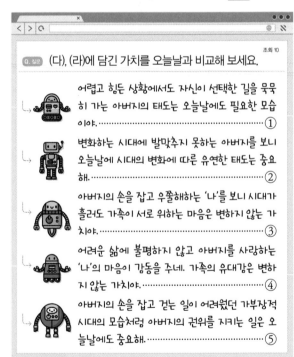

　도움말
인물의 말이나 행동 등을 통해 1970년대 당시의 사회 인식 중 오늘날까지 변하지 않는 ❶□□□나 오늘날의 ❷□□□에서 새롭게 평가될 수 있는 가치를 생각해 보자.

❶ 가치 ❷ 관점

[3~4] 다음 시를 읽고 물음에 답하시오.

내 고장 칠월은
청포도가 익어 가는 시절

이 마을 전설이 주저리주저리 열리고
먼 데 하늘이 꿈꾸며 알알이 들어와 박혀

하늘 밑 푸른 바다가 가슴을 열고
흰 돛단배가 곱게 밀려서 오면

내가 바라는 손님은 고달픈 몸으로
청포를 입고 찾아온다고 했으니

내 그를 맞아 이 포도를 따 먹으면
두 손은 함뿍 적셔도 좋으련

아이야 우리 식탁엔 은쟁반에
하이얀 모시 수건을 마련해 두렴

– 이육사, 〈청포도〉

3 다음과 같은 방법으로 이 시를 감상하지 <u>않은</u> 것은?

작품의 내적 특징을 중심으로 작품을 감상하는 것도 중요합니다. 이 시는 모두 6연인데 각 연이 2행으로 이루어져 있어 안정감이 있습니다.

① 시상의 흐름에 따라 1~2연, 3~4연, 5연, 6연의 네 부분으로 나눌 수 있어.

② 풍성하게 열려서 탐스럽게 익어 가는 '청포도'는 넉넉하고 여유로운 고향의 모습을 떠올리게 해.

③ 화자는 '고달픈 몸'으로 찾아올 '손님'과 함께 '청포도'를 먹으며 고향의 풍요로움을 나누기를 바라네.

④ 푸른색과 흰색의 색채 대비는 평화롭고 아름다운 고향의 모습과 이를 바라는 화자의 희망을 강조해.

⑤ 화자가 손님을 맞이하기 위해 준비하는 모습에서 소망을 이루려면 정성껏 준비해야 함을 깨달았어.

> 도움말
> 근거의 차이에 따라 작품이 다양하게 해석됨을 이해하고, 제시된 내용과 각 선지에 사용된 작품 ❶□□□ 방법을 파악한 뒤, ❷□□ 자체의 내용이나 형식에 주목하여 작품을 해석하지 않은 것을 찾아보자.
>
> ❶ 해석 ❷ 작품

4 이 시를 읽고 누리 소통망에 감상한 내용을 올릴 때 ㉠에 공통으로 들어갈 알맞은 말을 2어절로 쓰시오.

이 시는 일제 강점기인 1930년대에 발표되었어. 당시의 시대적 상황을 고려하면 화자가 기다리는 '손님'은 (㉠)을/를 의미한다고 볼 수 있어. 그렇다면 이 시는 (㉠)을/를 바라는 마음을 노래한 시라고 볼 수 있지.

#청포도 #이육사 #손님

> 도움말
> 작품이 창작된 ❶□□와 관련지어 작품을 감상했을 때 '❷□□'의 의미가 어떻게 해석되는지 파악해 보자.
>
> ❶ 시대 ❷ 손님

1 다음 시에 담긴 삶의 가치로 적절한 것은?

> 물먹는 소 목덜미에
> 할머니 손이 얹혀졌다.
> 이 하루도 / 함께 지났다고,
> 서로 발잔등이 부었다고,
> 서로 적막하다고,
>
> – 김종삼, 〈묵화〉

① 전통문화를 이어 가는 삶
② 자연환경을 아끼고 지키는 삶
③ 대상과 서로 위로하고 교감하는 삶
④ 역경을 이겨 내고 목표를 이루는 삶
⑤ 자신의 내면을 성찰하며 살아가는 삶

2 다음에 나타난 심청이의 행동을 '효심이 깊다'고 평가할 때 심청이와 비슷한 인물 유형을 |보기|에서 골라 기호를 쓰시오.

> "나는 이 동네 사람인데, 우리 아버지가 앞을 못 보셔서 '공양미 3백 석을 지성으로 불공하면 눈을 떠 보리라.' 하기로, 집안 형편이 어려워 장만할 길이 전혀 없어 내 몸을 팔려 하니 나를 사 가는 것이 어떠하실는지요?" / 뱃사람들이 이 말을 듣고,
> "효성이 지극하나 가련하군요." / 하며 허락하고, 즉시 쌀 3백 석을 몽운사로 날라다 주고,
> "오는 3월 보름날에 배가 떠나기로 되어 있습니다." 하고 가니, 심청이 아버지께 여쭙기를,
> "공양미 3백 석을 이미 실어다 주었으니, 이제는 근심치 마셔요."
>
> – 작자 미상, 〈심청전〉에서

> ┌─ 보기 ─
> ㄱ. 세금을 밀리지 않고 꼬박꼬박 내는 사람
> ㄴ. 어려운 이웃을 위해 매주 봉사 활동을 하는 사람
> ㄷ. 병든 부모님을 보살피기 위해 고향으로 내려간 사람
> ㄹ. 길에서 도움을 청하는 사람을 모른 척하고 지나가는 사람

3 다음 글에서 '나'가 추구하는 삶의 가치로 적절한 것은?

> 기분 좋게 취한 듯한 아버지는 놀라는 나를 보고 히힝 한 번 웃었다. 나는 어쩐지 그런 아버지가 무섭지만은 않았다. 그러면 형들이나 나는 노새 새끼고, 어머니는 암노새고, 할머니는 어미 노새가 되는 것일까? 나도 아버지를 따라 히히힝 웃었다. 어른들은 이래서 술집에 오는 모양이었다. 나는 안주만 집어 먹었는데도 술 취한 사람마냥 턱없이 즐거웠다. 노새 가족 ─ 노새 가족은 우리 말고는 이 세상에 또 없을 것이다.
>
> – 최일남, 〈노새 두 마리〉에서

① 이웃 간의 잦은 왕래와 소통
② 가족을 위하고 사랑하는 마음
③ 시대의 변화에 맞추어 발전하는 모습
④ 어려운 일에 처한 사람을 도와주는 마음
⑤ 남을 따라하지 않고 자기만의 개성을 지키는 것

4 다음 글에 나타난 당시의 삶의 모습으로 적절한 것은?

> "급히 가서 서방님을 모셔 오너라."
> 이 말을 들은 시백은 정색을 하며 꾸짖었다.
> "무슨 일이 있기에 감히 장부의 과것길을 지체케 한단 말이냐?"
> 추상(秋霜)같이 고함을 지르니 계화가 무안한 마음으로 돌아와 박씨에게 그 말을 전했다.
> "잠깐만 들어오시면 좋은 일이 있을 것이니, 한 번의 수고를 아끼지 마시라 전해라."
> 시백은 이 말을 듣고 더 크게 화를 냈다.
> "요망한 계집이 장부의 과것길을 말리다니, 이런 당돌한 일이 어디 있겠는가? – 작자 미상, 〈박씨전〉에서

① 부부간에 서로를 존중하며 사랑했다.
② 남녀 사이에 연애 결혼이 허용되지 않았다.
③ 여성은 남성과 동등한 대우를 받지 못했다.
④ 자식이 부모에게 효를 다하는 것이 도리였다.
⑤ 부부가 가정을 꾸리는 경제적 책임을 나누었다.

5 다음에서 시 〈봄〉을 해석한 방법을 ㅣ보기ㅣ에서 골라 기호를 쓰시오.

> 〈봄〉은 1970년대 당시 국가가 강한 권력으로 국민을 통제하던 상황을 반영하고 있다. 따라서 '봄'은 그 시대 사람들이 간절하게 원했던 '민주주의', '자유'를 상징한 것이라고 볼 수 있다. 겨울이 지나면 반드시 봄이 오듯이, 이 시는 '민주주의', '자유' 역시 반드시 우리에게 올 것이라는 믿음을 노래하고 있다.
>
> – 〈자유를 꿈꾸는 시, 이성부의 〈봄〉〉에서

ㅣ보기ㅣ

ㄱ. 시인의 작품 경향에 주목하는 방법
ㄴ. 작품에 사용된 표현에 주목하는 방법
ㄷ. 작품이 창작된 시대적 배경에 주목하는 방법
ㄹ. 작품이 독자에게 끼친 영향에 주목하는 방법

6 다음 글을 '독자'와 관련지어 해석한 내용이 <u>아닌</u> 것은?

> 오랜 세월이 흐른 뒤 어느 날, 코르니유 영감이 세상을 떠나자, 결국 우리의 마지막 풍차 방앗간도 멈췄지. 이번에는 잠시 동안이 아니라 아주 영원히 말일세. 안타깝게도 영감의 풍차 방앗간을 물려받으려 하는 사람이 아무도 없었거든.
> 뭐, 어쩌겠는가? 이 세상 모든 일에는 끝이 있는 법 아니겠나. 론 강을 거슬러 올라가던 배들이 지나가는 것처럼, 마을에 있던 지방 법원이나 큰 꽃을 수놓은 외투가 유행하던 시대가 지나간 것처럼, 풍차의 시대도 지나가고 말았지.
>
> – 알퐁스 도데, 〈코르니유 영감의 비밀〉에서

① 변화를 수용하는 서술자의 태도가 나타나 있네.
② 시대 변화에 익숙해지는 것이 늘 좋은 것은 아니지.
③ 내게 '풍차의 시대'에 해당하는 것은 무엇일지 생각해 보았어.
④ 코르니유 영감이 세상을 떠나자 풍차 방앗간이 멈춰 버려서 안타까웠어.
⑤ 시대의 변화를 따라가면서도 전통을 지켜야 하는 일도 중요함을 깨달았어.

7 다음에서 시 〈멧새 소리〉를 해석한 방법으로 적절한 것은?

> 시인 백석은 평북 정주에서 태어나 오산 학교를 거쳐 일본에 유학하고, 이 시를 발표할 당시(1938년)에는 함흥에서 교사로 근무하고 있었다. 원산보다도 훨씬 북쪽인 동해의 항구 도시 함흥, 그곳에서 섬세한 감성의 젊은 시인이 쓸쓸하게 겨울을 넘기고 있었다. (중략) "나도 길다랗고 파리한 명태다"라고 썼듯이, 시 〈멧새 소리〉 속의 명태는 어쩌면 백석 자신의 모습인지도 모른다.
>
> – 정끝별, 〈시 읽기의 네 갈래 길, 백석의 〈멧새 소리〉〉에서

① 작가의 삶과 관련지어 해석함.
② 시대적 배경과 관련지어 해석함.
③ 작가의 창작 경향과 관련지어 해석함.
④ 작품이 독자에게 미친 영향을 중심으로 해석함.
⑤ 작가에 대한 다른 사람들의 평가와 관련지어 해석함.

8 ㅣ보기ㅣ의 ㉠에 들어갈 말로 적절한 것은?

> 내가 바라는 손님은 고달픈 몸으로
> 청포를 입고 찾아온다고 했으니
>
> 내 그를 맞아 이 포도를 따 먹으면
> 두 손은 함뿍 적셔도 좋으련
>
> 아이야 우리 식탁엔 은쟁반에
> 하이얀 모시 수건을 마련해 두렴
>
> – 이육사, 〈청포도〉에서

ㅣ보기ㅣ

(㉠)을/를 중심으로 작품을 감상할 때 이 시의 주제는 '조국 독립의 소망과 믿음'이다.

① '나'라는 화자의 특성
② 독립투사였던 작가의 삶
③ 푸른색과 흰색의 색채 대비
④ 청포를 입고 찾아오는 '손님'의 모습
⑤ 각 연마다 2행씩 배치되어 있는 구조

1 다음 시의 내용으로 보아 ㉠에 들어갈 말로 적절한 것은?

> 어릴 때, 두 손으로 받들고 싶도록 반가운 말은 저녁 무렵 아버지가 돼지고기 두어 근 끊어 왔다는 말
> 정육점에서 돈 주고 사 온 것이지마는 칼을 잡고 손수 베어 온 것도 아니고 잘라 온 것도 아닌데
> 신문지에 둘둘 말린 그것을 어머니 앞에 툭 던지듯이 내려놓으며 한마디, 고기 좀 끊어 왔다는 말
> 가장으로서의 자랑도 아니고 허세도 아니고 애정이나 연민 따위 더더구나 아니고 다만 반갑고 고독하고 왠지 시원시원한 어떤 결단 같아서 좋았던, 그 말
>
> – 안도현, 〈돼지고기 두어 근 끊어 왔다는 말〉에서

이 시의 화자에게 '돼지고기'는 가난했지만 행복했던 옛 시절을 떠오르게 하는 소재입니다. 특히 (㉠)을/를 느낄 수 있게 해 줍니다. 자신에게 '돼지고기'와 같은 의미가 있는 것을 말해 볼까요?

겨울에 아버지가 퇴근하시면서 사 오시던 군고구마가 떠올라요. 정말 따뜻하고 맛있었어요.

① 가족의 사랑
② 아버지의 희생
③ 이웃에 대한 배려
④ 가난했던 집안 형편
⑤ 억압받던 시대 상황

도움말
시에서 화자가 겪은 **❶** 을 정리해 보고, '돼지고기'와 '군고구마'에서 공통으로 느낄 수 있는 **❷** 를 바탕으로 소재의 의미를 파악해 보자.

❶ 경험 ❷ 정서

2 다음 글에서 아래 대화의 '새로운 문물'에 해당하는 소재를 찾아 쓰시오.

> 지난해와는 달리 무더운 밤인데도 당산나무 밑에는 모깃불이 지펴지지 않았다. 어둠 속에서 담뱃불이 빨갛게 타고, 어른들이 나누는 이야기 소리가 개구리 울음소리에 섞여 두런두런 들리던 밤이 없어졌다.
> 그뿐만 아니라 앞개울의 어둠 속에서 물을 튀기는 소리와 함께 여자들의 간지러운 웃음소리도 들을 수가 없었다. 반딧불을 쫓는 애들의 왁자한 외침도 자취를 감추었고, 감자나 옥수수 추렴을 하는 아낙네들의 나들이도 씻은 듯이 없어졌다. 집집마다 텔레비전 앞에 매달려 있는 탓이었다.
>
> – 조정래, 〈마술의 손〉에서

<small>마을의 수호신으로 모셔 제사를 지내 주는 나무.</small>
<small>모임이나 놀이, 잔치 등의 비용으로 여러 사람에게 얼마씩의 돈을 거둠.</small>

 제목 '마술의 손'은 무엇을 의미하는 것일까?

 마술은 없던 것을 생기게 하기도 하고 있던 것을 사라지게 하거나 다른 것으로 바꾸어 놓기도 하잖아. 이 글에서는 새로운 문물 때문에 마술처럼 마을의 공동체 삶의 모습이 사라지고 개인주의적 삶의 모습이 생겨났어.

 그렇다면 '마술의 손'이란 마을 사람들의 삶의 방식과 가치관을 크게 바꾸어 놓은 새로운 문물을 의미한다고 할 수도 있겠네.

[전송]

도움말
마을에 생긴 변화를 주요 **❶** 를 바탕으로 파악해 보고 **❷** 과 글의 내용을 연관 지은 학생들의 대화를 통해 제목의 의미를 파악해 보자.

❶ 소재 ❷ 마술

3 다음 글에 나타난 노새와 아버지의 닮은 점을 바탕으로 할 때 노새와 아버지의 의미로 적절한 것은?

> 아버지는 원래가 마부였다. 서울에 올라오기 전 시골에서도 줄곧 말 마차를 끌었다. 어쩌다가 소달구지를 끄는 적도 있기는 했으나 얼마 가지 않아서 도로 말 마차로 바꾸곤 했다. 그런 아버지였으므로 서울에 올라와서는 내내 말 마차 하나로 버텨 나왔었는데 어떻게 마음먹었는지 노새로 바꾸고 만 것이다. 노새나 말이나 요즘은 그놈의 삼륜차 때문에 아버지의 일감이 자칫 줄어드는 듯하기도 했다. 웬만한 오르막길도 끄떡없이 오르고, 웬만한 골목 안 집까지도 드르륵 들이닥치니 아버지의 말 마차가 위협을 느낌 직도 했고, 사실 일감을 빼앗기기도 했다. 그런데도 그때마다 아버지는 큰소리였다.
> "휘발유 한 방울 안 나오는 나라에서 자동차만 많으면 뭘 해."
>
> – 최일남, 〈노새 두 마리〉에서

노새 두 마리

노새
자동차가 증가하는 도시에서 쫓겨날 위기에 처함.

아버지
변화하는 도시의 삶에서 일감이 줄어들어 소외됨.

① 자신의 꿈을 이루기 위해 노력하는 존재
② 자식을 위해 자신의 삶을 희생하는 존재
③ 정신적 가치보다 물질적 가치를 추구하는 존재
④ 강자에게 꼼짝 못하고 비굴한 모습을 보이는 존재
⑤ 시대 변화에 적응하지 못하고 힘든 삶을 살아가는 존재

도움말
'마부', '마차', '❶⬚⬚⬚', '노새' 등의 소재를 통해 시대적 배경을 파악하고, 시대의 변화에 ❷⬚⬚⬚가 대처하는 모습을 통해 '노새'와 '아버지'의 상징적 의미를 파악해 보자.

❶ 삼륜차 ❷ 아버지

4 글쓴이가 ㉠과 같이 표현한 이유를 |보기|를 참고하여 한 문장으로 쓰시오.(단, '~때문이다.'로 끝맺을 것.)

> 그의 어머니는 그렇게 팔 남매를 낳았다. 집은 토담집이었다. 그의 아버지와 어머니가 신접살림을 나면서 손수 지은 집이었다. (중략)
> 그 집, 노란 그 집에 탄생과 죽음이 있었다. 그 집 안주인의 죽음 이후 그 집은 적막해졌다. 아무도 그 집에 들어와 살지 않을 것이며 누구도 아이를 그 집에서 낳지 않을 것이며 그러므로 죽음 또한 그 집에서는 일어나지 않을 것이다. 그 집의 역사는 그렇게 끝이 난 것이다.
> 우리들의 어머니의 죽음과 함께 조왕신^{가정에서 모시는 신.}과 성주신^{부엌을 맡는다는 신.}이 살지 않는 우리들의 집은 이제 적막하다. 더 이상의 탄생과 죽음이 없는 우리들의 집은 쓸쓸하다.
> 우리는 오늘 밤도 ㉠쓸쓸한 집으로 돌아들 간다.
>
> – 공선옥, 〈그 시절 우리들의 집〉에서

보기

토담집

직접 집을 짓고 그 집에서 아이를 낳고 살다가 죽음을 맞이하였기 때문에 인간의 삶을 통한 '역사'가 존재함.

쓸쓸한 집(아파트)

탄생과 죽음이 없음.

도움말
〈보기〉에서 정리한 ❶⬚⬚⬚과 아파트에서의 삶을 바탕으로 토담집의 의미와 오늘날 우리가 잃어버린 가치를 파악해 보고 글쓴이가 오늘날의 집인 아파트를 '❷⬚⬚⬚'고 표현한 까닭을 생각해 보자.

❶ 토담집 ❷ 쓸쓸하다

5 |보기|에서 다음 시를 해석한 방법을 한 문장으로 쓰시오.

> 아무도 그에게 수심(水深)을 일러 준 일이 없기에
> 흰나비는 도무지 바다가 무섭지 않다.
>
> 청(青)무우밭인가 해서 내려갔다가는
> 어린 날개가 물결에 절어서
> 공주처럼 지쳐서 돌아온다.
>
> 삼월달 바다가 꽃이 피지 않아서 서글픈
> 나비 허리에 새파란 초생달이 시리다.
>
> – 김기림, 〈바다와 나비〉

┌─ 보기 ─

절다¹ 소금기나 식초, 설탕 따위가 배어들다.
절다² 걸을 때 기우뚱거리다.

"'절다'의 의미를 볼 때, '물결에 절어서'는 바다의 소금기가 나비의 날개에 젖은 것으로도 볼 수 있고, 그래서 날개를 기우뚱하게 절 수도 있겠어."

6 아래 학생이 다음 시를 해석한 방법을 |보기|에서 골라 기호를 쓰시오.

> 기다리지 않아도 오고
> 기다림마저 잃었을 때에도 너는 온다.
> 어디 뻘밭 구석이거나
> 썩은 물웅덩이 같은 데를 기웃거리다가
> 한눈 좀 팔고, 싸움도 한판 하고,
> 지쳐 나자빠져 있다가
> 다급한 사연 들고 달려간 바람이
> 흔들어 깨우면 / 눈 부비며 너는 더디게 온다.
> 더디게 더디게 마침내 올 것이 온다.
> 너를 보면 눈부셔 / 일어나 맞이할 수가 없다.
> 입을 열어 외치지만 소리는 굳어
> 나는 아무것도 미리 알릴 수가 없다.
> 가까스로 두 팔을 벌려 껴안아 보는
> 너, 먼 데서 이기고 돌아온 사람아.
>
> – 이성부, 〈봄〉

> 이 시에서 '봄'은 독재 권력의 시대에 사람들이 원했던 '민주주의'를 의미한다고 볼 수 있어.

┌─ 보기 ─

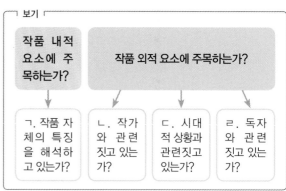

작품 내적 요소에 주목하는가?	작품 외적 요소에 주목하는가?		
ㄱ. 작품 자체의 특징을 해석하고 있는가?	ㄴ. 작가와 관련짓고 있는가?	ㄷ. 시대적 상황과 관련짓고 있는가?	ㄹ. 독자와 관련짓고 있는가?

┌─ 도움말

시구 '어린 날개가 물결에 절어서'에서 '❶⬚'라는 단어에 두 가지 뜻이 있는 것, 즉 시어의 의미를 ❷⬚로 작품을 해석하고 있음을 확인하고, 이러한 해석 방법을 파악해 보자.

❶ 절다 ❷ 근거

┌─ 도움말

문학 작품 해석 방법의 내적 요소와 ❶⬚ 요소를 확인하고, 학생이 근거를 든 '독재 권력의 ❷⬚'가 어떤 요소와 관계있는지 파악해 보자.

❶ 외적 ❷ 시대

7 다음 댓글의 내용에 대한 설명으로 적절하지 <u>않은</u> 것은?

● 다음 시에 대한 감상을 근거를 들어 댓글로 써 주세요.

처마 끝에 명태(明太)를 말린다
명태(明太)는 꽁꽁 얼었다
명태(明太)는 길다랗고 파리한 물고긴데
꼬리에 길다란 고드름이 달렸다
해는 저물고 날은 다 가고 볕은 서러웁게 차
갑다
나도 길다랗고 파리한 명태(明太)다
문(門)턱에 꽁꽁 얼어서
가슴에 길다란 고드름이 달렸다

– 백석, 〈멧새 소리〉

댓글을 입력하세요.

 **초록처마**: 화자는 꽁꽁 언 명태를 보며 자신도 명태와 같다고 말하고 있는데, 누군가를 기다리는 화자처럼 나도 대회 결과 발표를 손꼽아 기다린 적이 있었어.

↳ **백석사랑**: '가슴에 길다란 고드름'이란 표현에서 화자의 눈물이 떠올라서 나도 슬퍼졌어.
↳ **명태지기**: 나는 시를 읽고 요즘도 명태를 각자의 집에서 말리는지 궁금해졌어.
↳ **겨울추위**: 이 시가 일제 강점기에 창작된 것을 고려하면 화자가 기다리는 것은 조국 광복일 거야.

① '초록처마'는 시를 통해 자신의 경험을 떠올리고 있다.
② '백석사랑'은 시의 표현이 주는 감동을 말하고 있다.
③ '명태지기'는 작품에 반영된 시인의 삶을 말하고 있다.
④ '겨울추위'는 작품의 시대적 배경에 주목하여 작품을 해석하고 있다.
⑤ 자신의 관심, 경험, 배경지식 등에 따라 서로 다른 감상을 나누고 있다.

도움말

문학 작품에 대한 해석이 ❶ [ ] 까닭을 이해하고, 독자들이 어떠한 ❷ [ ] 를 들어 작품을 해석했는지 파악해 보자.

❶ 다양한 ❷ 근거

8 |보기|는 다음 시를 추천하는 글이다. |보기|에 대한 설명으로 적절하지 <u>않은</u> 것은?

봄은
남해에서도 북녘에서도 / 오지 않는다.

너그럽고 / 빛나는 / 봄의 그 눈짓은,
제주에서 두만까지
우리가 디딘 / 아름다운 논밭에서 움튼다.

겨울은,
바다와 대륙 밖에서 / 그 매운 눈보라 몰고 왔지만
이제 올 / 너그러운 봄은, 삼천리 마을마다
우리들 가슴속에서 / 움트리라.

움터서, / 강산을 덮은 그 미움의 쇠붙이들
눈 녹이듯 흐물흐물 / 녹여 버리겠지.

– 신동엽, 〈봄은〉

보기

 시 〈봄은〉을 추천합니다. 이 시에서 시인은 '봄'의 '눈짓'이 '우리가 디딘 / 아름다운 논밭에서 움튼다.'고 표현하는데, 이는 '봄'이 외부의 힘이 아닌 스스로의 힘으로 움터야 한다는 뜻입니다. 분단된 우리나라를 생각할 때, '봄'은 통일이 이루어지는 시대를 의미한다고 해석할 수 있습니다. 또는 우리의 모습을 이입해 볼 때, '봄'은 학생들이 추구하는 미래일 수도 있습니다.

① 시어의 의미를 해석하고 있다.
② 시구를 인용하여 설명하고 있다.
③ 작가와 관련지어 작품의 의미를 이해하고 있다.
④ 시대 상황과 관련지어 작품의 내용을 해석하고 있다.
⑤ 독자의 입장에 초점을 맞추어 시어를 해석하고 있다.

도움말

|보기|에서 시어 '❶ [ ]'의 의미를 다양하게 해석한 내용을 확인하고, ❷ [ ] 된 우리나라 또는 우리(학생)의 입장과 관련지어 해석하고 있음을 파악해 보자.

❶ 봄 ❷ 분단

시험 대비 마무리 전략

문학 작품을 통한 심미적 체험

심미적 체험

심미적 체험	어떤 대상에서 감동이나 깨달음을 얻으며 아름다움을 느끼는 것임.
독자의 심미적 체험	독자는 문학 작품을 읽으며 그 내용과 표현을 두고 아름답다, 추하다, 숭고하다, 비장하다, 조화롭다, 우스꽝스럽다 등과 같이 느낄 수 있음.
문학적 소통	**❶**[　　]는 문학 작품을 읽으며 작품의 내용을 파악하고, 같은 작품을 읽은 또 다른 독자와 감상을 나누며 인간의 삶을 더 깊이 이해하게 됨.

문학 작품의 사회·문화적 배경

사회·문화적 배경

사회·문화적 배경	어떤 시대의 사회 환경과 문화, 사상, 제도 등 그 시대의 전반적인 상황과 모습임.
문학 작품과 사회·문화적 배경	문학 작품은 당시의 사회·문화적 배경을 바탕으로 창작되므로 사회·문화적 배경을 알면 작품을 더 깊이 이해할 수 있음.
사회·문화적 배경 파악 방법	• 시대 상황이 드러나는 소재 찾기 • 인물의 말과 행동, 인물 사이의 관계를 바탕으로 찾기 • 다양한 **❷**[　　]을 바탕으로 찾기

❶ 독자 **❷** 사건

과거의 삶이 반영된 문학 작품 감상

과거 삶이 담긴 작품

감상 태도	과거의 삶과 오늘날의 삶을 서로 비교하면서 이해하고 작품을 자신의 상황에 비추어 주체적으로 수용함.
감상 방법	• 시대상이 반영된 소재, 인물 간의 대화, 당시의 삶의 모습을 바탕으로 과거의 삶을 파악함. • 과거의 삶을 ❶ _____의 삶에 비추어 우리의 삶을 성찰함.
감상 효과	• 오늘날까지도 변하지 않는 가치를 발견할 수 있음. • 오늘날의 관점에서 새롭게 평가할 수 있는 가치를 발견할 수 있음. • 과거를 돌아보며 우리의 삶을 성찰할 수 있음.

다양한 해석을 비교하는 문학 작품 감상

해석의 다양성 — 문학 작품의 해석 방법, 독자의 배경지식, 관심, 경험, 가치관 등에 따라 달라짐.

문학 작품 해석 방법

작품 자체	작품의 내용, 표현, 구조(형식) 등 작품의 내적 측면을 중심으로 해석하는 방법
작가	작가의 경험이나 생각, 작품 경향, 창작 의도 등을 중심으로 해석하는 방법
시대(현실)	작품의 배경이 되는 ❷ _____ 상황과 관련지어 해석하는 방법
독자	독자에게 미친 감동과 교훈 등을 중심으로 해석하는 방법

❶ 오늘날(현대/현재) ❷ 시대

신유형·신경향·서술형 전략

[1~2] 다음 시를 읽고 물음에 답하시오.

가 거미 새끼 하나 방바닥에 나린 것을 나는 아무 생각 없이
　　　　　　　　　　　　　내려온.
문밖으로 쓸어 버린다 / 차디찬 밤이다 //

　언제인가 새끼 거미 쓸려 나간 곳에 큰 거미가 왔다

　나는 가슴이 짜릿한다

　나는 또 큰 거미를 쓸어 문밖으로 버리며

　찬 밖이라도 새끼 있는 데로 가라고 하며 서러워한다 //

　이렇게 해서 아린 가슴이 싹기도 전이다

　어데서 좁쌀알만 한 알에서 가제 깨인 듯한 발이 채 서지
　　　　　　　　　　막, '방금'의 평안도 방언.
도 못한 무척 작은 새끼 거미가 이번엔 큰 거미 없어진 곳으
로 와서 아물거린다 / 나는 가슴이 메이는 듯하다

　내 손에 오르기라도 하라고 나
는 손을 내어미나 분명히 울고불
고 할 이 작은 것은 나를 무서우
이 달아나 버리며 나를 서럽게
한다 / 나는 이 작은 것을 고이
보드러운 종이에 받어 또 문밖으로 버리며

　이것의 엄마와 누나나 형이 가까이 이것의 걱정을 하며 있
다가 쉬이 만나기나 했으면 좋으련만 하고 슬퍼한다

　　　　　　　　　　　　　　　　　　　　　－ 백석, 〈수라〉 [비상]

나 나무는 몸이 아팠다 / 눈보라에 상처를 입은 곳이나

　빗방울들에게 얻어맞았던 곳들이

　오래전부터 근지러웠다

　땅속 깊은 곳을 오르내리며 / 겨우내 몸을 덥히던 물이

　이제는 갑갑하다고 / 한사코 나가고 싶어 하거나

　살을 에는 바람과 외로움을 견디며

　봄이 오면 정말 좋은 일이 있을 거라고 / 스스로에게 했던

말들이 / 그를 못 견디게 들볶았기 때문이다

　그런 마음의 헌데 자리가 아플 때마다

　그는 하나씩 이파리를 피웠다

　　　　　　　　　　　　　　　　　　　　　－ 이상국, 〈봄나무〉

1 다음을 참고하여 (가), (나)를 감상한 내용으로 적절하지 <u>않은</u> 것은?

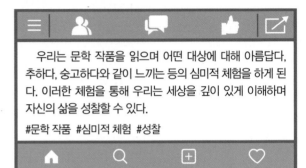

　우리는 문학 작품을 읽으며 어떤 대상에 대해 아름답다,
추하다, 숭고하다와 같이 느끼는 등의 심미적 체험을 하게 된
다. 이러한 체험을 통해 우리는 세상을 깊이 있게 이해하며
자신의 삶을 성찰할 수 있다.

#문학 작품　#심미적 체험　#성찰

① (가): 가족을 잃은 거미의 슬픔이 전해져서 불쌍하
　　고 안타까웠어.

② (가): 차디찬 밤에 거미가 나타날 때마다 문밖으로
　　내몬 화자의 냉담한 행동은 공감하기 어려웠어.

③ (나): 시련과 상처 속에서도 인내하며 가치 있는 것
　　을 추구하는 삶의 자세를 배웠어.

④ (나): 어려움을 견디며 끝내 이파리를 피워 내는 나
　　무의 모습에서 숭고함을 느꼈어.

⑤ (나): 어려움을 극복하는 나무의 모습을 보면서 힘
　　든 일은 하지 않고 피하려 했던 내 모습을 반성했어.

서술형

2 다음을 참고하여 (가)에서 거미 가족이 의미하는 바를 쓰시오.

　시의 제목인 '수라(修羅)'는 싸움이나 그 밖의 다
른 일로 큰 혼란에 빠진 곳, 또는 그런 세계나 그곳
에 사는 존재를 의미한다. 이 시가 창작된 1930년
대는 20여 년이 넘는 식민 통치하에서 일제의 수탈
이 절정에 이른 시기로, 생계를 유지하기 어려워진
가족이 해체되는 비극적 상황이 빈번하게 일어났다.

도움말

제시된 글을 통해 시가 창작될 당시의 시대적 상황을 먼저 살
펴본 후 그러한 ❶□□□ 상황이 작품에 어떻게 반영되었
는지 ❷□□ 가족의 상황을 연결하여 생각해 보자.

　　　　　　　　　　　　　　　　❶ 시대적 ❷ 거미

[3~4] 다음 글을 읽고 물음에 답하시오.

가 이 대장은 얼빠진 듯 가만히 듣고 있다가 겨우 입을 열었다.

"㉠사대부들이 모두 몸을 삼가고 예법을 지키는 마당에, 누가 제 자식의 머리를 깎고 되놈¹ 옷을 입히겠습니까?"

¹청나라 사람을 얕잡아 이르는 말.

그러자 허생이 자리를 박차고 일어나 버럭 화를 내었다.

"그 사대부란 놈들이 도대체 어떤 놈들이냐? ㉡의복은 온통 희게만 입으니 이것은 상을 당한 사람의 옷차림이요, ㉢머리털을 한데 묶어 송곳처럼 상투를 트니 이것은 남쪽 오랑캐들의 풍습이 아니냐? 그러면서 무슨 예법이네 어쩌네 하면서 주둥이를 놀린단 말이냐? 그뿐이냐? ㉣장차 말타기, 칼 쓰기, 창찌르기, 활쏘기에 돌팔매질까지도 익혀야 할 판국에 ㉤그 넓은 소매 옷을 고쳐 입을 생각은 않고 예법만 찾는단 말이냐? 내가 벌써 세 가지씩이나 그 방도를 일러 주었는데 한 가지도 행하지 못한다니, 그러면서도 네가 신임받는 신하라고 할 수 있느냐? 너 같은 자는 당장 목을 베어야 마땅하리라."

– 박지원, 〈허생전〉

나 **안유식:** (궁리를 하듯) 우리 어머니가, 병이 오래되셨는데, 뭐, 오늘을 넘기기가 힘들다고 한단 말이지요. 그래서 하는 말인데……. (또 궁리) 으흠, (포기하고) 아는 사람은 알겠지만, 우리 어머님이 재산이 꽤 됩니다. 아버님 집안이 재산가이신 데다가 우리 집이 부동산이 워낙 많았고, 아버님 돌아가시고 난 다음에 이 노인네가 재산을 관리하면서 어디다 잘 둔다고 하긴 한 모양인데, 건강하실 때 다 두루 분배두 하구 알려두 주고 해야 할 일을, 말 한마디 못하고 덜커덕 풍을 맞아 갖구, 저렇게 식물인간으루다가 누워 지내다가 오늘 돌아가신다 하니까, 무슨 정신이 나는지 '세탁', '세탁' 이렇게 두 마디 간신히 하고 입을 달싹 못 하시니 노인네는 인전 가신다고 봐야겠고 재산은 보전해야 되는 게 장남의…… (중략)

안유식: (받는다.) 여보세요. 아, 김 박사님. 예? 임종이요? 아니 찾지도 못했는데……. 아, 예, 그런 게 있어요. 아, 가야지요. (소리 지른다.) 지금 간다니까! – 김정숙, 〈오아시스 세탁소 습격 사건〉

---

3 ㉠~㉤ 중 다음의 ⓐ에 들어갈 수 없는 말은?

> **과제** 〈허생전〉을 '작가'와 관련지어 해석하시오.
>
>
> 박지원은 실학자로서 허례허식을 없애고 실용성을 추구하는 경향이 강했으며 이는 〈허생전〉이라는 작품에도 잘 나타나 있습니다. (ⓐ) 같은 구절에서 드러난 허생의 태도에서 이러한 경향을 찾아볼 수 있습니다.

① ㉠　　② ㉡　　③ ㉢　　④ ㉣　　⑤ ㉤

> **도움말**
> 제시된 글에서 〈허생전〉의 작가가 **❶**□□□로서 추구한 경향이 무엇인지 확인한 후, (가)에서 **❷**□□□을 추구하는 경향이 나타난 부분을 파악해 보자.
>
> ❶ 실학자 ❷ 실용성

4 (나)의 내용으로 보아 다음 선생님의 질문에 대한 대답으로 적절한 것은?

>
> 〈오아시스 세탁소 습격 사건〉은 대사와 지시문을 통해 인물의 부정적 속성을 그려 낸 작품으로, 독자에게 바람직한 삶의 방식을 성찰하게 하고 있죠. 자, 그러면 작가가 안유식이라는 인물을 통해 비판하고자 한 것은 무엇일까요?

① 불안정하고 예민한 정서
② 극단적이고 폭력적인 말투
③ 자신의 이익만을 중시하는 태도
④ 과거에 집착하는 고루한 가치관
⑤ 부정적 현실에 소극적으로 대응하는 태도

> **도움말**
> 인물이 현실에 **❶**□□하는 방식과 인물이 중시하는 삶의 **❷**□□를 정리하여 작가가 비판하고 있는 태도를 파악해 보자.
>
> ❶ 대응 ❷ 가치

[5~6] 다음 글을 읽고 물음에 답하시오.

가 천지가 사정없어 이윽고 닭이 우니 심청이 하릴없어,

"닭아 닭아, 우지 마라. 제발 덕분에 우지 마라. 반야 진관에서 닭 울음 기다리던 맹상군이 아니로다. 네가 울면 날이 새고, 날이 새면 나 죽는다. 죽기는 섧잖아도 의지 없는 우리 아버지 어찌 잊고 가잔 말이냐?"

한밤중.

어느덧 동방이 밝아 오니, 심청이 아버지 진지나 마지막 지어 드리리라 하고 문을 열고 나서니, 벌써 뱃사람들이 사립문 밖에서,

동쪽. 해가 떠오르는 쪽.

"오늘이 배 떠나는 날이오니 수이 가게 해 주시오."

하니, 심청이 이 말을 듣고 얼굴빛이 없어지고 손발에 맥이 풀리며 목이 메고 정신이 어지러워 뱃사람들을 겨우 불러,

"여보시오 선인네들, 나도 오늘이 배 떠나는 날인 줄 이미 알고 있으나, 내 몸 팔린 줄을 우리 아버지가 아직 모르십니다. 만일 아시게 되면 지레 야단이 날 테니, 잠깐 기다리면 진지나 마지막으로 지어 잡수시게 하고 말씀 여쭙고 떠나게 하겠어요."

뱃사람.

– 작자 미상, 〈심청전〉

나 우리 동네는 변두리였으므로 얼마 전까지도 모두 그날그날 벌어먹고 사는 사람들이 많아 연탄 배달도 일거리가 그리 많지 않았다. 기껏해야 구멍가게에서 두서너 장을 사서는 새끼줄에 대롱대롱 매달고 가는 게 고작이었다. 그랬는데 이삼 년 전부터 아직도 많은 빈터에 집터가 다져지고, 하나둘 문화 주택이 들어서더니 이제는 제법 그럴듯한 동네 꼴이 잡혀 갔다. 원래부터 있던 허름한 집들과 새로 생긴 집들과는 골목 하나를 경계로 하여 금을 긋듯 나누어져 있었는데, 먼 데서 보면 제법 그럴싸한 동네로 보였다. 일단 들어와 보면 지저분한 헌 동네가 이웃에 널려 있지만, 그냥 먼발치로만 보면 2층 슬래브 집들에 가려 닥지닥지 붙은 판잣집 등속이 보이지 않았으므로 서울의 변두리에 흔한 여느 신흥 부락으로만 보였다. (중략)

(우리는 우리가 그전부터 살던 동네를 구동네, 문화 주택이 차지하고 들어선 동네를 새 동네라 불렀다.)

– 최일남, 〈노새 두 마리〉

5 (가)와 l보기l의 작가가 공통으로 추구하는 가치를 한 글자로 쓰시오.

> **l보기l**
>
> 어버이 사라실 제 섬길 일란 다하여라
> 지나간 후면 애닲다 어찌하리
> 평생에 고쳐 못할 일이 이뿐인가 하노라
>
> – 제4수
> – 정철, 〈훈민가〉에서

도움말

(가)에서 마지막까지 아버지를 **❶** 하는 심청이의 행동과 〈보기〉에서 작가가 강조하고 있는 행동인 '**❷** 일'이 무엇인지 파악하여 공통된 가치를 생각해 보자.

❶ 걱정 **❷** 섬길

서술형

6 (나)에 나타난 당시의 삶을 다음과 같이 정리할 때 ㉠에 들어갈 알맞은 말을 20자 이내로 쓰시오.

구동네		새 동네
(㉠)	집	빈터에 새로 들어선 문화 주택, 2층 슬래브 집에서 생활함.

↓

1970년대 산업화·도시화로 급격한 발전을 이루었지만, 구동네와 새 동네가 나뉘어 사람들이 단절된 모습을 보임.

도움말

시대적 배경을 짐작할 수 있는 소재인 **❶** 과 관련하여 **❷** 와 새 동네 사람들의 삶의 모습을 파악해 보자.

❶ 집 **❷** 구동네

[7~8] 다음 글을 읽고 물음에 답하시오.

가 내 고장 칠월은

　　청포도가 익어 가는 시절

　　이 마을 전설이 주저리주저리 열리고
　　먼 데 하늘이 꿈꾸며 알알이 들어와 박혀

　　하늘 밑 푸른 바다가 가슴을 열고
　　흰 돛단배가 곱게 밀려서 오면

　　내가 바라는 손님은 고달픈 몸으로
　　청포를 입고 찾아온다고 했으니

　　내 그를 맞아 이 포도를 따 먹으면
　　두 손은 함뿍 적셔도 좋으련

　　아이야 우리 식탁엔 은쟁반에
　　하이얀 모시 수건을 마련해 두렴

　　　　　　　　　　　　　　　－ 이육사, 〈청포도〉

나 〈청포도〉는 모두 6연인데 각 연이 2행으로 이루어져 안정감이 있다. 시상의 흐름에 따라 1~2연, 3~4연, 5연, 6연의 네 부분으로 나눌 수 있다.

　　1~2연에서는 한여름 들어 본격적으로 '익어 가는' 청포도의 특별한 의미에 관해 말한다. 이 시에서의 청포도는 단순한 과일이 아니다. 청포도 송이송이는 마을의 역사와 이곳에서 살아온 사람들의 삶 그리고 그들의 꿈을 품고 있는 '전설'이 열린 것이니 매우 가치 있는 존재이다. 게다가 청포도알 하나하나에는 희망을 상징하는 '먼 데 하늘'이 '들어와 박혀' 있으니 그 가치는 더욱 커진다. 그 희망에는 풍요롭고 평화로운 세계에 관한 기대가 담겨 있을 것이다.

　　　　　　－ 정호웅, 〈소망과 믿음의 노래, 이육사의 〈청포도〉〉 [천재(박)]

7 (가)를 읽은 감상에 대한 설명으로 적절하지 <u>않은</u> 것은?

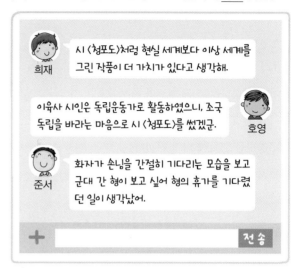

> 희재: 시 〈청포도〉처럼 현실 세계보다 이상 세계를 그린 작품이 더 가치가 있다고 생각해.
>
> 호영: 이육사 시인은 독립운동가로 활동하였으니, 조국 독립을 바라는 마음으로 시 〈청포도〉를 썼겠군.
>
> 준서: 화자가 손님을 간절히 기다리는 모습을 보고 군대 간 형이 보고 싶어 형의 휴가를 기다렸던 일이 생각났어.

① 희재는 독자 자신의 가치관을 바탕으로 감상하였다.
② 희재는 시대와 관련지어 비판적 태도로 감상하였다.
③ 호영이는 독자 자신의 지식을 바탕으로 감상하였다.
④ 호영이는 작가의 삶에 초점을 맞추어 감상하였다.
⑤ 준서는 독자 자신의 경험을 바탕으로 감상하였다.

　　도움말
문학 작품은 독자의 배경지식, ❶　　　　, 가치관 등에 따라 다양하게 해석됨을 이해하고, 세 명의 ❷　　　　가 작품을 해석하는 데 영향을 미친 요소를 연결 지어 보자.
　　　　　　　　　　　　　　　❶ 경험 ❷ 독자

서술형

8 다음과 같이 (나)에서 (가)를 해석한 내용을 정리한 것을 바탕으로 (나)의 해석 방법을 이유와 함께 쓰시오.

시어 (시구)	'청포도'	'먼 데 하늘'
이미지		
의미	• 마을의 역사 • 전설(사람들의 삶, 꿈)	희망

　　도움말
(나)가 시 〈청포도〉에 대한 ❶　　　　임을 이해하고, (나)가 작품을 해석하는 데 주로 사용한 방법을 (나)에서 든 ❷　　　　를 바탕으로 파악해 보자.
　　　　　　　　　　　　　　　❶ 비평문 ❷ 근거

[1~2] 다음 시를 읽고 물음에 답하시오.

어린 매화나무는 꽃 피느라 한창이고

사백 년 고목은 꽃 지느라 한창인데

구경꾼들 고목에 더 몰려섰다

둥치도 가지도 꺾이고 구부러지고 휘어졌다

갈라지고 뒤틀리고 터지고 또 튀어나왔다

진물은 얼마나 오래 고여 흐르다가 말라붙었는지

주먹만큼 굵다란 혹이며 패인 구멍들이 험상궂다

거무죽죽한 혹도 구멍도 모양 굵기 깊이 빛깔이 다 다르다

새 진물이 번지는가 개미들 바삐 오르내려도

의연하고 의젓하다

사군자 중 으뜸답다

꽃구경이 아니라 상처 구경이다

상처 깊은 이들에게는 훈장(勳章)으로 보이는가

상처 도지는 이들에게는 부적(符籍)으로 보이는가

백 년 못 된 사람이 매화 사백 년의 상처를 헤아리랴마는

감탄하고 쓸어 보고 어루만지기도 한다

만졌던 손에서 향기까지 맡아 본다

진동하겠지 상처의 향기

상처야말로 더 꽃인 것을.

– 유안진, 〈상처가 더 꽃이다〉

1 이 시에 나타난 구경꾼들의 행동으로 적절하지 <u>않은</u> 것은?

① 꽃이 한창 핀 매화나무가 아닌 꽃이 지고 있는 고목에 더 몰림.

② 고목에 꽃이 피었는지를 찾아 봄.

③ 고목의 상처를 보며 감탄함.

④ 고목에 난 상처를 쓸어 보고 어루만짐.

⑤ 고목을 만졌던 손에서 향기를 맡음.

고난도

2 이 시를 읽고 감상을 공유한 내용으로 적절하지 <u>않은</u> 것은?

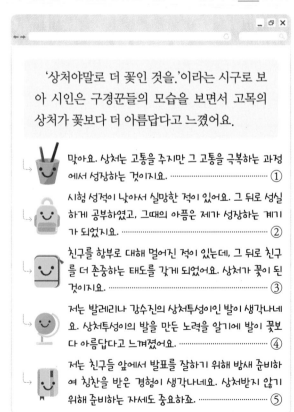

'상처야말로 더 꽃인 것을.'이라는 시구로 보아 시인은 구경꾼들의 모습을 보면서 고목의 상처가 꽃보다 더 아름답다고 느꼈어요.

맞아요. 상처는 고통을 주지만 그 고통을 극복하는 과정에서 성장하는 것이지요. ……… ①

시험 성적이 낮아서 실망한 적이 있어요. 그 뒤로 성실하게 공부하였고, 그때의 아픔은 제가 성장하는 계기가 되었지요. ……… ②

친구를 함부로 대해 멀어진 적이 있는데, 그 뒤로 친구를 더 존중하는 태도를 갖게 되었어요. 상처가 꽃이 된 것이지요. ……… ③

저는 발레리나 강수진의 상처투성이인 발이 생각나네요. 상처투성이의 발을 만든 노력을 알기에 발이 꽃보다 아름답다고 느껴졌어요. ……… ④

저는 친구들 앞에서 발표를 잘하기 위해 밤새 준비하여 칭찬을 받은 경험이 생각나네요. 상처받지 않기 위해 준비하는 자세도 중요하죠. ……… ⑤

[3~4] 다음 글을 읽고 물음에 답하시오.

가 김밥 아줌마는 작품을 만들 때 사람들이 보고 있으면 막 화를 낸다. 누군가 쳐다보면 마음이 흔들려서 실패작만 나온다는 것이다. 김밥을 말고 있을 때는 누가 무슨 말을 해도 들은 척을 하지 않는다. 한 번 더 말을 시키면 여지없이 성질을 내며 일손을 놓아 버린다. 그이는 파는 일엔 전혀 관심이 없고 오직 김밥을 만드는 그 행위에만 몰두해 있는 사람처럼 보인다.

언젠가 나도 무심히 김밥 마는 것을 구경하고 있다가 당했다. 쳐다보고 있으니까 김밥 옆구리가 터지는 실수를 다 한다고 신경질을 내는 그이가 무서워서 주문한 김밥을 싸는 동안 멀찌감치 떨어져 있었다. 그러나 집에 돌아와서 먹어 본 김밥은 그이에게 당한 것쯤이야 까맣게 잊어버리고도 남을 만큼 그 맛이 환상적이었다. 그 김밥은 돈 몇 푼의 이익을 위해 말아진 그런 김밥이 아니었다. 나는 그래서 그이의 김밥을 서슴지 않고 '작품'이라 부른다.

나 그는 자신이 파는 물건이 최고라는 소리를 듣기 위해서 트럭 행상을 하는 사람처럼 보인다. 손님이

없을 때는 늘 자신의 물건들을 정리하고 다듬는 일에 몰두해 있는 사람이고 호박 한 개를 집을 때도 두 손으로 조심조심 그것을 받들어 올린다. (중략)

"이 마늘 보세요. 어느 한 군데도 흠이 없잖아요. 요렇게 불그스름하고 중간짜리가 상품이지요. 그리고 요 반듯반듯하게 패인 줄을 보세요. 이런 것은 짜개면 어김없이 여덟 쪽이지요. 이보다 더 좋은 마늘 파는 사람 있으면 어디 나와 보라고 하세요. 정말이에요. 그런 사람이 나 말고 또 있다면, 만약 그렇다면 나 그날로 이 장사 집어치울 거예요. 아니, 정말 그렇게 한다니까요." / 내가 보기에는 만약 그런 사람이 나타나면 장사를 집어치우는 것으로 끝낼 그가 결코 아니다. 아마 그 이상의 불행한 일이 일어날지도 모른다. 세상에서 예술가들만큼 자존심이 센 사람은 없으니까. 그리고 최고의 가치만을 추구하는 주홍 트럭의 그는 분명 예술가임이 틀림없으니까.

– 양귀자, 〈길모퉁이에서 만난 사람〉

3 (가)와 (나)에 나타난 '김밥 아줌마'와 '주홍 트럭의 그'의 특징으로 적절하지 <u>않은</u> 것은?

김밥 아줌마	주홍 트럭의 그
• 김밥을 만들 때 누가 보고 있으면 화를 냄. ·············· ①	• 트럭에서 야채를 팖.
	• 자기가 파는 물건에 대해 자부심을 지니고 있음. ············· ④
• 김밥 옆구리가 터질 때는 크게 웃음. ······ ②	• 손님이 없을 때는 물건을 정리하고 다듬음. ··········· ⑤
• 맛이 환상적인 김밥을 만듦. ·············· ③	

서술형

4 보기 는 이 글의 앞부분이다. 이를 바탕으로 보기 의 ㉠에 들어갈 알맞은 말을 한 문장으로 쓰시오.

보기

내가 하고자 하는 '예술가' 이야기는 지금부터가 시작이다. 나는 내게 감동을 준 두 명의 예술가들에 관해 말하려고 여태까지 긴 서두를 펼치고 있었던 셈이다. 이 두 명의 예술가들이 만드는 작품은 어떤 것이고, 또 그들은 어떤 생활을 하고 있는지에 대해서는 지금부터의 이야기가 말해 줄 것이다. (중략) 그들은 이 동네의 한가운데에서 매일같이 성실하고 끈질기게 자신의 진지한 '예술'에 몰두해 있으니까.

보기

'김밥 아줌마'와 '주홍 트럭의 그'에게는 모두 (㉠)는 공통점이 있다. 그래서 '나'는 이들의 삶의 태도에서 '예술'을 느낀 것이다.

'나'가 김밥 아줌마와 주홍 트럭의 그를 '예술가'라고 한 까닭을 생각해 봐.

[5~6] 다음 시를 읽고 물음에 답하시오.

가 까마귀 눈비 맞아 희는 듯 검노매라

　　야광명월(夜光明月)이 밤인들 어두우랴

　　임 향한 일편단심(一片丹心)이야 변할 줄이 있으랴

　　　　　　　　　　　　　　　　　　　– 박팽년의 시조

나 천만리 머나먼 길에 고운 임 여의옵고

　　내 마음 둘 데 없어 냇가에 앉았으니

　　저 물도 내 안 같아서 울어 밤길 예놋다

　　　　　　　　　　　　　　　　　　　– 왕방연의 시조

다 가난하다고 해서 외로움을 모르겠는가

　　너와 헤어져 돌아오는

　　눈 쌓인 골목길에 새파랗게 달빛이 쏟아지는데.

　　가난하다고 해서 두려움이 없겠는가

　　두 점을 치는 소리

　　방범대원의 호각 소리 메밀묵 사려 소리에

　　눈을 뜨면 멀리 육중한 기계 굴러가는 소리.

　　가난하다고 해서 그리움을 버렸겠는가

　　어머님 보고 싶소 수없이 뇌어 보지만

　　집 뒤 감나무에 까치밥으로 하나 남았을

　　새빨간 감 바람 소리도 그려 보지만.

　　가난하다고 해서 사랑을 모르겠는가

　　내 볼에 와 닿던 네 입술의 뜨거움

　　사랑한다고 사랑한다고 속삭이던 네 숨결

　　돌아서는 내 등 뒤에 터지던 네 울음.

　　가난하다고 해서 왜 모르겠는가

　　가난하기 때문에 이것들을

　　이 모든 것들을 버려야 한다는 것을.

　　　　　　　– 신경림, 〈가난한 사랑 노래-이웃의 한 젊은이를 위하여〉

5 보기 는 (가)와 (나)가 창작된 시대적 배경에 대한 설명이다. 보기 를 참고하여 (가)와 (나)를 감상한 내용으로 적절하지 <u>않은</u> 것은?

> ┌ 보기 ┐
>
> 　단종은 1452년 12세의 나이로 왕위에 오르지만 수양 대군에게 임금의 자리를 빼앗기고 2년여를 지내다가 단종 복위 사건이 터지자 강원도 영월로 유배를 가게 된다. (가)는 단종 복위 사건에 참여한 박팽년이 쓴 시조이며, (나)는 단종을 유배지로 호송한 왕방연이 쓴 시조이다.

① (가)의 '밤'과 (나)의 '머나먼 길'은 수양 대군이 권세를 부리는 상황과 관련된다고 볼 수 있다.

② (가)는 '일편단심'을 통해, (나)는 '울어'를 통해 단종에 대한 마음을 직접적으로 표현하고 있다.

③ (가)는 '임'을 향한 충성심을, (나)는 '임'을 떠나보낸 슬픔을 통해 단종에 대한 정서를 드러내고 있다.

④ (가)의 화자는 '달'의 밝음에 주목하여, (나)의 화자는 '물'의 흐르는 속성에 주목하여 자신의 마음을 드러내고 있다.

⑤ (가)는 '까마귀'의 시각적 특성을 통해, (나)는 '천만리'라는 수치를 통해 수양 대군에 대한 거리감을 표현하고 있다.

6 (다)를 감상한 반응으로 적절하지 <u>않은</u> 것은?

> → 〈가난한 사랑 노래〉를 읽은 후의 감상을 적어 보세요.

↳① 다양한 심상이 쓰여 화자의 정서를 생생하게 느낄 수 있었어요.

↳② 오늘날과 달리 통금 시간을 단속하던 사람이 있다는 것이 신기했어요.

↳③ 가난 때문에 인간으로서의 소중한 감정도 느낄 수 없었던 상황이 안타까웠어요.

↳④ 도시화·산업화 시기에 도시 노동자들이 힘겨운 삶을 살았음을 짐작할 수 있었어요.

↳⑤ 부제를 보니 시인은 당시 젊은이들을 안타깝게 여기고 위로하려고 이 시를 쓴 것 같아요.

[7~8] 다음 글을 읽고 물음에 답하시오.

가 입원시킬 것인가, 거절할 것인가…….

환자의 몰골이나 업고 온 사람의 옷매무새로 보아 경제 정도는 뻔한 일이라 생각되었다. / 그러나 그것보다도 더 마음에 켕기는 것이 있었다. 일본인 간부급들이 자기 집처럼 들락날락하는 이 병원에 이런 사상범을 입원시킨다는 것은 관선 시의원이라는 체면에서도 떳떳지 못할뿐더러, 자타가 공인하는 모범적인 황국 신민(皇國臣民)의 공든 탑이 하루아침에 무너지는 결과를 가져오는 것이라는 생각이 들었다.

_{현존 사회 체제에 반대하는 사상을 가지고 개혁을 시도함으로써 성립하는 범죄를 지은 사람.}
_{일제의 백성.}

나 환자도 일본 말 모르는 축은 거의 오는 일이 없었지만 대외 관계는 물론 집 안에서도 일체 일본 말만 써 왔다. 해방 뒤 부득이 써 오는 제 나라 말이 오히려 의사 표현에 어색함을 느낄 만큼 그에게는 거리가 먼 것이었다.

마누라의 솔선수범하는 내조지공도 컸지만 애들까지도 곧잘 지켜 주었기에 이 종잇장을 탄 것이 아니던가. 그것을 탄 날은 온 집안이 무슨 경사나 난 것처럼 기뻐들 했었다.

"잠꼬대까지 국어로 할 정도가 아니면 이 영예로운 기회야 얻을 수 있겠소." 하던 국민 총력 연맹 지부장의 웃음 띤 치하 소리가 떠올랐다.

다 이인국 박사는 그때나 지금이나 자기의 처세 방법에 대하여 절대적인 자신을 가지고 있다.

"얘, 너 그 노어(露語) 공부를 열심히 해라."

"왜요?" / 아들은 갑자기 튀어나오는 아버지의 말에 의아를 느끼면서 반문했다.

"야 원식아, 별수 없다. 왜정 때는 그래도 일본 말이 출세를 하게 했고 이제는 노어가 또 판을 치지 않니. 고기가 물을 떠나서 살 수 없는 바에야 그 물속에서 살 방도를 궁리해야지. 아무튼 그 노서아 말 꾸준히 해라." (중략)

그는 두 주먹을 불끈 쥐며 얼굴에 경련을 일으키듯 긴장을 띠다가 어색한 미소를 흘려보냈다.

'흥, 그 사마귀 같은 일본 놈들 틈에서도 살았고, 닥싸귀 같은 로스케 속에서 살아났는데, 양키라고 다를까…….'

– 전광용, 〈꺼삐딴 리〉

7 (가)~(다)를 읽고 '이인국'에 대해 평가한 내용으로 적절하지 **않은** 것은?

① 모범적인 황국 신민으로 살았다는 것을 보니 역사 의식이 부족한 인물이야.

② 잠꼬대까지 국어로 했다는 것을 보니 우리나라 말을 지키고자 노력한 인물이야.

③ 환자가 사상범이라는 이유로 입원시키기를 주저하는 것을 보니 직업 윤리가 부족한 인물이야.

④ 겉으로는 예의를 차리면서 속으로는 '일본 놈들', '양키'라고 말하는 것을 보니 겉과 속이 다른 인물이야.

⑤ 일제 강점기 때 자신은 물론 가족들까지 일본 말만 사용했다는 것을 보니 적극적으로 친일에 가담한 인물이야.

 이인국이 일제 강점기 – 해방 직후 · 소련군 주둔 시기 – 6 · 25 전쟁 이후의 각 상황에서 어떤 태도로 살았는지 정리해 봐.

8 이 글을 오늘날의 삶에 비추어 감상한 내용으로 적절하지 **않은** 것은?

 국가나 사회의 이익보다 자신의 이익만을 생각하는 이인국을 보고 이기적인 면을 반성했어. …… ①

 이인국이 빠른 상황 판단 능력을 공익을 위해 발휘했다면 국가에 큰 도움이 됐을 거야. ………… ②

 원칙을 지키며 사는 사람들이 대접받는 사회가 되어야 이인국처럼 기회주의적으로 처세술에 의존하여 사는 사람들이 줄어들 거야. …………… ③

 여전히 많은 사람이 이인국을 보며 분노하는 것은 요즘에도 부당한 이익을 취하는 권력층이 많기 때문일 거야. …………… ④

 우리 선생님이 평소에는 다정하시지만 무례한 행동에는 무섭게 돌변하시는 것처럼 상황에 따라 다른 모습을 보인 이인국이 이해가 돼. …………… ⑤

[1~2] 다음 글을 읽고 물음에 답하시오.

가 물먹는 소 목덜미에
　　할머니 손이 얹혀졌다.
　　이 하루도
　　함께 지났다고,
　　서로 발잔등이 부었다고,
　　서로 적막하다고,

　　　　　　　　　　　　　　　　　－ 김종삼, 〈묵화〉

나 그 집은 그 집 아이들에게 작은 우주였다. 그곳에는 많은 비밀이 있었다. 자연 속에는 눈에 보이는 것 말고도 눈에 보이지 않는 무한한 비밀이 감춰져 있었다. 그는 그 집에서 크면서 자연 속에 감춰진 비밀들을 깨달아 갔다.

　석양의 북새, 혹은 낮게 깔리는 굴뚝 연기를 보고 그는 비설거지를 했다. 그런 다음 날은 틀림없이 비가 올 것이므로. 비가 온 날 저녁에는 또 지렁이가 밤새 운다는 것을 그는 알고 있었다. 똑또르 똑또르 하는 지렁이 울음소리. 냄새와 소리와 맛과 색깔과 형태들이 그 집에서는 선명했다. 모든 것들이 말이다. 왜냐하면 봄과 여름과 가을과 겨울과 아침과 낮과 저녁과 밤이 그 집에서는 뚜렷했으므로. 자연이 그러한 것처럼 사람들의 삶이 명료했다.

　이제 그 집을 떠난 그에게는 모든 것이 불분명하다. 아침과 저녁이 불분명하고 사계절이 불분명하고 오감이 불분명하다. 병원에서 태어나 수십 군데 이사를 다니고 나서 겨우 장만한 아파트. 그 사각진 콘크리트 벽 속에 살고 있는 그의 아이는 여름에 긴팔 옷을 입고 겨울에 반팔 옷을 입는다.

　　　　　　　　　　　　　　　　　－ 공선옥, 〈그 시절 우리들의 집〉

---

1 (가)에 대한 설명으로 적절하지 않은 것은?

① '-고,'라고 어미와 쉼표로 시를 마무리하여 여운을 주고 있다.
② 사람이 어떤 대상과 교감을 나누는 삶의 가치를 전하고 있다.
③ 삶의 고단함을 청각적 심상과 촉각적 심상으로 표현하고 있다.
④ 힘든 하루 일을 마친 할머니와 소의 고달픈 삶을 노래하고 있다.
⑤ 할머니와 소가 함께 있는 모습에서 따뜻한 분위기가 느껴지고 있다.

고난도

2 (나)에 담긴 삶의 가치를 바탕으로 하여 다음 문제에 대한 해결 방안을 가장 적절하게 말한 것은?

> 집값이 크게 상승하여 서민들이 살 집을 마련하기 어렵다고 해. 집을 삶을 꾸려 나가는 곳이 아닌 부를 형성하는 수단으로 여기는 사람들 때문에 집값이 오른 것이라고 분석한 기사를 본 적이 있어.

① 도시가 아닌 시골에 집을 많이 짓는 것이 어떨까?
② 집값이 상승하지 않도록 집값을 고정하는 것이 어떨까?
③ 집을 개인이 소유하지 않고 국가가 소유하면 되지 않을까?
④ 집을 재산 증식의 수단이 아닌 삶의 한 부분으로 받아들이는 것이 어떨까?
⑤ 앞으로 아파트를 짓지 말고 토담집과 같은 자연 친화적인 집만을 지으면 되지 않을까?

> (나)에는 집이 사람들의 삶과 함께하는 공간이었던 과거의 모습이 나타나고 있어.

[3~4] 다음 글을 읽고 물음에 답하시오.

가 "급히 가서 서방님을 모셔 오너라."

이 말을 들은 시백은 정색을 하며 꾸짖었다.

"무슨 일이 있기에 감히 장부의 과것길을 지체케 한단 말이냐?" / 추상(秋霜)같이 고함을 지르니 계화가 무안한 마음으로 돌아와 박씨에게 그 말을 전했다.

"잠깐만 들어오시면 좋은 일이 있을 것이니, 한 번의 수고를 아끼지 마시라 전해라." / 시백은 이 말을 듣고 더 크게 화를 냈다.

"요망한 계집이 장부의 과것길을 말리다니, 이런 당돌한 일이 어디 있겠는가?"

나 "오늘 이 경사는 평생에 두 번 보지 못할 경사입니다. 이런 날, 대감의 낯빛이 좋지 않은 것은 무슨 까닭입니까? 추한 박씨가 이 자리에 없어서 그런 것입니까? 참으로 우습습니다." 상공은 즉시 얼굴빛을 고치고 엄숙하게 말했다.

"부인의 소견이 아무리 얕고 짧다고 한들, 어찌 그렇게 가벼운 말을 하는 것이오? (중략) 우리 가문에 과분한 며느리이거늘, 부인은 다만 생김새만 보고 속에 품은 재주는 생각하지 않으시니 그저 답답할 따름이오." — 작자 미상, 〈박씨전〉

다 "나는 이 동네 사람인데, 우리 아버지가 앞을 못 보셔서 '공양미 3백 석을 지성으로 불공하면 눈을 떠 보리라.' 하기로, 집안 형편이 어려워 장만할 길이 전혀 없어 내 몸을 팔려 하니 나를 사 가는 것이 어떠하실는지요?"

뱃사람들이 이 말을 듣고, / "효성이 지극하나 가련하군요." (중략) 심청이 아버지께 여쭙기를, / "공양미 3백 석을 이미 실어다 주었으니, 이제는 근심치 마셔요."

심 봉사가 깜짝 놀라, / "너, 그 말이 웬 말이냐?"

심청같이 타고난 효녀가 어찌 아버지를 속이랴마는, 어찌할 수 없는 형편이라 잠깐 거짓말로 속여 대답한다.

"장 승상 댁 노부인이 달포 전에 저를 수양딸로 삼으려 하셨는데 차마 허락지 않았습니다. 그러나 지금 형편으로는 공양미 3백 석을 장만할 길이 전혀 없기로 이 사연을 노부인께 말씀드렸더니, 쌀 3백 석을 내어 주시기에 수양딸로 팔리기로 했습니다." — 작자 미상, 〈심청전〉

3 (가), (나)의 등장인물이 다음에 나타난 오늘날의 모습을 비판한 내용으로 적절하지 <u>않은</u> 것은?

 계화 ① 여성이 남성에 비해 불합리한 대우를 받는 모습이 남아 있군요.

② 여성이 사회의 각 분야에 진출해서 자신의 능력을 펼치는 것은 바람직한 변화입니다. 박씨

 시백 ③ 저는 아내의 사회 진출을 개인적으로만 도왔는데, 이제 남녀 차별을 막는 제도가 도입되었다니 바람직하네요.

④ 나처럼 외모로 사람을 평가하는 가치관이 여전히 존재하는군요. 부인

 상공 ⑤ 외모보다는 능력이나 인품을 중시하는 바람직한 가치관도 과거처럼 함께 존재하겠지요.

4 (다)를 읽고 나눈 대화로 적절하지 <u>않은</u> 것은?

 심청이 눈먼 아버지를 두고 떠나는 것이 과연 진정한 효라고 할 수 있을까? ····· ①

 아버지의 눈을 뜨게 하기 위해 자신의 몸을 판 행동은 지극한 효의 실천이라고 생각해. ····· ②

 그런데 어쩔 수 없는 상황이라 해도 아버지에게 거짓말을 한 것은 옳지 않아. ····· ③

 아버지를 위해 한 선의의 거짓말이므로 받아들일 수 있는 행동이 아닐까? ····· ④

 심청이보다는 그러한 거짓말을 강요한 뱃사람들이 더 문제라고 생각해. ····· ⑤

 심청이 아버지에게 거짓말을 한 것은 자신의 의지예요.

[5~7] 다음 시를 읽고 물음에 답하시오.

봄은
남해에서도 북녘에서도
오지 않는다.

너그럽고
빛나는
봄의 그 눈짓은,
제주에서 두만까지
우리가 디딘
아름다운 논밭에서 움튼다.

겨울은,
바다와 대륙 밖에서
그 매운 눈보라 몰고 왔지만
이제 올
너그러운 봄은, 삼천리 마을마다
우리들 가슴속에서
움트리라.

움터서,
강산을 덮은 그 미움의 쇠붙이들
눈 녹이듯 흐물흐물
녹여 버리겠지.

– 신동엽, 〈봄은〉

5 이 시에 드러난 '봄'과 '겨울'의 특성이 <u>아닌</u> 것은?

봄
- 너그럽고 빛난다. ·· ①
- 우리가 디딘 아름다운 논밭에서 움튼다. ·· ②
- 우리들 가슴속에서 움튼다. ·········· ③

겨울
- 미움의 쇠붙이를 녹인다. ·················· ④
- 바다와 대륙 밖에서 눈보라를 몰고 온다. ·· ⑤

6 다음 학생이 이 시를 해석한 방법으로 적절한 것은?

이 시의 화자는 어렵고 힘든 처지지만, 희망을 지니고 있어. 지금은 '미움의 쇠붙이들'이 '강산을 덮은' 겨울이지만, '이제 올 너그러운 봄'은 그 '미움의 쇠붙이들'을 녹여 버릴 것이라고 기대하고 있잖아. 겨울과 같은 절망의 상황에서 봄과 같은 희망을 노래한 시야.

① 시인의 삶에 주목하는 방법
② 작품의 내용이나 표현에 주목하는 방법
③ 배경이 되는 시대적 상황에 주목하는 방법
④ 작품을 읽는 독자의 경험에 주목하는 방법
⑤ 작품이 유통되는 사회적 환경에 주목하는 방법

서술형

7 | 보기 |를 바탕으로 이 시를 감상할 때 이 시의 주제를 10자 내외로 쓰시오.

┌ 보기 ┐

시인이 노래하는 '봄'이란 곧 통일, 또는 통일이 이루어지는 시대를 의미한다. 봄은 '남해에서도 북녘에서도 / 오지 않는다.'라고 시인은 분명하게 말한다. '남해'와 '북녘'은 모두 한반도를 둘러싼 외부의 힘이다. 그러면 봄은 어디에서 오는가? 그것은 '제주에서 두만까지 / 우리가 디딘 / 아름다운 논밭에서', 즉 우리 민족이 살고 있는 바로 이 땅에서 이루어지는 것이다. — 김흥규, 《한국 현대시를 찾아서》에서

[8~10] 다음 글을 읽고 물음에 답하시오.

가 처마 끝에 명태(明太)를 말린다

명태(明太)는 꽁꽁 얼었다

명태(明太)는 길다랗고 파리한 물고긴데

꼬리에 길다란 고드름이 달렸다

해는 저물고 날은 다 가고 볕은 서러웁게 차갑다

나도 길다랗고 파리한 명태(明太)다

문(門)턱에 꽁꽁 얼어서

가슴에 길다란 고드름이 달렸다

– 백석, 〈멧새 소리〉

나 시 본문에는 멧새 소리는커녕 멧새의 흔적조차 나오지 않는다. 명태의 시각적 묘사에만 집중하고 있을 뿐이다. 그래서 시를 다 읽고 나면, 왜 제목이 '멧새 소리'일지 한참을 생각하게 한다. 그러나 이 멧새 소리는 시에서 결정적인 역할을 한다. "길다랗고 파리한" 명태의 시각적 이미지에 깨끗하고 맑은 청각적 울림을 더해 줄 뿐 아니라, 시의 의미를 풍요롭게 해 준다.

상상해 보자. 멧새 소리가 들린다는 것은 집 주변에 인적이나 인기척이 드물다는 것을 암시한다. 마당이 비어 있으므로 멧새들이 지저귀는 것이고, 그 지저귐이 들리는 것이다. 그래서 이때의 멧새 소리는 화자의 적막함 혹은 기다리는 마음을 강조한다. 나아가 "해는 저물고 날은 다 가고" 있으니 이제 곧 멧새 소리마저 들리지 않을 시간이다. 이 적막한 기다림의 시간에 멧새 소리마저 없다면 그 집은 얼마나 쓸쓸할 것인가. 안과 밖을 이어 주는 공간, 그러니까 누군가를 기다리며 화자가 서성이고 있는 저 '문턱' 또한 있으나 마나일 것이다. 멧새 소리는 '문턱'과 함께 화자와 외부의 소통 가능성을 열어 주는 작은 길이 된다.

– 정끝별, 〈시 읽기의 네 갈래 길, 백석의 〈멧새 소리〉〉

8 (가)를 다음과 같은 방법으로 해석한 것은?

> 작가와 관련지어 작품을 해석하는 방법

① 화자는 자신을 명태와 닮았다고 생각한다.
② '명태'라는 시어를 반복하여 운율이 느껴진다.
③ 누군가를 간절히 기다렸던 경험을 떠오르게 한다.
④ '명태'는 암울한 시대를 사는 우리 민족의 분신을 의미한다.
⑤ 처마 끝에서 명태가 얼어 가는 모습은 시인이 함흥에서 살았을 때 경험이 반영되었다.

9 (나)로 보아 (가)에 나타난 화자의 처지로 적절한 것은?

① 홀로 고립된 상황에서 홀가분해하고 있다.
② 삶의 어려움에서 벗어나려고 애쓰고 있다.
③ 사람과 어울려 살았던 때를 그리워하고 있다.
④ 외롭고 쓸쓸한 처지에서 누군가를 기다리고 있다.
⑤ 과거를 추억하며 확신을 갖고 시련을 견디고 있다.

 (나)에서 (가)를 해석할 때 주목하고 있는 부분을 찾아봐.

서술형

10 다음은 (나)의 글쓴이와 가상 면담을 한 내용이다. (나)를 바탕으로 ㉠, ㉡에 들어갈 알맞은 말을 쓰시오.(단, ㉠에는 2어절, ㉡에는 20자 이내로 쓸 것.)

 시의 제목을 '멧새 소리'라고 붙인 데서 오는 효과가 무엇일까요?

 명태의 시각적 이미지에 (㉠)을/를 더해 주고, 시의 의미를 풍요롭게 해 준다고 보았지요.

 그렇다면 '멧새 소리'가 나타내는 의미를 어떻게 해석하였나요?

 멧새 소리는 '문턱'과 함께 (㉡)이/가 된다고 해석했습니다.

실력 향상 필수학습!
고득점을 예약하자!

국어전략
중학3
BOOK 2

천재교육

국어전략

국어전략

중학 3

BOOK 2

이 책의 차례

BOOK 2

이 개념들만 알면
국어 생활은
문제없지!

문법

💧 음운 체계와 특성은 어떻게 될까?

우리말의 음운으로는 자음, 모음 등이 있어요.
자음과 모음을 성질에 따라 나누거나 표로 정리해 보며 우리말 음운의 특성을 이해해 봐요.

문장의 짜임을 왜 알아야 할까?

문장은 크게 홑문장과 겹문장으로, 겹문장은 이어진문장과 안은문장으로 나뉘어요.
문장의 파임을 이해하면 자신의 의도를 잘 전달할 수 있어요.

개념 1 우리말의 음운과 모음 체계

○ **음운**: 말의 ❶ [　　　]을 구별해 주는 소리의 가장 작은 단위로 모음과 자음, 소리의 길이 등이 있음. 예 불 – 볼, 불 – 풀 → 음운이 하나라도 바뀌면 말의 뜻이 변함.

○ **모음**: 발음할 때 공기의 흐름이 발음 기관의 장애를 받지 않고 나는 소리.

○ **단모음과 이중 모음의 구분**

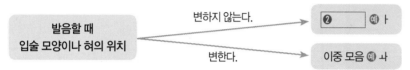

발음할 때
입술 모양이나 혀의 위치

변하지 않는다. → ❷ [　　　] 예 ㅏ

변한다. → 이중 모음 예 ㅘ

○ **단모음 체계**

혀의 최고점의 위치 / 입술 모양 / 혀의 높이	혀가 앞에 **전설 모음**		혀가 뒤에 **후설 모음**	
	평순 모음 입술이 평평함.	**원순 모음** 입술이 둥긂.	**평순 모음**	**원순 모음**
높음. **고모음**	ㅣ	ㅟ	ㅡ	ㅜ
중간임. **중모음**	ㅔ	ㅚ	ㅓ	ㅗ
낮음. **저모음**	ㅐ		ㅏ	

❶ 뜻 ❷ 단모음

Quiz

( ) 안에 들어갈 알맞은 말을 고르시오.

(1) 모음은 발음할 때 공기의 흐름이 발음 기관의 장애를 (받고 , 받지 않고) 나온다.

(2) 발음할 때 입술 모양이나 혀의 위치가 변하지 않는 모음을 (단모음 , 이중 모음)이라고 한다.

(3) 'ㅗ, ㅚ, ㅜ, ㅟ'는 (원순 모음 , 평순 모음)이다.

답 | (1) 받지 않고 (2) 단모음 (3) 원순 모음

개념 2 우리말의 자음 체계

○ **자음**: 발음할 때 공기의 흐름이 발음 기관의 장애를 받고 나는 소리.

○ **자음 체계**

소리 내는 방법 \ 소리 나는 ❶			입술 소리	잇몸 소리	센입천장 소리	여린입천장 소리	목청 소리
안울림 소리 → 발음할 때 입안이나 코안이 울리지 않는 소리	파열음	예사소리	ㅂ	ㄷ		ㄱ	
		된소리	ㅃ	ㄸ		ㄲ	
		거센소리	ㅍ	ㅌ		ㅋ	
	마찰음	예사소리		ㅅ			
		된소리		ㅆ			ㅎ
		거센소리					
	파찰음	예사소리			ㅈ		
		된소리			ㅉ		
		거센소리			ㅊ		
❷ → 발음할 때 입안이나 코안이 울리는 소리	비음(콧소리)		ㅁ	ㄴ		ㅇ	
	유음(흐름소리)			ㄹ			

❶ 위치 ❷ 울림소리

Quiz

다음 설명이 맞으면 ◯, 틀리면 X에 표시하시오.

(1) 자음은 발음할 때 공기의 흐름이 발음 기관의 장애를 받지 않고 나오는 소리이다. (◯ , X)

(2) 비음, 유음은 자음을 소리 나는 위치에 따라 나눈 것이다. (◯ , X)

(3) 'ㅁ, ㅂ, ㅃ, ㅍ'은 두 입술 사이에서 나는 소리이다. (◯ , X)

답 | (1) X (2) X (3) ◯

1-1 다음을 참고할 때 우리말 모음에 대한 설명으로 적절한 것은?

> 우리말 모음은 단모음 'ㅏ, ㅐ, ㅓ, ㅔ, ㅗ, ㅚ, ㅜ, ㅟ, ㅡ, ㅣ'와 이중 모음 'ㅑ, ㅒ, ㅕ, ㅖ, ㅘ, ㅙ, ㅛ, ㅝ, ㅞ, ㅠ, ㅢ'의 총 21개이다.

① 모음은 발음할 때 공기의 흐름이 발음 기관의 장애를 받고 나는 소리이다.

② 이중 모음은 발음할 때 입술 모양이나 혀의 위치가 변하지 않는 모음이다.

③ 단모음은 입술 모양, 혀의 높이, 혀의 최고점의 위치에 따라 나눌 수 있다.

정답 해설 | 단모음은 발음할 때 입술 모양이나 혀의 위치가 변하지 않는 모음이며, 입술 모양, 혀의 높이, 혀의 최고점의 위치에 따라 분류할 수 있다. 모음은 공기의 흐름이 발음 기관의 장애를 받지 않고 나는 소리이다. 이중 모음은 발음할 때 입술 모양이나 혀의 위치가 변하는 모음이다. **답 | ③**

1-2 단모음의 분류 기준을 메모한 내용으로 적절하지 <u>않은</u> 것은?

> **입술 모양에 따른 구분**
>
> 입술을 둥글게 오므려 소리 내는 원순 모음과 그렇지 않은 평순 모음으로 나뉨. ·····················①
>
> **혀의 높이에 따른 구분**
>
> 혀의 높이가 높은 고모음, 혀의 높이가 중간인 중모음, 혀의 높이가 낮은 저모음으로 나뉨. ······②
>
> **혀의 최고점의 위치에 따른 구분**
>
> 혀의 최고점이 입천장의 중간점을 기준으로 위쪽에 놓이는 상설 모음과 아래쪽에 놓이는 하설 모음으로 나뉨. ·····················③

2-1 다음을 참고할 때 우리말 자음에 대한 설명으로 적절하지 <u>않은</u> 것은?

> 우리말 자음은 'ㄱ, ㄲ, ㄴ, ㄷ, ㄸ, ㄹ, ㅁ, ㅂ, ㅃ, ㅅ, ㅆ, ㅇ, ㅈ, ㅉ, ㅊ, ㅋ, ㅌ, ㅍ, ㅎ'으로, 총 19개이다.

① 자음은 소리 나는 위치와 소리 내는 방법에 따라 나눌 수 있다.

② 자음은 발음할 때 성대 근육의 긴장 정도에 따라 안울림소리와 울림소리로 나뉜다.

③ 자음은 소리 나는 위치에 따라 입술소리, 잇몸소리, 센입천장소리, 여린입천장소리, 목청소리로 나뉜다.

정답 해설 | 자음은 발음할 때 입안이나 코안이 울리는지 울리지 않는지에 따라 울림소리와 안울림소리로 나뉜다. **답 | ②**

2-2 다음과 같이 자음을 분류한 기준으로 적절한 것은?

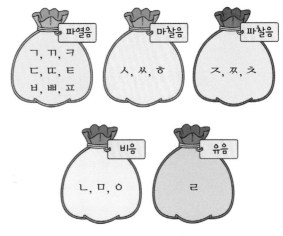

① 소리의 세기

② 소리 나는 위치

③ 소리 내는 방법

개념 3 문장의 짜임

○ 문장의 짜임

홑문장	주어와 **❶** 의 관계가 한 번만 나타나는 문장. ⑩ 하늘이 파랗다. 　　주어　서술어
겹문장	주어와 서술어의 관계가 두 번 이상 나타나는 문장. ⑩ 하늘이 파랗고 바람이 분다. 　　주어　서술어　주어　서술어 ← 하늘이 파랗다. + 바람이 분다.

○ 이어진문장: 둘 이상의 홑문장이 나란히 이어져서 이루어진 문장.

대등하게 이어진문장	나열, 대조, 선택 등의 대등한 의미 관계. ⑩ 준수가 노래한다.+미나가 춤춘다. → 준수가 노래하고, 미나가 춤춘다. '-고, -(으)며, -지만, -(으)나, -거나, -든지' 등의 연결 어미를 사용해 대등한 관계로 연결됨.
종속적으로 이어진문장	원인, 조건, 의도(목적) 등의 종속적인 의미 관계. ⑩ 비가 왔다.+우리는 소풍을 연기했다. → 비가 와서 우리는 소풍을 연기했다. '-아서/어서, -(으)니, -(으)면, -거든, -(으)려, -(으)려고' 등의 연결 어미를 사용해 종속적 관계로 연결됨.

○ 안은문장: 한 홑문장이 다른 홑문장(안긴문장)을 문장 성분처럼 안고 있는 문장.

명사절을 가진 안은문장	⑩ 나는 그가 오기를 기다렸다. → 주어, **❷** 등 역할
관형절을 가진 안은문장	⑩ 이것은 내가 읽은 소설책이다. → 관형어 역할
부사절을 가진 안은문장	⑩ 소리도 없이 그녀에게 다가왔다. → 부사어 역할
서술절을 가진 안은문장	⑩ 민호는 키가 크다. → 서술어 역할
인용절을 가진 안은문장	⑩ 그는 책이 필요하다고 말했다. → 다른 사람의 말 인용

❶ 서술어 ❷ 목적어

개념 4 남북한 언어의 공통점과 차이점

공통점		문장 구조, 소리 나는 대로 적는 표기, 어법에 맞게 형태를 밝혀 적는 표기는 같음.
차이점	두음 법칙	남한과 달리 북한은 인정하지 않음. ⑩ 요리(남한) – 료리(북한)
	사이시옷 (ㅅ)	남한과 달리 북한은 표기하지 않음. ⑩ **❶** (남한) – 나루배(북한)
	띄어쓰기	남한과 달리 북한은 의존 명사를 붙여 씀. ⑩ 건널 것이다(남한) – 건널것이다(북한)
	❷ → 남북한 차이가 가장 심함.	• 북한은 남한보다 순우리말로 된 단어를 많이 사용함. • 서로 다른 어휘를 쓰거나 형태가 같아도 의미가 다른 어휘가 있음. 　　　　　　　　　　　　　　　　　　　　└ ⑩ 동무

❶ 나룻배 ❷ 어휘

3-1 문장의 짜임에 대한 설명으로 적절하지 <u>않은</u> 것은?

① 겹문장은 이어진문장과 안은문장으로 나뉜다.

② 문장에서 주어와 서술어의 관계가 몇 번 나타나느냐에 따라 홑문장과 겹문장으로 나뉜다.

③ 각각의 문장이 나열, 대조, 선택 등의 의미 관계로 이어지는 문장은 종속적으로 이어진문장이다.

정답 해설 | 각각의 문장이 나열, 대조, 선택 등의 의미 관계로 이어지는 문장은 대등하게 이어진문장이고, 원인, 조건, 목적·의도 등의 의미 관계로 이어지는 문장은 종속적으로 이어진문장이다.

답 | ③

3-2 다음과 같은 방식으로 만들어진 문장 ㉠에 대한 설명으로 적절하지 <u>않은</u> 것은?

비가 온다. + 땅이 질다.

→ ㉠비가 와서 땅이 질다.

① 주어와 서술어의 관계가 두 번 이상 나타나는 문장이다.

② 두 문장이 나열이라는 대등한 의미 관계로 이어진 문장이다.

③ 두 문장이 원인이라는 종속적인 의미 관계로 이어진 문장이다.

4-1 밑줄 친 부분에 나타난 남북한 언어의 차이에 해당하는 내용을 | 보기 |에서 골라 기호를 쓰시오.

남한 <u>나룻배</u>를 이용하여 강을 건널 것이다.
북한 <u>나루배</u>를 리용하여 강을 건널것이다.

┌ 보기 ┐

㉠ 두음 법칙: 한자어의 첫머리에 'ㄴ', 'ㄹ'이 올 때 남한은 'ㅇ'이나 'ㄴ'으로 발음하고 표기하며, 북한은 'ㄴ', 'ㄹ'로 발음하고 표기함.

㉡ 사이시옷: 합쳐진 두 말 사이에서 소리가 덧날 때 남한은 사이시옷을 표기하고, 북한은 표기하지 않음.

정답 해설 | 남한은 사이시옷을 표기하고 북한은 표기하지 않으므로, 남한의 '나룻배'를 북한에서는 '나루배'로 표기한다. 답 | ㉡

4-2 남북한의 언어를 비교한 내용으로 적절한 것은?

① 남한과 북한은 모두 두음 법칙을 인정한다.

② 남한과 달리 북한은 사이시옷을 표기하지 않는다.

③ 북한에 비해 남한이 순우리말로 된 단어를 많이 사용한다.

바탕 문제

( ) 안에 들어갈 수 <u>없는</u> 것을 |보기|에서 골라 기호를 쓰세요.

단모음은 발음할 때 ( )에 따라 나눌 수 있다.

|보기|
ㄱ. 입술 모양
ㄴ. 혀의 높이
ㄷ. 소리 내는 방법
ㄹ. 혀의 최고점의 위치

답 | ㄷ

1 단모음을 다음과 같이 나눌 때 ㉠~㉢에 들어갈 분류 기준을 차례대로 연결한 것은?

| ㉠ | 원순 모음 | ㅟ, ㅚ, ㅜ, ㅗ |
| | 평순 모음 | ㅣ, ㅔ, ㅐ, ㅡ, ㅓ, ㅏ |

| ㉡ | 전설 모음 | ㅣ, ㅔ, ㅐ, ㅟ, ㅚ |
| | 후설 모음 | ㅡ, ㅓ, ㅏ, ㅜ, ㅗ |

㉢	고모음	ㅣ, ㅟ, ㅡ, ㅜ
	중모음	ㅔ, ㅚ, ㅓ, ㅗ
	저모음	ㅐ, ㅏ

① 입술 모양 – 혀의 높이 – 혀의 최고점의 위치
② 입술 모양 – 혀의 최고점의 위치 – 혀의 높이
③ 혀의 높이 – 입술 모양 – 혀의 최고점의 위치
④ 혀의 높이 – 혀의 최고점의 위치 – 입술 모양
⑤ 혀의 최고점의 위치 – 혀의 높이 – 입술 모양

바탕 문제

자음이 소리 나는 위치를 바르게 연결하세요.

(1) ㄱ • • ㉠ 두 입술

(2) ㄴ • • ㉡ 혀끝과 윗잇몸

(3) ㅁ • • ㉢ 혓바닥과 센입천장

(4) ㅈ • • ㉣ 혀 뒷부분과 여린입천장

(5) ㅎ • • ㉤ 목청

답 | (1) ㉣ (2) ㉡ (3) ㉠ (4) ㉢ (5) ㉤

2 발음 기관도를 참고할 때 ㉠에 들어갈 말로 적절한 것은?

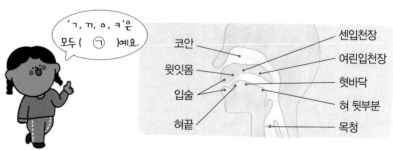

'ㄱ, ㄲ, ㅇ, ㅋ'은 모두 (㉠)예요.

코안
윗잇몸
입술
혀끝
센입천장
여린입천장
혓바닥
혀 뒷부분
목청

① 목청에서 나는 목청소리
② 두 입술 사이에서 나는 입술소리
③ 혀끝과 윗잇몸 사이에서 나는 잇몸소리
④ 혓바닥과 센입천장 사이에서 나는 센입천장소리
⑤ 혀 뒷부분과 여린입천장 사이에서 나는 여린입천장소리

다음 문장에서 주어와 서술어를 찾아 쓰세요.

| 화단에 국화가 활짝 피었다. |

주어	서술어

답 | 주어: 국화가, 서술어: 피었다

3 다음 문장의 종류와 그 설명이 적절한 것은?

화단에 국화가 활짝 피었다.

① 홑문장: 주어와 서술어의 관계가 한 번만 나타나는 문장
② 이어진문장: 둘 이상의 문장이 나란히 이어진 문장
③ 대등하게 이어진문장: 대조의 의미 관계로 이어진 문장
④ 종속적으로 이어진문장: 조건의 의미 관계로 이어진 문장
⑤ 안은문장: 한 홑문장이 다른 홑문장을 문장 성분처럼 안고 있는 문장

겹문장의 종류가 <u>다른</u> 것은?

① 나는 동생이 어지른 방을 치웠다.
② 나는 물을 샀고 진오는 빵을 샀다.
③ 동생은 잠을 잤지만 나는 책을 읽었다.

답 | ①

4 | 보기 |의 ㉠에 들어갈 겹문장의 종류를 쓰시오.

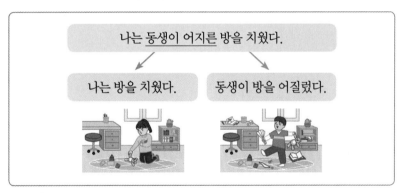

나는 <u>동생이 어지른</u> 방을 치웠다.

나는 방을 치웠다.   동생이 방을 어질렀다.

┤ 보기 ├
'나는 동생이 어지른 방을 치웠다.'는 한 홑문장이 다른 홑문장을 문장 성분처럼 안고 있는 (㉠   )이다.

다음에서 설명하는 한글 맞춤법의 종류를 고르세요.

| 한자어의 첫머리에 'ㄴ', 'ㄹ'이 올 때 우리나라에서는 'ㅇ'이나 'ㄴ'으로 표기한다. |

(두음 법칙 , 사이시옷)

답 | 두음 법칙

5 다음을 통해 북한 언어의 특징을 파악할 때 | 보기 |의 ㉠에 들어갈 알맞은 말을 4글자로 쓰시오.

남한	북한
이용	리용
양식	량식
노동	로동

┤ 보기 ├
북한의 표기법은 남한과 달리 (㉠   )을/를 인정하지 않는다.

필수 체크 전략 ❶

전략 1 음운, 모음과 자음, 단모음과 이중 모음 이해하기

❶ 음운 이해하기

'물'과 '불', '벌'과 '불'의 뜻을 구별해 주는 소리는 무엇인가요?

'ㅁ'과 'ㅂ'요!

'ㅓ'와 'ㅜ'요!

물 불 벌 불

❷ 모음과 자음 나누기

'아'를 발음하니 공기의 흐름이 계속 느껴져요.

'악'을 발음하니 숨이 나오다 막히는데요!

❸ 단모음과 이중 모음 나누기

ㅗ

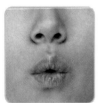

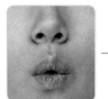
ㅘ

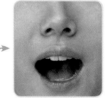

→ 발음할 때 입술 모양이나 혀의 위치가 변하지 않음.

→ 발음할 때 입술 모양이나 혀의 위치가 변함.

☑ 음운이란?

말의 뜻을 구별해 주는 소리의 가장 작은 단위임.

→ 자음이나 모음 하나만 바뀌어도 단어의 뜻이 달라짐.

☑ 모음과 자음을 나누는 기준은?

모음	발음할 때 공기의 흐름이 발음 기관의 장애를 받지 않고 나오는 소리임. 예 ㅏ, ㅓ, …
자음	발음할 때 공기의 흐름이 발음 기관의 장애를 ❶ [ ] 나오는 소리임. 예 ㄱ, ㄴ, …

☑ 단모음과 이중 모음을 나누는 기준은?

단모음	발음할 때 입술 모양이나 혀의 위치가 변하지 않음. ㅏ, ㅐ, ㅓ, ㅔ, ㅗ, ㅚ, ㅜ, ㅟ, ㅡ, ㅣ
이중 모음	발음할 때 입술 모양이나 혀의 위치가 ❷ [ ]. ㅑ, ㅒ, ㅕ, ㅖ, ㅘ, ㅙ, ㅛ, ㅝ, ㅞ, ㅠ, ㅢ

❶ 받고 ❷ 변함

필수 예제 1

㉠에 들어갈 음운 2개를 쓰시오.

> 말의 뜻을 구별해 주는 소리의 가장 작은 단위를 '음운'이라고 한다. '불'은 'ㅂ+ㅜ+ㄹ'이라는 음운으로, '풀'은 'ㅍ+ㅜ+ㄹ'이라는 음운으로 이루어져 있다. '불'과 '풀'은 '(㉠)'이 다르기 때문에 의미가 구별된다.

정답 해설 | '불'과 '풀'은 자음 'ㅂ'과 'ㅍ'을 통해 뜻이 구별된다.

답 | ㅂ, ㅍ

확인 문제 1

다음과 같이 모음을 분류하는 기준으로 적절한 것은?

ㅏ, ㅐ, ㅓ, ㅔ, ㅗ, ㅚ, ㅜ, ㅟ, ㅡ, ㅣ	ㅑ, ㅒ, ㅕ, ㅖ, ㅘ, ㅙ, ㅛ, ㅝ, ㅞ, ㅠ, ㅢ

① 발음할 때 소리의 길고 짧음은 어떠한가?

② 발음할 때 혀의 최고점의 위치는 어떠한가?

③ 발음할 때 입술 모양이나 혀의 위치가 변하는가?

④ 발음할 때 입술 모양이 둥글어지는 정도는 어떠한가?

⑤ 발음할 때 공기의 흐름이 발음 기관의 장애를 받는가?

전략 2 단모음(ㅏ, ㅐ, ㅓ, ㅔ, ㅗ, ㅚ, ㅜ, ㅟ, ㅡ, ㅣ) 분류하기

○ 'ㅗ', 'ㅡ'를 발음하고 입술 모양에 따라 나누기

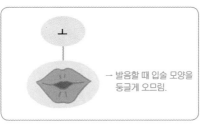

→ 발음할 때 입술 모양을 둥글게 오므림.

→ 발음할 때 입술 모양이 평평함.

○ 'ㅡ', 'ㅓ', 'ㅏ'를 차례로 발음하고 혀의 높이에 따라 나누기

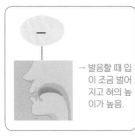

→ 발음할 때 입이 조금 벌어지고 혀의 높이가 높음.

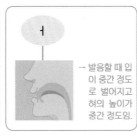

→ 발음할 때 입이 중간 정도로 벌어지고 혀의 높이가 중간 정도임.

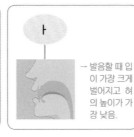

→ 발음할 때 입이 가장 크게 벌어지고 혀의 높이가 가장 낮음.

○ 'ㅣ', 'ㅡ'를 발음하고 혀의 최고점의 위치에 따라 나누기

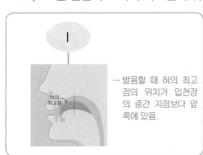

→ 발음할 때 혀의 최고점의 위치가 입천장의 중간 지점보다 앞쪽에 있음.

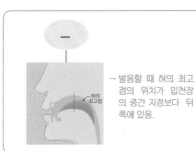

→ 발음할 때 혀의 최고점의 위치가 입천장의 중간 지점보다 뒤쪽에 있음.

☑ 단모음을 입술 모양에 따라 분류하면?

원순 모음	ㅟ, ㅚ, ㅜ, ㅗ
평순 모음	ㅣ, ㅔ, ㅐ, ㅡ, ㅓ, ㅏ

☑ 단모음을 혀의 높이에 따라 분류하면?

❶	ㅣ, ㅟ, ㅡ, ㅜ
중모음	ㅔ, ㅚ, ㅓ, ㅗ
저모음	ㅐ, ㅏ

☑ 단모음을 혀의 최고점의 위치에 따라 분류하면?

전설 모음	ㅣ, ㅔ, ㅐ, ㅟ, ㅚ
후설 모음	ㅡ, ㅓ, ㅏ, ㅜ, ❷

❶ 고모음 ❷ ㅗ

필수 예제 2

다음 모음들의 공통점으로 적절한 것은?

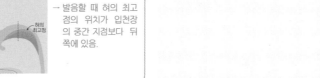

ㅟ, ㅚ, ㅜ, ㅗ

① 발음할 때 혀의 높이가 높다.
② 발음할 때 입술 모양이 둥글다.
③ 발음할 때 입술 모양이 변한다.
④ 발음할 때 혀의 위치가 변한다.
⑤ 발음할 때 혀의 최고점의 위치가 앞쪽에 있다.

정답 해설 | 'ㅟ, ㅚ, ㅜ, ㅗ'는 발음할 때 입술을 둥글게 오므리고 발음하는 원순 모음이다. **답 | ②**
오답 풀이 | ① 발음할 때 'ㅟ, ㅜ'는 혀의 높이가 높지만, 'ㅚ, ㅗ'는 중간이다.
③, ④ 'ㅟ, ㅚ, ㅜ, ㅗ'는 단모음으로 발음할 때 입술 모양이나 혀의 위치가 변하지 않는다.
⑤ 발음할 때 'ㅟ, ㅚ'는 혀의 최고점이 앞쪽에 있고, 'ㅜ, ㅗ'는 뒤쪽에 있다.

확인 문제 2

다음은 발음할 때 혀의 최고점의 위치를 나타낸 그림이다. (가)에 해당하는 모음은?

가

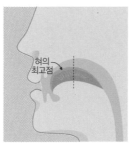

나

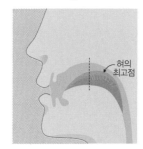

① ㅓ ② ㅏ ③ ㅜ
④ ㅗ ⑤ ㅣ

전략 3 자음 분류하기 ① - 소리 나는 위치

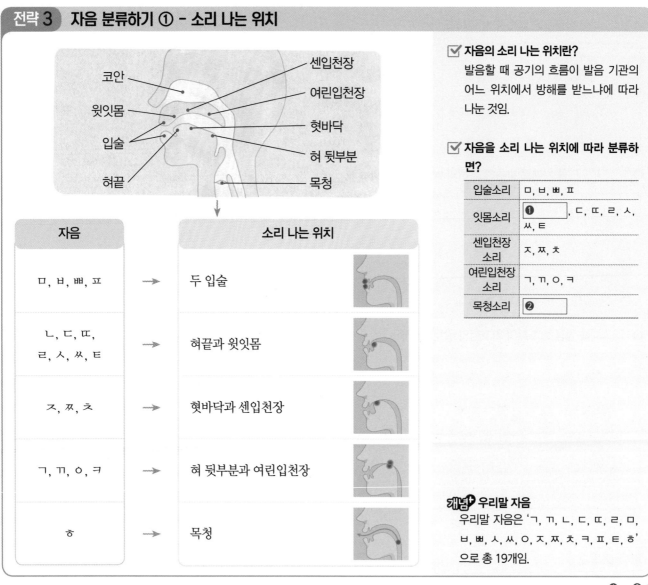

☑ **자음의 소리 나는 위치란?**
발음할 때 공기의 흐름이 발음 기관의 어느 위치에서 방해를 받느냐에 따라 나는 것임.

☑ **자음을 소리 나는 위치에 따라 분류하면?**

입술소리	ㅁ, ㅂ, ㅃ, ㅍ
잇몸소리	❶ [　　], ㄷ, ㄸ, ㄹ, ㅅ, ㅆ, ㅌ
센입천장소리	ㅈ, ㅉ, ㅊ
여린입천장소리	ㄱ, ㄲ, ㅇ, ㅋ
목청소리	❷ [　　]

개념➕ 우리말 자음
우리말 자음은 'ㄱ, ㄲ, ㄴ, ㄷ, ㄸ, ㄹ, ㅁ, ㅂ, ㅃ, ㅅ, ㅆ, ㅇ, ㅈ, ㅉ, ㅊ, ㅋ, ㅍ, ㅌ, ㅎ'으로 총 19개임.

❶ ㄴ ❷ ㅎ

│ 필수 예제 3 ▷

자음의 소리 나는 위치에 대한 설명으로 적절한 것은?

① ㄱ: 혀 뒷부분과 여린입천장 사이에서 나는 소리다.

② ㄴ: 목청에서 나는 소리다.

③ ㅅ: 혓바닥과 센입천장 사이에서 나는 소리다.

④ ㅊ: 두 입술 사이에서 나는 소리다.

⑤ ㅍ: 혀끝과 윗잇몸 사이에서 나는 소리다.

정답 해설 | 'ㄱ'은 혀 뒷부분과 여린입천장 사이에서 나는 여린입천장소리다.

답 | ①

오답 풀이 | ②, ③ 'ㄴ, ㅅ'은 혀끝과 윗잇몸 사이에서 나는 잇몸소리다.
④ 'ㅊ'은 혓바닥과 센입천장 사이에서 나는 센입천장소리다.
⑤ 'ㅍ'은 두 입술 사이에서 나는 입술소리다.

│ 확인 문제 3 ▷

다음 자음들이 소리 나는 위치로 적절한 것은?

> ㄴ, ㄷ, ㄸ, ㄹ, ㅅ, ㅆ, ㅌ

① 목청

② 두 입술 사이

③ 혀끝과 윗잇몸 사이

④ 혓바닥과 센입천장 사이

⑤ 혀 뒷부분과 여린입천장 사이

전략 4 자음 분류하기 ②, ③ - 소리 내는 방법, 소리의 세기

○ 'ㄱ', 'ㅅ', 'ㅈ'의 소리 내는 방법 비교하기

공기의 흐름 → 공기의 흐름을 막았다가 터뜨리면서 내는 소리

공기의 흐름 → 공기가 흐르는 통로를 좁혀 마찰을 일으키며 내는 소리

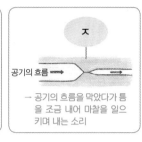

공기의 흐름 → 공기의 흐름을 막았다가 틈을 조금 내어 마찰을 일으키며 내는 소리

○ 'ㄴ'과 'ㄹ'의 소리 내는 방법 비교하기

'ㄴ'을 발음할 때 손가락에 따뜻한 공기가 느껴져요.

'ㄴ'은 입안의 통로를 막고 공기를 코로 내보내면서 소리 내는 비음이에요.

'ㄹ'은 혀끝을 잇몸에 가볍게 대었다 떼거나, 혀끝을 잇몸에 댄 채 공기를 혀의 양옆으로 내보내면서 소리 내는 유음이에요.

○ 소리의 세기 - '종종', '쫑쫑', '총총'의 느낌 비교하기

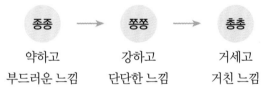

종종 → 쫑쫑 → 총총

약하고 부드러운 느낌 / 강하고 단단한 느낌 / 거세고 거친 느낌

☑ 자음을 소리 내는 방법에 따라 분류하면?

파열음	ㄱ, ㄲ, ㄷ, ㄸ, ㅂ, ㅃ, ㅋ, ㅌ, ㅍ
마찰음	ㅅ, ㅆ, ㅎ
파찰음	ㅈ, ㅉ, ㅊ
❶	ㄴ, ㅁ, ㅇ
유음	ㄹ

☑ '파열음, 마찰음, 파찰음'을 소리의 세기에 따라 분류하면?

예사소리	ㄱ, ㄷ, ㅂ, ㅅ, ㅈ
된소리	ㄲ, ㄸ, ㅃ, ㅆ, ❷
거센소리	ㅋ, ㅌ, ㅍ, ㅊ

개념➕ 소리의 세기

• 예사소리: 성대를 편안히 둔 상태에서 숨을 약하게 내는 소리
• 된소리: 성대 근육이 긴장하면서 숨을 약하게 내는 소리
• 거센소리: 성대를 긴장시켜 숨을 거세게 내는 소리

❶ 비음 ❷ ㅉ

필수 예제 4

자음을 소리 내는 방법에 대한 설명으로 적절한 것은?

① ㄱ: 공기의 흐름을 막았다가 터뜨리며 소리 냄.

② ㄴ: 혀끝을 잇몸에 가볍게 대었다가 떼거나 혀끝을 잇몸에 댄 채 공기를 혀의 양옆으로 내보내면서 소리 냄.

③ ㄹ: 입안의 통로를 막고 코로 공기를 내보내면서 소리 냄.

④ ㅅ: 공기의 흐름을 막았다가 틈을 조금 내어 마찰을 일으키며 소리 냄.

⑤ ㅈ: 공기가 흐르는 통로를 좁혀 마찰을 일으키며 소리 냄.

정답 해설 | 'ㄱ'은 파열음으로 공기의 흐름을 막았다가 터뜨리며 내는 소리이다. 이런 파열음에는 'ㄱ, ㄲ, ㄷ, ㄸ, ㅂ, ㅃ, ㅋ, ㅌ, ㅍ'이 있다. **답** | ①
오답 풀이 | ② 유음인 'ㄹ'에 대한 설명이다. 'ㄴ'은 비음이다.
③ 비음인 'ㄴ, ㅁ, ㅇ'에 대한 설명이다. 'ㄹ'은 유음이다.
④ 파찰음인 'ㅈ, ㅉ, ㅊ'에 대한 설명이다. 'ㅅ'은 마찰음이다.
⑤ 마찰음인 'ㅅ, ㅆ, ㅎ'에 대한 설명이다. 'ㅈ'은 파찰음이다.

확인 문제 4

(가)~(다)의 단어들에 대한 설명으로 적절하지 <u>않은</u> 것은?

 가

감감하다 단단하다 종종

 나

깜깜하다 딴딴하다 쫑쫑

 다

캄캄하다 탄탄하다 총총

① (가)의 'ㄱ, ㄷ, ㅈ'은 예사소리이다.

② (나)의 'ㄲ, ㄸ, ㅉ'은 된소리이다.

③ (다)의 'ㅋ, ㅌ, ㅊ'은 거센소리이다.

④ (나)는 (가)에 비해 강하고 단단한 느낌이다.

⑤ (가)는 (다)에 비해 발음할 때 숨을 거세게 낸다.

1 짝을 이룬 두 단어의 뜻을 구별해 주는 음운의 특성이 나머지와 <u>다른</u> 것은?

① 공 – 종   ② 곰 – 솜

③ 나 – 너 ④ 북 – 불

⑤ 발 – 밥

2 (가)에 해당하는 모음이 <u>아닌</u> 것은?

모음에는 발음할 때 (가)와 같이 입술 모양이나 혀의 위치가 변하지 않는 모음도 있고, (나)처럼 입술 모양이나 혀의 위치가 변하는 모음도 있다.

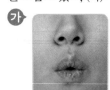 가   나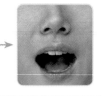

① ㅏ ② ㅔ ③ ㅕ ④ ㅜ ⑤ ㅡ

3 (가), (나)에서 설명하는 단모음을 바르게 연결한 것은?

가 발음할 때 입술 모양이 평평해요.

나 발음할 때 혀의 최고점의 위치가 뒤쪽에 있어요.
혀의 최고점

	(가)	(나)			(가)	(나)
①	ㅏ	ㅗ		②	ㅚ	ㅔ
③	ㅜ	ㅏ		④	ㅡ	ㅐ
⑤	ㅣ	ㅟ				

4 자음을 소리 나는 위치에 따라 바르게 분류한 것은?

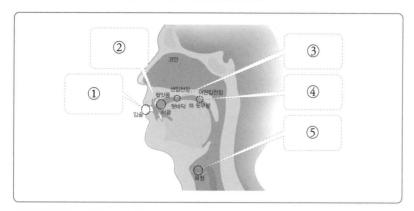

	소리 나는 위치	해당 자음
①	두 입술 사이에서 나는 소리	ㄴ, ㄷ, ㅅ, ㅌ
②	혀끝과 윗잇몸에서 나는 소리	ㅁ, ㅂ, ㅃ, ㅍ
③	혓바닥과 센입천장 사이에서 나는 소리	ㅈ, ㅉ, ㅊ
④	혀 뒷부분과 여린입천장 사이에서 나는 소리	ㅎ
⑤	목청에서 나는 소리	ㄱ, ㄲ, ㅇ, ㅋ

문제 해결 전략

자음은 소리 나는 **❶** 에 따라 입술소리, 잇몸소리, 센입천장소리, 여린입천장소리, 목청소리로 나뉨을 알고, 각각의 자음을 발음할 때 **❷** 의 흐름이 발음 기관의 어느 위치에서 방해를 받는지에 주의하며 발음해 본다. 자음은 홀로 발음할 수 없으니 'ㅡ'를 붙여 발음해 본다.

❶ 위치 **❷** 공기

5 다음 질문에 대한 대답으로 적절한 것은?

'다'와 '사'를 발음해 보고 'ㄷ'과 'ㅅ'을 소리 내는 방법에 따라 분류해 볼까요?

① 'ㄷ'은 비음이고, 'ㅅ'은 유음입니다.
② 'ㄷ'은 유음이고, 'ㅅ'은 마찰음입니다.
③ 'ㄷ'은 마찰음이고, 'ㅅ'은 파열음입니다.
④ 'ㄷ'은 파열음이고, 'ㅅ'은 마찰음입니다.
⑤ 'ㄷ'은 파찰음이고, 'ㅅ'은 파열음입니다.

문제 해결 전략

자음은 소리 내는 **❶** 에 따라 파열음, 마찰음, 파찰음, 비음, 유음으로 나뉨을 안다. 또 파열음, 마찰음, 파찰음은 발음할 때 입안이나 코안이 울리지 않는 안울림소리이고, 비음과 **❷** 은 발음할 때 입안이나 코안이 울리는 울림소리임을 알고 'ㄷ'과 'ㅅ'을 발음하면서 어떤 방법으로 소리 나는지 살펴본다.

❶ 방법 **❷** 유음

전략 1 홀문장과 겹문장 이해하기

국화가 활짝 피었어요.

국화가 활짝 피어서 벌이 많이 날아오는구나.

국화가 | 활짝 | 피었어요 .
주어①   서술어①

→ 주어와 서술어의 관계가 한 번만 나타남.

국화가 | 활짝 | 피어서 | 벌이 | 많이 | 날아오는구나 .
주어①   서술어①   주어②   서술어②

→ 주어와 서술어의 관계가 두 번 나타남.

☑ 홀문장이란?
주어와 서술어의 관계가 ❶ [   ] 번만 나타나는 문장

☑ 겹문장이란?
• 주어와 서술어의 관계가 ❷ [   ] 번 이상 나타나는 문장
• 둘 이상의 홀문장이 결합하는 방식에 따라 이어진문장과 안은문장으로 나뉨.

☑ 홀문장과 겹문장의 표현 효과는?
홀문장은 간결하고 명료한 느낌을 주며, 겹문장은 의미를 자세하게 나타내고 문장의 의미 관계가 긴밀해지는 효과가 있음.

개념➕ 주어와 서술어
주어는 문장에서 동작이나 작용, 상태나 성질의 주체를 나타내는 문장 성분이고, 서술어는 주어의 동작이나 작용, 상태나 성질을 풀이하는 문장 성분임.

❶한 ❷두

필수 예제 1

홀문장이 아닌 것은?

① 털모자가 멋있다.

② 어느덧 겨울이 왔다.

③ 하은이는 새 회장이 되었다.

④ 내년에 나는 고등학생이 된다.

⑤ 비가 와서 우리는 소풍을 연기했다.

정답 해설 | 홀문장은 주어와 서술어의 관계가 한 번만 나타나는 문장이다. ⑤는 주어(비가, 우리는)와 서술어(와서, 연기했다)가 두 번 이상 나타나는 겹문장이다.   답 | ⑤

오답 풀이 | ① 털모자가(주어) 멋있다(서술어).
② 어느덧 겨울이(주어) 왔다(서술어).
③ 하은이는(주어) 새 회장이 되었다(서술어).
④ 내년에 나는(주어) 고등학생이 된다(서술어).

확인 문제 1

㉠에 들어갈 수 없는 문장은?

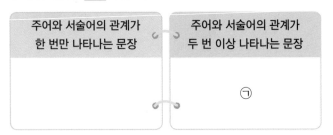

주어와 서술어의 관계가 한 번만 나타나는 문장	주어와 서술어의 관계가 두 번 이상 나타나는 문장
	㉠

① 친구가 웃으니 내가 기분이 좋다.

② 동생은 운동을 하려고 일찍 일어난다.

③ 파도가 세차게 치고 비바람이 몹시 분다.

④ 바람이 많이 불지만 날씨는 아직 따뜻하다.

⑤ 아이들이 운동장에서 종이 비행기를 날리는구나.

전략 2 겹문장 - 이어진문장의 종류 이해하기

나열

비가 왔다. + 바람이 불었다.

→ 비가 오고 바람이 불었다.

→ 대등하게 이어짐.

대조

동생은 김밥을 먹었다. + 언니는 김밥을 먹지 않았다.

→ 동생은 김밥을 먹었지만(먹었으나) 언니는 김밥을 먹지 않았다.

→ 대등하게 이어짐.

원인과 결과

비가 왔다. + 우리는 소풍을 연기했다.

→ 비가 와서 우리는 소풍을 연기했다.

→ 종속적으로 이어짐.

조건

비가 그치다. + 지수는 외출할 것이다.

→ 비가 그치면 지수는 외출할 것이다.

→ 종속적으로 이어짐.

☑ 이어진문장을 나누는 기준은?

이어진문장은 그 문장을 구성하는 홑문장(절)들의 의미 관계에 따라 대등하게 이어진문장과 종속적으로 이어진문장으로 나뉨.

☑ 이어진문장의 종류는?

❶ 하게 이어진 문장	나열 : -고, -(으)며
	대조 : -지만, -(으)나
	선택 : -거나, -든지
❷ 적으로 이어진문장	원인 : -아서/어서, -(으)니
	조건 : -(으)면, -거든
	목적 : -(으)러, -(으)려고

☑ 이어진문장의 표현 효과는?

둘 이상의 홑문장(절)이 특정한 의미 관계에 따라 연결됨으로써 글쓴이의 의도를 더 효과적으로 드러낼 수 있음.

❶ 대등 ❷ 종속

필수 예제 2

㉠에 해당하는 문장이 아닌 것은?

> 이어진문장은 앞 문장과 뒤 문장의 의미 관계에 따라 ㉠대등하게 이어진문장과 종속적으로 이어진문장으로 나눌 수 있다.

① 비가 오지만 날씨가 춥지 않다.

② 어제 태풍이 불고 산사태가 났다.

③ 사공이 많으면 배가 산으로 올라간다.

④ 너는 배를 좋아하나 나는 배를 싫어한다.

⑤ 주말에 등산을 하든지 도서관을 가든지 해라.

정답 해설 | 대등하게 이어진문장은 앞뒤 홑문장이 나열, 대조, 선택 등의 의미 관계를 맺고 있다. ③은 '사공이 많다.'와 '배가 산으로 올라간다.'의 두 홑문장이 조건을 나타내는 연결 어미 '-으면'으로 연결된 종속적으로 이어진문장이다. 답 | ③

오답 풀이 | ①은 대조를 나타내는 연결 어미 '-지만'이, ②는 나열을 나타내는 연결 어미 '-고'가, ④는 대조를 나타내는 연결 어미 '-나'가, ⑤는 선택을 나타내는 연결 어미 '-든지'가 쓰여 대등하게 이어진문장이다.

확인 문제 2

종속적으로 이어진문장으로만 묶은 것은?

> ㄱ. 인생은 짧고 예술은 길다.
> ㄴ. 길이 너무 좁아서 차가 못 지나간다.
> ㄷ. 눈이 그치면 비행기가 이륙할 것이다.
> ㄹ. 휴식 기간에는 책을 읽든지 놀든지 한다.
> ㅁ. 준수는 영화를 보고 희수는 책을 읽는다.

① ㄱ, ㄴ   ② ㄴ, ㄷ

③ ㄴ, ㄹ   ④ ㄷ, ㄹ

⑤ ㄹ, ㅁ

전략 3 겹문장 – 안은문장의 종류 이해하기

홀문장 → **안은문장**

농부는 (무엇)을 바란다.
↑
농사가 잘되다.
→ **명사절을 가진 안은문장**
농부는 농사가 잘되기를 바란다.
└ 목적어 역할

나는 (어떤) 소리를 들었다.
↑
아기가 울다.
→ **관형절을 가진 안은문장**
나는 아기가 우는 소리를 들었다.
└ 관형어 역할

민후는 (어떻게) 뛰었다.
↑
땀이 나다.
→ **부사절을 가진 안은문장**
민후가 땀이 나게 뛰었다.
└ 부사어 역할

승재는 (어떠하다).
↑
마음씨가 곱다.
→ **서술절을 가진 안은문장**
승재는 마음씨가 곱다.
└ 서술어 역할

희재는 (무엇이라고) 말했다.
↑
"진수 말이 옳다."
→ **인용절을 가진 안은문장**
희재는 진수 말이 옳다고 말했다.
└ 다른 사람의 말을 인용

☑ **안은문장과 안긴문장의 차이는?**
안긴문장은 ❶ ☐☐☐ 속에 들어가 하나의 문장 성분처럼 쓰이는 홑문장(절)임.

┌ 안은문장 ┐
┌ 안긴문장 ┐
윤아는 별이 뜨기 를 기다렸다.

☑ **안긴문장의 종류와 특성은?**

명사절	안은문장에서 주어, 목적어 등의 기능을 함.
관형절	안은문장에서 체언을 꾸며 주는 관형어 기능을 함.
부사절	안은문장에서 ❷ ☐☐☐를 꾸며 주는 부사어 기능을 함.
서술절	안은문장에서 서술어의 기능을 함.
인용절	다른 사람의 말을 인용한 것이 절의 형식으로 안긴 경우임.

☑ **안은문장의 표현 효과는?**
안긴문장이 문장 성분의 역할을 하여 문장의 의미를 더 긴밀하고 구체적으로 전달함.

❶ 안은문장 ❷ 서술어

│ 필수 예제 3 │

다음에서 설명하는 문장에 해당하는 것은?

> 한 홑문장이 다른 홑문장을 하나의 문장 성분처럼 안고 있는 겹문장임.

① 소가 들판에서 풀을 뜯는다.
② 눈이 많이 오니 도로가 끊겼다.
③ 나는 수업이 시작되기를 기다렸다.
④ 준서는 노래하지만 준우는 춤춘다.
⑤ 공원에 놀이기구가 많아서 동생의 기분이 좋다.

정답 해설 | 제시된 내용은 안은문장에 대한 설명이다. ③은 '수업이 시작되기'라는 명사절을 가진 안은문장이다. **답 | ③**
오답 풀이 | ① 주어와 서술어가 한 번만 나타나는 홑문장이다.
②, ④, ⑤ 둘 이상의 홑문장이 나란히 연결된 이어진문장이다.

│ 확인 문제 3 │

밑줄 친 부분이 안은문장에서 하는 역할은?

나는 꽃다발을 들었다. ＋ 엄마가 꽃다발을 만들었다.
↓
나는 엄마가 만든 꽃다발을 들었다.

① 주어　　　　② 목적어
③ 부사어　　　④ 관형어
⑤ 서술어

전략 4 남북한 언어의 공통점과 차이점 이해하기

○ 남북한 언어의 공통점

풍풍 튀여라 새빨간 공아
잘도 뛴다 풍풍 참말 신이 나누나
풍풍 하나둘 풍풍 둘셋
공치기 풍풍 재미 재미나누나

– 북한 동요 〈풍풍 튀여라〉에서

→ 북한의 언어 자료이지만 문장 구조나 어휘의 쓰임에 큰 차이가 없어 글의 내용을 이해하기 어렵지 않음.

○ 남북한 언어의 차이점

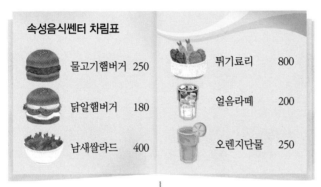

북한 언어		남한 언어
• 속성음식쎈터 • 차림표 • 물고기햄버거 • 닭알햄버거	→	• 패스트푸드점 • 메뉴판 • 피시버거 • 에그버거

북한 언어		남한 언어
• 남새쌀라드 • 튀기료리 • 얼음라떼 • 오렌지단물	→	• 야채샐러드 • 튀김 요리 • 아이스라테 • 오렌지주스

☑ 남북한 언어의 공통점은?

• 1933년에 제정한 '한글 **❶** 통일안'을 따름.(소리 나는 대로 적고 어법에 맞게 적는 표기를 모두 인정함.)
• 문장 구조가 같음.
→ 남북한은 한 민족으로 같은 역사적 배경을 가지고 있어서 언어의 바탕이 같음.

☑ 남북한 언어의 차이점은?

남한	북한
두음 법칙을 인정함.	두음 법칙을 인정하지 않음.
사이시옷(ㅅ)을 씀.	사이시옷을 쓰지 않음.
의존 명사를 띄어 씀.	의존 명사를 붙여 씀.
외래어를 많이 사용함.	**❷** 을 많이 사용함.

☑ 남북한 언어 차이를 극복하기 위해 가져야 할 태도는?

• 남북한의 언어 차이를 극복해야 하는 필요성을 깊이 인식함.
• 남북한 언어의 차이를 극복하기 위해 꾸준히 관심을 가지고 자주 교류함.

❶ 맞춤법 ❷ 순우리말

필수 예제 4

남북한 언어에 대한 설명으로 적절하지 <u>않은</u> 것은?

① 북한과 달리 남한은 사이시옷을 쓴다.
② 북한과 달리 남한은 두음 법칙을 인정한다.
③ 북한은 남한에 비해 순우리말을 많이 사용한다.
④ 북한은 소리 나는 대로 적는 표기를 하지 않는다.
⑤ 남북한 언어는 그 바탕이 같기 때문에 의사소통이 불가능하지는 않다.

정답 해설 | 남한과 북한의 언어는 동일한 맞춤법 통일안을 바탕으로 하여, 소리 나는 대로 적고 어법에 맞는 표기를 모두 인정한다. **답** | ④
오답 풀이 | ① 남한은 사이시옷을 받쳐 '나룻배'로 표기하지만 북한은 사이시옷 없이 '나루배'와 같이 적는다.
② 남한은 '이용'과 같이 표기하지만 북한은 두음 법칙을 인정하지 않아 '리용'과 같이 적는다.

확인 문제 4

다음에서 알 수 있는 남북한 언어의 특징으로 적절한 것은?

남한 언어		북한 언어
튀김 요리 아이스라테 오렌지주스	→	튀기료리 얼음라떼 오렌지단물

① 북한은 띄어쓰기를 많이 한다.
② 남한과 북한 모두 두음 법칙을 인정한다.
③ 남한에 비해 북한은 순우리말을 많이 쓴다.
④ 북한은 남한과 달리 소리 나는 대로 표기한다.
⑤ 남한과 북한 모두 단어의 형태를 밝혀 적지 않는다.

1 ㉠, ㉡의 문장에 관해 바르게 말한 것은?

> ㉠ 하늘이 참 파랗다.
> ㉡ 언니는 엄마가 만든 모자를 썼다.

① ㉠와 ㉡은 둘 다 주어가 2개씩 있어.

② ㉠와 ㉡은 둘 다 서술어가 1개씩 있어.

③ ㉠과 ㉡은 주어와 서술어의 개수를 고려할 때 문장의 짜임이 동일해.

④ ㉠의 '하늘이'와 ㉡의 '언니는', '모자를'은 모두 주어에 해당돼.

⑤ ㉠은 ㉡과 달리 주어와 서술어의 관계가 한 번만 나타나는 홑문장이야.

전송

2 다음과 같은 방식으로 결합한 문장으로 적절한 것은?

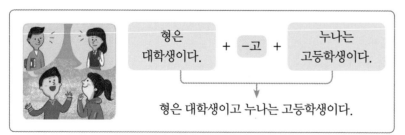

형은 대학생이다. + -고 + 누나는 고등학생이다.
↓
형은 대학생이고 누나는 고등학생이다.

① 승재는 마음씨가 곱다.

② 비가 오지만 기온은 높다.

③ 우리는 그녀가 떠났음을 알았다.

④ 눈이 소리도 없이 계속 내렸구나!

⑤ 그녀가 돌아왔다는 소문이 마을에 퍼졌다.

3 다음 문장과 같은 의미 관계로 연결된 이어진문장이 <u>아닌</u> 것은?

> 비가 와서 우리는 소풍을 연기했다.

① 비가 그치니 날씨가 추워졌다.
② 눈이 그쳐서 우리는 밖으로 나갔다.
③ 가을이 오니 나뭇잎에 붉게 물들었다.
④ 형은 그림을 그리나 동생은 책을 읽는다.
⑤ 동생이 김밥을 다 먹어서 언니가 화를 냈다.

4 밑줄 친 부분이 |보기|의 안긴문장과 같은 역할을 하는 것은?

┌─ 보기 ┐

농사가 잘되다.
↓
농부는 농사가 잘되기 를 바란다.

① 영숙이가 <u>키가 크다</u>.
② 그것은 <u>내가 읽은</u> 책이다.
③ 민호는 <u>그녀가 만든</u> 꽃다발을 들었다.
④ 그녀는 <u>소리도 없이</u> 아이에게 다가갔다.
⑤ 나는 드디어 <u>그가 돌아왔음</u>을 깨달았다.

5 다음은 북한의 언어 자료이다. '겨울량식'에서 알 수 있는 북한 언어의 특징으로 적절한 것은?

> 밤나무에서 알밤이 후두둑후두둑 떨어지는 가을철이였습니다.
> 청서가 겨울량식 을 장만하려고 밤나무밑에다가 부지런히 알밤을 모아놓는데 지나가던 다람쥐가 말했습니다.
> – 한태수, 〈큰너구리가 배워준 요령〉에서

① 사이시옷을 표기하지 않는다.
② 두음 법칙을 인정하지 않는다.
③ 남한에 비해 순우리말을 많이 사용한다.
④ 남한과 의미가 다르게 쓰이는 단어가 많다.
⑤ 외래어나 외국어를 상대적으로 많이 사용한다.

대표 예제 1

다음에서 말한 음운으로 뜻을 구별해 주는 단어끼리 묶이지 <u>않은</u> 것은?

> 음운 중에는 발음할 때 공기의 흐름이 장애를 받고 나는 소리가 있어요.

① 감 – 강   ② 곰 – 공   ③ 달 – 딸
④ 발 – 벌   ⑤ 손 – 솔

유형 해결 전략

국어의 음운을 이해하는 문제이다. 음운에는 공기의 흐름이 발음 기관의 장애를 받지 않고 소리 나는 ❶⬛⬛, 공기의 흐름이 발음 기관의 장애를 받고 소리 나는 ❷⬛⬛ 이 있다는 것을 기억한다.

❶ 모음 ❷ 자음

대표 예제 2

(가)와 같이 발음하는 모음으로만 묶은 것은?

가   **나**

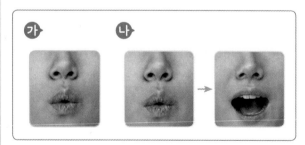

① ㅐ, ㅔ, ㅖ   ② ㅔ, ㅜ, ㅠ
③ ㅗ, ㅜ, ㅕ   ④ ㅚ, ㅡ, ㅣ
⑤ ㅟ, ㅡ, ㅢ

유형 해결 전략

국어의 모음을 구분하는 문제이다. ❶⬛⬛ 은 발음할 때 입술 모양이나 ❷⬛⬛ 의 위치가 변하지 않는 모음이다. 제시된 모음들을 발음해 보고 단모음을 구분해 본다.

❶ 단모음 ❷ 혀

대표 예제 3

다음 설명에 해당하는 단모음으로만 묶은 것은?

 +

발음할 때 입이 조금 열리고 혀의 높이가 가장 높은 모음	발음할 때 입술 모양이 둥글게 오므라지는 모음

① ㅚ, ㅗ   ② ㅗ, ㅏ   ③ ㅟ, ㅜ
④ ㅟ, ㅐ   ⑤ ㅗ, ㅜ

유형 해결 전략

단모음 체계를 이해하는 문제이다. 단모음을 발음할 때 입이 열리는 정도에 따라 혀의 ❶⬛⬛ 가 달라지는데 이때 혀의 높이가 가장 높은 고모음과 입술이 둥글게 오므라지는 ❷⬛⬛ 모음을 발음해 보면서 찾아본다.

❶ 높이 ❷ 원순

대표 예제 4

다음을 참고할 때 'ㅣ'와 'ㅡ'를 바르게 이해하지 <u>못한</u> 것은?

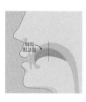

① 'ㅣ'는 발음할 때 입술 모양이 변하지 않는다.
② 'ㅣ'는 발음할 때 혀의 최고점이 앞쪽에 있다.
③ 'ㅡ'는 발음할 때 입술 모양이 변하지 않는다.
④ 'ㅡ'는 발음할 때 혀의 최고점이 중간에 있다.
⑤ 'ㅣ'와 'ㅡ' 모두 발음할 때 혀의 높이가 높다.

유형 해결 전략

단모음 체계를 이해하는 문제이다. 'ㅣ'와 '❶⬛⬛'를 차례로 발음해 보고 입천장의 중간점을 기준으로 혀의 ❷⬛⬛ 의 앞뒤 위치가 어떻게 바뀌는지 파악해 본다.

❶ ㅡ ❷ 최고점

대표 예제 5

자음의 소리 나는 위치가 바르게 연결되지 <u>않은</u> 것은?

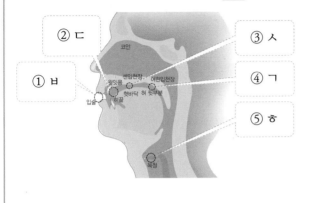

② ㄷ
③ ㅅ
① ㅂ
④ ㄱ
⑤ ㅎ

유형 해결 전략

소리 나는 위치에 따른 자음의 분류 체계를 이해하는 문제이다. 자음은 소리 나는 ❶ [위치] 에 따라 입술소리, 잇몸소리, 센입천장소리, 여린입천장소리, ❷ [목청] 소리로 나뉜다. 제시된 자음들을 발음해 보며 소리 나는 위치와 연결해 본다.

❶위치 ❷목청

대표 예제 7

다음 설명에 해당하는 자음이 <u>아닌</u> 것은?

- 발음할 때 입안이나 코안이 울린다.
- 입안의 통로를 막고 공기를 코로 내보내면서 내는 소리도 있고, 혀끝을 잇몸에 가볍게 대었다가 떼거나 혀끝을 잇몸에 댄 채 공기를 혀의 양옆으로 내보내면서 내는 소리도 있다.

① ㄴ
② ㄷ
③ ㄹ
④ ㅁ
⑤ ㅇ

유형 해결 전략

소리 내는 방법에 따른 자음의 분류 체계를 이해하는 문제이다. 자음은 소리 내는 방법에 따라 파열음, 마찰음, 파찰음, ❶ [비음] , 유음으로 나뉘는데 이 가운데 비음과 유음이 ❷ [울림] 소리라는 것에 유의한다.

❶비음 ❷울림

대표 예제 6

다음 설명에 해당하는 자음은?

입안이나 목청 사이의 통로를 좁히고 그 틈 사이로 공기를 내보내어 마찰을 일으키면서 내는 소리이다.

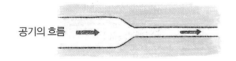

공기의 흐름

① ㄱ
② ㄷ
③ ㅂ
④ ㅅ
⑤ ㅈ

유형 해결 전략

소리 내는 방법에 따른 자음의 분류 체계를 이해하는 문제이다. 자음은 소리 내는 방법에 따라 ❶ [파열음] , ❷ [마찰음] , 파찰음, 비음, 유음으로 나눌 수 있다. 제시된 자음을 발음해 보며 소리 내는 방법이 어떤지 살펴본다.

❶파열음 ❷마찰음

대표 예제 8

다음 자음들의 공통점으로 적절한 것은?

ㄲ, ㄸ, ㅃ, ㅉ

① 거세고 거친 느낌을 주는 소리이다.
② 강하고 단단한 느낌을 주는 소리이다.
③ 혀끝과 윗잇몸 사이에서 나는 소리이다.
④ 성대를 편안하게 둔 상태에서 내는 소리이다.
⑤ 성대 근육이 긴장하면서 숨을 거세게 내는 소리이다.

유형 해결 전략

소리의 세기에 따라 자음을 분류하는 문제이다. 자음에는 약하고 부드러운 느낌의 예사소리, 성대 근육이 긴장되면서 소리가 강하고 단단한 느낌을 주는 ❶ [된소리] , 숨을 거세게 내는 ❷ [거센] 소리가 있다. 제시된 자음들이 공통적으로 어디에 속하는지 파악해 본다.

❶된소리 ❷거센

대표 예제 9

주어와 서술어의 관계가 두 번 이상 나타나는 문장으로만 묶은 것은?

> ㄱ. 오빠가 설거지를 열심히 한다.
> ㄴ. 나는 동생이 어지른 방을 치웠다.
> ㄷ. 범수가 모든 유리창을 깨끗이 닦았다.
> ㄹ. 바람이 많이 불지만 날씨는 아직 따뜻하다.
> ㅁ. 아이들이 운동장에서 종이비행기를 날리는구나.

① ㄱ, ㄴ   ② ㄴ, ㄷ   ③ ㄴ, ㄹ

④ ㄷ, ㄹ   ⑤ ㄹ, ㅁ

유형 해결 전략

문장의 짜임을 이해하는 문제이다. 문장에서 주어와 서술어의 관계가 몇 번 나타나느냐에 따라 ❶ [　　　]과 겹문장으로 나뉘므로 각 문장에서 주어와 ❷ [　　　]를 찾아본다.

❶ 홑문장 ❷ 서술어

대표 예제 11

안은문장이 <u>아닌</u> 것은?

① 그 소년은 눈동자가 맑다.

② 빙수는 이가 시리도록 차가웠다.

③ 나는 해가 떠오르기를 기다린다.

④ 사람들은 축구팀이 우승하기를 원한다.

⑤ 동생은 김밥을 먹었지만 언니는 김밥을 먹지 않았다.

유형 해결 전략

겹문장의 종류를 이해하는 문제이다. 겹문장은 홑문장이 ❶ [　　　] 되는 방식에 따라 이어진문장과 ❷ [　　　]으로 나뉨을 알고 두 문장이 나란히 이어지는지, 한 홑문장이 다른 홑문장을 하나의 문장 성분처럼 안고 있는지를 살펴본다.

❶ 결합 ❷ 안은문장

대표 예제 10

앞뒤 문장의 의미가 다음과 같은 관계로 이어진 문장은?

> 동생은 운동을 한다. + 동생은 일찍 일어난다.
>
> → 동생은 운동을 하려고 일찍 일어난다.

① 비가 오고 바람이 불었다.

② 비가 와서 우리는 소풍을 연기했다.

③ 준수는 노래하지만 세인이는 춤춘다.

④ 정우는 영화를 보고 희수는 책을 읽는다.

⑤ 준서는 축구를 좋아하지만 준우는 농구를 좋아한다.

유형 해결 전략

이어진문장의 의미 관계를 이해하는 문제이다. 이어진문장은 대등하게 이어진문장과 종속적으로 이어진문장으로 나뉨을 알고 앞뒤 문장을 연결하는 ❶ [　　　] 어미에 주의하여 이어진문장의 ❷ [　　　] 관계를 파악해 본다.

❶ 연결 ❷ 의미

대표 예제 12

|보기|의 역할을 하는 안긴문장을 가진 안은문장은?

> ┌ 보기 ┐
> 문장에서 부사어의 역할을 한다.

① 승재는 마음씨가 곱다.

② 민후는 땀이 나게 뛰었다.

③ 농부는 농사가 잘되기를 바란다.

④ 나는 아기가 우는 소리를 들었다.

⑤ 지수가 그 일을 해냈음이 분명하다.

유형 해결 전략

안긴문장의 역할을 이해하는 문제이다. 각 문장에서 ❶ [　　　]이 무엇인지 찾고, 주어나 목적어, ❷ [　　　], 부사어, 서술어 중 어떤 역할을 하는지 파악해 본다.

❶ 안긴문장 ❷ 관형어

대표 예제 13

다음은 북한의 언어 자료이다. |보기|의 ㉠, ㉡의 표기 차이를 보여 주는 단어를 찾아 바르게 연결한 것은?

곰은 제품에 잔뜩 볼이 부어 집으로 발길을 돌리고 말았습니다. / 그런데 얼마후 집에 이르러 대문을 열고 마당에 들어선 곰은 깜짝 놀랐습니다.

글쎄 퇴마루에 무엇인가 가득 들어 있는 두개의 큰 자루가 놓여 있는것이 아니겠습니까.

곰은 의아해서 얼른 달려 가 보았습니다.

두개의 자루사이에는 다음과 같은 쪽지편지가 끼워져 있었습니다.

《곰에게 / 집이 비여서 왕밤알 두 자루를 놓고 간다. 네가 병으로 앓는다기에 내가 모아 놓았던 왕밤알을 다 가져 왔으니 겨울량식에 보태 쓰기 바란다. 너구리로부터》

－ 김인명, 〈의심이 많은 곰〉에서

┌ 보기 ┐

남북 표기 규범에는 적지 않은 차이가 있다. 예를 들어 ㉠'두음 법칙 표기(한자어 첫머리의 'ㄹ'과 'ㄴ'을 'ㄴ'이나 'ㅇ'으로 적는 표기)' 차이로 남측에서 '여자, 노인'으로 표기하는 낱말을 북측에서는 각각 '녀자, 로인'으로 표기한다. 그리고 ㉡'사이시옷 표기' 차이로 남측에서는 '나룻배, 장맛비, 뒷일'로 표기하는 낱말을 북측에서는 각각 '나루배, 장마비, 뒤일'로 표기한다. － 한용운, 〈남북한 어휘 이질화에 대한 단상〉에서

	㉠	㉡
①	퇴마루	겨울량식
②	왕밤알	겨울량식
③	겨울량식	퇴마루
④	두개	퇴마루
⑤	앓는다기에	두개

┌ 유형 해결 **전략** ┐

남북한의 언어 차이를 파악하는 문제이다. 남한은 두음 법칙을 인정하는 반면, 북한은 인정하지 ❶[   ]. 또한 남한은 ❷[   ]을 표기하는 반면, 북한은 표기하지 않으므로 이를 보여 주는 단어를 찾아본다.

❶ 않는다 ❷ 사이시옷

대표 예제 14

(가)와 (나)에 나타난 남북한 언어에 대한 설명으로 적절하지 않은 것은?

● 승희는 북한 이탈 주민임

① (가): '일없다.'가 남한에서는 '소용이나 필요가 없다.'는 뜻으로 쓰이는 것과 다르게 북한에서는 '괜찮다.'는 뜻으로 쓰인다.

② (나): '-질'이 남한에서는 직업 등을 비하하는 말로 쓰이지만, 북한에서는 비하하는 뜻 없이 쓰인다.

③ (가), (나): 남북한에는 형태는 같지만 의미가 다르게 사용되는 단어가 있다.

④ (가), (나): 남북한 언어로 의사소통할 때 의미 차이가 있는 어휘는 남한 어휘의 뜻을 기준으로 바꾸어 말해야 한다.

⑤ (가), (나): 남북한 언어로 서로 의사소통할 수는 있지만 어휘 차이로 오해가 생길 수 있으므로 유의해야 한다.

┌ 유형 해결 **전략** ┐

남북한의 언어 차이를 파악하는 문제이다. 남북한 언어의 차이가 나타나는 부분 가운데 ❶[   ] 차이가 가장 심하다는 것을 알아 두고, 남북한 언어 차이 때문에 생길 수 있는 ❷[   ]과 서로 오해가 생겼을 때 지녀야 할 바람직한 태도를 생각해 본다.

❶ 어휘 ❷ 어려움

교과서 대표 전략 ❷

1 다음에서 짝을 이룬 두 단어의 뜻을 구별해 주는 소리들의 공통점으로 적절한 것은?

> 곰 – 감   막다 – 먹다   불 – 벌

① 발음할 때 입술 모양이 평평하다.
② 발음할 때 입술 모양이 둥글어진다.
③ 발음할 때 입술 모양이나 혀의 위치가 변한다.
④ 발음할 때 공기의 흐름이 발음 기관의 장애를 받고 나오는 소리이다.
⑤ 발음할 때 공기의 흐름이 발음 기관의 장애를 받지 않고 나오는 소리이다.

도움말

발음할 때 공기의 흐름이 발음 기관의 장애를 받지 않고 순조롭게 나오는 소리는 ❶ [   ] 이고, 발음할 때 공기의 흐름이 발음 기관의 장애를 받고 나오는 소리는 ❷ [   ] 이다. 단어의 뜻을 구별해 주는 소리를 찾아보고, 이들의 공통점을 생각해 보자.

❶ 모음 ❷ 자음

2 다음 모음의 공통점으로 적절하지 <u>않은</u> 것은?

> ㅒ, ㅏ

① 발음할 때 혀의 높이가 낮다.
② 발음할 때 입술 모양이 평평하다.
③ 발음할 때 입술 모양이 변하지 않는다.
④ 발음할 때 혀의 위치가 변하지 않는다.
⑤ 발음할 때 혀의 최고점의 위치가 뒤쪽에 있다.

도움말

모음은 ❶ [   ] 과 이중 모음으로 나뉘고, 단모음은 발음할 때 ❷ [   ] 모양, 혀의 높이, 혀의 최고점의 위치에 따라 분류될 수 있음을 알아 두자.

❶ 단모음 ❷ 입술

3 ㉠, ㉡에 모두 해당하는 자음은?

> **㉠ 소리 나는 위치**
>
> 혀 뒷부분과 여린입천장 사이에서 나는 소리
>
> **㉡ 소리 내는 방법**
>
> 공기의 흐름 →   ← 공기의 흐름을 막았다가 터뜨림.

① ㄲ   ② ㄷ   ③ ㅃ
④ ㅇ   ⑤ ㅍ

도움말

자음은 소리 나는 위치에 따라 입술소리, 잇몸소리, 센입천장소리, ❶ [   ] 소리, 목청소리로 나눌 수 있고, 자음은 소리 내는 ❷ [   ] 에 따라 파열음, 마찰음, 파찰음, 비음, 유음으로 나눌 수 있음을 알아 두자.

❶ 여린입천장 ❷ 방법

4 ㉠과 같은 느낌을 주는 자음은?

① ㄴ   ② ㄸ   ③ ㅅ
④ ㅍ   ⑤ ㅎ

도움말

자음은 소리의 세기에 따라 약하고 부드러운 느낌의 ❶ [   ] 소리, 강하고 단단한 느낌을 주는 된소리, 거세고 거친 느낌을 주는 ❷ [   ] 소리로 나뉨을 알고, 제시된 자음들이 어디에 속하는지 파악해 보자.

❶ 예사 ❷ 거센

5 ㉠~㉤ 중 문장의 성격이 다른 하나는?

> 2020○. 11. 15. 날씨: 비
>
> 제목: 행복한 날
>
> ㉠아침에 비가 왔다. ㉡비가 오니 날이 추웠다. ㉢그래도 나는 행복했다. 왜냐하면 엄마가 튀김을 해 주셨기 때문이다. ㉣나는 튀김을 제일 좋아한다. ㉤그래서 내 별명이 튀김 귀신이다. 다음에도 엄마가 튀김을 해 주셨으면 좋겠다.

① ㉠ ② ㉡ ③ ㉢ ④ ㉣ ⑤ ㉤

7 밑줄 친 부분이 안은문장에서 하는 역할을 쓰시오.(문장 성분을 쓸 것.)

해가 떠오르다.

↓

나는 해가 떠오르기를 기다린다.

> **도움말**
>
> 안은문장에서 ❶[   ] 문장은 주어나 목적어, 관형어, 부사어, 서술어 등의 문장 ❷[   ]의 역할을 한다는 것에 유의하자.
>
> ❶ 안긴 ❷ 성분

6 이어진문장의 의미 관계를 바르게 나타내지 않은 것은?

①  하늘이 푸르니 기분이 좋다. → 종속적임.

②  비가 오고 바람이 불었다. → 대등함.

③  비가 와서 우리는 소풍을 연기했다. → 대등함.

④  비가 그치면 지수는 외출을 할 것이다. → 종속적임.

⑤  동생은 김밥을 먹었지만 언니는 김밥을 먹지 않았다. → 대등함.

> **도움말**
>
> 이어진문장은 나열, 대조, 선택 등의 의미 관계로 ❶[   ]하게 이어진문장과 원인, 조건, 목적(의도) 등의 의미 관계로 ❷[   ]적으로 이어진문장이 있음을 기억하자.
>
> ❶ 대등 ❷ 종속

8 다음 북한 언어 자료를 참고하여 남북한 언어를 비교한 내용으로 적절하지 않은 것은?

> 희망의 나래를 더 활짝 펼쳐라
– ○○○학생소년 궁전을 찾아서
>
> 얼마전 우리는 ○○○학생소년궁전을 찾았다.
>   과학기술, 예능, 체육부문의 20여개의 소조가 운영되고있는 궁전에는 체육관과 극장을 비롯하여 학생들의 과외활동을 위한 시설들과 여러가지 실습설비, 기구, 악기, 체육기자재들이 그쯘하게 갖추어져 있어 누구나 자기의 희망과 재능을 마음껏 꽃피우고 있었다. (중략)
>   물리소조원들은 열기띤 토론과 론쟁으로 배운 지식을 공고히 다져가고있었으며 자동차소조원들은 콤퓨터조종장치를 통해 륜전기재들의 동작 원리들을 익혀가고있었다.
>
> – 《교육신문》 (2014. 4. 17.)

① 남북한 언어에는 모두 한자어가 쓰인다.

② 남북한 언어는 문장 구조에 차이가 있다.

③ 남북한 언어는 띄어쓰기에 차이가 있다.

④ 남한에서 쓰지 않는 어휘를 북한에서 쓰기도 한다.

⑤ 남북한 언어에는 의미가 이해되지 않을 만큼의 어법 차이는 없다.

누구나 합격 전략

1 음운에 대한 설명으로 적절한 것끼리 묶은 것은?

> ㄱ. 말의 뜻을 구별해 주는 소리의 가장 작은 단위이다.
> ㄴ. 우리말의 음운에는 모음, 자음, 소리의 길이 등이 있다.
> ㄷ. 모음과 자음은 발음할 때 공기의 흐름이 발음 기관의 장애를 받고 나오는 소리이다.
> ㄹ. '발'과 '살'에서 뜻을 구별해 주는 소리는 'ㅏ'이다.
> ㅁ. '물'과 '불'에서 뜻을 구별해 주는 소리는 'ㅁ'과 'ㅂ'이다.

① ㄱ, ㄴ, ㄷ   ② ㄱ, ㄴ, ㅁ   ③ ㄴ, ㄷ, ㄹ
④ ㄴ, ㄹ, ㅁ   ⑤ ㄷ, ㄹ, ㅁ

2 발음할 때 입술 모양이나 혀의 위치가 변하지 않는 모음은?

① ㅕ   ② ㅖ   ③ ㅛ
④ ㅝ   ⑤ ㅟ

3 다음 설명에 해당하는 모음은?

발음할 때 입술을 둥글게 오므려 내는 모음을 원순 모음이라고 한다.

① ㅏ   ② ㅐ   ③ ㅗ
④ ㅡ   ⑤ ㅣ

4 다음 발음 기관 그림으로 보아, 소리 나는 위치가 같은 자음끼리 묶이지 <u>않은</u> 것은?

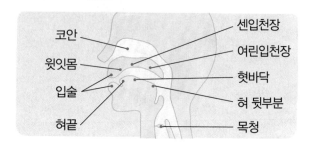

① ㄴ － ㄹ
② ㄷ － ㅅ
③ ㅁ － ㅂ
④ ㅇ － ㅎ
⑤ ㅈ － ㅊ

5 다음을 참고할 때 소리의 세기가 <u>다른</u> 자음은?

① ㄱ   ② ㄷ   ③ ㅂ
④ ㅅ   ⑤ ㅊ

6 문장을 홑문장과 겹문장으로 나눌 때 문장의 짜임이 <u>다른</u> 하나는?

① 제비꽃은 정말 예쁘다.

② 가을 하늘이 매우 높다.

③ 버스가 종점으로 달린다.

④ 나는 어제 극장에서 친구를 만났다.

⑤ 길이 너무 좁아서 차가 못 지나간다.

7 다음 설명에 해당하는 문장을 |보기|에서 두 개 고르시오.

> 둘 이상의 홑문장이 나란히 이어진 문장

> |보기|
> ㄱ. 이것은 내가 읽은 소설책이다.
> ㄴ. 철수는 발에 땀이 나게 뛰었다.
> ㄷ. 민재는 혁수의 말이 옳다고 말하였다.
> ㄹ. 시아는 그림을 그리고 찬호는 글을 쓴다.
> ㅁ. 이웃과 함께하면 사랑이 두 배가 됩니다.

8 다음 두 안은문장의 공통된 종류로 적절한 것은?

> • 승재는 키가 크다.
> • 승재는 마음씨가 곱다.

① 명사절을 가진 안은문장

② 관형절을 가진 안은문장

③ 부사절을 가진 안은문장

④ 서술절을 가진 안은문장

⑤ 인용절을 가진 안은문장

9 밑줄 친 말 중에서 ㉠, ㉡에 들어갈 말을 각각 쓰시오.

> 청서가 <u>겨울량식</u>을 장만하려고 밤나무밑에다가 부지런히 알밤을 모아놓는데 지나가던 다람쥐가 말했습니다.
> 《알밤을 여기저기에 모아 놓기만 해서 뭘하나? 한톨이라도 거두어들여야 제것이지. 그러니 어서 가져다 <u>고간</u>에 넣으라구.》
> 다람쥐의 말을 들은 청서는 알밤을 고간으로 나르기 시작했습니다. 그러다가 길가에서 <u>메돼지</u>를 만났습니다.
>
>
>
> – 한태수, 〈큰너구리가 배워준 요령〉에서

두음 법칙 표기가 남한과 다른 예	사이시옷 표기가 남한과 다른 예
㉠	㉡

10 정윤 씨가 남한의 언어생활에서 의사소통에 어려움을 겪는 까닭으로 적절한 것은?

• 정윤 씨는 북한 이탈 주민임.

① 남한에서 쓰는 외래어의 의미를 몰라서

② 남한과 북한에서 쓰는 말의 문장 구조가 달라서

③ 남한과 다르게 북한은 두음 법칙을 인정하지 않아서

④ 형태가 같은 단어를 북한에서 다른 의미로 사용해서

⑤ 남한에서 사용하는 순우리말의 의미를 이해하지 못해서

1

┌ 보기 1 ┐을 참고하여 ㉠~㉢에 들어갈 예를 ┌ 보기 2 ┐에서 골라 각각 쓰시오.

┌ 보기 1 ┐

- '말'이라는 단어의 'ㅁ', 'ㅏ', 'ㄹ' 가운데 하나의 소리를 바꾸면 '발', '밀', '망'이라는 다른 뜻의 단어가 된다. 또한 눈[눈], 눈[눈ː]과 같이 소리의 길이에 따라서도 단어의 뜻이 달라진다. 이처럼 말의 뜻을 구별해 주는 가장 작은 소리의 단위를 '음운'이라고 한다.
- 모음은 발음할 때 공기의 흐름이 발음 기관의 장애를 받지 않고 나오는 소리이고, 자음은 발음할 때 공기의 흐름이 발음 기관의 장애를 받고 나오는 소리이다.

┌ 보기 2 ┐

ㄱ. 내 발이 마치 벌에 쏘인 것처럼 아팠다.

ㄴ. 저기 달처럼 둥근 탈을 쓴 아이가 지수예요.

ㄷ. 하얀 말[말]이 나와 친구가 하는 말[말ː]에 놀라 뛰는 바람에 내 오른쪽 발이 다쳤다.

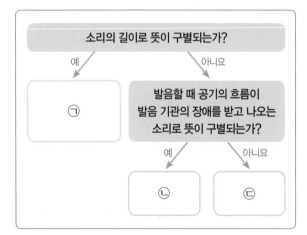

┌ 도움말 ┐

단어의 **❶**〔　　〕을 구별해 주는 가장 작은 **❷**〔　　〕의 단위가 음운이고, 국어의 음운에는 모음과 자음, 소리의 길이 등이 있음을 이해하자.

❶ 뜻 **❷** 소리

2

㉠~㉤ 중 ┌ 보기 ┐의 설명에 해당하는 것은?

> ㉠산골짝에 ㉡다람쥐 아기 다람쥐
> ㉢도토리 ㉣점심 가지고 ㉤소풍을 간다

– 김영일 작사, 〈다람쥐〉에서

┌ 보기 ┐

- 입안의 통로를 막고 코로 공기를 내보내면서 내는 소리이면서 여린입천장소리인 자음이 있다.
- 발음할 때 입술을 둥글게 오므리고 내는 모음으로만 구성되어 있다.

① ㉠　　② ㉡　　③ ㉢　　④ ㉣　　⑤ ㉤

┌ 도움말 ┐

모음과 자음을 특성에 따라 분류할 때는 단어를 이루고 있는 글자가 아니라 단어의 실제 **❶**〔　　〕에 따라 분류해야 함을 알자. 예를 들어 '학교'는 [학꾜]로 발음되니, 모음은 'ㅏ, ㅛ'가 쓰였고, 자음은 'ㅎ, ㄱ, **❷**〔　　〕'이 쓰였다.

❶ 발음 **❷** ㄲ

3 다음 설명에 해당하는 음운이 결합한 단어는?

단어의 첫소리는 공기가 흐르는 통로를 좁혀 마찰을 일으키며 내는 소리인 마찰음이면서, 소리의 세기가 강하고 단단한 느낌을 주는 된소리이다.

↓

단어의 가운뎃소리는 혀의 높이가 낮으면서 혀의 최고점이 뒤쪽에 있는 모음이다.

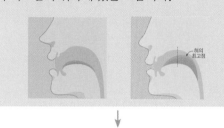

↓

단어의 끝소리는 혀끝을 잇몸에 가볍게 대었다가 떼거나 혀끝을 잇몸에 댄 채 공기를 혀의 양옆으로 내보내면서 내는 소리인 유음이다.

① 공   ② 돈   ③ 산
④ 솔   ⑤ 쌀

4 ㉠～㉢에 들어갈 내용으로 적절한 것은?

문장은 주어와 서술어의 관계에 따라 홑문장과 겹문장으로 나눌 수 있다.

홑문장은 주어와 서술어의 관계가 한 번만 나타나는 문장이고, 겹문장은 주어와 서술어의 관계가 두 번 이상 나타나는 문장이다.

"언니는 올해 대학생이 되었다."라는 문장의 짜임을 아래 과정을 통해 파악해 보자.

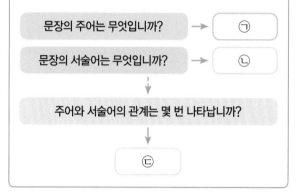

	㉠	㉡	㉢
①	언니는	되었다	1번
②	대학생이	되었다	1번
③	올해	되었다	1번
④	언니는	올해, 되었다	2번
⑤	언니는, 대학생이	되었다	2번

5 다음을 바탕으로 |보기|를 탐구한 내용으로 적절하지 <u>않은</u> 것은?

> ○ 이어진문장
> 　둘 이상의 홑문장이 이어져 있는 문장을 말한다.
>
> ○ 대등하게 이어진문장
> 　둘 이상의 홑문장이 동등한 자격으로 이어진 문장으로, 두 문장이 '나열, 대조, 선택' 등의 의미 관계를 가진다.
>
> ○ 종속적으로 이어진문장
> 　앞 홑문장과 뒤 홑문장이 종속적인 자격으로 이어진 문장으로, 두 문장이 '원인, 조건, 목적(의도)' 등의 의미 관계를 가진다.

┌ 보기 ┐
　㉠ 축구는 힘들고 재미있다.
　㉡ 축구는 힘들어서 재미있다.
　㉢ 축구는 힘들지만 재미있다.
└─────┘

① ㉠은 대등한 의미 관계를 가지는 이어진문장이다.

② ㉡은 원인의 의미 관계를 가지는 종속적으로 이어진문장이다.

③ ㉠, ㉢은 각각 나열과 대조의 의미 관계를 가지는 이어진문장이다.

④ ㉠, ㉡, ㉢ 모두 앞뒤 문장의 순서를 바꾸어 연결해도 의미에 변화가 없다.

⑤ ㉠, ㉡, ㉢ 모두 '축구는 힘들다.'와 '축구는 재미있다.'라는 두 홑문장이 이어진문장이다.

┌ 도움말 ┐
이어진문장은 의미 관계에 따라 앞뒤 문장이 나열, 대조, 선택 등의 의미로 ❶□□□ 하게 이어지는 문장과 원인, 조건, 목적(의도) 등의 의미로 ❷□□ 적으로 이어지는 문장으로 나뉠 수 있다는 것을 이해하자.
❶ 대등 ❷ 종속

6 다음은 문장의 짜임에 대해 활동한 것이다. ㉠에 들어갈 문장으로 적절한 것은?

활동 목표	• 안긴문장의 특성을 이해한 후 제시된 |보기|를 바탕으로 겹문장을 만들 수 있다.
활동 내용	• 다음 |보기|를 안긴문장으로 활용하여 |조건|에 맞는 겹문장을 만드시오. ┌ 보기 ┐ 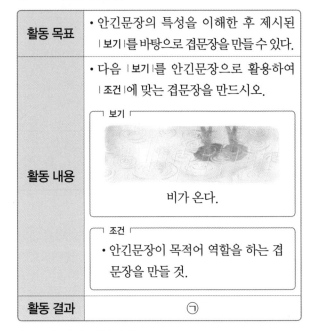 비가 온다. ┌ 조건 ┐ • 안긴문장이 목적어 역할을 하는 겹문장을 만들 것.
활동 결과	㉠

① 비가 와서 기분이 좋다.

② 비가 오니 바람이 분다.

③ 비가 오는 상황이 분명하다.

④ 농부는 비가 오기를 바란다.

⑤ 나는 비가 오는 소리를 들었다.

┌ 도움말 ┐
안은문장은 어떤 절(❶□□□□)을 안고 있느냐에 따라 명사절, 관형절, 부사절, 서술절, 인용절을 가진 안은문장으로 나뉨을 알고, 목적어 역할을 하는 절은 ❷□□□ 임을 이해하자.
❶ 안긴문장 ❷ 명사절

7 다음을 참고할 때 │보기│에 대한 설명으로 적절하지 <u>않은</u> 것은?

> 문장은 주어와 서술어의 관계에 따라 홑문장과 겹문장으로 나뉜다. 이 가운데 겹문장은 주어와 서술어의 관계가 두 번 이상 나타나는 문장인데, 이때 겹문장 속에서 하나의 '주어+서술어' 관계가 이루어진 부분을 '절'이라고 한다. '절'이 서로 이어지는 문장을 이어진문장, '절'이 전체 문장의 한 성분으로 안기어 있는 문장을 안은문장이라고 하며, '절'의 형태로 문장 성분처럼 쓰이는 문장을 안긴문장이라고 한다.

┌ 보기 ┐
(가) 나는 동생이 어지른 방을 치웠다.
　　　　　　 ⓐⓖ
(나) 미주는 달리고 영찬이는 걷는다.
　　　　 ⓛ　　　　　 ⓒ
(다) 나는 해가 떠오르기를 기다린다.
　　　　 ⓔ
└─────────────────────┘

① ㉠은 관형어 역할을 하는 안긴문장이다.
② ㉡, ㉢의 순서를 서로 바꾸어도 문장의 의미 변화가 없다.
③ ㉣은 문장에서 주된 역할을 하는 문장 성분에 해당한다.
④ ㉡은 ㉠과 달리 (나) 전체 문장 속 하나의 문장 성분 역할을 한다.
⑤ (가), (나), (다) 모두 주어와 서술어의 관계가 두 번 나타난다.

┌ 도움말 ┐
종속적으로 이어진문장과 달리 대등하게 이어진문장은 앞뒤 문장이 바뀌어도 ❶　　　　 변화가 없음을 알아 두자. 또한 안긴문장은 전체 문장에서 주어, 목적어, 서술어처럼 주된 역할을 하거나 ❷　　　　나 부사어처럼 다른 문장 성분을 꾸며 주는 역할을 한다는 것을 알아 두자.

❶ 의미 ❷ 관형어

8 다음과 같은 구조로 글을 쓰려 할 때 ㉠에 들어갈 내용으로 적절하지 <u>않은</u> 것은?

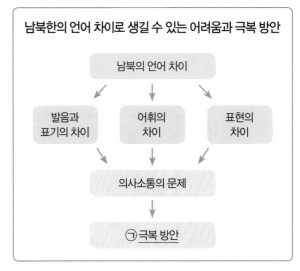

┌─────────────────────────┐
　남북한의 언어 차이로 생길 수 있는 어려움과 극복 방안

　　　　　　남북의 언어 차이

　발음과　　　　어휘의　　　　표현의
　표기의 차이　　차이　　　　　차이

　　　　　　의사소통의 문제

　　　　　　㉠극복 방안
└─────────────────────────┘

① 통일 교육으로 남한과 북한의 언어 차이를 학습한다.
② 남한과 북한의 언어를 연구하고 보급하는 일에 힘쓴다.
③ 남북한 언어의 차이를 극복해야 하는 필요성을 깊이 인식한다.
④ 언어뿐만 아니라 서로의 문화에도 관심을 가지고 자주 교류한다.
⑤ 남북한 언어의 차이가 심각하므로 서로 통합은 불가능하다는 것을 받아들인다.

┌ 도움말 ┐
남북한 언어의 ❶　　　　가 지속된다면 어떤 문제가 생길지 생각해 보고, 남북한 언어의 차이를 극복하기 위해 남한과 북한이 국가 차원과 개인 차원에서 어떤 ❷　　　　을 해야 할지 파악해 보자.

❶ 차이 ❷ 노력

읽기/쓰기/듣기·말하기

💧 왜 글을 비교하며 읽어야 할까?

동일한 화제를 다룬 글이라도 관점이나 형식이 다양할 수 있어요.
여러 글을 비교하여 폭넓게 읽음으로써 균형 있는 시각을 가지도록 해요.

설득하는 말을 들을 때 어떻게 해야 할까?

설득하는 말을 할 때는 다양한 설득 전략을 사용하게 돼요.
설득하는 말을 들을 때는 말하는 이의 목적과 전략을 파악하여 비판적으로 들어야 해요.

개념 1 논증 방법의 종류
근거를 들어 자신의 주장을 펴는 것.

● **귀납**: 구체적이고 개별적인 사실에서 **❶** [   ]인 법칙을 이끌어 내는 논증 방법.

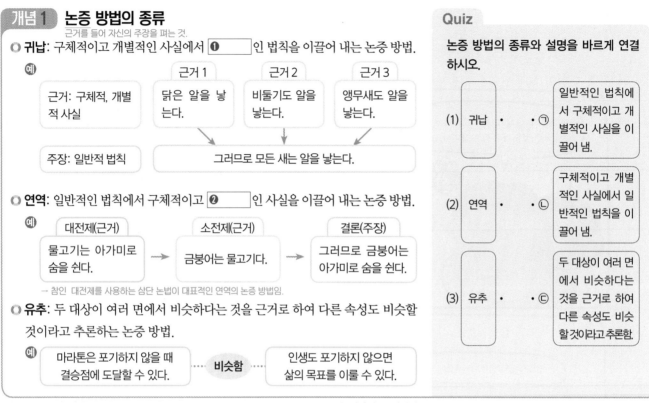

예

| 근거: 구체적, 개별적 사실 | 근거 1 닭은 알을 낳는다. | 근거 2 비둘기도 알을 낳는다. | 근거 3 앵무새도 알을 낳는다. |

주장: 일반적 법칙 → 그러므로 모든 새는 알을 낳는다.

● **연역**: 일반적인 법칙에서 구체적이고 **❷** [   ]인 사실을 이끌어 내는 논증 방법.

예

| 대전제(근거) 물고기는 아가미로 숨을 쉰다. | → | 소전제(근거) 금붕어는 물고기다. | → | 결론(주장) 그러므로 금붕어는 아가미로 숨을 쉰다. |

→ 참인 대전제를 사용하는 삼단 논법이 대표적인 연역의 논증 방법임.

● **유추**: 두 대상이 여러 면에서 비슷하다는 것을 근거로 하여 다른 속성도 비슷할 것이라고 추론하는 논증 방법.

예

| 마라톤은 포기하지 않을 때 결승점에 도달할 수 있다. | ···· 비슷함 | 인생도 포기하지 않으면 삶의 목표를 이룰 수 있다. |

❶ 일반적 **❷** 개별적

Quiz
논증 방법의 종류와 설명을 바르게 연결하시오.

(1) 귀납 ·	· ㉠ 일반적인 법칙에서 구체적이고 개별적인 사실을 이끌어 냄.
(2) 연역 ·	· ㉡ 구체적이고 개별적인 사실에서 일반적인 법칙을 이끌어 냄.
(3) 유추 ·	· ㉢ 두 대상이 여러 면에서 비슷하다는 것을 근거로 하여 다른 속성도 비슷할 것이라고 추론함.

답 | (1) ㉡ (2) ㉠ (3) ㉢

개념 2 관점과 형식을 비교하며 읽기

● **관점과 형식을 비교하며 읽기**
글쓴이가 글에서 다루는 화제에 관해 갖는 기본적인 태도나 방향, 처지.
• 동일한 화제를 다룬 글이라도 글쓴이의 **❶** [   ]에 따라 서로 다른 내용으로
글쓴이가 글에서 가장 주목하고 있는 대상.
쓰일 수 있고, 다양한 형식으로 표현될 수 있음.
• 동일한 화제를 다룬 여러 글을 읽을 때 관점과 형식의 차이를 파악하여 읽어야 함.

소금은 우리에게 꼭 필요한 물질입니다.

소금을 지나치게 섭취하면 건강에 해롭습니다.

긍정적 관점   화제: 소금   부정적 관점

● **관점과 형식 비교하며 읽기의 효과**
• 화제에 관한 지식이 풍부해지고, 사고의 폭을 넓힐 수 있음.
• **❷** [   ] 있는 시각을 가질 수 있음.

❶ 관점 **❷** 균형

Quiz
다음 설명이 맞으면 ○, 틀리면 X에 표시하시오.

(1) 동일한 화제를 다룬 글이라도 글쓴이의 관점에 따라 서로 다른 내용으로 쓰일 수 있다. (○ , X)
(2) 동일한 화제를 다룬 여러 글을 읽을 때 형식보다는 관점을 중심으로 차이를 파악해야 한다. (○ , X)

답 | (1) ○ (2) X

1-1 논증 방법에 대한 설명으로 적절한 것은?

① 구체적이고 개별적인 사실에서 일반적인 법칙을 이끌어 내는 것을 연역이라고 한다.

② 일반적인 법칙에서 구체적이고 개별적인 사실을 이끌어 내는 것을 귀납이라고 한다.

③ 두 대상이 여러 면에서 비슷하다는 것을 근거로 하여 다른 속성도 비슷할 것이라고 추론하는 것을 유추라고 한다.

정답 해설 | 유추는 두 대상이 여러 면에서 비슷하다는 것을 근거로 하여 다른 속성도 유사할 것이라고 추론하는 논증 방법이다. 연역은 일반적인 법칙에서 구체적이고 개별적인 사실을 이끌어 내는 논증 방법이고, 귀납은 구체적이고 개별적인 사실에서 일반적인 법칙을 이끌어 내는 논증 방법이다. **답 | ③**

1-2 다음에 쓰인 논증 방법으로 적절한 것은?

① 귀납　　② 연역　　③ 유추

2-1 관점과 형식을 비교하며 읽기를 정리한 내용으로 적절하지 <u>않은</u> 것은?

> •뜻: 여러 화제를 다룬 다양한 글을 주제를 찾으며 정확하게 읽는 것 ⋯⋯⋯⋯⋯ ①
> •효과
> 　– 균형 있는 시각을 가질 수 있다. ⋯⋯⋯ ②
> 　– 화제를 깊이 있게 이해할 수 있다. ⋯⋯⋯ ③
> 　– 대상에 대한 생각의 폭을 넓힐 수 있다.

정답 해설 | 관점을 비교하며 읽는 것이 필요한 경우는 동일한 화제를 다룬 여러 글을 읽을 때이다. 동일한 화제를 다룬 글이라도 글쓴이의 관점에 따라 서로 다른 형식과 내용으로 쓰일 수 있다. **답 | ①**

2-2 비교하며 읽기의 효과에 대한 설명으로 적절하지 <u>않은</u> 것은?

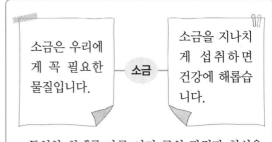

　동일한 화제를 다룬 여러 글의 관점과 형식을 비교하며 읽으면 ①화제에 관한 지식이 풍부해질 뿐만 아니라, ②사고의 폭을 넓힐 수 있고, 균형 있는 시각을 갖는 데에도 도움이 된다. ③더 나아가 글을 빠르게 읽고 주제를 쉽게 파악할 수 있다.

개념 3 보고하는 글과 주장하는 글

보고하는 글(보고서)을 쓰는 방법
관찰, 조사, 실험의 절차와 결과를 정리하여 보고를 목적으로 쓴 글.
- 정확하고 객관적인 ❶[   ]에 근거하여 간결하고 명확하게 씀.
- 동기나 목적, 대상과 기간, 방법, 내용, 결과 등의 구성 요소를 포함함.
- 다른 사람의 자료나 글을 끌어다 쓸 때는 출처를 밝혀 올바르게 인용함.
- 쓰기 윤리를 지켜 조사나 연구의 결과를 변형하거나 왜곡하지 않음.
  글을 쓰는 과정에서 준수해야 할 윤리적 규범.

주장하는 글(논설문)을 쓰는 방법
자신의 주장을 읽는 이에게 설득하기 위해 쓰는 글.
- 주장하는 내용에 맞게 타당한 근거를 들어 씀.
- '서론 – 본론 – 결론'의 형식에 맞추어 논리적으로 씀.

서론	글에서 다룰 문제를 제시함.
본론	객관적이고 타당한 근거를 들어 자신의 ❷[ ]을 논리적으로 펼침.
결론	본론을 요약하거나 주장을 강조함.

> 주장을 명료하게 제시해야 해요.

> 주장과 근거가 사회·문화적 맥락에서 받아들일 만한 것이어야 해요.

❶ 사실 ❷ 주장

개념 4 토론의 절차와 설득 전략의 종류

토론의 절차
어떤 논제에 대해 서로 입장이 대립하는 사람들이 논리적으로 타당한 근거를 들어 상대방을 설득하는 말하기.

입론		반론		최종 변론
❶[ ]에 관해 찬성이나 반대 입장에서 자기 측의 주장과 근거를 제시함.	→	입론의 상대측 주장이나 근거의 문제점을 지적하며 자기 측 주장을 강화함.	→	자기 측의 주장과 근거를 다시 한번 강조하면서 토론 전체를 정리하고 마무리함.

설득 전략의 종류
말하는 이가 듣는 이를 설득하여 개인의 태도 변화를 이끌 수 있는 전략.

이성적 설득	감성적 설득	❷[ ] 설득

> 우리 반 출석 현황을 통계한 자료를 보면 문제가 많습니다.

→ 논리적이고 이성적인 방법으로 주장을 뒷받침함.

> 이 뜨거운 눈물에 담긴 제 주장을 믿어 주십시오.

→ 듣는 이의 욕망과 분노, 자긍심, 동정심 등과 같은 감정에 호소하여 듣는 이의 마음을 움직임.

> 이 반을 이끄는 임원으로서 여러분께 제안합니다.

→ 말하는 이의 사람 됨됨이나 태도를 바탕으로 내용을 신뢰하게 함.

❶ 논제 ❷ 인성적

3-1 보고하는 글 쓰기에 대한 설명으로 적절하지 <u>않은</u> 것은?

① 정확성, 객관성을 갖추어야 하며 간결하고 명확하게 써야 한다.

② 관찰, 조사, 실험의 결과가 생각한 것과 다르다면 그 결과를 고쳐 써야 한다.

③ 다른 사람의 글이나 자료를 끌어다 쓸 때는 출처를 밝혀 올바르게 인용해야 한다.

정답 해설 | 보고하는 글을 쓸 때 관찰, 조사, 실험의 결과가 생각한 것과 다르게 나오더라도 조사 결과를 왜곡, 조작하지 않고 사실에 근거하여 작성해야 한다. 답 | ②

3-2 다음과 같은 목적이 드러나는 글로 적절한 것은?

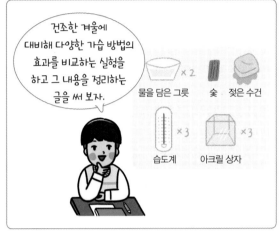

① 건의문　　　② 논설문　　　③ 보고서

4-1 ㉠~㉢에 들어갈 설득 전략을 바르게 연결한 것은?

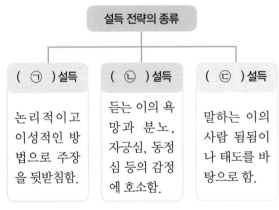

	㉠	㉡	㉢
①	감성적	인성적	이성적
②	이성적	감성적	인성적
③	인성적	이성적	감성적

정답 해설 | 논리적이고 이성적인 방법으로 근거를 제시하는 것은 이성적 설득 전략(㉠), 듣는 이의 감정에 호소하는 것은 감성적 설득 전략(㉡), 말하는 이의 됨됨이를 바탕으로 하는 것은 인성적 설득 전략(㉢)에 해당한다. 답 | ②

4-2 다음에 쓰인 설득 전략에 대한 설명으로 적절한 것은?

① 통계 자료를 사용하여 설득력을 높인다.

② 자신의 어려움을 고백하여 동정심을 일으킨다.

③ 출석에 문제가 많음을 지적하여 신뢰감을 높인다.

바탕 문제

( ) 안에 들어갈 알맞은 말을 고르세요.

연역은 (구체적 , 일반적)인 법칙을 바탕으로 (구체적 , 일반적)인 사실을 이끌어 내는 논증 방법이다.

답 | 일반적, 구체적

1 다음에 쓰인 논증 방법을 쓰시오.

물고기는 아가미로 숨을 쉬지.

금붕어는 물고기야.

그러면 금붕어는 아가미로 숨을 쉬겠네.

바탕 문제

다음과 같은 특징이 드러나는 글을 | 보기 |에서 고르세요.

(1) 독자에게 지식이나 정보를 육하원칙에 따라 전해 주는 것이 목적인 글

(2) 독자와 교류를 하거나 글쓴이가 자기감정을 표현하는 것이 목적인 글

┌ 보기 ┐
| 광고문 | 기사문 |
| 논설문 | 편지글 |

답 | (1) 기사문 (2) 편지글

2 (가), (나)의 관점과 형식을 비교할 때 | 보기 |의 ㉠, ㉡에 들어갈 알맞은 말을 각각 한 단어로 쓰시오.

가

○○일보 　　　　　　　　20○○년 ○○월 ○○일

　채식을 하면 육류 섭취를 줄일 수 있으므로, 육류를 생산할 때 발생하는 온실가스 배출을 축소하여 지구 온난화를 늦추는 데 기여할 수 있다고 한다.

나

　내 친구 영지에게
　영지야, 채식하면 지구 온난화를 조금 늦출 수 있대. 고기를 좋아하는 우리지만, 고기는 덜 먹고 채소를 더 많이 먹도록 하자!

┌ 보기 ┐
• (가), (나)의 관점: '채식'에 관해 (㉠)이므로 관점이 같다.
• (가), (나)의 형식: (가)는 기사문, (나)는 (㉡)로 형식이 다르다.

바탕 문제

보고하는 글의 구성 요소로만 묶은 것은?

① 제목, 동기, 주장, 근거, 매체 자료
② 목적, 기간, 대상, 방법, 내용, 결과
③ 조사자, 조사 비용, 기간, 방법, 독자

답 | ②

3 다음과 같은 보고하는 글을 쓰는 방법으로 적절하지 <u>않은</u> 것은?

우리 학교 학생들의 스마트폰 사용 실태
– 스마트폰 사용 실태와 스마트폰 사용에 관한 인식 조사

조사자	강성국, 이예지, 장재혁, 황희영
조사 목적	우리 학교 학생들의 스마트폰 사용 실태와 스마트폰 사용에 관한 인식을 파악한다.
조사 기간	20○○년 10월 12일~10월 20일
조사 대상	○○중학교 3학년 학생 220명

① 절차와 결과가 드러나게 쓴다.
② 인용한 자료의 출처를 제시한다.
③ 매체 자료를 효과적으로 활용한다.
④ 조사 내용을 목적에 맞게 변형한다.
⑤ 내용을 명확하고 간결하게 제시한다.

바탕 문제

토론의 목적으로 적절한 것은?

① 상대방을 설득하기
② 절차와 과정 보고하기
③ 문제 상황을 확인하기

답 | ①

4 토론에 대한 설명으로 적절하지 <u>않은</u> 것은?

① 사회자는 논제를 소개하고 토론을 진행한다.
② 문제에 대한 최선의 해결책을 찾는 것이 목표이다.
③ 입론에서 자기 측의 기본적인 주장과 근거를 제시한다.
④ 반론에서 상대측의 주장과 근거의 허점을 지적하며 주장을 강화한다.
⑤ 최종 변론에서 자기 측의 주장과 근거를 다시 한번 강조하며 마무리한다.

바탕 문제

다음 설명에 해당하는 설득 전략은?

· 듣는 이의 욕망과 분노, 자긍심, 동정심 등과 같은 감정에 호소하여 듣는 이의 마음을 움직임.
· 상대방의 감성을 자극하여 호소력 있게 설득하는 효과가 있음.

① 감성적 설득 전략
② 이성적 설득 전략
③ 인성적 설득 전략

답 | ①

5 | 보기 |의 ㉠에 들어갈 설득 전략의 종류를 쓰시오.

"비 오는 날에는 우산이 되어 주고, 추운 겨울이면 난로가 되어 주고."
이 노랫말처럼 저는 여러분에게 우산 같은 학생회장, 난로 같은 학생회장이 되고 싶습니다.

보기

이 후보자가 말한 내용은 듣는 사람의 마음을 자극하고 있어. (   ) 설득 전략을 사용하였네.

2주 2일 필수 체크 전략 ①

전략 1 논증 방법(귀납) 파악하기

가 배달 산업이 커지면서 속도는 경쟁력이 되었다. 전국 어디서나 며칠 이내에 물건을 받을 수 있다. 심지어 오전에 주문하면 오후에 받는 당일 배달도 가능하다. 그래서인지 우리는 배달은 무조건 빠른 것이 당연하다고 생각한다.

나 소비자로서는 세상이 편해졌다고 좋아할 수도 있겠지만, 그 이면에는 그림자가 있다.
<u>겉으로 나타나거나 눈에 보이지 않는 부분.</u>
일부 택배 기사들은 빨리 배달하려고 과속을 하거나 신호를 어겨 교통사
<u>빠른 속도를 강요하는 배달 구조에 부정적인 측면이 있음.</u>
고를 내기도 한다. 2012년 안전보건공단의 조사에 따르면 택배 업종에서 발생한
<u>택배 기사들의 노동 환경과 관련한 문제점 ①</u>
산업 재해 가운데 도로 교통사고가 절반 이상을 차지하였다.

다 문제는 또 있다. 아침에 분류한 물건을 그날 안에 배달해야 하는 택배 기사들은 밤늦게까지 일을 멈출 수 없다. 시간은 한정되어 있고, 배달해야 할 물건은 많기 때문이다. (중략) 이처럼 우리나라 택배 기사들은 배송 시간을
<u>택배 기사들의 노동 환경과 관련한 문제점 ②</u>
지키려고 과도한 노동을 하고 있는 것이다.
<u>정도가 지나친.</u>

라 빠른 속도를 강조하는 사회에서 이렇듯 택배 기사들은 열악한 노동 환경에
<u>교통사고의 위험이 높고 노동량이 지나침.</u>
처해 있다. 속도 경쟁, 소비자를 최대한 많이 확보하려는 경쟁의 부담을 기업도 소비자도 아닌 택배 기사들이 떠안고 있는 것이다.

– 김용섭, 〈왜 속도를 고민해야 하는가?〉

☑ **글쓴이가 말한 택배 기사들의 노동 환경의 문제점은?**
① 빠른 속도를 강요하는 배달 구조 때문에 **❶** [   ]가 발생함.
② 배송 시간을 지키려고 택배 기사들이 과도한 노동을 함.

☑ **택배 기사들의 노동 환경의 문제점을 바탕으로 내린 결론은?**
택배 기사들이 열악한 노동 환경에 처해 있음.

☑ **이 글에 쓰인 논증 방법은?**
택배 기사들의 노동 환경의 문제점들을 근거로 들어 택배 기사들이 열악한 환경에 처해 있음을 말함.
→ 구체적이고 개별적인 사례들을 들어 일반적인 사실을 결론으로 이끌어 내고 있으므로 **❷** [   ]이 쓰임.

개념＋ 귀납 논증의 특징
사례가 충분할수록 논증이 타당할 가능성이 높아짐.

❶ 교통사고 **❷** 귀납

필수 예제 1

이 글에 쓰인 논증 방법으로 적절한 것은?

① 일반적인 사실에서 구체적인 결론을 이끌어 냄.
② 추상적인 사례에서 구체적인 결론을 이끌어 냄.
③ 구체적인 사실에서 일반적인 결론을 이끌어 냄.
④ 구체적인 사실에서 더 구체적인 사실을 이끌어 냄.
⑤ 두 대상의 비슷한 속성을 바탕으로 다른 속성도 비슷하다고 추론함.

정답 해설 | (나), (다)는 '택배 기사들의 열악한 노동 환경'을 구체적으로 보여 주는 사례이다. (라)는 (나), (다)의 구체적인 사실에서 '택배 기사들이 열악한 노동 환경에 처해 있다.'는 결론을 이끌어 내고 있다. 따라서 이 글에는 구체적 사실에서 일반적 결론을 이끌어 내는 귀납이 쓰였다.　　**답 | ③**
오답 풀이 | ①은 연역, ⑤는 유추의 논증 방법에 대한 설명이다.

확인 문제 1

다음과 같이 이 글에 쓰인 논증 방법을 정리할 때 ㉠에 들어갈 알맞은 말을 (라)에서 찾아 쓰시오.

문제점 ①	문제점 ②
빠른 속도를 강요하는 배달 구조 때문에 교통사고가 많이 발생한다.	택배 기사들이 배송 시간을 지키기 위해 과도한 노동을 하고 있다.

결론:　　㉠

전략 2 논증 방법(연역) 파악하기

가 인공조명의 발달로 밤과 낮의 구분이 없어진 지 오래고, 도심의 밤은 항상 밝은 빛으로 가득하다. _{오늘날의 문제 상황} 대낮처럼 환한 밤, 이런 모습은 과연 아무런 문제가 없을까?
_{문제 제기}

나 문명의 상징이기도 한 인공 빛, 그 화려함 이면에는 많은 문제가 있다. 이러한
_{사람의 물질적, 기술적, 사회적 생활이 발전한 상태.}
문제가 가볍지 않기에 세계 여러 나라에서 인공 빛을 규제하는 대책을 내놓고 있
지만, 그것만으로는 빛 공해를 방지할 수 없다.
_{도시의 조명이 필요 이상으로 밝고 많아서 사람과 자연환경에 주는 피해.}

다 현대 문명이 빚어낸 많은 상처가 우리에게 다가오고 있다. 건강하게 살고 싶은 우리는 어떤 선택을 해야 할까?

[A]
┌ [ ]: 대전제 [지구상에서 살아가는 모든 생명체는 자연의 시계대로 살 때, 즉 과도한 인
│   _{자연의 흐름}
│ 공 빛에서 벗어날 때 건강하게 살 수 있다.][인간은 다른 동물이나 식물과 마찬
│ 가지로 지구상에 살아가는 생명체이다.][따
│ [ ]: 소전제
│ 라서 우리 인간 역시 인공 빛을 줄여야 건
│ [ ]: 결론
└ 강한 삶을 누릴 수 있을 것이다.]

라 세상이 바뀌기를 기다리기 전에 나부터 바꿔야 하지 않을까? 자연의 시계대로 살아가려면 지금이라도 당장 불필요한 불을 끄자.
_{글쓴이의 주장}

– 건강다이제스트 편집부, 〈밤도 대낮처럼 환하게, 인공 빛의 두 얼굴〉

☑ **이 글에서 다루고 있는 문제는?**
인공조명의 발달로 밤과 낮의 구분이 없어지고 도심의 밤은 밝은 빛으로 빛남.

☑ **글쓴이가 주장하는 내용은?**
건강한 삶을 위해 불필요한 **❶ ☐** 을 꺼야 함.

☑ **다에서 주장을 이끌어 내는 방법은?**
생명체가 자연의 시계대로 살 때 건강하게 살 수 있고 인간이 생명체라는 사실을 들어 인공 빛을 줄여야 건강하게 살 수 있다고 말함.
→ 일반적인 법칙에서 구체적이고 개별적인 사실을 이끌어 내고 있으므로 **❷ ☐** 이 쓰임.

개념➕ 연역 논증의 특징
연역 논증에서는 전제(근거)가 참이면 결론이 반드시 참임.

❶ 불 ❷ 연역

필수 예제 2

[A]에서 주장을 이끌어 낸 방법에 대한 설명으로 적절하지 <u>않은</u> 것은?

> ① 첫 번째 문장은 일반적인 사실을 서술하였다. ② 첫 번째와 두 번째 문장은 결론을 이끌어 내기 위한 근거에 해당한다. ③ 세 번째 문장은 앞의 두 문장을 바탕으로 하여 '인간은 인공 빛을 줄여야 건강하게 산다.'라는 구체적이고 개별적인 결론을 이끌어 내고 있다. ④ 따라서 [A]에는 귀납의 논증 방법이 쓰였다. ⑤ 이 논증 방법은 근거가 참이면 결론도 반드시 참이 된다.

정답 해설 | [A]에서는 첫 번째와 두 번째 문장의 사실을 전제로 하여, 세 번째 문장에서 인공 빛을 줄여야 건강한 삶을 누릴 수 있다는 결론을 이끌어 내고 있다. 이처럼 일반적인 사실인 대전제와 대전제보다 더 좁은 범위의 사실인 소전제에서 구체적이고 개별적인 사실인 결론을 이끌어 내는 논증 방법을 연역이라고 한다. **답 | ④**

확인 문제 2

[A]에 쓰인 논증 방법을 정리할 때 ㉠에 들어갈 적절한 말은?

대전제	지구상의 모든 생명체는 과도한 인공 빛에서 벗어나야 건강하게 살 수 있다.
소전제	(㉠)
결론	그러므로 인간은 인공 빛을 줄여야 건강하게 살 수 있다.

① 인공 빛이 과도하다.
② 지구상에는 생명체가 있다.
③ 인간은 지구상에 살아가는 생명체이다.
④ 인간은 과도한 인공 빛에서 벗어나야 한다.
⑤ 지구상의 모든 생명체는 건강하게 살 수 있다.

전략 3 관점을 비교하며 읽기

가 정교한 젓가락질 덕분에 [우리나라는 손을 위주로 하는 운동 경기에서 세계
[　] : 정교한 젓가락질의 효과
최고다. 양궁, 핸드볼, 골프, 야구 등의 경기력이 이를 입증한다. 국제 기능 올림픽
대회 우승, 한 치의 오차도 없는 용접 기술이 이루어 낸 세계적 수준의 조선(造船)
배를 설계하고 만드는 공업.
기술]역시 젓가락질에 그 뿌리를 두고 있다.

　우리 지역 초등학교들이 어린이들에게 바른
젓가락질을 가르치는 '젓가락의 날'을 운영한
다고 한다. 정말 반가운 소식이다. 올바른 젓가
락질 교육으로 미래에 세계 최고의 실력을 뽐
젓가락질 교육을 통해 글쓴이가 기대하는 내용 – 글쓴이의 관점
낼 인재를 키울 수 있기를 기대해 본다.

– 윤상원, 〈젓가락으로 시작하는 밥상머리 교육〉

나 원래 한국 문화에서는 숟가락이 더 중요했다는 것입니다. [밥과 국만으로 연
목숨을 겨우 이어 살아가는.
명한 조선 민중에게 젓가락은 호사스러운 물건이었습니다. 잘게 썬 밑반찬을 푸
짐하게 차려 먹던 양반님네나 소장하는 희귀품이었던 것이지요. 실제 옛 풍속화
[　] : 한국 문화에서는 젓가락보다 숟가락이 중요했다는 근거
를 보면 민초들이 숟가락만 들고 밥 먹는 풍경을 볼 수 있습니다.](중략) / 젓가락
'백성'을 질긴 생명력을 지닌 잡초에 비유하여 이르는 말.
질을 잘 못하신다고요? 그래서 "젓가락질 못 배웠냐?"라고 구박을 받으신다고
요? 그럴 때에는 당당히 이야기하세요. "한국인의 얼은 숟가락에 담습니다."라고.
우리 민족의 전통적인 식습관은 숟가락 위주였으므로 올바른 젓가락질을 강조할 필요는 없음.
– 엄지원, 〈젓가락질 잘해야만 밥 잘 먹나요〉

☑ **가**와 **나**에서 공통으로 다룬 화제는?
올바른 **❶**　　　

☑ **가**와 **나**에 드러난 주장과 근거는?

가	**나**
• 주장: 올바른 젓가락질을 가르쳐야 함. • 근거: 정교한 젓가락질의 효과로 우리나라 손 기술이 세계적으로 인정받고 있음.	• 주장: 젓가락질을 잘 못해도 됨. • 근거: 원래 한국 문화에서는 숟가락이 더 중요한 역할을 해 옴.

☑ **가**와 **나**에 드러난 올바른 젓가락질에 대한 관점은?
올바른 젓가락질의 필요성에 대해 (가)에는 긍정적 관점이, (나)에는 **❷**　　　 관점이 드러남.

❶ 젓가락질 **❷** 부정적

필수 예제 3

(가), (나)를 비교한 내용으로 적절하지 <u>않은</u> 것은?

① (가), (나)는 모두 올바른 젓가락질을 화제로 다루고 있다.

② (가), (나)는 젓가락질에 대해 다른 관점을 드러내고 있다.

③ (가), (나)는 모두 근거를 내세워 자신의 주장을 뒷받침하고 있다.

④ (가)는 정교한 젓가락질의 효과를 내세워 올바른 젓가락질 교육의 필요성을 강조하고 있다.

⑤ (나)는 우리 문화에서는 젓가락이 숟가락보다 더 중요하지만 젓가락질은 잘 못해도 된다고 강조하고 있다.

정답 해설 | (나)의 글쓴이는 우리 문화에서는 젓가락보다 숟가락이 더 중요하므로 젓가락질을 잘 못해도 괜찮다고 말하고 있다.　　　**답 | ⑤**
오답 풀이 | ①, ② 화제인 '올바른 젓가락질'에 대해 (가)는 긍정적 관점을, (나)는 부정적 관점을 드러내고 있다. ③ 두 글 모두 첫 번째 문단에서 근거를 말하고 두 번째 문단에서 주장을 드러내고 있다.

확인 문제 3

(가), (나)의 주장을 다음과 같이 정리할 때 화제에 대한 두 글의 관점을 바르게 연결한 것은?

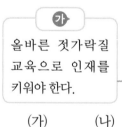

가		**나**
올바른 젓가락질 교육으로 인재를 키워야 한다.	올바른 젓가락질	젓가락질을 잘 못한다는 이유로 비난받을 이유가 없다.

	(가)	(나)		(가)	(나)
①	긍정적	중립적	②	중립적	비관적
③	부정적	긍정적	④	긍정적	부정적
⑤	중립적	우호적			

전략 4 형식을 비교하며 읽기

가 개인이 타인에게 자신과 관련된 글이나 사진, 동영상 등 인터넷상에 있는 개인 정보를 지워 달라고 요청할 수 있는 권리인 '잊힐 권리'를 법제화해야 한다는
<u>법률로 정하여 놓음.</u>
목소리가 커지고 있다. 그렇다면 잊힐 권리를 법제화해야 하는 까닭은 무엇일까?
<u>잊힐 권리의 법제화에 대해 고조되는 관심</u>

첫째, 인터넷에서 개인에 관한 정보가 다른 사람에게 쉽게 노출되는 환경에 놓
<u>잊힐 권리를 법제화해야 하는 이유</u>
여 있기 때문이다. 최근에는 간단한 인터넷 검색만으로도 개인에 관한 정보를 쉽게 얻을 수 있을 정도로 인터넷 공간에 개인에 관한 각종 정보가 넘쳐 난다. (중략)

개인에 관한 정보가 다른 사람에게 노출되기 쉬운 상황에서 현재 시행하고 있는 법만으로 개인 정보 자기 결정권을 보장하기에는 한계가 있다. 따라서 잊힐 권리를 법제화해 사생활 침해를 막고 개인 정보 자기 결정권을 보장해야 한다. <u>잊힐 권리의 법제화가 하루빨리 이루어지기를 바란다.</u>
<u>글쓴이의 주장</u>

– 〈잊힐 권리 법제화, 시급해〉

나

나를 지워 주세요

인터넷상에 퍼진 자신의 사진을 지우고 싶은 강우
인터넷 게시판에 올린 글을 지우고 싶은 나래
검색 결과에 나타나는 자신의 영상을 지우고 싶은 민철
지우고 싶은 과거가 있는 사람들

잊힐 권리
잊혀서는 안 될 권리
이제는 법으로 보장받아야 할 권리

☑ **가와 나에서 공통으로 다룬 화제는?**
잊힐 권리(잊힐 권리의 법제화)

☑ **가와 나에 드러난 잊힐 권리에 대한 글쓴이의 관점은?**
(가), (나) 모두 잊힐 권리를 법제화해야 한다는 입장으로 ❶ □□□ 관점이 드러남.

☑ **가와 나의 형식의 특징을 비교하면?**

가	• '서론 – 본론 – 결론' 구성임. • 질문을 하고 그에 관한 답을 제시함. • 주장을 뒷받침하는 근거를 제시함.
나	• 사람들에게 호소하는 듯한 문구를 큰 글씨로 제시함. • 지우고 싶은 과거가 있는 사람들의 사례를 짧은 문구로 제시함. • 인터넷에 뜬 자신의 정보를 지우는 모습을 ❷ □□ 으로 제시함.

❶ 긍정적 ❷ 그림

필수 예제 4

(가), (나)를 비교한 내용으로 적절한 것은?

① (가), (나)는 동일한 화제를 다루고 있다.

② (가), (나)는 화제에 대한 관점이 서로 다르다.

③ (가), (나)는 모두 사진과 그림을 활용하고 있다.

④ (나)와 달리 (가)는 개인의 경험을 드러내고 있다.

⑤ (가)와 달리 (나)는 '서론 – 본론 – 결론'으로 구성하고 있다.

정답 해설 | (가)와 (나)는 '잊힐 권리 법제화'라는 동일한 화제를 다루고 있다. **답 | ①**

오답 풀이 | ② (가)와 (나)는 모두 '잊힐 권리'를 법제화해야 한다는, 잊힐 권리에 대한 긍정적인 관점을 보여 주고 있다.

③ (나)에서 시각 이미지(그림)를 사용하고 있다.

④ (나)에서만 개인의 경험을 소개하고 있다.

⑤ (나)가 아닌 (가)에서 '서론 – 본론 – 결론'으로 구성하고 있다.

확인 문제 4

(가), (나)를 정리한 내용으로 적절하지 <u>않은</u> 것은?

		(가)	(나)
①	화제	잊힐 권리의 법제화	
②	중심 내용	잊힐 권리를 법제화해야 함.	잊힐 권리의 법제화에 신중하게 접근해야 함.
③	글의 형식	주장하는 글	광고
④	표현의 특징	주장을 뒷받침하는 근거를 제시함.	짧은 문구와 그림을 함께 제시함.
⑤	표현의 효과	주장에 대한 타당성을 높임.	중요한 내용을 쉽게 이해하게 함.

[1~2] 다음 글을 읽고 물음에 답하시오.

행랑채가 퇴락하여 지탱할 수 없게끔 된 것이 세 칸이었다. 나는 마지못하여 이
<u>대문간 곁에 있는 집채.</u>　<u>건물 등이 낡아서 무너지고 떨어져.</u>
를 모두 수리하였다. 그런데 그중의 두 칸은 비가 샌 지 오래되었으나, 나는 그것
을 알면서도 이럴까 저럴까 망설이다가 손을 대지 않았던 것이고, 나머지 한 칸은
처음 비가 샐 때 서둘러 기와를 갈았던 것이다. 이번에 수리하려고 보니 비가 샌
지 오래된 것은 그 서까래, 추녀, 기둥, 들보가 모두 썩어서 못 쓰게 된 까닭으로
수리비가 엄청나게 들었고, 한 번밖에 비가 새지 않았던 한 칸의 재목들은 온전하
여 다시 쓸 수 있었기 때문에 그 비용이 많이 들지 않았다.

나는 이에 느낀 것이 있었다. 사람의 경우도 마찬가지라는 사실이다. 잘못을 알
고서도 바로 고치지 않으면 곧 그 자신이 나쁘게 되는 것이 마치 나무가 썩어서
못 쓰게 되는 것과 같다. 잘못을 알고 고치기를 꺼리지 않으면 해(害)를 받지 않고
다시 착한 사람이 될 수 있으니, 저 집의 재목처럼 말끔하게 다시 쓸 수 있는 것이다.

그뿐만 아니라 나라의 정치도 이와 같다. 백성을 좀먹는 무리들을 내버려 두었
다가는 백성들이 도탄에 빠지고 나라가 위태롭게 된다. 그런 뒤에 급히 바로잡으
려 해도 이미 썩어 버린 재목처럼 때는 늦은 것이다. 어찌 삼가지 않겠는가?

－ 이규보, 〈이옥설〉
<u>집을 수리한 이야기.</u>

◆ **중심 화제**
　수리한 집(집을 수리한 경험)

◆ **글을 쓴 목적**
　잘못을 알았을 때 바로 고쳐야 한다고 말
　하기 위해

◆ **내용 전개 방법**
　글쓴이의 경험을 먼저 제시하고 이를 통
　해 얻은 깨달음을 덧붙임.

---

1 이 글에 드러난 글쓴이의 깨달음으로 적절하지 **않은** 것은?

① 잘못을 알았을 때는 바로 고쳐야 한다.

② 나라가 안정되려면 문제가 있을 때 즉시 바로잡아야 한다.

③ 잘못을 알고도 바로 고치지 않으면 자기 몸을 망치게 된다.

④ 잘못을 알고 바로 고치지 않고 기다리면 자연히 고치게 된다.

⑤ 백성에게 피해를 주는 무리들을 내버려 두면 나라가 위태롭게 된다.

문제 해결 전략

글쓴이가 집을 고치면서 겪은 ❶ □□
을 제시하고 이를 통해 얻은 깨달음을 덧
붙이는 방식으로 내용을 전개하고 있음
을 알고 글의 ❷ □□를 파악해 본다.

❶ 경험 ❷ 주제

---

2 이 글에 쓰인 논증 방법으로 적절한 것은?

① 일반적인 법칙에서 구체적 사실을 입증하고 있다.

② 일반적인 법칙에서 또 다른 법칙을 이끌어 내고 있다.

③ 두 대상의 유사성을 근거로 다른 속성을 추론하고 있다.

④ 구체적 사례들을 바탕으로 일반적인 결론을 이끌어 내고 있다.

⑤ 대상의 대립되는 특성을 근거로 새로운 인식을 전개하고 있다.

문제 해결 전략

글쓴이가 집의 경우에서 ❶ □□의
경우와 나라의 ❷ □□의 경우의 비
슷한 점을 발견한 데에 나타난 논증 방
법을 파악해 본다.

❶ 사람 ❷ 정치

[3~4] 다음 글을 읽고 물음에 답하시오.

> **가** 모든 동식물에게는 낮과 밤에 맞는 생체 리듬이 있다. 따라서 빛에 노출되는 주기가 불규칙해져 숙면하지 못하면, 생체 리듬이 깨지면서 건강에 여러 문제가 생긴다. / 사람은 생체 리듬 호르몬인 멜라토닌이 약 50%가 감소하면서 면역력이 약해진다. 어린아이에게는 성장 장애가 나타날 수 있고, 성인에게는 비만과 불면증, 더 나아가 유방암, 전립선암과 같은 질병이 발생할 수도 있다. (중략)
>
> 어두운 곳을 잘 볼 수 있게 해 주는 빛. 하지만 우리에게는 낮과 밤에 맞는 생체 리듬이 있다. 숙면해야 할 밤에는 빛이 없는 것이 좋다.
>
> – 〈잠들지 않는 도시의 밤, 빛 공해가 심각하다〉
>
> **나** "친구야, 이렇게 멋진 도시에 사는데 왜 이렇게 야위었어?"
>
> "잠을 잘 수가 없어. 이곳은 밤에도 늘 환하게 불이 켜져 있거든."
>
> 그러고 보니 밤이 되었는데도 거리는 물론, 고층 건물도 불이 켜져 있는 곳이 많았어요. 자동차 불빛도 눈이 따갑도록 환했지요.
>
> "휴! 이제야 알겠어. 네가 왜 잠을 이룰 수 없었는지!"
>
> 시골 쥐는 벌떡 일어나 말했어요. 그러고는 바깥에 있는 커다란 나무 이파리를 가지고 와 굴을 막았어요. 그러자 도시 쥐가 살던 굴속은 어두워졌고, 도시 쥐는 오랜만에 편안히 잠들 수 있었답니다.
>
> – 환경부, 〈시골 쥐와 도시 쥐 – 빛 공해〉

◎ 가의 종류와 특징은?
- 종류: 기사문
- 특징: 빛 공해가 일으키는 문제점을 제시함.

◎ 나의 종류와 특징은?
- 종류: 동화
- 특징: 이솝 우화 〈시골 쥐와 도시 쥐〉를 재구성하여 빛 공해의 문제점을 말함.

3 (가), (나)의 공통 화제로 적절한 것은?

① 생체 리듬
② 쥐의 수면 시간
③ 밤에 빛나는 인공 빛
④ 도시의 아름다운 야경
⑤ 성인병 예방의 중요성

> **문제 해결 전략**
>
> 글에서 글쓴이가 주로 이야기하는 대상이나 소재가 **①** 임을 알고 글에서 **②** 되는 단어나 구절을 통해 찾아본다.
>
> **①** 화제 **②** 반복

4 (가), (나)에 대한 설명으로 적절한 것끼리 묶은 것은?

> ㄱ. (가), (나)는 모두 인공 빛에 대해 부정적 입장이다.
> ㄴ. (가), (나)는 모두 객관적인 통계 자료를 근거로 제시하고 있다.
> ㄷ. (가)는 정보 전달을, (나)는 설득을 목적으로 하는 글이다.
> ㄹ. (가)는 인공 빛이 건강에 미치는 악영향을 근거로 들고 있다.
> ㅁ. (나)는 도시 쥐가 밤에 잠 못 이루는 이야기를 통해 인공 빛의 문제점을 말하고 있다.

① ㄱ, ㄴ, ㄹ
② ㄱ, ㄹ, ㅁ
③ ㄴ, ㄷ, ㄹ
④ ㄴ, ㄹ, ㅁ
⑤ ㄷ, ㄹ, ㅁ

> **문제 해결 전략**
>
> 비교하며 읽을 때는 두 글에서 공통으로 다루는 화제를 먼저 찾고, 화제와 관련하여 내용을 정리하면서 **①** 을 파악해 본다. 화제에 대한 관점이 비슷하더라도 **②** 이 다를 수 있으므로 그 차이점을 비교해 본다.
>
> **①** 관점 **②** 형식

전략 1 보고하는 글의 특징 파악하기

학생들이 음료수로 당류를 섭취하는 실태 조사 보고서

1. 조사 목적 및 주제

우리 학교 학생들의 건강을 위해 음료수로 당류를 지나치게 섭취하는 문제를 조사함.
_{조사 목적}　　　　_{조사 주제}

2. 조사 기간, 대상 및 방법

(1) 조사 기간: 10월 5일부터 10일까지

(2) 조사 대상: 책과 인터넷 등 각종 자료, 다양한 음료수, 우리 학교 학생과 보건 선생님

(3) 조사 방법

① 설문 조사: 설문지를 활용하여 우리 학교 학생 100명을 대상으로 음료수를 마시는 실태를 조사함.

② 현장 조사: 학교 앞 상점을 방문하여 학생들이 즐겨 마시는 음료수의 대표적인 제품을 종류별로 하나씩 골라 영양 성분표를 확인함.

③ 자료 조사: 식품의약품안전처 누리집에서 하루 동안 가공식품으로 섭취하는 당류의 적정량을 확인함.

④ 면담 조사: 보건 선생님과 면담하여 당류를 지나치게 섭취하면 생기는 문제와 당류 섭취를 줄이는 방법을 알아봄.

☑ **보고하는 글의 구성 요소는?**

❶　　　과 주제, 절차(기간, 대상, 방법), 내용(결과 정리), 결론(결과 분석)

☑ **이 글에서 알 수 있는 자료 수집 방법의 종류는?**

❷　　　조사, 현장 조사, 자료 조사, 면담 조사

☑ **보고하는 글에서 지켜야 할 쓰기 윤리는?**

• 보고할 내용을 변형하거나 왜곡하지 않고 사실대로 제시해야 함.

• 타인의 저작물을 함부로 베끼지 않고, 인용할 때 출처를 명확히 밝혀야 함.

개념➕ 보고서의 종류

• 조사 보고서: 대상의 실태를 조사하여 정리한 보고서

• 관찰 보고서: 특정한 대상을 관찰하여 정리한 보고서

• 실험 보고서: 실험을 하고 실험의 절차와 결과를 정리한 보고서

❶ 목적 ❷ 설문

필수 예제 1

보고하는 글에 대한 설명으로 적절하지 <u>않은</u> 것은?

①	뜻	어떠한 목적을 두지 않고 자유로운 형식으로 쓰는 주관적인 글
②	조사 방법	설문 조사, 면담 조사, 자료 조사, 현장 조사 등
③	구성 요소	조사 목적, 대상과 기간, 방법, 결과 등
④	종류	조사 보고서, 실험 보고서, 관찰 보고서 등
⑤	작성할 때 유의점	절차와 결과가 잘 드러나게 내용을 조직

정답 해설 | 보고하는 글은 어떤 목적을 갖고 실시한 관찰, 조사, 실험 등의 절차와 결과를 정리하여 쓴 글이다.　　　　답 | ①

확인 문제 1

게시판에 달린 댓글 내용이 적절하지 <u>않은</u> 것은?

> **학교에 조사 보고서를 제출해야 하는데 어떻게 써야 하나요?**

↳ 구성은 간결하면서도 짜임새를 갖추어야 합니다. ……… ①

↳ 참고 자료의 출처를 밝혀 쓰기 윤리를 지켜야 합니다. ·②

↳ 작성자의 주관적인 의견을 뒷받침하는 조사와 관찰 내용을 자세히 제시합니다. ……………………… ③

↳ 조사, 관찰, 실험 등의 내용과 결과를 사실에 근거하여 씁니다. ……………… ④

↳ 그림, 사진, 도표 등 시각 자료를 활용하면 내용을 효과적으로 전달할 수 있습니다. ……………… ⑤

전략 2 주장하는 글의 특징 파악하기

가 [요즘 청소년들은 '노잼('no'와 '재미'
[ ]:청소년들이 즐겨 쓰는 신조어의 예를 제시하여 독자의 흥미를 꿈.
를 결합한 말로 '재미가 전혀 없음'을 뜻
함.)'처럼 외국어와 우리말을 결합해서 완
전히 새로운 말을 만들어 내기도 한다. 그
리고 'ㅇㅈ', 'ㅅㄱ'처럼 초성만 써서 자기
생각을 전달하기도 한다.] 하지만 이러한

오늘 예나랑
영화를 봤는데 완전
'노잼'이었어요.

응? 그게
무슨 말이야?

말을 지나치게 사용하면 여러 가지 문제가 생기게 된다. 청소년들이 신조어를 무
분별하게 사용함으로써 생길 수 있는 문제를 살펴보자.
                                본론에서 전개될 내용

나 가장 큰 문제는 청소년들의 무분별한 신조어 사용 때문에 세대 간 의사소통
                                무분별한 신조어를 사용하여 생길 수 있는 문제
이 어려워진다는 것이다.[한 단체가 청소년들이 많이 쓰는 신조어의 인지도를 알
              [ ]:객관적인 통계 자료를 제시하여 신뢰성을 높임.
아보려고 설문 조사를 하였는데, '노잼'의 경우에는 응답자 가운데 60대 이상은
3.7퍼센트, 50대는 16.7퍼센트만이 그 뜻을 알고 있었다. 청소년들의 부모 세대인
40대에서도 그 뜻을 아는 사람은 41.5퍼센트에 그쳤다.] 이러한 조사 결과는 신조
어를 무분별하게 사용하면 세대 간 의사소통에 어려움이 생길 수도 있음을 보여 준다.

다 지금까지 청소년들이 신조어를 무분별하게 사용함으로써 생기는 문제를 살
펴보았다.[먼저 신조어를 무분별하게 사용하면 세대 간 의사소통이 어려워질 수
       [ ]:본문의 내용을 요약하여 정리함.
있다. 그리고 청소년 사이에서도 의사소통이 원만하게 이루어지지 않을 수 있고,
신조어를 알아듣지 못하는 사람은 소외감을 느낄 수도 있다. 또 어휘력과 사고력
이 저하될 수도 있다.] 따라서 우리는 이에 대해 문제의식을 가지고 신조어를 무분
별하게 사용하지 않도록 해야 한다.

                                        – 〈신조어를 무분별하게 사용하지 말자〉

☑ **글쓴이가 이 글을 쓴 목적은?**
　자신의 주장을 읽는 이에게 설득하기 위
해

☑ **이 글에서 주장하는 내용과 그 근거는?**
　• 주장: ❶ [ ] 를 무분별하게 사용하
　지 말아야 함.
　• 근거: 세대 간 의사소통에 문제가 생길
　수 있음.

☑ **이 글에서 내용을 조직한 방법은?**

서론	문제를 제기함. → 청소년들이 즐겨 쓰는 신조 어를 예로 들어 흥미를 꿈.
본론	근거를 제시하여 주장을 뒷받 침함. → 설문 조사 결과를 제시하여 ❷ [ ] 을 높임.
결론	본문 내용을 요약하고 주장을 강조함.

❶신조어 ❷신뢰성

필수 예제 2

이와 같은 글을 쓸 때 유의할 점으로 적절하지 <u>않은</u> 것은?

① 근거를 분명하게 드러내야 한다.
② 주장을 함축적으로 표현해야 한다.
③ 내용을 체계적으로 조직해야 한다.
④ 간결하고 명확한 표현을 사용해야 한다.
⑤ 적절하고 타당한 근거를 제시해야 한다.

정답 해설 | 주장하는 글을 쓸 때는 주장을 함축적으로 표현하는 것이 아
니라 명확하게 드러내야 한다. 이 글에서도 '신조어를 무분별하게 사용하
지 않도록 해야 한다.'는 주장을 명확하게 드러내고 있다.　　　답 | ②

확인 문제 2

이 글에서 다음 자료를 근거로 활용한 까닭으로 볼 수 <u>없는</u> 것은?

> 청소년들이 많이 쓰는 신조어의 인지도를 알아보기 위
> 해 실시한 설문 조사

① 주장과 연관성이 있기 때문에
② 주장을 요약하여 보여 주기 때문에
③ 주장을 타당하게 뒷받침할 수 있기 때문에
④ 주장을 객관적으로 뒷받침할 수 있기 때문에
⑤ 주장을 뒷받침하는 근거로 믿을 만하기 때문에

전략 3 토론의 절차 파악하기

가 **사회자:** 지금부터 '동물원을 폐지해야 한다.'라는 논제로 토론을 하겠습니다.
　　논제를 제시하고 진행 절차와 발언 순서를 안내함.
　　토론자가 '입론 – 반론 – 최종 변론'의 순서로 토론을 벌인 뒤에 배심원들이 판
　정하겠습니다. 먼저 찬성 측 토론자께서 입론해 주십시오.
　　　　　　　　　　논제와 관련하여 쟁점별로 찬성이나 반대의 주장과 근거를 제시하는 단계.
찬성 측 1: 저희는 '동물원을 폐지해야 한다.'에 찬성합니다. 그 첫 번째 이유는 동
　　　　　　　　논제에 대한 찬성 측의 입장을 제시함.
　물원이 동물을 제대로 보호하지 못하기 때문입니다. [사진에서 보시는 것처럼
　　　　　　　　쟁점에 대한 찬성 측의 주장
　동물원의 많은 동물이 좁은 사육장에 갇혀 살면서 관람객의 시선과 소음에 시
　[ ]: 쟁점에 대한 찬성 측의 근거
　달리고 있습니다. 이 때문에 동물들이 극심한 스트레스를 받아 이상 행동을 보
　이며 심지어 죽기도 합니다.]

나 **사회자:** 이제 양측의 반론을 듣겠습니다. 반론은 상대측의 입론 내용에 관한
　　　　　　상대측이 입론에서 내놓은 주장이나 근거의 문제점을 지적하고 자기 측 주장을 강화하는 단계.
　반박만 가능합니다. 먼저 반대 측에서 찬성 측 입론의 내용을 반박해 주십시오.

반대 측 2: 찬성 측에서는 동물들이 극심한 스트레스를 받는다는 이유를 들어 동
　물원이 동물을 제대로 보호하지 못한다고 했습니다. 그러나 <u>야생의 동물들도
　천적의 위협이나 먹이 부족, 서식지 파괴 등 위험한 상황에 노출될 수 있고 불행
　　　　　　　　쟁점에 대한 찬성 측의 주장을 반박함.
　하게 죽는 일도 많습니다.</u>

다 **사회자:** 양측은 상대측의 반론을 반박해 주십시오. 먼저 찬성 측에서 반박해
　주십시오.

찬성 측 2: 반대 측의 주장처럼 야생의 동물들도 많은 위험을 겪는 것은 사실입니
　다. 하지만 동물원의 동물은 인간의 잘못 때문에 위험을 겪고 있습니다.

☑ **가**에서 토론이 진행된 단계와 내용은?

찬성 측 ❶	• 주장: 동물원이 동물을 보호하지 못하고 있음. • 근거: 동물들이 극심한 스트레스를 받아 이상 행동을 보이거나 죽기도 함.

☑ **나**에서 토론이 진행된 단계와 내용은?

반대 측 ❷	• 주장: 동물원이 동물을 보호함. • 근거: 야생의 동물들도 위험한 상황에 처함.

☑ **다**에서 토론이 진행된 단계와 내용은?

찬성 측 반박	동물원의 동물은 인간의 잘못 때문에 위험을 겪고 있음.

❶ 입론 ❷ 반론

필수 예제 3

이 토론으로 보아 토론자의 역할로 적절하지 않은 것은?

① 입론할 때 논제에 대한 찬반의 입장을 밝힌다.
② 입론할 때 주장과 근거를 명확하게 제시한다.
③ 반론할 때 상대측의 논리적 오류를 지적한다.
④ 반론할 때 논제에 대한 새로운 주장과 근거를 내세운다.
⑤ 상대측의 발언을 경청한 뒤 그를 토대로 반론·반박한다.

정답 해설 | 토론 과정에서 반론은 상대측의 주장이나 근거의 문제점을 확인하게 하고 자기 측의 주장을 강화하는 단계로, 상대측의 입론 내용에 관한 반박만 가능하다. 이때 입론에서 제시하지 않은 새로운 주장을 내세우는 것은 적절하지 않다. **답 | ④**
오답 풀이 | ①, ② 입론에서는 논제에 대한 찬성 또는 반대의 입장을 밝히고 그에 대한 주장과 근거를 제시한다.
③, ⑤ 반론이나 반박할 때는 상대측의 발언을 경청한 뒤 그 내용에 대해 지적해야 한다.

확인 문제 3

이 토론을 평가하기 위한 기준으로 적절하지 않은 것은?

	평가 영역	평가 기준
①	입론	주장을 뒷받침하는 타당한 근거를 제시하였는가?
②	반론	상대측의 주장을 비판적으로 듣고 논리적으로 반박하였는가?
③	반박	자신의 주장을 강조하기 위해 상대측의 감정에 호소하였는가?
④	태도	토론의 절차와 규칙에 따라 적극적으로 토론하였는가?
⑤	전체 과정	신뢰성, 타당성, 공정성을 바탕으로 자신의 주장을 효과적으로 입증하였는가?

전략 **4** 설득 전략의 종류 파악하기

가 ㉠십 년 전 평창이 동계 올림픽 유치의 꿈을 꾸기 시작하였을 때, 저는 서울
연설자는 성실하게 노력하여 훌륭한 성과를 거둔 운동선수임. - 인성적 설득
의 어느 빙상 경기장에서 올림픽 출전의 꿈을 꾸기 시작한 어린 소녀였습니다. 여
러분도 아시다시피 한국의 많은 동계 종목 선수가 올림픽 출전의 꿈을 이루고자
훈련하러 가는 데에만 지구를 반 바퀴 돌아가야 합니다. 다행히도 그 당시 저는
한국에 좋은 훈련 시설과 코치들이 갖추어져 있는 동계 종목을 선택할 수 있었습
니다. 그리고 이제 저의 꿈은 제가 누렸던 기회들을 다른 나라 선수들과 나누는
것입니다. 2018년 평창 올림픽이 그 꿈을 실현하는 데 도움이 될 수 있을 것입
니다.

나 '꿈을 펼쳐라(Drive the dream)'는 한국 정부가 동계 스포츠 선수들에게 시
설과 훈련을 재정적으로 지원하는 프로젝트입니다. ㉡이 덕분에 한국은 밴쿠버
올림픽에서 저의 메달을 포함하여 총 14개의 메달을 획득하였고, 82개국 중 7위
동계 올림픽 발전을 위해 기울인 노력의 결과를 구체적인 수치로 제시함. - 이성적 설득
의 성적을 거두었습니다.

다 마지막으로 저의 개인적인 인사도 드리고 싶습니다. 올림픽 선수가 모든 위
원님이 모인 자리에서 고맙다는 인사를 드릴 기회를 얻는 것은 드문 일입니다.
㉢저 같은 사람이 꿈을 이루고 또 다른 사람들에게 영감을 줄 수 있는 기회를 갖
듣는 이에게 감사의 인사를 전함. - 감성적 설득
게 해 주신 것에 모든 위원님께 감사드립니다.

– 김연아, 〈평창 동계 올림픽 유치 연설〉

☑ 이 연설의 내용을 정리하면?
- 말하는 이: 김연아(동계 올림픽 피겨 스케이팅 종목에서 금메달을 땀.)
- 듣는 이: 국제올림픽위원회 위원들
- 목적: 평창 동계 ❶□□□ 유치

☑ 인성적 설득 전략이 쓰인 부분은?
말하는 이는 성실하게 노력하여 훌륭한 성과를 거둔 운동선수임.(경험과 전문성이 있음.)

☑ 이성적 설득 전략이 쓰인 부분은?
지난 동계 올림픽에서 한국이 거둔 성적을 구체적인 수치로 제시함.

☑ 감성적 설득 전략이 쓰인 부분은?
자신의 꿈을 이루고 또 다른 사람들에게 희망을 줄 수 있는 기회를 준 것에 ❷□□하는 마음을 표현함.

❶올림픽 ❷감사

필수 예제 **4**

㉠~㉢에 쓰인 설득 전략을 바르게 연결한 것은?

	㉠	㉡	㉢
①	감성적 설득	이성적 설득	인성적 설득
②	감성적 설득	인성적 설득	이성적 설득
③	이성적 설득	인성적 설득	감성적 설득
④	인성적 설득	감성적 설득	이성적 설득
⑤	인성적 설득	이성적 설득	감성적 설득

정답 해설 | ㉠은 성실하게 노력하여 성과(동계 올림픽 금메달)를 거둔 운동선수인 연설자를 드러냄으로써 연설을 신뢰할 수 있게 하는 부분이므로 인성적 설득 전략이 쓰였다. ㉡은 구체적인 수치를 제시하여 듣는 이의 이성적 판단을 이끌어 내고 있으므로 이성적 설득 전략이 쓰였다. ㉢은 자신의 꿈을 이루고 또 다른 사람들에게 희망을 줄 수 있는 기회를 준 것에 감사함을 표현하여 듣는 이의 마음을 움직이고 있으므로 감성적 설득 전략이 쓰였다. **답 | ⑤**

확인 문제 **4**

이 연설에 쓰인 설득 전략을 바르게 평가한 것은?

① 말하는 이가 세계적으로 유명한 동계 스포츠 선수여서 듣는 이의 이성을 자극하고 있어.

② 한국의 동계 올림픽 성적을 구체적인 수치로 제시하여 감성적 설득 전략의 효과를 얻고 있어.

③ 말하는 이가 피겨 스케이팅 종목에서 금메달을 딴 운동선수이므로 인성적 설득 전략을 잘 사용했어.

④ '꿈을 펼쳐라'라는 프로젝트를 제시하여 평창이 동계 올림픽 개최지로서 자격을 갖추었음을 인성적으로 드러내고 있어.

⑤ 말하는 이가 자신에게 기회를 준 국제 올림픽 위원회 위원들에게 고맙다고 말한 것에서 이성적 설득 전략이 드러나고 있어.

[1~2] 다음 글을 읽고 물음에 답하시오.

실험 목적	건조한 겨울에 대비해 다양한 가습 방법의 효과를 비교하고자 함.
준비물	물을 담은 그릇 2개, 숯, 젖은 수건, 습도계 3개, 아크릴 상자 3개
실험 과정	① 상자마다 습도계를 넣고 습도를 측정하여 기록함. ② 각 상자에 물을 담은 그릇, 젖은 수건, 숯과 물을 담은 그릇을 넣음. ③ 두 시간이 지난 뒤 습도계를 확인하고 습도를 기록함.
실험 결과 및 분석	• 실험 결과 습도변화 물을 담은 그릇 23% → 47% 젖은 수건 23% → 57% 숯과 물을 담은 그릇 23% → 50% ■ 물건을 넣기 전 ■ 물건을 넣고 2시간 후 • 실험 결과 분석 가습 효과는 젖은 수건이 가장 높았고, 그 다음으로 숯과 물을 담은 그릇, 물을 담은 그릇 순으로 나타남.

○ **보고서의 종류**
   실험 보고서

○ **보고서의 목적**
   건조한 겨울에 대비하기 위해

○ **보고서의 주제**
   다양한 가습 방법의 효과 비교

---

1 이와 같은 실험 보고서를 쓰는 방법으로 적절하지 <u>않은</u> 것은?

① 실험의 절차와 결과가 잘 드러나도록 쓴다.
② 측정 방법과 수치 등을 구체적으로 기록한다.
③ 자료를 정리할 때 수치는 표나 도표를 활용한다.
④ 목적, 방법과 과정, 결과 등의 구성 요소를 포함한다.
⑤ 간결한 표현보다 되도록 자세하고 어려운 용어를 사용한다.

문제 해결 전략

실험 보고서의 ❶[　　　]과 주제에 맞게 글을 구성하기 위해 필요한 요소와 실험의 ❷[　　　]을 이해하기 쉽게 표현하는 방법을 생각해 본다.

❶ 목적 ❷ 내용

---

2 쓰기 윤리와 관련하여 학생에게 해 줄 대답으로 적절한 것은?

책에서는 물에 숯을 넣으면 넣기 전보다 가습 효과가 두 배 정도 좋아진다고 했는데, 우리 실험 결과는 큰 차이가 없네. 결과를 고쳐야 할까?

① 실험 결과를 사실대로 써야 하니 실험 결과를 넣지 말자.
② 실험 주제가 잘 드러나도록 실험 결과의 수치를 수정하자.
③ 실험 결과는 사실대로 써야 하지만 방법은 고쳐도 될 거야.
④ 실험 결과가 다르게 나왔으니 다른 자료를 출처 없이 인용하자.
⑤ 실험 결과를 고치는 것은 쓰기 윤리를 어기는 행동이니 사실대로 쓰자.

문제 해결 전략

글쓴이가 글을 쓰는 과정에서 지켜야 할 윤리적 규범을 '쓰기 ❶[　　　]'라 함을 이해하고, 실험 보고서에서 실험 ❷[　　　]를 고치는 행위의 문제점에 대해 생각해 본다.

❶ 윤리 ❷ 결과

[3~4] 다음 글을 읽고 물음에 답하시오.

찬성 측 1: 반대 측에서는 동물원을 방문한 관람객이 동물과 관련된 지식을 얻고 생명 존중 의식을 기를 수 있다는 점을 들어 동물원이 교육적이라고 보았습니다. 그러나 동물원에 갇혀 사는 동물은 야생 상태에서와는 다르게 행동하고, 스트레스 때문에 이상 행동을 반복하거나 공격적으로 변하기도 합니다. 그런 모습에서 동물과 관련된 제대로 된 지식을 얻기는 어렵습니다. ㉠제 경험으로도 동물원에서 유익한 지식을 얻은 적이 한 번도 없었습니다.

사회자: 이제 반대 측에서 찬성 측의 반박을 재반박해 주십시오.

반대 측 1: 찬성 측의 의견과는 달리 동물원에서 동물과 관련된 지식을 충분히 얻을 수 있습니다. 2014년 세계동물원수족관협회에서 발표한 보고서에 따르면, 동물원을 자주 방문할수록 생물 다양성을 보호해야 한다는 인식이 높아지고 이를 실천에 옮길 확률이 크다고 합니다. 또 동물원 방문에서 좋았던 점이 무엇이냐는 설문에 동물 관련 지식을 얻을 수 있었다는 대답도 63퍼센트나 됩니다. 이러한 점을 고려할 때, 동물원이 교육적이지 않다는 주장은 타당하지 않다고 생각합니다.

- ◆ **토론의 논제**
  동물원을 폐지해야 한다.

- ◆ **토론의 쟁점**
  동물원은 교육적인가?

- ◆ **토론의 단계**
  상대측의 주장을 근거를 내세워 반박함.

---

3 ㉠을 다음 기준에 따라 평가할 때 적절한 것은?

타당성	주장과 근거가 연관되어 있으며, 근거가 주장을 논리적으로 뒷받침하는가?

① 개인의 경험을 성급하게 일반화하여 타당하지 않다.
② 개인의 경험을 토론의 쟁점과 관련지었으므로 타당하다.
③ 동물원의 교육적 효과에 대해 중립적 태도를 보여 타당하다.
④ 동물원이 교육적이라는 쟁점과 관련이 없으므로 타당하지 않다.
⑤ 동물원이 교육적이지 않다는 주장의 근거로 적합하여 타당하다.

문제 해결 전략

토론에서 주장과 **❶** 의 논리적 허점이나 오류를 찾아 반박할 때는 신뢰성, 타당성, **❷** 등을 비판적으로 분석해 본다.

❶ 근거 ❷ 공정성

---

4 반대 측 토론자가 주장의 설득력을 높이기 위해 사용한 방법끼리 묶은 것은?

ㄱ. 책에서 찾은 전문가의 말을 인용함.
ㄴ. 질문을 하여 상대측 논리의 허점을 지적함.
ㄷ. 믿을 만한 기관에서 발표한 보고서를 인용함.
ㄹ. 설문 조사 결과의 통계 자료를 근거로 활용함.
ㅁ. 동물원에서 얻은 지식의 사례를 근거로 활용함.

① ㄱ, ㄴ　　② ㄱ, ㅁ　　③ ㄴ, ㄷ　　④ ㄷ, ㄹ　　⑤ ㄹ, ㅁ

문제 해결 전략

토론에서 주장을 뒷받침하는 근거를 마련할 때 구체적인 사례, **❶** 자료나 설문 자료, 전문가의 말 등을 활용하면 근거의 **❷** 을 높일 수 있음을 알아 둔다.

❶ 통계 ❷ 설득력

대표 작품 & 예제 1~2

가 우리나라는 '배달 공화국'이라고 해도 지나치지 않을 만큼 배달 산업이 발달하였다. (중략)

소비자로서는 세상이 편해졌다고 좋아할 수도 있겠지만, 그 이면에는 그림자가 있다. 일부 택배 기사들은 빨리 배달하려고 과속을 하거나 신호를 어겨 교통사고를 내기도 한다. 2012년 안전보건공단의 조사에 따르면 택배 업종에서 발생한 산업 재해 가운데 도로 교통사고가 절반 이상을 차지하였다.

나 문제는 또 있다. 아침에 분류한 물건을 그날 안에 배달해야 하는 택배 기사들은 밤늦게까지 일을 멈출 수 없다. 시간은 한정되어 있고, 배달해야 할 물건은 많기 때문이다. 2017년 서울노동권익센터가 서울 지역 택배 기사 500명을 대상으로 하여 실시한 조사에 따르면 이들의 주당 평균 노동 시간은 74시간이다.

다 규모가 커지면 해당 업종에 종사하는 사람들의 수입이 느는 게 당연하지만, 택배 기사들은 그렇지 못하다. 택배 시장이 과열되면서, 더 저렴한 가격에 배달하려는 가격 경쟁이 심해졌기 때문에 택배 기사 개인의 수입은 거의 달라지지 않았다. 택배 기사들은 유류비, 차량 유지비, 통신비 등의 각종 비용을 제외하고 택배 한 건당 평균 800원 정도를 벌 수 있다.

라 빠른 속도를 강조하는 사회에서 이렇듯 택배 기사들은 열악한 노동 환경에 처해 있다. 속도 경쟁, 소비자를 최대한 많이 확보하려는 경쟁의 부담을 기업도 소비자도 아닌 택배 기사들이 떠안고 있는 것이다.

마 모든 노동자는 바람직한 환경에서 일할 권리가 있다. 택배 기사들은 택배 산업에서 핵심이 되는 노동자들이다. 따라서 택배 기사들 역시 바람직한 환경에서 일할 권리를 보장받아야 한다. ― 김용섭, 〈왜 속도를 고민해야 하는가?〉

---

1 (가)~(라)에 쓰인 논증 방법이 사용된 것은?

① 모든 조류는 알을 낳는다. 펭귄은 조류이다. 따라서 펭귄도 알을 낳는다.

② 물고기는 아가미로 숨을 쉰다. 금붕어는 물고기이다. 그러므로 금붕어는 아가미로 숨을 쉰다.

③ 모든 생물은 영양을 섭취해야 살 수 있다. 사람은 생물이다. 그러므로 사람은 영양을 섭취해야 살 수 있다.

④ 알렉산더도 죽었다. 셰익스피어도 죽었다. 알렉산더, 셰익스피어는 사람이다. 그러므로 사람은 모두 죽는다.

⑤ 독수리는 부리가 있고, 하늘을 날며, 알을 낳는다. 꾀꼬리도 부리가 있고 하늘을 난다. 따라서 꾀꼬리도 알을 낳을 것이다.

유형 해결 전략

글에 쓰인 **①** 　　　　 방법을 파악하는 문제이다. 주장과 **②** 　　　의 관계를 바탕으로 논증 방법을 파악해 본다.

❶ 논증 ❷ 근거

---

2 (마)에 쓰인 논증 방법에 대한 설명으로 적절한 것은?

① 일반적인 법칙에서 구체적인 사실을 이끌어 냄.

② 여러 가지 사례에서 일반적인 법칙을 이끌어 냄.

③ 대상이 지닌 유사성의 속성을 판단 근거로 삼음.

④ 주장의 주요한 내용을 다시 주장의 근거로 삼음.

⑤ 문제를 제기하고 이에 대한 해결 방안을 제시함.

유형 해결 전략

글에 쓰인 **①** 　　　　 방법을 파악하는 문제이다. 구체적 사실에서 **②** 　　　 법칙을 이끌어 냈는지, 일반적 법칙에서 구체적 사실을 이끌어 냈는지를 파악해 본다.

❶ 논증 ❷ 일반적

대표 작품 & 예제 3~4

가 국내에서도 개인이 타인에게 자신과 관련된 글이나 사진, 동영상 등 인터넷상에 있는 개인 정보를 지워 달라고 요청할 수 있는 권리인 '잊힐 권리'를 법제화해야 한다는 목소리가 커지고 있다. 그렇다면 잊힐 권리를 법제화해야 하는 까닭은 무엇일까? / 첫째, 인터넷에서 개인에 관한 정보가 다른 사람에게 쉽게 노출되는 환경에 놓여 있기 때문이다. 최근에는 간단한 인터넷 검색만으로도 개인에 관한 정보를 쉽게 얻을 수 있을 정도로 인터넷 공간에 개인에 관한 각종 정보가 넘쳐 난다. 그런데 개인 정보에 허위 사실이 더해져 확대·재생산되는 경우가 발생하기도 하고, 악의로 타인의 정보를 알아내 퍼뜨리는 이른바 '신상 털기'가 일어나기도

한다. 이러한 문제는 심각한 사생활 침해로 이어질 수 있으며 그러한 일을 겪은 사람은 사회생활을 정상적으로 하기 어려울 수 있다.

– 〈잊힐 권리 법제화, 시급해〉

나 최근에는 우리나라에서도 잊힐 권리 법제화에 관한 논의가 활발하게 진행되고 있다. 그런데 잊힐 권리를 법제화하면 다음과 같은 문제들이 생길 수 있다.

먼저 잊힐 권리를 법제화하면 국민의 알 권리가 침해될 수 있다. 모든 국민은 중요한 결정을 내릴 때에 정보를 충분히 이용할 수 있어야 한다. 예를 들어, 정치인을 선출하기 위해 후보자의 과거 행적을 인터넷에서 검색해 볼 수 있다.
여럿 가운데서 골라내기.
그런데 어떤 후보자가 잊힐 권리를 들어 자신에게 불리한 정보를 삭제하도록 요구해 그 후보자에 관한 정보가 삭제된다면, 국민은 후보자에 관한 정보를 충분히 얻기 어려워

그 후보자가 정치인으로 선출되기에 적합한 사람인지 판단하기 어려울 것이다.

– 〈잊힐 권리 법제화, 신중해야〉

3 **(가), (나)에 나타난 내용과 일치하지 _않는_ 것은?**

① (가): 인터넷에서 개인 정보에 허위 사실이 더해져 확대·재생산되는 경우가 발생한다.

② (가): 악의로 타인의 정보를 알아내 퍼뜨리는 행위는 심각한 사생활 침해로 이어질 수 있다.

③ (가): 잊힐 권리는 개인이 타인에게 인터넷상에 있는 자신의 개인 정보를 지워 달라고 요청할 수 있는 권리다.

④ (나): 잊힐 권리를 법제화하면 국민의 알 권리가 침해될 수 있다.

⑤ (나): 최근 우리나라에서 잊힐 권리 법제화에 관한 논의가 서서히 마무리되고 있다.

유형 해결 전략

동일한 화제를 다룬 두 글의 내용을 이해하는 문제이다. 두 글의 공통 **❶** ☐☐☐ 를 찾고, 두 글에서 **❷** ☐☐ 하는 내용을 각각 정리해 본다. ❶ 화제 ❷ 주장

4 **(가), (나)를 읽고 나눈 대화 내용으로 적절하지 _않은_ 것은?**

 ① 두 글 모두 '잊힐 권리의 법제화'를 화제로 다루고 있군.

 ② 두 글 모두 잊힐 권리의 법제화에 관한 정보를 제공하려는 목적으로 쓴 글이야.

 ③ (가)는 인터넷에서 개인 정보가 쉽게 노출된다는 점을 지적하여 설득력 있게 느껴져.

 ④ (나)는 잊힐 권리를 법제화하면 나타날 수 있는 문제 상황의 예를 들어 타당성을 높였어.

 ⑤ (가)는 잊힐 권리의 법제화를 긍정적으로, (나)는 부정적으로 바라보는 입장이야.

유형 해결 전략

동일한 **❶** ☐☐ 를 다룬 두 글을 비교하는 문제이다. 동일한 화제에 대해 **❷** ☐☐ 이 다를 수 있음을 이해하고, 주장과 근거를 바탕으로 관점의 차이를 파악해 본다.
❶ 화제 ❷ 관점

대표 작품 & 예제 5~6

가 길거리에서 쓰레기통을 찾지 못해 불편을 겪어 본 경험이 있는가? 현재 우리 지역은 길거리에 쓰레기통이 부족하여 쓰레기를 버리려면 수백 미터를 걸어야 하는 상황이다. (중략) 길거리에 쓰레기통의 수를 늘리면 다음과 같은 좋은 점이 있다.

나 첫째, 길거리에 쓰레기통의 수를 늘리면 거리 환경을 개선할 수 있다. 쓰레기통의 수를 줄인 뒤로 많은 시민이 쓰레기를 버릴 곳을 찾지 못해 불편해하고, 화단이나 가로수 주변, 정류장 등에 쓰레기를 아무렇게나 버리기도 한다. (중략) 따라서 쓰레기통을 충분히 설치한 뒤 사람들이 쓰레기통을 잘 이용하도록 유도한다면 함부로 버려지는 쓰레기가 줄어들어 우리 지역의 거리는 지금보다 훨씬 깨끗해질 것이다.

다 둘째, 길거리에 쓰레기통의 수를 늘리면 재활용 쓰레기의 수거율을 높일 수 있다. 한 조사에 따르면 길거리에서 발생하는 쓰레기의 약 70퍼센트는 재활용이 가능한 플라스틱 컵이나 종이컵 등이었다고 한다. 따라서 길거리에 쓰레기통의 수를 늘려서 이러한 재활용 쓰레기를 더 많이 수거하면 폐기되는 쓰레기는 줄이고 자원 재활용률은 높일 수 있다.

라 지금까지 살펴본 것처럼 길거리에 쓰레기통의 수를 늘리면 거리 환경을 개선하고, 재활용 쓰레기의 수거율을 높일 수 있다. 물론 쓰레기통의 수만 늘린다고 길거리가 저절로 깨끗해지는 것은 아니다. 지역 주민이 모두 거리의 주인이라는 성숙한 시민 의식으로 쓰레기통 문제에 관심과 노력을 기울일 때 걷고 싶은 거리, 쓰레기통이 있어서 더욱 깨끗한 거리를 만들어 나갈 수 있을 것이다.

– 〈길거리에 쓰레기통의 수를 늘려야 한다〉

5 이 글의 특징으로 적절한 것은?

① 쓰레기를 재활용하는 과정을 설명하였다.
② 면담 결과를 제시하여 주장을 뒷받침하였다.
③ 문제 상황에 대한 다양한 입장을 소개하였다.
④ 주장에 대한 근거를 세 가지로 나누어 제시하였다.
⑤ 독자의 흥미를 끌려고 질문으로 글을 시작하였다.

유형 해결 전략

주장하는 글의 특징을 파악하는 문제이다. 글을 쓴 ❶ ☐ , 글의 구성 방식, 주장과 ❷ ☐ 등을 정리하며 글의 특징을 파악해 본다.

❶ 목적 ❷ 근거

6 다음은 이 글을 쓰기 전에 작성한 개요이다. 보기에 따라 개요를 점검할 때 삭제해야 할 것은?

서론	길거리에 쓰레기통이 부족해서 불편함.
본론	주장: 길거리에 쓰레기통의 수를 늘려야 함. 근거 1: 거리 환경을 개선할 수 있음. ………① – 쓰레기통 주변에서 악취가 발생함. ……② – 쓰레기통이 부족해서 사람들이 쓰레기를 아무 데나 버림. ………③ 근거 2: 재활용 쓰레기의 수거율을 높일 수 있음. ………④ – 길거리에 발생하는 쓰레기의 상당수가 재활용 가능함. ………⑤
결론	쓰레기통 문제와 관련하여 지역 주민의 관심과 노력이 필요함.

보기

주장을 뒷받침하는 근거로 타당한가?

유형 해결 전략

주장을 뒷받침하는 근거의 적절성을 평가하는 문제이다. 개요에 제시된 근거가 주장을 뒷받침하기에 ❶ ☐ 한지, 주장과 ❷ ☐ 이 있는지 살펴본다.

❶ 타당 ❷ 연관(관련)

대표 작품 & 예제 7~8

가 백 년 전, 한 위대한 미국인이 〈노예 해방 선언〉에 서명
1863년 미국의 노예 해방에 관하여 링컨 대통령이 발표한 선언.
하였습니다. 지금 우리는 그를 상징하는 자리에 서 있습니
다. 그 중대한 선언은 부당함이라는 불길에 몸을 데며 시들
어 간 수백만 흑인 노예들에게 희망의 등불이었습니다. 그
선언은 노예 생활의 기나긴 밤을 걷어 내는 환희의 새벽이
었습니다.

나 그러나 그로부터 백 년이 지났지만 흑인은 여전히 자유
롭지 못합니다. 백 년이 지났지만 흑인은 여전히 인종 분리
미국에서 학교, 음식점, 버스, 주거 지역 등에서 흑인과 백인을 격리한 제도.
정책이라는 족쇄와 인종 차별이라는 쇠사슬에 묶인 채 절뚝
거리며 비참하게 살고 있습니다.

다 1963년은 끝이 아니라 시작입니다. 흑인에겐 울분을
토할 곳이 필요했는데 이제 소원을 풀었으니 그것으로 만족
하고 말 것이라 생각한 사람들은 이 나라가 다시 일상으로
돌아갔을 때 달갑지 않은 사실을 깨닫게 될 것입니다. 흑인
에게 시민으로서 누려야 할 권리가 보장될 때까지 미국에는
안정도, 평온도 없을 것입니다. 정의의 새벽이 밝아 오기 전
까지 저항의 소용돌이는 계속해서 미국의 기반을 뒤흔들 것
입니다.

라 나에게는 꿈이 있습니다. 언젠가 이 나라가 "모든 인간
은 평등하게 태어난다는 사실을 우리는 자명(自明)한 진리
로 받아들인다."라는 이 나라 건국 신조의 참뜻을 되새기며
살아가리라는 꿈입니다.

　나에게는 꿈이 있습니다. 언젠가 조지아 주의 붉은 언덕
에서 노예의 후손과 노예 주인의 후손이 형제애라는 식탁
앞에 나란히 앉을 수 있는 날이 오리라는 꿈입니다.

－ 마틴 루서 킹, 〈나에게는 꿈이 있습니다〉

7 연설자에 대한 다음 정보가 듣는 이에게 미칠 영향으로
적절하지 <u>않은</u> 것은?

> 　마틴 루서 킹은 인종에 따라 버스 안 좌석을 구
> 분해서 앉게 하는 정책에 반대하며 '몽고메리 버
> 스 타기 거부 운동'을 벌였다. 이 운동을 통해 흑
> 인 인권 운동의 지도자로 이름을 알린 그는 이후
> 지속적으로 흑인 인권 운동을 이끌었다.

① 연설자의 처지를 통해 인물을 동정하게 된다.
② 연설자의 전문성을 통해 내용을 신뢰하게 된다.
③ 연설자의 실천력을 통해 주장을 수용하게 된다.
④ 연설자의 진실성을 통해 의견을 지지하게 된다.
⑤ 연설자의 됨됨이를 통해 견해를 받아들이게 된다.

유형 해결 전략

설득 전략과 그 **❶** 를 파악하는 문제이다. 연설자
가 **❷** 으로 신뢰할 만한 인물일 때 듣는 이에게 미
치는 영향을 파악해 본다.

❶ 효과 **❷** 인격적

8 다음 ㉠, ㉡에 들어갈 설득 전략을 각각 쓰시오.

> (다)에서 흑인을 향한 인종 차별이 계속된다
> 면 나라의 기반이 흔들릴 것이라고 말했어.
> 이는 듣는 이의 불안감을 자극하는 (㉠)
> 설득 전략이 쓰인 거야.

> (라)에서 미국의 건국 신조라는 역사적 사실
> 을 근거로 든 것은 (㉡) 설득 전략이
> 쓰인 거야.

유형 해결 전략

설득 전략을 파악하는 문제이다. 근거를 들어 논리적이
고 **❶** 으로 말하는 전략과 듣는 이의 **❷** 에
호소하는 전략을 떠올려 본다.

❶ 이성적 **❷** 감정

[1~2] 다음 글을 읽고 물음에 답하시오.

가 빛 공해는 사람은 물론 동물에도 영향을 준다. 호숫가에 밤새도록 인공조명을 켜 놓으면 물고기의 먹이가 되는 동물성 플랑크톤이 잘 성장하지 못하고, 녹조류가 증가하여 수질이 악화된다. 이는 물고기의 생태에 악영향을 주어 물고기를 죽음에 이르게 한다. 많은 곤충학자는 밤의 인공 빛이 벌의 비행 능력을 방해한다고 주장하고, 조류학자들은 철새들이 인공 빛을 별빛으로 착각해서 고유한 이동 경로를 이탈해 고층 건물에 부딪혀 죽기도 한다고 말한다.

식물이 24시간 빛을 쬐는 일이 지속되면 씨를 맺지 못하는 현상이 발생하기도 한다. 특히 빛에 민감한 들깨는 밤까지 오랜 시간 인공 빛에 노출되면 꽃망울과 씨를 맺지 못하고 키만 쑥쑥 자란다. (중략)

이처럼 지나친 인공 빛은 알게 모르게 인간과 동식물에 악영향을 미치며, 우리 삶에 직간접적으로 관여한다.

– 건강다이제스트 편집부, 〈밤도 대낮처럼 환하게, 인공 빛의 두 얼굴〉

나 최근 밥상머리 교육이 주목받고 있다. 자녀의 인성과 학업에 유익하다는 이유 때문이다. 어른과 함께 식사하는 밥상머리에는 삶의 지혜가 풍성했다. 밥상머리에서는 올바른 식습관과 인성 함양이 저절로 이루어졌다. 그러나 밥상머리 교육을
_{능력이나 품성 등을 길러 쌓거나 갖춤.}
강조하면서도 가장 기본적인 젓가락질 교육은 놓치고 있는 듯하다. (중략)

젓가락질 동작은 겉보기에는 단순하지만, 계속되는 뇌의 자극 과정이다. 젓가락질의 미세한 움직임은 유아 및 어린이의 성장 발육에도 아주 유익하다.

– 윤상원, 〈젓가락으로 시작하는 밥상머리 교육〉

1 (가)에 사용된 논증 방법을 설명할 때 ㉠에 들어갈 알맞은 논증 방법을 쓰시오.

> (가)에서는 빛 공해가 인간과 동식물에 미치는 악영향의 구체적인 예를 제시하여 빛 공해는 인간과 동식물에 악영향을 미친다고 주장하고 있다. 따라서 (㉠)의 논증 방법이 쓰였다.

도움말

논증 방법에는 귀납, 연역, 유추 등이 있음을 알고, ❶ ▢ 인 사실에서 일반적인 법칙을 이끌어 내는지, 일반적인 법칙에서 ❷ ▢ 인 결론을 이끌어 내는지를 파악해 보자.
❶ 구체적/개별적 ❷ 구체적/개별적

2 (나)와 비교할 때 다음 글의 형식적 특징으로 적절한 것은?

> 현서야, 엄마가 오랜만에 네게 편지를 쓰는구나.
> 며칠 전 서투른 젓가락질 때문에 할머니께 혼났었지? 그때 너는 밥만 잘 먹으면 되지 젓가락질을 잘하는 것이 뭐가 중요하냐고 했지.
> 그런데 현서야, 많은 사람이 바른 젓가락질을 식사 예절이라고 생각해. 학교에서 밥상머리 교육이라는 말을 들어 본 적이 있지? 올바른 젓가락질을 밥상머리 교육의 하나라고 보는 거야.
> – 엄마가

① 전문적인 자료를 활용해 정보를 전달한다.
② 근거를 활용하여 자신의 주장을 뒷받침한다.
③ 글쓴이가 자신의 생각을 그림으로 전달한다.
④ 글쓴이의 생각을 솔직하고 편안하게 전달한다.
⑤ 일반적으로 '서론 – 본론 – 결론'으로 구성된다.

도움말

동일한 화제에 대하여 공통된 관점을 다루는 글이라도 ❶ ▢ 이 다를 수 있음을 이해하고, 주장하는 글과 달리 친근한 말투를 사용하는 ❷ ▢ 의 장점을 생각해 보자.
❶ 형식 ❷ 편지글

[3~4] 다음 글을 읽고 물음에 답하시오.

 가

> **1. 조사 목적**
>
> 우리 학교 학생들의 스마트폰 사용 실태와 스마트폰 사용에 관한 인식을 파악한다.
>
> **2. 조사 대상, 방법**
>
> • 설문 조사: 우리 학교 3학년 학생 220명에게 설문을 하고 결과를 분석하였다.
> • 자료 조사: 우리나라 중학생의 스마트폰 보유율, 스마트폰 사용 실태, 스마트폰 과의존 등을 인터넷으로 조사하였다.
>
> **3. 설문 조사 결과**
>
> 스마트폰 사용을 줄여야겠다고 생각한 적이 있느냐는 질문에 68.1%의 학생이 '그렇다'라고 답했는데, 그 까닭은 '학업 문제'(40.5%), '신체적 문제'(11.9%), '가족 관계 문제'(8.6%), '친구 관계 문제'(4.3%), 기타(2.8%) 순이었다.

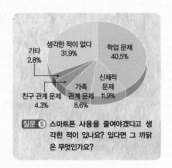

> 생각한 적이 없다 31.9%
> 기타 2.8%
> 학업 문제 40.5%
> 신체적 문제 11.9%
> 친구 관계 문제 4.3%
> 가족 관계 문제 8.6%
>
> **질문 ⑤** 스마트폰 사용을 줄여야겠다고 생각한 적이 있나요? 있다면 그 까닭은 무엇인가요?

> **4. 결과 종합 분석**
>
> 스마트폰 사용 시간을 줄여야겠다고 생각한 까닭으로는 '학업 문제'(40.5%)가 가장 높았는데, 스마트폰 사용으로 공부에 지장이 있음을 짐작할 수 있다. 이는 과학기술정보통신부와 한국정보화진흥원에서 조사한 결과와도 비슷하다.

– 〈우리 학교 학생들의 스마트폰 사용 실태〉

나 학생회장 후보 기호 1번 정아람입니다. 오늘 저는 행복이 넘치는 학교를 만들고 싶어 여러분 앞에 섰습니다.

저는 중학생이 되어 학교생활을 하면서, 진정한 지도력은 배려하는 마음에서 시작한다는 것을 알게 되었습니다. 특히 ㉠등굣길을 안전하게 지켜 주는 학교 앞 교통안전 도우미 활동을 꾸준히 하면서 배려하고 봉사하는 즐거움을 배웠습니다. 다른 사람을 배려하고, 다른 사람을 도우려고 봉사하는 마음이야말로 학생회장이 갖추어야 할 중요한 마음가짐이라고 생각합니다.

3 (가)를 쓴 후 글쓰기 과정을 되돌아보며 나눈 대화 내용으로 적절하지 <u>않은</u> 것은?

> ① 조사 목적에 맞게 조사 대상을 정하고 사실에 근거하여 자료를 정리했어.
>
> ② 조사 목적, 조사 대상과 방법, 조사 결과 등 보고하는 글의 구성 요소에 맞게 내용을 정리했어.
>
> ③ 설문 조사 결과를 정확하게 분석하지 못해 스마트폰 사용을 줄여야 하는 까닭으로 '학업 문제'가 가장 높다고 분석했어.
>
> ④ 설문 조사 결과를 원그래프로 만들어 시각적으로 내용을 파악하기 쉽게 제시했어.
>
> ⑤ 참고한 과학기술정보통신부와 한국정보화진흥원의 자료의 출처를 글의 끝부분에 밝혀 적자.

> **도움말**
>
> 보고서를 작성한 후 내용과 표현, 쓰기 윤리 등을 점검하면 글의 완성도를 높일 수 있음을 이해하고, 목적에 맞게 작성했는지, 보고서의 **❶** 요소를 잘 갖추었는지, **❷** 윤리를 잘 지켰는지 평가해 보자.
>
> ❶ 구성 ❷ 쓰기

4 다음은 (나)를 듣고 나눈 대화 내용이다. 이를 참고하여 ㉠에 쓰인 설득 전략을 쓰시오.

> 아람이를 학생회장으로 뽑은 이유가 뭐야?
>
> 봉사 활동을 꾸준히 해 온 아람이의 성실한 태도에 아람이의 말을 신뢰하게 됐어.

> **도움말**
>
> 설득하는 말을 들을 때 **❶** 이야기하고 있는가도 중요함을 알고, 이성적, 감성적, 인성적 **❷** 전략 가운데 어떤 전략이 사용되었는지 생각해 보자.
>
> ❶ 누가 ❷ 설득

1 다음과 같이 구체적인 여러 근거들을 제시하여 주장을 이끌어 내는 논증 방법으로 적절한 것은?

근거 ①	근거 ②	근거 ③
빛 공해는 인간의 건강에 악영향을 미친다.	빛 공해는 동물의 생태와 행동에 악영향을 미친다.	빛 공해는 식물의 생식에 악영향을 미친다.

빛 공해는 인간과 동식물에 악영향을 미친다.

① 귀납   ② 연역   ③ 유추
④ 인과   ⑤ 일반화

2 (가), (나)에 공통으로 쓰인 논증 방법을 정리할 때 │보기│의 ⑤에 들어갈 알맞은 말을 쓰시오.

> **가** 모든 노동자는 바람직한 환경에서 일할 권리가 있다. 택배 기사들은 택배 산업에서 핵심이 되는 노동자들이다. 따라서 택배 기사들 역시 바람직한 환경에서 일할 권리를 보장받아야 한다.
> – 김용섭, 〈왜 속도를 고민해야 하는가?〉에서
>
> **나** 지구상에서 살아가는 모든 생명체는 자연의 시계대로 살 때, 즉 과도한 인공 빛에서 벗어날 때 건강하게 살 수 있다. 인간은 다른 동물이나 식물과 마찬가지로 지구상에 살아가는 생명체이다. 따라서 우리 인간 역시 인공 빛을 줄여야 건강한 삶을 누릴 수 있을 것이다.
> – 건강다이제스트 편집부, 〈밤도 대낮처럼 환하게, 인공 빛의 두 얼굴〉에서

> │보기│
> 일반적인 법칙에서 구체적이고 개별적인 사실을 이끌어 내는 논증 방법인 (⑤)이/가 쓰였다.

3 '올바른 젓가락질'에 대한 (가), (나)의 관점을 각각 한 단어로 쓰시오.(단, '긍정적'이나 '부정적'이라는 말을 사용할 것.)

> **가** 우리 지역 초등학교들이 어린이들에게 바른 젓가락질을 가르치는 '젓가락의 날'을 운영한다고 한다. 정말 반가운 소식이다. 올바른 젓가락질 교육으로 미래에 세계 최고의 실력을 뽐낼 인재를 키울 수 있기를 기대해 본다.
> – 윤상원, 〈젓가락으로 시작하는 밥상머리 교육〉에서
>
> **나** 젓가락질을 잘 못하신다고요? 그래서 "젓가락질 못 배웠냐?"라고 구박을 받으신다고요? 그럴 때에는 당당히 이야기하세요. "한국인의 얼은 숟가락에 담습니다."라고.
> – 엄지원, 〈젓가락질 잘해야만 밥 잘 먹나요〉에서

4 (가), (나)의 공통점으로 적절한 것은?

> **가** 개인에 관한 정보가 다른 사람에게 노출되기 쉬운 상황에서 현재 시행하고 있는 법만으로 개인 정보 자기 결정권을 보장하기에는 한계가 있다. 따라서 잊힐 권리를 법제화해 사생활 침해를 막고 개인 정보 자기 결정권을 보장해야 한다.
> – 〈잊힐 권리 법제화, 시급해〉에서
>
> **나**
>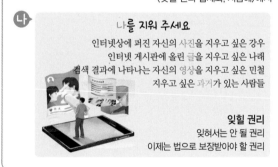
> **나를 지워 주세요**
> 인터넷상에 퍼진 자신의 사진을 지우고 싶은 경우
> 인터넷 게시판에 올린 글을 지우고 싶은 나래
> 검색 결과에 나타나는 자신의 영상을 지우고 싶은 민철
> 지우고 싶은 과거가 있는 사람들
>
> **잊힐 권리**
> 잊혀서는 안 될 권리
> 이제는 법으로 보장받아야 할 권리

① 인상적인 짧은 문구를 제시하였다.
② 개인의 경험을 근거로 제시하였다.
③ 화제에 대해 긍정적 관점을 드러내었다.
④ 현재 시행되고 있는 법의 한계를 밝혔다.
⑤ 주장을 뒷받침하는 근거로 설문 조사를 제시하였다.

5 다음 대화 내용과 같이 보고서를 고칠 때 생기는 문제점으로 적절한 것은?

문제를 강조하려면 학생들이 일주일에 음료수를 마시는 횟수를 과장해서 제시해야 할 것 같아.

당류가 많이 들어 있는 음료수만 골라서 제시해도 되지 않을까?

① 보고서의 주제가 모호해진다.
② 보고서의 완성 기간이 길어진다.
③ 보고서의 형식을 갖추기 어렵다.
④ 보고서 내용의 신뢰성을 떨어뜨린다.
⑤ 보고서의 내용이 구체적으로 드러나지 않는다.

6 주장하는 글을 고쳐 쓰는 과정에서 ㉠을 삭제하려 할 때 그 까닭으로 적절한 것은?

> 지금까지 살펴본 것처럼 길거리에 쓰레기통의 수를 늘리면 거리 환경을 개선하고, 재활용 쓰레기의 수거율을 높일 수 있다. ㉠이 밖에도 태양광을 이용해 쓰레기를 압축하는 기술이 개발되는 등 친환경 기술이 나날이 발전하고 있다. 지역 주민이 모두 거리의 주인이라는 성숙한 시민 의식으로 쓰레기통 문제에 관심과 노력을 기울일 때 걷고 싶은 거리, 쓰레기통이 있어서 더욱 깨끗한 거리를 만들어 나갈 수 있을 것이다.
>
> – 〈길거리에 쓰레기통의 수를 늘려야 한다〉에서

① 문장이 명확하지 않기 때문에
② 앞 문장과 반복되는 내용이기 때문에
③ 문장 성분의 호응이 자연스럽지 않기 때문에
④ 주장하는 내용과 관련이 없는 내용이기 때문에
⑤ 사회·문화적 맥락에서 받아들여지기 어렵기 때문에

7 ㉠의 토론 단계에서 해야 할 일로 적절한 것은?

㉠입론	찬성 측 – 반대 측
반론	반대 측 – 찬성 측
최종 변론	반대 측 – 찬성 측

① 자기 측의 발언 내용을 요약해서 정리한다.
② 상대측 주장이나 근거의 문제점을 지적한다.
③ 논제와 관련된 핵심적인 주장과 근거를 제시한다.
④ 논제와 관련된 자료를 살펴보면서 쟁점을 정리한다.
⑤ 자기 측의 반론과 관련된 상대측의 반박을 예상해 본다.

8 ┃보기┃를 참고할 때 ㉠에 쓰인 설득 전략에 대한 설명으로 적절한 것은?

> ㉠십 년 전 평창이 동계 올림픽 유치의 꿈을 꾸기 시작하였을 때, 저는 서울의 어느 빙상 경기장에서 올림픽 출전의 꿈을 꾸기 시작한 어린 소녀였습니다. 여러분도 아시다시피 한국의 많은 동계 종목 선수가 올림픽 출전의 꿈을 이루고자 훈련하러 가는 데에만 지구를 반 바퀴 돌아가야 합니다. 다행히도 그 당시 저는 한국에 좋은 훈련 시설과 코치들이 갖추어져 있는 동계 종목을 선택할 수 있었습니다. 그리고 이제 저의 꿈은 제가 누렸던 기회들을 다른 나라 선수들과 나누는 것입니다. 2018년 평창 올림픽이 그 꿈을 실현하는 데 도움이 될 수 있을 것입니다.
>
> – 김연아, 〈평창 동계 올림픽 유치 연설〉에서

┃보기┃
> 말하는 이는 성실하게 노력하여 2014년 동계 올림픽에서 훌륭한 성과를 거둔 운동선수이다.

① 말하는 이가 듣는 이의 감정을 자극한다.
② 말하는 이가 듣는 이와의 거리감을 유도한다.
③ 말하는 이가 듣는 이의 비판적 사고를 유도한다.
④ 말하는 이가 듣는 이의 이성적 판단을 유도한다.
⑤ 말하는 이의 됨됨이가 듣는 이에게 신뢰감을 준다.

1 다음 광고 내용을 |보기|와 같이 정리할 때 광고에 쓰인 논증 방법을 쓰시오.

지구를 위한 한 시간!

빛 공해를 줄이면 건강하게 살 수 있습니다.
한 달에 한 번, 한 시간 불을 끄면
빛 공해를 줄일 수 있습니다.
그러므로 한 달에 한 번, 한 시간 불을 끄면
건강하게 살 수 있습니다.

┌ 보기 ┐

대전제	빛 공해를 줄이면 건강하게 살 수 있다.
소전제	한 달에 한 번, 한 시간 불을 끄면 빛 공해를 줄일 수 있다.
결론	한 달에 한 번, 한 시간 불을 끄면 건강하게 살 수 있다.

┌ 도움말 ┐

근거(전제)와 ❶ 을 중심으로 광고 내용을 정리한 뒤, 광고에 쓰인 ❷ 방법을 파악해 보자.

❶ 주장(결론) ❷ 논증

2 다음에 쓰인 논증 방법에 해당하는 것을 |보기|의 ㉠~㉣에서 찾아 쓰시오.

- 일란성 쌍둥이는 동일한 유전자를 가지지만 외모와 성격이 똑같지는 않다.
- 복제 인간은 복제 대상과 동일한 유전자를 가진다.
- 그러므로 복제 인간과 복제 대상은 외모와 성격이 똑같지 않을 것이다.

┌ 보기 ┐

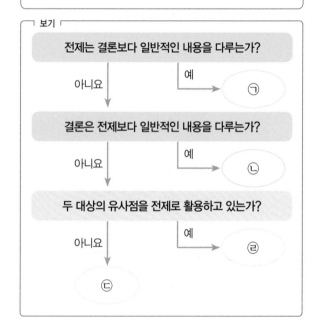

전제는 결론보다 일반적인 내용을 다루는가?
아니요 / 예 → ㉠

결론은 전제보다 일반적인 내용을 다루는가?
아니요 / 예 → ㉡

두 대상의 유사점을 전제로 활용하고 있는가?
아니요 / 예 → ㉣

㉢

┌ 도움말 ┐

논증 방법 가운데 일반적인 사실에서 구체적인 결론을 이끌어 내는 것은 ❶ , 구체적인 사실에서 일반적인 결론을 이끌어 내는 것은 귀납, 두 대상의 유사점을 전제로 하여 다른 속성도 비슷할 것이라고 추론하는 것은 ❷ 임을 바탕으로 해당하는 논증 방법을 골라 보자.

❶ 연역 ❷ 유추

3 (가), (나)를 비교할 때 ｜보기｜의 ㉠~㉤ 중 적절하지 <u>않은</u> 것은?

> **가** 꺼지지 않는 인공조명들로 잠들기 힘든 도시의 밤. 창으로 들어오는 빛 때문에 잠에서 깬 적이 누구에게나 있을 것이다. 번화가 근처에 산다면 더 자주 겪게 되는데, 이처럼 밤에도 도시를 환하게 비추는 빛 공해가 우리의 수면을 방해한다.
>
> – 〈잠들지 않는 도시의 밤, 빛 공해가 심각하다〉에서
>
> **나** 엽록소를 버린 겨울나무들
> 　　한밤중에 이상한 광합성을 하고 있다
> 　　광화문은 광화문(光化門)
> 　　뿌리로 내려가 있던 겨울나무들이
> 　　저녁마다 황급히 올라오고
> 　　겨울이 교란당하고 있는 것이다
> 　　밤에도 잠들지 못하는 사람들
> 　　광화문 겨울나무 불꽃 나무들
>
> – 이문재, 〈광화문, 겨울, 불꽃, 나〉에서
>
>

┌ 보기 ┐

화제: 도시의 인공조명 ·············· ㉠

↓　　　　　　　↓

(가) 글쓴이의 생각	(나) 시인의 생각
도시의 인공조명이 우리의 수면을 방해한다. ··········· ㉡	도시의 인공조명에 겨울나무가 교란당하고 있다. ········· ㉢

↓　　　　　　　↓

글쓴이는 도시의 인공조명을 부정적인 관점에서 바라보고 있다. ·········· ㉣	시인은 도시의 인공조명을 긍정적인 관점에서 바라보고 있다. ·········· ㉤

① ㉠　② ㉡　③ ㉢　④ ㉣　⑤ ㉤

┌ 도움말 ┐
두 글에서 다루는 화제가 같더라도 글의 관점과 **❶** ⬚⬚ 이 다를 수 있음을 이해하고, 화제에 대한 관점이 긍정적인지 **❷** ⬚⬚ 인지 파악해 보자.

❶ 형식 ❷ 부정적

4 (가)와 비교하여 (나)를 바르게 이해하지 <u>못한</u> 것은?

> **가** 기존의 운동화보다 에너지 소모는 줄이고 내딛는 힘을 높여 주는 첨단 기술 운동화 역시 비슷한 논란이 되고 있다. 선수들이 금지된 약물 등을 복용하여 약물 검사(도핑 테스트)에서 적발되는 것에 비유하여, '기술 도핑'이라는 새말까지 생겨났다.
>
> 　첨단 기술을 적용한 각종 스포츠용품이 선수들이 정정당당하게 실력과 기량을 겨루는 스포츠 정신에 어긋나지 않도록 바람직한 규범과 합의가 이루어져야 할 것이다. '과학 기술과 인간의 조화'는 올림픽에서도 반드시 필요한 듯하다.
>
> – 최성우, 〈첨단 기술의 승리? 신종 도핑 반칙?〉에서
>
> 나
>
>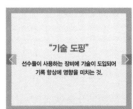
>
>
> – 〈스포츠 '기술 도핑' 논란〉에서

 ① (나)는 기술 도핑과 관련하여 스포츠에 과학 기술의 도입을 어디까지 허용해야 하는지 논의가 필요하다는 (가)의 관점과 같지만 ② 카드 뉴스로 형식이 다릅니다. ③ 사진을 활용하여 정보를 인상 깊게 전달하고 있으며 ④ 독자의 흥미도 끌고 있습니다. ⑤ 또 (가)보다 내용을 자세히 드러낼 수 있어 주제를 한눈에 파악하기도 쉽습니다.

┌ 도움말 ┐
카드 뉴스는 사진이나 그림 등의 **❶** ⬚⬚ 자료가 더해진 형식임을 이해하고 두 글을 비교하며 형식의 특징과 **❷** ⬚⬚ 를 파악해 보자.

❶ 시각 ❷ 효과

5 쓰기 윤리를 고려하여 다음 세 학생의 글쓰기를 평가한 내용으로 적절하지 <u>않은</u> 것은?

 진우의 경험

국어 선생님께서 소설 〈꺼삐딴 리〉를 읽고 감상을 쓰는 숙제를 내 주셨다. 나는 〈꺼삐딴 리〉를 읽기는 했지만 줄거리를 요약하기가 힘들었다. 인터넷을 찾아보니 소설의 줄거리를 요약해 놓은 글이 여러 개 있어서 필요한 내용을 골라 베껴 썼다.

 소미의 경험

나는 제주도로 가족 여행을 갔던 일을 쓰기로 마음을 먹었다. 글을 쓰려고 내용을 마련하다 보니 유명한 곳은 몇 군데밖에 가지 않아서, 내가 가지는 않았지만 유명한 곳에 관한 자료를 인터넷과 책에서 찾아 직접 다녀온 것처럼 내용을 꾸며 썼다.

 선호의 경험

〈웃음의 철학〉이라는 글에서 "인간 생활에서 웃음은 하늘의 별과 같다. 웃음은 별처럼 한 가닥의 광명을 던져 주고, 신비로운 암시도 풍겨 준다."라는 구절을 보고, 나중에 글을 쓸 때 출처를 밝히지 않고 내가 만든 말인 것처럼 썼다.

① 진우는 다른 사람의 글을 짜깁기하였다.
② 진우는 다른 사람의 글을 자신이 쓴 것처럼 속였다.
③ 소미는 사실이 아닌 것을 사실인 것처럼 꾸며 썼다.
④ 소미는 자신의 주장을 강조하려고 사실을 과장했다.
⑤ 선호는 다른 사람의 글을 사용하면서 출처를 밝히지 않았다.

도움말

글을 쓰는 과정에서 지켜야 하는 ❶☐ 적 규범을 '❷☐ 윤리'라고 함을 알고, 각각의 사례를 살펴보며 어떤 점이 쓰기 윤리에 어긋나는지 생각해 보자.

❶윤리 ❷쓰기

6 다음 자료를 바탕으로 주장하는 글을 쓰기 위해 주제를 정할 때 ㉠에 들어갈 내용으로 적절한 것은?

"제가 먼저 그런 거 아니에요."
"장난인 줄 알았어요."
"아무것도 못 봤어요."

"또래 괴롭힘 상황에서 어떤 개입도 하지 않는 방관자적 태도는 가해 행동을 암묵적으로 강화하는 기능을 한다."

대다수의 방관자가 방어자로 바뀌었을 때 일어나는 기적.

"피해자를 지지하는 존재가 있는 것만으로도 가해 행동의 감소에 기여하게 된다."

"만약 방관자가 피해 학생을 돕는다면 가해 학생은 더 이상 가해 행동을 즐기지 못하게 된다."

주제 | 학교 폭력을 예방하기 위해 (㉠)

① 가해 학생을 엄벌해야 한다.
② 방관자적 태도를 버려야 한다.
③ 가해 행동을 조용히 지켜봐야 한다.
④ 가해 학생이 가해 행동을 즐기지 못해야 한다.
⑤ 피해 학생이 가해 행동에 적극적으로 대응해야 한다.

도움말

제시된 자료에서는 대다수의 ❶☐ 가 방어자로 바뀌었을 때 학교 폭력이 줄어드는 기적이 일어난다고 말하고 있다. 주장하는 글에서 주제는 ❷☐ 하고 실현 가능하며 유익해야 함을 알고, 적절한 주제를 생각해 보자.

❶방관자 ❷분명(명료)

7 ㉠에 나타난 문제점을 바르게 지적한 것은?

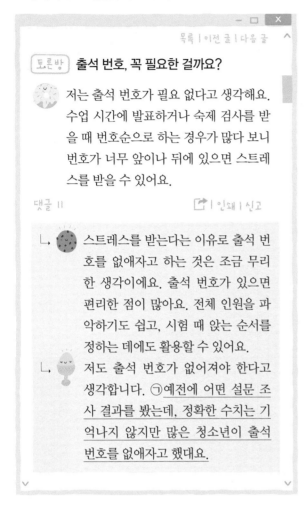

① 청소년만 배려하고 선생님은 배려하지 않아서 공정성이 떨어지네요.

② 청소년과 성인 사이에서 중립적인 태도를 보이지 않아 공정성이 떨어지네요.

③ 믿을 만한 출처는 제시했지만 구체적인 수치를 말하지 않아서 설득력이 부족하네요.

④ 설문 조사의 출처와 구체적인 수치를 제시하지 못했다는 점에서 신뢰성이 떨어지네요.

⑤ 청소년이 출석 번호를 없애자고 했다는 내용은 주제와 관련이 없어 타당성이 떨어지네요.

───────────
도움말

㉠에 나타난 논리적 허점이나 **①** 를 파악하고, 주장이나 근거의 **②** , 타당성, 공정성 등을 비판적으로 분석해 보자.

① 오류 **②** 신뢰성

8 ㉠, ㉡에 쓰인 설득 전략에 해당하는 것을 ㅣ보기ㅣ의 ⓐ~ⓓ에서 찾아 각각 쓰시오.

자막	자막
㉠매년 해양 쓰레기 발생량 14만 5천 톤 16톤 트럭 9천 대	2014~2018년 해양 쓰레기 처리에 4,000억 사용
음성	음성
아무렇지도 않게 바다에 버려지는 쓰레기로	㉡우리의 바다는 병들고 있습니다.

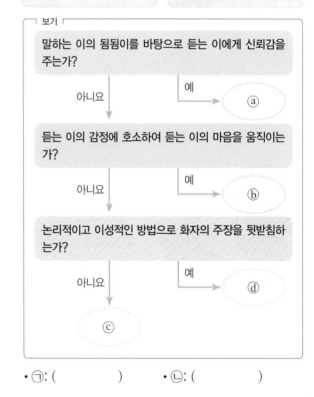

보기

말하는 이의 됨됨이를 바탕으로 듣는 이에게 신뢰감을 주는가?

아니요 / 예 → ⓐ

듣는 이의 감정에 호소하여 듣는 이의 마음을 움직이는가?

아니요 / 예 → ⓑ

논리적이고 이성적인 방법으로 화자의 주장을 뒷받침하는가?

아니요 / 예 → ⓓ

ⓒ

• ㉠: (   )   • ㉡: (   )

───────────
도움말

설득 전략 가운데 말하는 이의 됨됨이를 바탕으로 듣는 이에게 신뢰감을 주는 것은 **①** 설득, 듣는 이의 감정에 호소하는 것은 감성적 설득, 논리적이고 이성적인 방법으로 듣는 이의 이성적 판단을 유도하는 것은 **②** 설득 전략임을 알아 두자.

① 인성적 **②** 이성적

시험 대비 마무리 **전략**

문법

음운

모음

이중 모음	ㅑ, ㅒ, ㅕ, ㅖ, ㅘ, ㅙ, ㅛ, ㅝ, ㅞ, ㅠ, ㅢ
단모음	ㅏ, ㅐ, ㅓ, ㅔ, ㅗ, ㅚ, ㅜ, ㅟ, ㅡ, ㅣ

입술 모양	원순 모음	ㅟ, ㅚ, ㅜ, ㅗ
	평순 모음	ㅣ, ㅔ, ㅐ, ㅡ, ㅓ, ㅏ
혀의 높이	고모음	ㅣ, ㅟ, ㅡ, ㅜ
	중모음	ㅔ, ㅚ, ㅓ, ㅗ
	저모음	ㅐ, ㅏ
혀의 최고점의 위치	전설 모음	ㅣ, ㅔ, ㅐ, ㅟ, ㅚ
	후설 모음	ㅡ, ㅓ, ㅏ, ㅜ, ㅗ

자음

소리 나는 ❶	입술소리	ㅁ, ㅂ, ㅃ, ㅍ
	잇몸소리	ㄴ, ㄷ, ㄸ, ㄹ, ㅅ, ㅆ, ㅌ
	센입천장소리	ㅈ, ㅉ, ㅊ
	여린입천장소리	ㄱ, ㄲ, ㅇ, ㅋ
	목청소리	ㅎ

소리 내는 방법	안울림 소리	파열음	ㄱ, ㄲ, ㄷ, ㄸ, ㅂ, ㅃ, ㅋ, ㅌ, ㅍ
		마찰음	ㅅ, ㅆ, ㅎ
		파찰음	ㅈ, ㅉ, ㅊ
	울림 소리	비음	ㄴ, ㅁ, ㅇ
		유음	ㄹ

소리의 세기	예사소리	ㄱ, ㄷ, ㅂ, ㅅ, ㅈ
	된소리	ㄲ, ㄸ, ㅃ, ㅆ, ㅉ
	거센소리	ㅊ, ㅋ, ㅌ, ㅍ

문장

홑문장	주어와 서술어의 관계가 한 번만 나타나는 문장
겹문장	주어와 서술어의 관계가 두 번 이상 나타나는 문장

이어진문장	❷ 하게 이어진문장
	종속적으로 이어진문장
안은문장	명사절을 가진 안은문장, 관형절을 가진 안은문장, 부사절을 가진 안은문장, 서술절을 가진 안은문장, 인용절을 가진 안은문장

❶ 위치 ❷ 대등

읽기

논증 방법

귀납	구체적이고 개별적인 사실에서 일반적인 법칙을 이끌어 냄.
연역	일반적인 법칙에서 구체적이고 개별적인 사실을 이끌어 냄.
유추	두 대상이 여러 면에서 비슷하다는 것을 근거로 다른 속성도 유사할 것이라고 추론함.

비교하며 읽기

방법	• 동일한 화제를 다룬 여러 글의 ❶ [ ], 형식의 차이를 파악함. • 각 글이 지니는 형식의 특성과 효과를 이해함.
효과	• 관점과 형식의 차이를 파악하여 글을 깊이 있게 읽을 수 있음. • 대상에 관한 지식이 풍부해지고 균형 있는 시각을 가질 수 있음.

쓰기

보고하는 글

쓰는 방법	• 계획하기: 목적, 기간, 대상과 방법 등을 정함. • 자료 수집하기: 자료 조사, 설문 조사, 현장 조사, 면담 조사 등 • 자료 정리와 분석하기: 절차와 결과가 잘 드러나게 사실에 근거하여 쓰고, 그림, 사진, 도표 등을 효과적으로 활용함.

주장하는 글

쓰는 방법	• 주제 정하기: 주장이 분명하게 드러나야 함. • 근거 마련하기: 주장과 연관성이 있고, 객관적이고 믿을 만한 근거를 제시함. • 내용 조직하기: '서론－본론－결론'의 형식에 따라 씀.

듣기·말하기

토론

주장	논제에 관한 자신의 입장을 담은 논점을 펼침.
논박(논리적으로 반박하기)	주장과 근거의 신뢰성, ❷ [ ], 공정성 등을 비판적으로 분석하여 논리적 허점과 오류에 대해 근거를 들어 말함.

설득 전략

이성적 설득	논리적이고 이성적인 방법으로 주장을 뒷받침함.
감성적 설득	듣는 이의 욕망과 분노, 동정심 등과 같은 감정에 호소하여 듣는 이의 마음을 움직임.
인성적 설득	말하는 이의 사람 됨됨이나 태도를 바탕으로 내용을 신뢰하게 함.

❶ 관점 ❷ 타당성

1 다음 국어의 단모음 체계표로 보아 | 조건 |에 모두 해당하는 모음은?

혀의 최고점의 위치	전설 모음		후설 모음	
입술 모양 혀의 높이	평순 모음	원순 모음	평순 모음	원순 모음
고모음	ㅣ	ㅟ	ㅡ	ㅜ
중모음	ㅔ	ㅚ	ㅓ	ㅗ
저모음	ㅐ		ㅏ	

▲ 국어의 단모음 체계표

┌ 조건 ┐

• 발음할 때 입술 모양을 둥글게 오므리는 모음

• 발음할 때 입을 작게 벌려 혀의 높이가 입천장에 가까운 모음

• 발음할 때 혀의 최고점이 입천장의 중간점을 기준으로 앞쪽에 있는 모음

① ㅗ   ② ㅜ   ③ ㅟ
④ ㅡ   ⑤ ㅣ

┌ 도움말 ┐
국어의 단모음 체계표를 보고 각 모음을 발음할 때 ❶____ 모양, 혀의 높이, 혀의 ❷____의 위치를 분석하여 조건에 모두 해당하는 단모음을 찾아보자.

❶ 입술 ❷ 최고점

2 | 조건 |에 모두 해당하는 자음들만 골라 아래 자음판에 색칠할 때 나타나는 단모음은?

┌ 조건 ┐

• 성대의 근육이 긴장되어 나오는 소리이다.

• 숨이 거세게 나오는 소리이다.

• 거세고 거친 느낌을 주는 소리이다.

ㅉ	ㅇ	ㄹ
ㅊ	ㅋ	ㅌ
ㅆ	ㅍ	ㅈ
ㄲ	ㅃ	ㅎ

① ㅏ   ② ㅗ   ③ ㅜ
④ ㅡ   ⑤ ㅣ

┌ 도움말 ┐
자음은 소리의 ❶____에 따라 예사소리, 된소리, 거센소리로 나눌 수 있다. 된소리와 ❷____는 모두 성대가 긴장되어 나오지만, 숨이 거세게 나오는지 그렇지 않은지에 따라 구별된다는 것을 알아 두자.

❶ 세기 ❷ 거센소리

서술형

3 다음 단어에 포함된 자음의 특성을 | 조건 |에 맞게 쓰시오.

노래

┌ 조건 ┐

• 소리 나는 위치의 공통점을 쓸 것.

• 입안이나 코안이 울리는지 울리지 않는지의 공통점을 쓸 것.

┌ 도움말 ┐
자음은 소리 나는 ❶____와 소리 내는 ❷____에 따라 분류할 수 있음을 알아 두자.

❶ 위치 ❷ 방법

4 이어진문장인 ⑦∼⑩ 중 앞뒤 문장의 의미 관계가 나머지와 다른 것은?

> 저녁 9시 뉴스 기상 예보입니다.
> ⑦오늘 아침에는 비가 오고 바람이 불었습니다.
> ⑥기온도 큰 폭으로 내려가서 쌀쌀한 날씨였습니다. 많은 시민들이 출근길에 불편함을 느끼셨을 것입니다. ⑥내일도 비가 오며 때때로 강풍이 일겠습니다. 다만 오후에는 ⑧비가 그치고 바람도 잠잠해지겠습니다. ⑩내일 기온은 18도이고 미세 먼지 농도는 약하겠습니다.
> 이상 날씨였습니다.

① ⑦　　② ⑥　　③ ⑥　　④ ⑧　　⑤ ⑩

5 지은이가 한 말의 전체 문장의 짜임을 |조건|에 맞게 쓰시오.

> 어제 그 드라마 마지막 회 봤어? 범인이 누구인지 드디어 나왔잖아.

> 마지막 회에서 <u>주인공이 범인임이</u> 밝혀지더라.

준우　　지은

┌ 조건 ┐
• 밑줄 친 부분이 전체 문장에서 하는 역할을 포함할 것.

┌ 도움말 ┐
겹문장은 이어진문장과 안은문장으로 나눌 수 있음을 알고, ❶ □□ 문장은 한 홀문장이 다른 홀문장을 하나의 문장 ❷ □□ 처럼 안고 있는 문장임을 알아 두자.
❶ 안은 ❷ 성분

6 (가)와 (나)를 통해 알 수 있는 남북한 언어의 차이점으로 적절하지 <u>않은</u> 것은?

> **가**
>
> **남한**　**동무** 늘 친하게 어울리는 사람.
> **북한**　**동무** 로동계급의 혁명위업을 이룩하기 위하여 혁명대오에서 함께 싸우는 사람을 친하게 이르는 말.
>
> **나**
>
> **남한** 나룻배를 이용하여 강을 건널 것이다.
> **북한** 나루배를 리용하여 강을 건널것이다.

① 사이시옷의 표기가 남북한이 다르다.
② 띄어쓰기의 원칙이 남북한이 다른 부분이 있다.
③ 남한과 달리 북한은 두음 법칙을 인정하지 않는다.
④ 같은 형태지만 다른 의미로 쓰이는 어휘들이 있다.
⑤ 서로 의사소통이 어려울 정도로 남북한 언어 차이가 크다.

┌ 도움말 ┐
남북한의 언어는 말소리와 표기, ❶ □□ , 표현 등에서 꽤 차이가 있으나 ❷ □□□ 이 안 될 정도로 심각한 차이가 있지 않다는 것을 이해하자.
❶ 어휘 ❷ 의사소통

서술형

7 ㉠과 같은 기능을 하는 문장을 |보기|에서 찾아 쓰시오.

> 연역 논증의 대표적인 방법은 삼단 논법이다. 삼단 논법은 일반적인 법칙을 다루는 대전제와 소전제에서 구체적인 사실인 결론을 이끌어 내는 방법이다.
>
> 例 물고기는 아가미로 숨을 쉰다.
>
> ㉠금붕어는 물고기다.
>
> 그러므로 금붕어는 아가미로 숨을 쉰다.

┌ 보기 ┐

지구상에서 살아가는 모든 생명체는 자연의 시계대로 살 때, 즉 과도한 인공 빛에서 벗어날 때 건강하게 살 수 있다. 인간은 다른 동물이나 식물과 마찬가지로 지구상에 살아가는 생명체이다. 따라서 우리 인간 역시 인공 빛을 줄여야 건강한 삶을 누릴 수 있을 것이다.

– 건강다이제스트 편집부, 〈밤도 대낮처럼 환하게, 인공 빛의 두 얼굴〉에서

┌ 도움말 ┐

삼단 논법은 ❶   의 대표적인 방법으로 '대전제 – ❷   – 결론'으로 구성됨을 알아 두자.

❶ 연역 ❷ 소전제

8 (나)가 '소금'에 대해 (가)와 다른 관점을 드러내는 공익 광고일 때 ㉠에 들어갈 제목으로 적절한 것은?

> **가** 우리 몸에 들어온 소금은 나트륨 이온과 염화 이온으로 나뉘어 신진대사에 많은 영향을 미친다. 예를 들어 혈액이나 위액과 같은 체액의 주요 성분이 되어 영양소를 우리 몸 구석구석으로 보내기도 하고, 우리 몸에 쌓인 각종 노폐물을 땀이나 오줌으로 배출하기도 한다. 이처럼 소금은 사람을 비롯하여 모든 동물이 생명을 유지하는 데 없어서는 안 되는 존재인 것이다.
>
> – 장인용, 〈소금 없인 못 살아〉

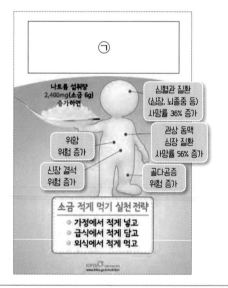

① 식단은 짜지 않게!

② 소금은 많게! 물은 적게!

③ 소중한 소금을 지켜 주세요!

④ 소금, 음식을 맛있게 하는 비법!

⑤ 소금은 요리할 때 꼭 필요한 물질!

┌ 도움말 ┐

두 글에서 다루는 ❶   가 같더라도 글의 관점과 형식이 다를 수 있음을 이해하고, 글의 형식을 고려하여 내용이나 표현에서 어떤 ❷   이 드러나는지 파악해 보자.

❶ 화제 ❷ 관점

9 ㉠, ㉡에 들어갈 알맞은 말을 쓰시오.(단, ㉠에는 2어절로, ㉡에는 한 문장으로 쓸 것.)

우리 학교 학생들의 스마트폰 사용 실태

1. 조사 목적

우리 학교 학생들의 스마트폰 사용 실태와 스마트폰 사용에 관한 인식을 파악한다.

2. 조사 대상 및 방법

(1) 조사 대상: 우리 학교 3학년 학생 220명

(2) 조사 방법: 설문 조사, 자료 조사

3. 설문 조사 결과

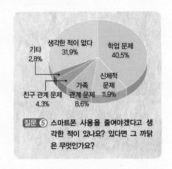

기타 2.8%
생각한 적이 없다 31.9%
학업 문제 40.5%
신체적 문제 11.9%
가족 관계 문제 8.6%
친구 관계 문제 4.3%

질문 ⑤ 스마트폰 사용을 줄여야겠다고 생각한 적이 있나요? 있다면 그 까닭은 무엇인가요?

4. 결과 종합 분석

스마트폰을 가지고 있는 학생 가운데 68.1%가 스마트폰 사용 시간을 줄여야겠다는 생각을 한 적이 있다고 답하였는데, 이는 학생들이 스마트폰 사용으로 문제를 겪고 있음을 간접적으로 보여 준다. 그리고 스마트폰 사용 시간을 줄여야겠다고 생각한 까닭으로는 '(㉠)'(40.5%)가 가장 높았는데, 스마트폰 사용으로 공부에 지장이 있음을 짐작할 수 있다. 이는 과학기술정보통신부와 한국정보화진흥원에서 조사한 결과와도 비슷하다. 이 보고서에 따르면 스마트폰 사용 때문에 청소년이 겪는 가장 큰 문제는 (㉡)는 점이라 한다.

도움말

청소년이 스마트폰을 사용하여 생기는 ❶ 을 '3. 설문 조사 ❷ '와 '4. 결과 종합 분석'의 내용에서 찾아보자.

❶ 문제점 ❷ 결과

---

10 다음은 학생들이 토론을 준비하며 작성한 자료이다. 이 자료를 이해한 내용으로 적절하지 **않은** 것은?

논제	동물원을 폐지해야 한다.
참가자	정세윤, 김민재
쟁점	1. 동물원은 동물을 보호하는가? 2. 동물원은 교육적인가?
입론	저희는 '동물원을 폐지해야 한다.'에 찬성합니다. 그 첫 번째 이유는 동물원이 동물을 제대로 보호하지 못하기 때문입니다. 사진에서 보시는 것처럼 동물원의 많은 동물이 좁은 사육장에 갇혀 살면서 관람객의 시선과 소음에 시달리고 있습니다.

반론 계획	상대측 예상 주장과 근거	주장: 동물원은 동물을 보호한다. 근거: • 동물원은 동물에게 먹이를 제공하고 동물의 건강을 점검한다. • 동물원은 동물에게 실제 서식지와 유사한 환경과 야생의 습성을 고려한 사육 시설을 제공한다.
	우리 측 반론	주장: 동물원은 동물을 보호하지 못한다. 근거: • 수족관 돌고래의 평균 수명은 야생 돌고래의 약 십분의 일 정도이다. • 동물원의 북극곰은 야생 북극곰에 비해 좁은 공간에 갇혀서 살고 있다.

① 찬성 측에서 준비한 자료이다.

② 학생들은 입론에서 사진 자료를 활용할 계획이다.

③ 학생들은 '쟁점 1'에 대한 상대측 주장과 근거를 예상하고 있다.

④ 학생들은 '쟁점 2'에 대한 상대측 반론에 대비하고 있다.

⑤ 상대측 주장과 근거를 예측하면 토론에서 우위를 차지할 가능성이 높아진다.

도움말

토론은 논제에 대하여 찬성 측과 ❶ 측으로 나뉘어 상대방을 논리적으로 ❷ 하는 말하기임을 알고 토론 계획서를 살펴보자.

❶ 반대 ❷ 설득

1 다음에서 설명하는 음운으로 말의 뜻이 구별되는 단어를 짝지은 것은?

> 발음할 때 공기의 흐름이 발음 기관의 방해를 받지 않고 나온다.

① 딸 – 쌀　　　　② 불 – 풀

③ 잠 – 감　　　　④ 나 – 너

⑤ 소리 – 고리

우리말의 음운에는 모음과 자음, 소리의 길이 등이 있다는 것을 기억해 두자.

2 다음과 같이 단모음을 분류할 때 ㉠에 들어갈 말로 적절한 것은?

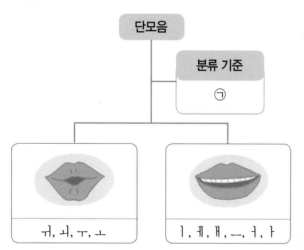

① 입술 모양

② 혀의 높이

③ 혀의 최고점의 위치

④ 성대가 울리는지 울리지 않는지

⑤ 발음 기관의 장애를 받고 나오는지 나오지 않는지

3 다음은 국어의 단모음 체계표이다. ㉠, ㉡에 들어갈 내용으로 적절한 것은?

혀의 최고점의 위치	(㉠) 모음		후설 모음	
입술 모양　　　　혀의 높이	평순 모음	원순 모음	평순 모음	원순 모음
고모음	ㅣ	ㅟ	ㅡ	ㅜ
중모음	ㅔ	ㅚ	(㉡)	ㅗ
저모음	ㅐ			ㅏ

　　㉠　　㉡　　　　　　　㉠　　㉡

① 단　　ㅑ　　　② 전설　　ㅓ

③ 후설　ㅓ　　　④ 전설　　ㅏ

⑤ 이중　ㅠ

고난도

4 자음이 소리 나는 위치를 표시한 ㉠~㉢에 대한 설명으로 적절하지 **않은** 것은?

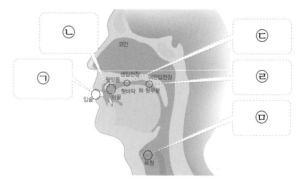

① ㉠에 해당하는 소리에는 'ㅁ, ㅂ, ㅃ, ㅍ'이 있다.

② ㉡은 두 입술 사이에서 나는 소리이다.

③ ㉢은 혓바닥과 센입천장 사이에서 나는 소리이다.

④ ㉣에 해당하는 소리에는 'ㄱ, ㄲ, ㅇ, ㅋ'이 있다.

⑤ ㉤은 목청에서 나는 소리로 'ㅎ'이 있다.

서술형

5 다음 자음들을 소리 내는 방법의 공통점을 |조건|에 맞게 쓰시오.

> ㄴ, ㅁ, ㅇ

┌─ 조건 ─────────────────────
- 발음할 때 소리 내는 방법을 쓸 것.
- 소리 내는 방법에 따른 자음의 종류를 포함할 것.
- ''ㄴ, ㅁ, ㅇ'은 ~이다.'의 형식으로 쓸 것.
└──────────────────────────

자음에는 발음할 때 입안이나 코안이 울리는 소리와 입안이나 코안이 울리지 않는 소리가 있어. 발음할 때 입안이나 코안이 울리는 소리에는 비음과 유음의 두 가지 종류가 있지.

6 ㄱ~ㄷ에 대한 설명으로 적절하지 <u>않은</u> 것은?

종종 – 쫑쫑 – 총총
ㄱ   ㄴ   ㄷ

① ㄱ의 'ㅈ'은 예사소리이다.
② ㄴ은 ㄱ보다 강하고 단단한 느낌을 주는 소리이다.
③ ㄴ, ㄷ은 모두 성대 근육이 긴장되면서 나오는 소리이다.
④ ㄷ은 ㄱ보다 거세고 거친 느낌의 소리이다.
⑤ ㄱ, ㄴ, ㄷ 모두 숨을 거세게 내는 소리이다.

7 주어와 서술어의 관계가 두 번 이상 나타나는 문장은?

① 나는 학생이 아니다.
② 그는 어른이 되었다.
③ 눈이 오나 기온은 높다.
④ 엄마는 늘 나에게 다정하다.
⑤ 우리는 내일 미술 대회에 나간다.

주어와 서술어의 관계가 한 번만 나타나는 문장은 홑문장이고, 주어와 서술어의 관계가 두 번 이상 나타나는 문장은 겹문장이라는 것을 기억하고 있지?

8 다음과 같은 방식으로 문장이 구성된 것은?

바람이 심하게 분다.

+

비가 몹시 내린다.

→ 바람이 심하게 불고 비가 몹시 내린다.

① 내일은 휴일이어서 가게가 문을 닫는다.
② 그는 밥을 너무 많이 먹어서 배탈이 났다.
③ 형은 그네를 탔고 동생은 미끄럼틀을 탔다.
④ 나는 학교 도서관에 가려고 일찍 출발했다.
⑤ 오늘 비가 올지라도 나는 약속 장소에 가겠다.

둘 이상의 홑문장(절)이 나란히 이어져 이루어지는 이어진문장은, 앞 문장과 뒤 문장의 의미 관계에 따라 대등하게 이어진문장과 종속적으로 이어진문장이 있다는 것을 잊지 마.

9 ㉠, ㉡에 나타난 겹문장의 차이를 |조건|에 맞게 쓰시오.

> ㉠ 인생은 짧다. + 예술은 길다.
>
> → 인생은 짧고 예술은 길다.
>
> ㉡ 길이 너무 좁다. + 차가 못 지나간다.
>
> → 길이 너무 좁아서 차가 못 지나간다.

> ┌ 조건 ┐
> • ㉠, ㉡의 겹문장의 종류를 쓸 것.
> • 연결된 문장의 의미 관계를 중심으로 ㉠, ㉡의 차이를 쓸 것.
> • '㉠은 ~이고, ㉡은 ~이다.'의 형식으로 쓸 것.

11 안은문장의 종류를 바르게 연결한 것은?

① 현수는 키가 크다.

→ 부사절을 가진 안은문장

② 빙수는 이가 시리도록 차가웠다.

→ 관형절을 가진 안은문장

③ 나는 동생이 어지른 방을 치웠다.

→ 인용절을 가진 안은문장

④ 나는 기회가 오기를 간절히 바랐다.

→ 명사절을 가진 안은문장

⑤ 진호는 "저도 이제 중학생이에요."라고 말하였다.

→ 서술절을 가진 안은문장

10 ㉠, ㉡을 이해한 내용으로 적절하지 <u>않은</u> 것은?

> ㉠ 하늘은 맑으나 바람이 분다.
> ㉡ 수아는 은우가 노래를 부르는 모습을 보았다.

 ① ㉠, ㉡ 모두 주어와 서술어의 관계가 두 번 이상 나타나는 겹문장이야.

 ② ㉠은 앞뒤 문장이 나란히 이어져서 이루어진 문장이야.

 ③ ㉠은 두 홑문장이 '대조'의 의미 관계로 이어진 문장이야.

 ④ ㉡은 한 홑문장이 다른 홑문장을 하나의 문장 성분처럼 안고 있는 안은문장이야.

 ⑤ ㉡에서 '은우가 노래를 부르는'은 문장에서 서술어 '보았다'의 주체가 되는 주어 역할을 해.

12 다음과 같은 방식으로 만들어진 안은문장은?

밤사이 눈이 소리도 없이 내렸다.

① 토끼는 앞발이 짧다.

② 여기는 내가 여행 왔던 곳이다.

③ 준우는 발에 땀이 나게 뛰었다.

④ 할머니는 아빠가 선물한 모자를 썼다.

⑤ 나는 언니가 오기를 간절히 기다렸다.

 안긴문장으로 부사절을 만들 때는 '-게', '-도록' 등의 전성 어미를 붙이지.

13 (가)는 남한의 언어 자료이고, (나)는 북한의 언어 자료이다. 이를 통해 알 수 있는 남한 언어의 특징으로 적절한 것은?

패스트푸드점 메뉴판		속성음식쎈터 차림표	
피시버거	250	물고기햄버거	250
에그버거	180	닭알햄버거	180
야채샐러드	400	남새쌀라드	400

① 북한에 비해 외래어를 많이 사용한다.
② 북한에 비해 띄어쓰기를 하지 않는다.
③ 북한에 비해 순우리말을 많이 사용한다.
④ 북한과 달리 이념이 영향을 미친 단어가 많다.
⑤ 북한과 달리 소리 나는 대로 표기하지 않는다.

고난도

14 보기의 밑줄 친 부분에 해당하는 예로 적절한 것은?

> **보기**
>
> 　남한과 다른 북한의 어휘는 크게 세 가지 유형으로 나누어 볼 수 있다. 첫 번째는 북한의 방언을 문화어로 삼은 어휘이고(문화어는 북한에서 평양말을 표준으로 한 언어이다.), 두 번째는 북한에서 남한과 다른 뜻으로 쓰는 어휘이며, 세 번째는 북한에서 분단 이후에 새로 만들어 쓰고 있는 어휘이다.

① 남한의 '누룽지'에 해당하는 문화어는 '가마치'이다.
② 북한에서는 '음반'은 '소리판', '노크'는 '손기척'과 같이 다듬어 쓰고 있다.
③ 북한에서 '세포'는 어떤 집단에서 바탕을 이루는 단위가 되는 조직을 뜻한다.
④ '로동영웅', '인민배우'는 북한 특유의 사상과 제도를 반영하여 만들어진 말이다.
⑤ 북한에서 '바쁘다'는 '힘에 부치거나 참기가 어렵다, 매우 딱하다'의 뜻으로 자주 쓰인다.

---

15 다음 대화 상황을 이해한 내용으로 적절하지 <u>않은</u> 것은?

● 은주 씨는 북한 이탈 주민임.

① 남북한 언어 차이 때문에 의사소통에 어려움을 겪을 수 있어.
② 남한은 직접적인 표현에, 북한은 간접적인 표현에 익숙함을 알 수 있어.
③ 언젠가 같이 식사할 기회가 있기를 바란다는 남한 사람의 인사말을 북한 사람은 약속으로 받아들여서 혼란을 겪었어.
④ 남북한 언어에 서로 관심을 가지고 언어의 차이를 극복하기 위해 서로 노력해야 해.
⑤ 남한 사람은 남북한의 언어 차이로 오해가 생겼으므로 자신이 사용한 표현의 의미를 설명하여 오해를 풀려는 자세를 지녀야 해.

서술형

16 다음은 북한의 동화이다. ㉠, ㉡을 남한의 표기에 맞게 고쳐 쓰고, 이를 통해 알 수 있는 북한 언어의 특징을 쓰시오.

> 글쎄 ㉠퇴마루에 무엇인가 가득 들어 있는 두개의 큰 자루가 놓여 있는것이 아니겠습니까. (중략)
> 《곰에게
> 　집이 비여서 왕밤알 두 자루를 놓고 간다. 네가 병으로 앓는다기에 내가 모아 놓았던 왕밤알을 다 가져 왔으니 겨울㉡량식에 보태 쓰기 바란다. 너구리로부터》
>
> – 김인명, 〈의심이 많은 곰〉에서

	남한의 표기	북한 언어의 특징
㉠		
㉡		

[1~2] 다음 글을 읽고 물음에 답하시오.

가 배달 산업이 커지면서 속도는 경쟁력이 되었다. 전국 어디서나 며칠 이내에 물건을 받을 수 있다. 심지어 오전에 주문하면 오후에 받는 당일 배달도 가능하다. 그래서인지 우리는 배달은 무조건 빠른 것이 당연하다고 생각한다.

나 소비자로서는 세상이 편해졌다고 좋아할 수도 있겠지만, 그 이면에는 그림자가 있다. 일부 택배 기사들은 빨리 배달하려고 과속을 하거나 신호를 어겨 교통사고를 내기도 한다. 2012년 안전보건공단의 조사에 따르면 택배 업종에서 발생한 산업 재해 가운데 도로 교통 사고가 절반 이상을 차지하였다.

다 문제는 또 있다. 아침에 분류한 물건을 그날 안에 배달해야 하는 택배 기사들은 밤늦게까지 일을 멈출 수 없다. (중략) 장시간 노동에 시달리느라 여가 생활은 물론이고 휴식조차 없는 삶이 계속 이어지면서 택배 기사의 건강도 위협받고 있다. 이처럼 우리나라 택배 기사들은 배송 시간을 지키려고 과도한 노동을 하고 있는 것이다.

라 빠른 속도를 강조하는 사회에서 이렇듯 택배 기사들은 열악한 노동 환경에 처해 있다. 속도 경쟁, 소비자를 최대한 많이 확보하려는 경쟁의 부담을 기업도 소비자도 아닌 택배 기사들이 떠안고 있는 것이다.

마 ㉠모든 노동자는 바람직한 환경에서 일할 권리가 있다. 택배 기사들은 택배 산업에서 핵심이 되는 노동자들이다. 따라서 택배 기사들 역시 바람직한 환경에서 일할 권리를 보장받아야 한다. 우리가 누리는 편리가 누군가의 희생을 바탕으로 하는 것이라면, 그것을 포기할 수도 있어야 한다. 우리 모두 속도를 지나치게 중요시하지는 않았는지 반성하고, 택배 기사

들의 권리가 지켜질 수 있도록 작은 불편은 받아들일 줄 아는 소비자가 되자.

　　　　　　　　　　　－ 김용섭, 〈왜 속도를 고민해야 하는가?〉

1 **(가)~(마)의 중심 내용으로 적절하지 않은 것은?**

① (가): 우리나라는 배달 산업이 경쟁력이 있음.
② (나): 빠른 속도를 강요하는 배달 구조 때문에 택배 기사들의 교통사고가 많이 발생함.
③ (다): 택배 기사들은 배송 시간을 지키기 위해 과도한 노동을 하고 있음.
④ (라): 택배 기사들이 열악한 노동 환경에 처해 있음.
⑤ (마): 택배 기사들의 일할 권리를 위해 작은 불편은 참을 줄 아는 소비자가 되기를 당부함.

고난도

2 **㉠에 사용된 논증 방법의 예로 가장 적절한 것은?**

① 모든 사람은 죽는다. 소크라테스는 사람이다. 그러므로 소크라테스는 죽는다.
② 나비는 알을 낳는다. 매미는 알을 낳는다. 개미는 알을 낳는다. 그러므로 곤충은 모두 알을 낳는다.
③ 금붕어는 아가미로 숨을 쉰다. 송사리도 아가미로 숨을 쉰다. 그러므로 모든 물고기는 아가미로 숨을 쉰다.
④ 사과는 위에서 아래로 떨어진다. 깃털도 위에서 아래로 떨어진다. 그러므로 모든 물체는 위에서 아래로 떨어진다.
⑤ 지구에는 공기와 햇빛이 있고, 생명체가 존재한다. 화성에도 공기와 햇빛이 있다. 그러므로 화성에도 생명체가 존재할 것이다.

일반적 법칙에서 구체적 사실을 이끌어 내면 연역, 구체적 사실에서 일반적 법칙을 이끌어 내면 귀납이야.

[3~4] 다음 글을 읽고 물음에 답하시오.

가 유럽 연합은 2018년 5월 '유럽 일반 개인 정보 보호법'을 시행하였다. 이 법에는 개인이 자신에 관한 정보를 삭제하도록 요청할 권리가 포함되어 있는데, 그동안 유럽을 중심으로 하여 많은 논란이 있었던 '잊힐 권리'가 한층 강화된 것이다. 이에 따라 국내에서도 개인이 타인에게 자신과 관련된 글이나 사진, 동영상 등 인터넷상에 있는 개인 정보를 지워 달라고 요청할 수 있는 권리인 '잊힐 권리'를 법제화해야 한다는 목소리가 커지고 있다. 그렇다면 잊힐 권리를 법제화해야 하는 까닭은 무엇일까? (중략)

둘째, 잊힐 권리의 법제화로 개인 정보 자기 결정권을 보장할 수 있기 때문이다. 개인 정보 자기 결정권은 개인 스스로가 자신에 관한 정보를 어느 범위까지 공개할 것인지, 공개한 정보가 어떻게 이용될 것인지를 결정할 수 있는 권리이다. 이 권리는 우리가 기본적으로 보장받아야 하는 권리로, 알 권리나 표현의 자유만큼이나 중요하다. 인터넷 이용자는 다른 사람이 자신에 관한 정보를 동의 없이 함부로 수집하여 사용하는 것을 막을 수 있어야 한다.

– 〈잊힐 권리 법제화, 시급해〉

나 2014년 5월 유럽 사법 재판소는 인터넷상의 개인 정보 삭제를 요구하는 재판에서 잊힐 권리를 인정하는 판결을 내렸다. 스페인의 한 변호사가 자신의 개인 정보가 담긴 기사를 발견하고 인터넷 검색 서비스 업체에 해당 기사가 검색되지 않도록 요청하였는데, 법원에서 이 주장을 받아들인 것이다. (중략) 그런데 잊힐 권리를 법제화하면 다음과 같은 문제들이 생길 수 있다. (중략)

둘째, 표현의 자유가 침해될 수 있다. 표현의 자유는 자신의 생각이나 의견, 주장 따위를 자유롭게 표현할 수 있는 권리로, 민주주의에서 필수 불가결의 기본권이라고 할 수 있다. 예를 들어, '민호'가 친구인 '정수'를 평가한 내용이 담긴 게시물을 자신의 누리 소통망에 올렸다고 가정해 보자. 잊힐 권리를 법제화하면 '정수'는 '민호'에게 해당 게시물을 삭제해 달라고 요구할 수 있다. 이럴 경우, 게시물을 올린 '민호'의 표현의 자유가 침해될 수 있는 것이다.

– 〈잊힐 권리 법제화, 신중해야〉

3 (가), (나)를 비교한 내용으로 적절하지 <u>않은</u> 것은?

①	**공통 화제**	잊힐 권리의 법제화
②	**(가)의 주장**	잊힐 권리의 법제화가 하루빨리 이루어져야 한다.
③	**(가)의 근거**	잊힐 권리의 법제화로 개인 정보 자기 결정권을 보장할 수 있다.
④	**(나)의 주장**	잊힐 권리의 법제화는 신중한 접근이 필요하다.
⑤	**(나)의 근거**	잊힐 권리의 법제화로 표현의 자유를 지킬 수 있다.

고난도 서술형
4 |보기|의 관점을 (가)와 비교하여 |조건|에 맞게 쓰시오.

┌ 보기 ┐
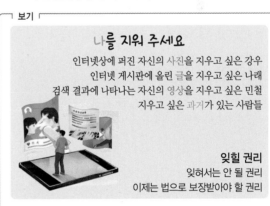

나를 지워 주세요

인터넷상에 퍼진 자신의 사진을 지우고 싶은 강우
인터넷 게시판에 올린 글을 지우고 싶은 나래
검색 결과에 나타나는 자신의 영상을 지우고 싶은 민철
지우고 싶은 과거가 있는 사람들

잊힐 권리
잊혀서는 안 될 권리
이제는 법으로 보장받아야 할 권리

┌ 조건 ┐
• 〈보기〉의 주제를 포함하여 쓸 것.
• 화제에 대한 〈보기〉와 (가)의 관점이 긍정적인지 부정적인지 밝혀 쓸 것.

〈보기〉는 글과 그림을 활용한 광고문이야. 〈보기〉에서 '잊힐 권리'에 대해 표현한 내용을 바탕으로 관점을 파악할 수 있어.

[5~6] 다음 글을 읽고 물음에 답하시오.

학생들이 음료수로 당류를 섭취하는 실태 조사 보고서

1. 조사 목적 및 주제

　우리 학교 학생들의 건강을 위해 음료수로 당류를 지나치게 섭취하는 문제를 조사함.

2. 조사 기간, 대상 및 방법

(1) 조사 기간: 10월 5일부터 10일까지

(2) 조사 대상: 각종 자료, 우리 학교 학생과 보건 선생님

(3) 조사 방법: 설문 조사, 현장 조사, 자료 조사, 면담 조사

3. 조사 결과

(1) 우리 학교 학생들이 음료수를 마시는 실태: 일주일에 음료수를 마시는 횟수는 3~4회가 42퍼센트로 가장 많고, 5~6회가 28퍼센트, 1~2회가 20퍼센트, 7회 이상이 10퍼센트로, 조사 대상의 80퍼센트 이상이 일주일에 3회 이상 음료수를 마시는 것으로 나타남.

(2) 학생들이 즐겨 마시는 음료수에 들어 있는 당류의 양: 250밀리리터 기준으로, 당류가 탄산음료에는 26그램, 초코우유에는 32그램, 에너지 음료에는 27그램, 과일 주스에는 20그램이 들어 있음.

(3) 하루 동안 가공식품으로 섭취하는 당류의 적정량: 하루 섭취 열량의 10퍼센트(약 50그램) 이내임.

(4) 당류를 지나치게 섭취할 때 문제와 당류 섭취를 줄이는 방법

　① 당류를 지나치게 섭취할 때 문제: 비만 위험 증가, 기억력 감퇴, 피부 노화 촉진, 당뇨병과 간 질환 등의 발생 위험 증가.

　② 당류 섭취를 줄이는 방법: 물을 자주 마셔서 음료수를 마시는 횟수 줄이기, 음료수에 들어 있는 당류의 양을 확인하며 마시는 습관 기르기, 음료수에 시럽이나 설탕 첨가하지 않기.

4. 결론

　우리 학교 학생들은 음료수를 많이 마시고 있으며 학생들이 즐겨 마시는 음료수에는 당류가 하루 동안 가공식품으로 섭취하는 적정량의 반 이상 들어 있다. 그럼에도 학생 대부분이 영양 성분표를 확인하지 않을 정도로 음료수로 당류를 지나치게 섭취한다는 점을 모르고 있다.

5 이와 같은 글을 쓰는 방법으로 적절하지 않은 것은?

① 다른 사람의 자료를 인용할 때는 출처를 밝힌다.

② 설문 조사할 때 설문지 질문은 쉽고 간결하게 한다.

③ 자료 조사할 때는 다른 사람의 자료를 함부로 베끼지 않는다.

④ 조사 내용을 정리할 때는 조사 절차와 결과를 구체적으로 밝힌다.

⑤ 조사 결과를 분석할 때 결과가 주제에 맞지 않으면 결과를 고친다.

이 글은 어떤 목적을 갖고 실시한 관찰, 조사, 실험 등의 절차와 결과를 정리하여 보고할 목적으로 쓴 보고하는 글이야. 보고하는 글을 쓸 때의 유의점을 '쓰기 윤리'와 관련지어 생각해 보자.

6 다음 질문에 대한 대답으로 적절하지 않은 것은?

설문 조사나 현장 조사 결과는 매체 자료를 활용해서 전달하면 더 효과적입니다. 이 보고서에 어떤 매체 자료를 활용하는 것이 효과적일까요?

① 면담 조사한 선생님의 사진을 추가합니다.

② 설문 조사한 학생들이 즐겨 마시는 음료수 종류를 막대그래프로 제시합니다.

③ 현장 조사한 음료수에 들어 있는 당류의 양을 보여 주는 영양 성분표를 사진으로 제시합니다.

④ 설문 조사한 학생들이 일주일에 음료수를 마시는 횟수의 응답 비율을 원그래프로 제시합니다.

⑤ 설문 조사한 학생들이 음료수를 마실 때 영양 성분표를 확인하는지 안 하는지의 응답 비율을 원그래프로 제시합니다.

[7~9] 다음 글을 읽고 물음에 답하시오.

가 **사회자:** 지금부터 '동물원을 폐지해야 한다.'라는 논제로 토론을 시작하겠습니다. (중략) 먼저 찬성 측 토론자께서 입론해 주십시오.

찬성 측 1: 저희는 '동물원을 폐지해야 한다.'에 찬성합니다. 그 첫 번째 이유는 동물원이 동물을 제대로 보호하지 못하기 때문입니다. 사진에서 보시는 것처럼 동물원의 많은 동물이 좁은 사육장에 갇혀 살면서 관람객의 시선과 소음에 시달리고 있습니다. 이 때문에 동물들이 극심한 스트레스를 받아 이상 행동을 보이며 심지어 죽기도 합니다.

나 **사회자:** 이제 양측의 반론을 듣겠습니다. 반론은 상대측의 입론 내용에 관한 반박만 가능합니다. 먼저 반대 측에서 찬성 측 입론의 내용을 반박해 주십시오.

반대 측 2: 찬성 측에서는 동물들이 극심한 스트레스를 받는다는 이유를 들어 동물원이 동물을 제대로 보호하지 못한다고 했습니다. 그러나 야생의 동물들도 천적의 위협이나 먹이 부족, 서식지 파괴 등 위험한 상황에 노출될 수 있고 불행하게 죽는 일도 많습니다.

다 **사회자:** 양측은 상대측의 반론을 반박해 주십시오. 먼저 찬성 측에서 반박해 주십시오.

찬성 측 2: 반대 측의 주장처럼 야생의 동물들도 많은 위험을 겪는 것은 사실입니다. 하지만 동물원의 동물은 인간의 잘못 때문에 위험을 겪고 있습니다. 2015년 한 동물원에서 호랑이 한 마리가 관람객이 던진 신발을 먹고 죽은 사건이 있었고, 또 다른 동물원에서는 죽은 물범의 배 속에서 120개가 넘는 동전이 나온 사례도 있습니다. 또 야생 돌고래의 평균 수명이 30여 년인 데 비해 동물원이나 수족관 돌고래의 평균 수명이 4년에 불과하다는 점은 동물원 동물들의 처지를 잘 보여 줍니다.

7 토론의 입론과 반론을 준비하기 위해 나눈 대화의 내용으로 적절한 것은?

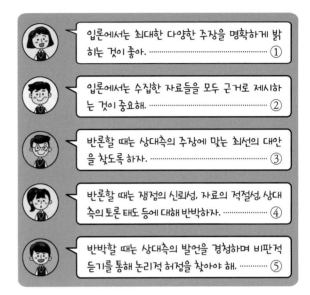

① 입론에서는 최대한 다양한 주장을 명확하게 밝히는 것이 좋아. ·········· ①

입론에서는 수집한 자료들을 모두 근거로 제시하는 것이 중요해. ·········· ②

반론할 때는 상대측의 주장에 맞는 최선의 대안을 찾도록 하자. ·········· ③

반론할 때는 쟁점의 신뢰성, 자료의 적절성, 상대측의 토론 태도 등에 대해 반박하자. ·········· ④

반박할 때는 상대측의 발언을 경청하며 비판적 듣기를 통해 논리적 허점을 찾아야 해. ·········· ⑤

8 찬성 측이 주장을 뒷받침하기 위해 내세운 근거로 적절하지 않은 것은?

① 한 동물원에서 호랑이 한 마리가 관광객이 던진 신발을 먹고 죽은 사건이 있었다.

② 동물원의 동물들이 극심한 스트레스를 받아 이상 행동을 보이거나 죽기도 한다.

③ 야생 동물들도 천적의 위협이나 먹이 부족, 서식지 파괴 등 위험한 상황에 노출될 수 있다.

④ 동물원의 많은 동물이 좁은 사육장에 갇혀 살면서 관람객의 시선과 소음에 시달리고 있다.

⑤ 야생 돌고래의 평균 수명이 30여 년인 데 비해 수족관 돌고래의 평균 수명은 4년에 불과하다.

서술형

9 (다)에서 찬성 측이 주로 사용한 설득 전략을 |조건|에 맞게 쓰시오.

┌─ 조건 ─────────────────────┐
• 구체적인 내용을 포함하여 쓸 것.
• 설득 전략은 '이성적 설득, 감성적 설득, 인성적 설득'의 세 가지 중에서 고를 것.
• '~하는 ~전략이 사용되었다.'의 형식으로 쓸 것.
└──────────────────────────┘

국어 실력이 쑥쑥!

함께해 볼까?

중학

기초
바탕

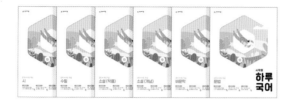

시작은 하루 국어

중1~3 (시/소설(개념)/소설(작품)/문법/비문학/수필)

★★☆☆☆

1일 6쪽, 4주 완성으로 국어를 쉽고 재밌게!

내신
기초

7일 끝 국어

중2~3 (천재 박영목 / 천재 노미숙, 학기별)

★★☆☆☆

7일이면 끝나는 중간·기말 대비서

내신
심화

중학 국어전략

중1~중3 (학년별)

★★★☆☆

9종 교과서 대비 내신 공통서

중학 일등전략 국어

중1~3 (문학①, ②, ③, 문법①, ②, ③)

★★★★☆

영역별 심화 학습이 가능한 내신서

공부력
향상

문학 DNA 깨우기

예비중~중3 (기본 개념 / 감상 원리 /
기출 유형)

★★★☆☆

교과서 작품을 활용한 문학 독해서

비문학 독해 DNA 깨우기

예비중~중3 (독해 기초 / 독해 원리 /
독해 기술 / 기출 유형)

★★★☆☆

기초부터 심화까지 단계별 독해 원리

어휘 DNA 깨우기

중1~3 (기본편 / 실력편)

★★☆☆☆

퀴즈로 익히는 1,347개 중학 필수 어휘

문법
완성

문법 DNA 깨우기

중1~3 (1권)

★★★☆☆

중학 교과서 필수 문법 총정리

재미있는 국어문법

중1~고1 (단행본)

★★★☆☆

중고등 국어 문법이 한 권에 쏙!

book.chunjae.co.kr

교재 내용 문의 ·························· 교재 홈페이지 ▶ 중학 ▶ 교재상담
교재 내용 외 문의 ····················· 교재 홈페이지 ▶ 고객센터 ▶ 1:1문의
발간 후 발견되는 오류 ············ 교재 홈페이지 ▶ 중학 ▶ 학습지원 ▶ 학습자료실

실력 향상 필수학습!
고득점을 예약하자!

국어전략
중학3
BOOK 3 정답과 해설

천재교육

국어전략

국어전략

중학 3

BOOK 3

정답과 해설

정답과 해설 이렇게 봐요~

☑ 표 안에 있는 정답을 빠르게 확인해요!
☑ 틀린 답은 그 이유를 확실하게 짚어 봐요!
☑ 서술형은 평가 기준을 확인하며 스스로 점검해 봐요!
☑ 책에 실린 작품들은 작품 설명에서 한눈에 살펴봐요!

정답과 해설

정답과 해설 BOOK 1

1일 개념 돌파 전략 ① | 9, 11쪽

| 1-2 ③ | 2-2 ③ | 3-2 ① | 4-2 시대 |

1-2 독자는 문학 작품을 통해서도 심미적 체험을 할 수 있다. 이때 심미적 체험은 반드시 아름다움이나 숭고함 같은 정서를 느끼는 것이 아니라 추함이나 비장함, 조화로움, 우스꽝스러움 등 다양한 측면에서 느낄 수 있다.

오답 풀이
① 문학은 사상이나 감정을 언어로 표현한 예술, 또는 그런 작품을 말하는 것으로 시, 소설, 희곡, 수필 따위가 있다. 따라서 시분만 아니라 소설, 희곡, 수필 등을 읽을 때도 심미적 체험을 하게 된다.
② 심미적 체험은 어떤 대상에 대해 아름답거나 숭고함뿐만 아니라 추하다거나 비장하다거나 조화롭다거나 우스꽝스럽거나 하는 등의 느낌을 포함한다.

2-2 독자는 문학 작품을 감상하는 과정에서 작품의 내용을 파악하고, 자신의 삶과 관련지어 자신의 입장에서 해석하며 인간과 세계를 깊이 이해하게 된다.

3-2 문학 작품에 담긴 사회·문화적 배경을 파악하면 작가가 전달하고자 하는 바를 잘 파악할 수 있다. 또한 이를 통해 작품에서 전달하고자 하는 의미를 더 깊이 이해할 수도 있으나, 사회·문화적 배경을 파악함으로써 작품에 사용된 표현 방법이 무엇인지 알 수 있는 것은 아니다.

4-2 시대 상황을 드러내는 소재를 찾으면 작품의 사회·문화적 배경을 파악할 수 있다.

> 사회·문화적 배경은 어떤 시대의 사회 환경과 문화, 사상, 제도 등 그 시대의 전반적인 상황과 모습을 말해.

> 작품 속에 담긴 사회·문화적 배경을 파악하면 작품 전체의 의미를 발견할 수 있어.

1일 개념 돌파 전략 ② | 12~13쪽

| 1 ② | 2 ④ | 3 ③ | 4 ⑤ |

1 시 〈햇빛이 말을 걸다〉는 자연물과의 교감을 통해 느낀 봄날의 아름다움을 노래하고 있다. ①, ⑤는 시의 내용에 주목하여 감상하였고, ③, ④는 시의 표현에 주목하여 감상하였다. ② 햇빛이 이마에 닿은 것을 햇빛이 '봄이야'라는 말을 건넨 것이라고 표현했을 뿐, 화자와 햇빛의 대화를 직접적으로 나타내고 있지는 않다.

작품 설명 권대웅, 〈햇빛이 말을 걸다〉

갈래	현대시, 자유시
제재	봄날의 햇빛
주제	봄날의 햇빛과 세상 만물의 교감(자연물과 교감하면서 느낀 봄날의 아름다움)
특징	① 의인법을 써서 햇빛과 만물의 교감을 대화로 표현함. ② 따스한 봄날, 햇빛이 눈부시게 비치는 모습을 표현함.

2 소설 〈메밀꽃 필 무렵〉의 일부분으로, 등장인물들이 달밤에 산길을 가는 모습이 나타나 있다. 달밤과 산길의 고요하면서 아름다운 모습, 메밀꽃이 핀 메밀밭에 달빛이 비치는 풍경을 생생하게 묘사하여 신비스럽고 향토적인 느낌을 주고 있다.

오답 풀이
① 인물 간의 대화는 나타나 있지 않다.
② 제시된 글은 달빛이 밝은 밤에 메밀꽃이 핀 메밀밭을 배경으로 하고 있으므로 바닷가를 떠올리는 것은 적절하지 않다.
③ 등장인물이 아니라, 서술자가 배경을 묘사하고 있다.
⑤ 산길을 자세히 묘사하여 장면의 분위기를 알 수 있지만, 사회적 배경은 알 수 없다.

작품 설명 이효석, 〈메밀꽃 필 무렵〉

갈래	현대 소설
제재	장돌뱅이(여러 장으로 돌아다니면서 물건을 파는 장수.)의 삶
주제	장돌뱅이 생활의 애환과 육친의 정
특징	① 아름답고 서정적인 표현으로 시적이고 낭만적인 분위기를 연출함. ② 1920년대 어느 여름 밤 강원도 봉평에서 대화 장터로 가는 길을 배경으로 함.

3 글 〈내 마음의 풍금〉은 1960년대 시골 초등학교에 부임한 교사와 그를 짝사랑하는 17세 늦깎이 학생의 이야기를 담은 시나리오이다. '벤또'는 도시락을 이르는 말이고, '책보'는 책을 싸는 보자기로, 1960년대 학생들의 생활상을 보여 주는 소재이다.

✎ 작품 설명	이영재, 〈내 마음의 풍금〉
갈래	시나리오
제재	선생님을 향한 홍연의 짝사랑
주제	총각 선생님에 대한 늦깎이 초등학생의 순박하고 순수한 사랑
특징	① 1960년대 강원도 산골 마을을 배경으로 함. ② 인물의 감정 변화나 두드러지는 사건 없이 잔잔한 감동을 줌. ③ 향토적인 배경과 일화를 바탕으로 하여 소박한 시골 마을의 모습을 표현함.

4 글 〈와이엠시에이(YMCA) 야구단〉은 1900년대 초 대한 제국에서 일제 강점기로 넘어가는 시기를 배경으로 한 시나리오이다. 조선의 신분 제도는 1894년 갑오개혁 때 폐지되었다. 머슴이었던 성한이 주인이었던 병환에게 굽실거리는 모습이나 성한이 운동을 가르쳐 주는 곳에 온 것을 보고 병환이 불쾌해하는 모습을 통해 신분제가 사라졌지만 사람들의 인식은 쉽게 변하지 않아 여전히 생활에 영향을 미치고 있었음을 알 수 있다.

✎ 작품 설명	김현석, 〈와이엠시에이(YMCA) 야구단〉
갈래	시나리오
제재	와이엠시에이(YMCA) 야구단
주제	다양한 변화를 겪었던 개화기 당시의 사회상
특징	① 특정 집단을 대표하는 인물들의 갈등을 통해 당시의 사회적 문제를 드러냄. ② 1900년대 초 대한 제국에서 일제 강점기로 넘어가는 시기에 결성된 한국 최초의 야구팀인 '황성 기독교 청년회 야구단'을 모티프로 한 작품임.

> 문학 작품은 보통 그 시대의 사회·문화적 배경을 바탕으로 창작돼.

> 사회·문화적 상황은 작품에 직접 드러날 수도 있고, 작품의 창작 배경으로 작용할 수도 있어.

1 이 시의 화자는 존재들 사이에서 의미 있는 진정한 관계를 맺고자 하는 소망을 드러내고 있다. 그러나 누군가에게 인식되고 의미 있는 존재가 되고자 하는 것이 주변 사람들의 평가를 중요하게 여기는 것이라고 볼 수는 없다.

> 〈꽃〉에는 바람직한 인간관계를 소망하는 것을 아름답다고 생각하는 인식이 담겨 있어요.

✎ 작품 설명	김춘수, 〈꽃〉
갈래	현대시, 자유시
제재	꽃
주제	서로의 존재를 인식하고 서로에게 의미 있는 관계가 되기를 소망함.
특징	① 의미 있는 존재를 '꽃'으로 상징함. ② 인간의 삶에 관한 심미적 인식을 잘 표현함.

2 이 시조의 화자는 '임'을 기다리는 간절한 마음을 개에 대한 원망을 통해 표현하고 있다. 즉 개를 얄미워하는 마음을 직설적으로 드러내고, 의성어와 의태어를 사용하여 개의 행동을 실감 나고 익살스럽게 표현하고 있으므로 담담한 어조와는 거리가 멀다.

> '나'는 헤어져 있는 임을 그리워하고 기다리고 있어요.

> '나'는 미운 임은 반기고 고운 임은 쫓아 버리는 개가 원망스럽네요.

화자

✎ 작품 설명	작자 미상, 〈개를 여남은이나 기르되〉
갈래	사설시조
제재	개
주제	임을 그리워하고 기다리는 마음
특징	① 기다려도 오지 않는 임에 대한 원망을 개에게 돌려 웃음을 자아냄. ② 의성어와 의태어를 써서 개의 행동을 사실적이고 해학적으로 표현함.

3 경제적 이익보다 김밥 만드는 것 자체를 중요하게 생각하고 최선을 다해 김밥을 만드는 김밥 아줌마를 예술가로 여기며 그의 김밥을 '작품'이라고 예찬하는 태도를 드러내고 있을 뿐, 이를 통해 예술가가 경제적 이익을 얻기 힘든 현실을 드러내고 있지는 않다.

	작품 설명 양귀자, 〈길모퉁이에서 만난 사람〉
갈래	현대 소설
제재	주변에서 만날 수 있는 평범한 이웃들
주제	평범한 이웃들의 삶에 관한 심미적 성찰
특징	① 서술자('나')의 관찰과 묘사로 인물의 성격과 특성을 드러냄. ② 이웃을 바라보는 서술자의 따뜻한 시선이 잘 드러남. ③ 등장인물 사이에 뚜렷한 갈등이 나타나지 않음.

4 이 글의 글쓴이는 실수를 잘못이라고 인식하지 않고 실수에서 긍정적인 가치를 발견하고 있으므로, 실망하지 않기 위해 실수를 절대 하지 말아야 한다고 다짐하는 반응은 적절하지 않다.

	작품 설명 나희덕, 〈실수〉
갈래	수필
제재	실수
주제	실수의 긍정적 의미, 실수를 너그럽게 봐 주는 태도
특징	① 부정적으로 바라본 대상을 새로운 시각에서 바라봄. ② 비유와 묘사, 속담을 써서 문장의 의미를 풍부하게 함.

1 ⑤ **2** ② **3** ④ **4** ⑤

1 이 시는 일상에서 흔히 볼 수 있는 평범하고 사소한 대상들을 열거하여 깨달음을 드러내며 친근한 분위기를 조성하고 있다.

오답 풀이
① 시각적 심상은 모양, 빛깔, 움직임 등을 눈으로 느낄 수 있는 심상으로, 씀바귀꽃, 제비, 까만 얼굴의 할머니, 굽은 허리의 어머니의 모습을 눈에 보이는 듯이 생생하게 드러내고 있다.
② '한다', '걷는다'라는 표현을 통해 자신의 깨달음을 차분하게 드러내고 있다.
③ 1~4연의 끝에서 '나를 멈추게 한다'라는 구절을 반복하여 운율이 드러나고 있다.
④ '보도블록 틈에 핀 씀바귀꽃', '제비 한두 마리', '육교 아래서 도라지를 다듬는 할머니', '아들을 배웅하다 돌아서는 어머니'를 차례로 나열하고 있다.

2 이 시의 마지막 연에서 화자는 일상의 사소한 대상들에서 삶의 위안과 힘을 얻고, 그것을 통해 앞으로 나아가게 되었다고 말하고 있다. 이러한 화자의 모습을 통해 일상의 사소한 대상들이 지닌 가치에 대한 깨달음을 얻을 수 있다.

	작품 설명 반칠환, 〈나를 멈추게 하는 것들〉
갈래	현대시, 자유시
제재	나를 멈추게 하는 것들
주제	작고 나약하지만 꿋꿋이 살아가는 사물과 사람들이 주는 삶의 위안
특징	① 중심 소재를 열거하여 성찰적 성격을 드러냄. ② 같은 문장을 반복하여 주제를 효과적으로 강조함. ③ 주로 시각적 심상을 통해 심미적 인식을 표현함.

3 이 글에서는 가난한 형편 때문에 상급 학교에 갈 수 없다는 어머니의 말에, 자신의 좌절감을 연날리기로 달래려 하는 아들의 답이 나타나 있다. 즉 이 글의 대화에서 아들이 어머니에 대한 효심으로 상급 학교 진학을 단념한 대신 연실을 만들어 달라고 했다고 보기는 어렵다.

오답 풀이

①, ③ 어머니가 아들의 마음을 달래 주려고 어려운 형편에도 연실을 사고, 하늘에 뜬 연을 보며 아들의 마음을 보는 것처럼 걱정하는 모습이 애틋하고 잔잔하게 느껴진다.

② 연을 보는 어머니의 속마음을 '언제나 머나먼 하늘 여행을 꿈꾸고 있는 작은 새처럼', '언젠가는 실줄을 끊고 마을의 하늘을 떠나가 버릴 것처럼' 같은 비유 표현을 사용하여 생생하게 서술하고 있다.

4 어머니는 하늘 높이 떠올라 있는 연이 언젠가는 실줄을 끊고 마을의 하늘을 날아가 버릴 것 같아 불안해한다. 연은 아들의 내면을 상징하는 소재로, 어머니는 아들이 언젠가 어머니 곁을 떠나 버릴 것 같아 불안감을 느끼는 것이다.

오답 풀이

①, ③ 높은 하늘로 날아오르는 연은 자유를 꿈꾸며 미지의 세계를 동경하는 아들의 마음을 상징한다.

② '연이 그렇게 하늘에 떠올라 있는 동안엔 어머니도 아직은 마음을 놓을 수 있었다.'를 통해 어머니가 안도하고 있음을 알 수 있다.

상징적 소재인 '연'은 독자의 상상력을 자극하고 소설의 의미를 풍부하게 해요.

작품 설명	이청준, 〈연〉
갈래	현대 소설
제재	연
주제	아들을 걱정하는 어머니의 염려와 사랑
특징	① '연'이라는 상징적 소재를 바탕으로 내용을 전개함. ② 아들에 대한 어머니의 심리가 잘 드러남. ③ '연'의 상태에 따라 어머니의 심리가 변함.

3일 필수 체크 전략 ❶ 20~23쪽

1 ①　　　2 ⑤　　　3 ②　　　4 ④

1 이 시는 메뚜기가 사라진 들판을 통해 생태계 파괴에 대한 문제의식을 전하고 있다. 그러나 산업화로 인간 소외 현상에 대한 깨달음을 이끌어 낼 수는 없다.

오답 풀이

③, ④ '생명의 황금 고리'에서 표현된 생태계의 순환과 연결하여 시를 감상하고 있으므로 적절하다.

⑤ 작품에서 표현한 생태계 파괴와 관련하여 작품을 감상하고 있으므로 적절하다.

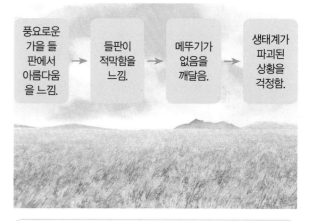

풍요로운 가을 들판에서 아름다움을 느낌.	→	들판이 적막함을 느낌.	→	메뚜기가 없음을 깨달음.	→	생태계가 파괴된 상황을 걱정함.

작품 설명	정현종, 〈들판이 적막하다〉
갈래	현대시, 자유시
제재	들판, 메뚜기
주제	적막한 들판에서 깨달은 생태계의 위기
특징	① 가을 들판의 풍요로움과 적막함을 대비하여 주제를 강조함. ② 쉼표, 줄표, 느낌표, 말줄임표 등을 사용하여 화자의 정서를 효과적으로 나타냄.

2 '까마귀'가 일시적으로 하얗게 보일지라도 결국은 검다는 것을 강조하며, 세조의 왕위 찬탈에 동조한 이들에 대한 비판적 인식을 드러내고 있다.

오답 풀이

① 〈보기〉를 참고할 때, 부정적인 시어인 '까마귀'는 작가가 부정적으로 여기는 대상인 세조의 왕위 찬탈에 동조한 이들을 상징한다.

② 〈보기〉로 보아 긍정적인 시어인 '야광명월'은 작가가 긍정한 단종의 복위 운동을 함께한 이들을 상징한다.

③, ④ 〈보기〉로 보아 '임'은 단종을 가리킨다고 볼 수 있으므로, 작품 전체는 단종에 대한 변함없는 작가의 충성심과 세조를 왕으로 인정할 수 없다는 작가의 생각을 드러낸다.

달(야광명월)	까마귀
• 밝다. • 단종을 끝까지 섬기려는 이들 → 충신	• 검다. • 세조의 편에 선 이들 → 간신

✏ 작품 설명 박팽년, 〈까마귀 눈비 맞아〉

갈래	평시조
제재	까마귀, 야광명월
주제	임을 향한 변함없는 마음
특징	① 상징적 소재인 '까마귀'와 '야광명월'을 대비하여 주제를 강조함. ② 설의법(당연한 사실이나 결론이 분명한 내용을 의문문 형식으로 표현하는 방법)을 써서 화자의 의지를 강조함.

3 '수류탄 쪼가리'는 진수가 전쟁통에 다리를 잃게 된 원인에 해당하는 소재, '외나무다리'는 만도와 진수가 서로를 의지하며 시련을 극복해 갈 수 있음을 보여 주는 소재이다.

오답 풀이

① '수류탄 쪼가리'는 전쟁이라는 사회 · 문화적 배경을 드러내는 소재이나, '외나무다리'가 계절적 배경을 제시한다고 볼 수 없다.

③ '수류탄 쪼가리'는 진수에게 수난을 준 소재이므로 인물들이 원망하는 대상이라 볼 수 있으나, '외나무다리'는 인물들이 헤쳐 나가야 할 장애물로 인물들이 예찬하는 대상이라고 보기 어렵다.

✏ 작품 설명 하근찬, 〈수난이대〉

갈래	현대 소설
제재	일제 강점기부터 6·25 전쟁까지의 수난
주제	수난의 현실과 그 극복 의지
특징	① 상징적 소재를 통해 주제를 드러냄. ② 과거와 현재를 교차하여 서술함.

✏ 자료실 만도와 진수의 상황

	만도	진수
인물이 겪은 역사적 사건	일제 강점기의 강제 징용(태평양 전쟁)	6·25 전쟁
인물이 겪은 개인적 수난	한쪽 팔을 잃음.	한쪽 다리를 잃음.

4 이 글에서는 어머니의 죽음을 슬퍼하기보다 어머니가 남긴 재산을 찾는 데 급급한 안씨 가족의 모습을 통해 물질 만능주의를 비판하고 있다.

우리들의 공통적인 목적은 할머니의 재산과 관련된 단서를 찾아 돈을 차지하려는 겁니다.

✏ 작품 설명 김정숙, 〈오아시스 세탁소 습격 사건〉

갈래	희곡
제재	세탁소에 맡겨진 할머니의 옷
주제	이기적이고 탐욕스러운 인간에 대한 풍자와 순수한 인간성 추구
특징	① 인물들의 행동을 과장하여 웃음을 자아냄. ② 물질만을 중요시하고 인간성을 상실해 가는 현대 사회의 모습을 비판함.

3일 필수 체크 전략 ❷ 　　24~25쪽

1 ④　　2 물　　3 ①　　4 ⑤

1 〈보기〉로 보아 작가 왕방연은 단종을 유배지로 호송하고 돌아오는 길의 심정을 담아 이 시조를 썼다. 즉 '내 마음 둘 데 없어'에는 단종과 이별한 슬픔과 안타까움, 괴로움 등이 담겨 있다.

오답 풀이

① '천만리'라는 큰 거리 단위를 통해 임과 이별한 후 화자가 느끼는 심리적 거리감을 과장되게 표현하였다.

② '고운 임'은 화자가 이별한 대상이므로, 영월에 유배된 단종을 가리킨다고 볼 수 있다.

⑤ '냇가'는 화자가 위치한 공간으로, 종장에서 화자는 시냇물이 자신의 마음과 같아 슬퍼하고 있다고 표현하였다.

2 화자는 임과 이별하여 슬픈 심정을 '물(냇물)'에 이입하여 '저 물도 내 안 같아서 울'며 가고 있다고 표현하였다.

유배된 임금을 생각하니 비통하고 안타깝구나.

3 '국어 상용의 가'라는 말이 적힌 모조지는 '그'(이인국)가 일제 강점기에 일본어만을 쓴 증거물로, 이인국이 일제의 정책에 적극적으로 동조했음을 보여 준다. 따라서 이인국은 해방이 되자 자신의 친일 행적이 밝혀질 것이 두려워 과거의 흔적을 지우려 한 것임을 알 수 있다.

오답 풀이

②, ③ '야릇한 미련'이라는 구절에서 '그'(이인국)가 친일 행위를 더 이상 할 수 없음을 아쉬워하고 있음이 드러난다. 즉 이인국이 일제에 동조한 사실을 반성하거나 일제의 정책이 잘못되었음을 깨달았다고 볼 수 없다.

4 이 글의 작가는 시대 흐름에 맞춰 행동하며 자신의 이익만을 생각하는 이인국을 통해 기회주의적 태도를 비판하고 있다. '기회주의'란 일관된 입장을 지니지 못하고 그때그때의 정세에 따라 이로운 쪽으로 행동하는 경향을 뜻한다.

'국어 상용의 가'는 친일의 확실한 증거이니, 소련에 잘 보이려면 증거를 없애야지.

4일 교과서 대표 전략 ❶ 　　　26~29쪽

1 ⑤	2 ⑤	3 ①	4 ②	5 ⑤
6 ②	7 ④	8 ④		

1 이 시에서는 '상처야말로 더 꽃'이라는 겉보기에는 모순되지만 그 안에 어떤 진실을 담고 있는 역설을 사용하여 상처가 꽃보다 더 아름답다는 의미를 강조하였다.

오답 풀이

① 1~2행에서 어린 매화나무와 고목을 대조하였다.
② 4~5행에서 '-고'를 반복하여 운율을 형성하였다.
③ 4~8행에서 고목의 모습을 시각적 심상을 통해 생생히 드러내었다.
④ '진동하겠지 상처의 향기'는 '상처의 향기(가) 진동하겠지'라는 일반적인 어순을 뒤바꾸어 향기의 강렬함을 강조한 표현이다.

2 이 시를 읽고 고목의 모습과 구경꾼들의 행동을 통해 고통을 견딘 상처가 아름답다는 것을 깨달을 수 있다. 이때 상처는 겉으로 아름다운 대상이 아니므로, 참된 아름다움을 겉보기의 아름다움과 관련지어 감상한 ⑤는 적절하지 않다.

구경꾼들이 한참 꽃 피고 있는 어린 매화나무보다 꽃이 지고 있는 고목에 더 몰려 선 모습을 보니 고목의 상처가 아름답다고 생각했어요.

시인

작품 설명 유안진, 〈상처가 더 꽃이다〉

갈래	현대시, 자유시
제재	매화나무(어린 매화나무, 고목)
주제	아름답고 고귀한 상처
특징	① 한창 꽃이 피고 있는 어린 매화나무와 한창 꽃이 지고 있는 고목을 대조하여 표현함. ② 상처가 꽃보다 더 아름답다는 역설적이고 참신한 발상이 드러남.

3 (가)에는 공간적 배경이 구체적인 지명으로 드러나지 않으므로 ①은 적절하지 않다.

오답 풀이

② '허공 중에는 뭔가 ~ 소리처럼 들려온다니까요.'에서 다른 사물에 빗대어 표현한 다양한 밤의 소리를 구체적으로 느낄 수 있다.

③ '그럴 때 샘물은 ~ 불꽃들을 밝히지요.'에서 사람처럼 표현된 '샘물', '연못'에 친근감을 느낄 수 있다.

④ '삭삭', '쑥쑥'처럼 소리나 모양을 흉내 낸 말을 통해 밤 풍경을 생동감 있게 느낄 수 있다.

⑤ '연못은 작은 불꽃들을 밝히지요.' 등에서 밤 풍경을 눈에 보이듯이 생생하게 느낄 수 있다.

4 이 글은 작가가 순수, 정신적 사랑의 아름다움이라는 가치를 전달하기 위해 상상하여 쓴 소설이다. ②는 정보를 제공하는 글인 설명문에 해당하는 내용이다.

양치기인 '나'의 순수한 사랑을 통해 '순수'와 '정신적 사랑의 아름다움'이라는 가치를 전달하고 싶어요.

작가

작품 설명 알퐁스 도데, 〈별〉

갈래	현대 소설
제재	별, 양치기의 순수한 사랑
주제	아가씨를 향한 양치기의 순수하고 아름다운 사랑
특징	① 배경과 인물의 감정에 관해 섬세하게 묘사함. ② 소재의 함축적 의미를 드러내는 비유·상징 표현을 사용함. ③ 갈등 구조 없이 잔잔하게 이야기가 흘러감.

5 '두 점을 치는 소리', '방범대원의 호각 소리', '메밀묵 사려 소리', '육중한 기계 굴러가는 소리'는 모두 도시화와 산업화(1970 ~ 1980년대) 상황을 짐작하게 하지만, '바람 소리'는 그리운 고향의 이미지를 나타낼 뿐 시대 상황을 드러내지는 않는다.

오답 풀이

①, ② 새벽 시간에는 통행을 금지했던 당시의 사회·문화적 배경이 드러난다.

④ 늦은 밤까지 일해야 했던 당시의 사회·문화적 배경이 드러난다.

6 기사를 통해 산업화 시대의 도시 노동자들은 열악한 환경에서 힘들게 일했음을 알 수 있다. 이 시의 '나'는 기사 속 도시 노동자로 볼 수 있는데, 가난 때문에 소중한 인간적 감정들을 포기해야 하는 형편이므로 가난에서 벗어났을 것이라고 볼 수 없다.

화자는 도시화와 산업화 과정에서 소외된 도시 빈민의 삶을 연민과 애정의 시선으로 바라보고 있어요.

작품 설명 신경림, 〈가난한 사랑 노래〉

갈래	현대시, 자유시
제재	가난한 젊은이가 느끼는 감정
주제	가난한 젊은이들의 아픈 사랑과 외로움
특징	① 부제(이웃의 한 젊은이를 위하여)를 제시하여 시의 창작 의도를 드러냄. ② 설의법('겠는가')을 반복하여 화자의 정서와 주제를 강조함. ③ 시각적, 청각적, 촉각적 심상을 통해 화자의 정서를 구체적으로 표현함.

7 이 글은 6·25 전쟁 중 피란길에 홀로 남겨진 아이를 중심으로 전쟁의 비극성과 황폐해져 가는 사람들의 모습을 그린 소설이다. 이 글에 전쟁 때문에 사람들이 고통받는 모습은 드러나지만 전쟁의 고통을 극복하기 위해 노력하는 모습은 나타나지 않는다.

① (라)에서 어린아이인 명선이가 전쟁 때문에 부모님을 잃었음을 알 수 있다.

② (가)를 통해 포성 속에서 사람들이 피란길에 올랐음을 알 수 있다.

③, ⑤ (가)에서 피란민들이 살기 위해 식량을 동냥하고, 전쟁으로 식량이 귀해져 이를 옷가지와 금붙이로 바꾸었음을 알 수 있다.

전쟁으로 피란 가는 사람들과 이들이 힘들고 어려운 삶을 사는 상황을 바탕으로 소설을 썼어요.

작가

8 명선이의 이야기를 통해 명선이의 숙부가 명선이의 금반지를 차지하기 위해 명선이를 죽이려고 했음을 짐작할 수 있다. 이는 전쟁 때문에 살기 어려워지자 각박하고 이기적으로 변한 인간의 모습을 보여 준다. 작가는 이렇게 인간성을 상실한 모습을 통해 전쟁의 비극성을 알리려고 하였다.

✏️ **작품 설명** 윤흥길, 〈기억 속의 들꽃〉

갈래	현대 소설
제재	명선이의 삶
주제	전쟁의 비극성과 인간성 상실
특징	① 과거를 회상하는 방식으로 사건을 서술함. ② 어린아이의 시선을 통해 사건을 전달함. ③ 상징적 제목으로 주인공 명선이의 비극적 삶의 모습을 나타냄.('들꽃'은 명선이를 상징함.)

4일 교과서 **대표 전략 ❷** 30~31쪽

1 ⑤   2 ⑤   3 ③   4 ③

1 〈보기〉로 보아 시인은 겨울에 산에 가서 추위를 견디는 나무들의 모습을 보며 감동을 느낀 체험을 시로 표현했음을 알 수 있다.

2 나무를 '그'라고 표현하여 나무가 겨울을 견디고 새로운 잎을 피워 내는 자연 현상을, 시련을 견디며 가치 있는 삶을 추구하는 인간의 모습으로 그려 내었다.

시련을 견디며 이파리를 피워 내는 나무의 모습에서 숭고함이 느껴져요.

시인

✏️ **작품 설명** 이상국, 〈봄나무〉

갈래	현대시, 자유시
제재	봄나무
주제	시련을 견디며 가치 있는 것을 추구하는 삶의 자세
특징	① 나무의 모습을 사람처럼 의인화하여 표현함. ② 겨울 동안 상처와 아픔을 겪은 나무가 봄이 되어 이파리를 피워 내는 과정을 표현함.

3 (가)에서 허생의 아내가 글만 읽는 남편을 질책하며 공장이나 장사치 노릇을 하여 돈을 벌 것을 요구하는 모습으로 보아, 양반은 글만 읽는 사람이라고 보는 시각이 변화하고 있음을 파악할 수 있다.

① (가)에서 허생 아내가 "과거도 보지 않으면서"라고 말한 것으로 보아 당시에는 과거 제도가 있었음을 알 수 있다.

② (가)에서 허생이 "가진 밑천이 없는데"라고 말한 것으로 보아 경제적으로 무능력한 양반이 있었음을 알 수 있다.

④ (나)에서 허생이 과일을 몽땅 독점한 것으로 보아 물건의 사재기가 가능했음을 알 수 있다.

⑤ (나), (다)에서 허생이 한 말로 보아 당시에 수레(유통업)와 무역이 발달하지 못해 나라의 경제 구조가 취약했음을 알 수 있다.

4 〈보기〉에서 작가는 청나라의 앞선 문물을 받아들여 백성의 삶에 도움이 되는 정책을 펼쳐야 한다고 생각했음을 알 수 있다. (다)는 허생의 입을 빌려 당대의 상황에 대한 작가의 인식과 태도를 드러낸 부분으로, 우리 고유의 전통과 예법을 지켜 나가야 한다는 것은 작가의 생각이나 (다)의 허생의 말과 거리가 멀다.

①, ⑤ 〈보기〉에 나타난 작가의 생각에 해당한다. 작가는 '청나라의 앞선 문물을 받아들이자'고 주장했다. 더불어 '백성의 삶에 도움이 되는 기술을 유심히 보고 이러한 정책을 펼쳐야 한다'고 생각했다.

②, ④ 작가는 (다)에서 허생의 말을 통해 외국과의 무역이 적은 점, 수레가 나라 안을 두루 돌아다니지 못한 점을 문제로 지적했다. 따라서 이러한 문제를 해결하기 위해 다른 나라와 교류를 활발히 하고, 수레와 배 등을 만들어 유통 구조를 개선해야 한다고 주장할 것이다.

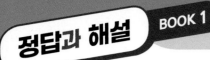

겨우 만 냥으로
나라의 경제를 흔들어
놓았으니, 이 나라 형편이
어떤지 알 만하구나.

📝 작품 설명 박지원, 〈허생전〉

갈래	고전 소설, 한문 소설
제재	허생의 비범한 능력과 기이한 삶
주제	양반 사대부의 무능력함과 허위의식에 대한 비판
특징	① 실학사상(조선 시대에, 실생활의 유익을 목표로 한 학풍으로, 백성 경제생활의 향상, 선진화된 농사법 등을 제시함.)을 바탕으로 조선의 현실을 비판함. ② 허생의 행적을 중심으로 사건을 전개함.

누구나 합격 전략
32~33쪽

1 ②	2 ④	3 최선	4 ⑤	5 단종
6 ⑤	7 ④	8 ③		

1 ㉠은 '상처가 꽃'이라는 겉으로 보기에는 모순되어 보이는 표현을 통해 고통을 이겨 낸 상처가 꽃보다 더 아름답다는 의미를 담고 있다.

2 이 시조의 화자는 고운 임이 오기를 바라는데, 기르는 개가 미운 임이 오면 꼬리를 치며 반기고 고운 임이 오면 짖어서 도로 가게 한다며 임이 오지 않는 까닭을 개의 탓으로 돌려 표현하고 있다.

3 '나'는 최선을 다해 김밥을 만드는 데만 몰두하는 김밥 아줌마의 모습에서 아름다움을 느끼고 있다.

4 글쓴이는 실수를 잘못이라 생각하지 않고, 실수의 가치에 대한 새로운 인식을 드러내고 있다.

5 (가)와 (나)는 모두 수양 대군이 어린 조카인 단종의 왕위를 빼앗아 왕이 된 사건을 배경으로 창작한 시조이다. (가)와 (나)는 모두 임에 대한 변함없는 사랑을 노래하고 있으므로 ㉠과 ㉡은 단종을 의미한다.

6 이 시의 화자는 가을 들판을 바라보다 메뚜기가 없다는

것을 깨닫고 불길해하고 있다. 즉 화자는 인간의 이익을 위해 환경을 파괴함으로써 '생명의 황금 고리가 끊'기고 생태계에 위기가 나타난 상황을 우려하고 있다.

7 이 글은 6·25 전쟁 중을 배경으로 한 소설로, 피란민이 많아지고 식량은 부족해져 사람들이 힘겹고 어렵게 살아가던 상황이 드러난다.

8 만도와 진수는 외나무다리를 건너야 하는 상황에 곤란해하다가, 서로 의지하여 시련을 극복하려고 한다. 이로 보아 '외나무다리'는 전쟁에서 겪은 상처와 고통을 딛고 일어서려는 의지적인 삶의 자세를 보여 준다. 제시된 글에서 인물들이 갈등하고 있지는 않으므로 ③은 적절하지 않다.

창의·융합·코딩 전략 ❶
34~35쪽

1 꽃	2 ③	3 ⑤	4 ⑤

1 '나'가 '그'의 이름을 불러 주기 전에 '그'는 '하나의 몸짓'에 지나지 않았지만, '나'가 '그'의 이름을 불러 준 뒤에는 '그'가 '나'에게로 와서 '꽃'이 되었다고 하고 있다. 이를 통해 '이름 부르기'는 존재의 본질 인식을 통해 진정한 관계를 맺는 행위임을 알 수 있다.

2 (가)의 화자는 오지 않는 임에 대한 원망을 개에게 돌려 표현하고 있다. 즉 자신이 기다리는 임이 오지 않는 상황을 개 때문이라며 화풀이하고 있다. 따라서 개가 사랑하는 임이 올 때마다 짖어서 임이 실제로 화자를 싫어하게 됐다는 내용은 적절하지 않다.

오답 풀이

② 초장과 중장을 참고할 때, (나)의 화자는 '저 달'을 바라보고 있으며, 임은 화자와 '구만 리' 떨어진 곳에 있음을 알 수 있다.
④ 초장과 종장을 볼 때, (나)의 화자는 자신의 마음을 달로 만들어 임이 있는 곳을 비추고 싶어 한다.

📝 작품 설명 ❶ 정철, 〈내 마음 베어 내어〉

갈래	평시조
제재	달
주제	임에 대한 그리움, 변함없는 사랑과 충성
특징	① '마음'이라는 추상적인 개념을 '달'이라는 구체적인 대상으로 표현함. ② 임(임금)을 그리워하는 마음을 돌려서 표현함.

농약을 부려 곤충을 죽게 만들었기 때문에 '들판'이 적막해지고, '불길한 고요'가 오게 되었다.
⑤ 이 시에서 '생명의 황금 고리'는 먹이사슬과 생명체의 유기적 연결을 의미하므로, 〈보기〉에 나타난 동물의 '폐사'는 이러한 황금 고리가 끊어지는 결과를 가져올 것이다.

자료실 정철

조선 시대의 문신. 정철은 50세가 되던 해에 정치적 반대파였던 동인의 탄핵으로 정치에서 물러나 고향으로 돌아가야 했다. 정철은 약 4년 동안 전라도 창평에 머물렀는데 정치를 떠나 있으면서도 나라의 정치를 걱정하고 임금을 그리워하는 문학 작품을 많이 남겼다. 정철의 상황으로 볼 때 〈내 마음 베어 내어〉는 자신의 억울함을 호소하고 임금에 대한 충성심이 변함없다는 것을 표현한 작품으로 볼 수 있다.

3 아들이 도회지로 떠났다는 말에서 알 수 있듯이 아들은 도회지에 대한 동경과 자유를 향한 의지로 어머니에게는 말도 없이 고향을 떠났다. 어머니는 아들에게 함께 땅이나 파며 살자고 하고, 아들이 날리는 연을 보며 아들이 떠날까 봐 불안해했으며 아들이 떠나는 것을 직접적으로 허락하지는 않았다.

4 '장'과 '닭장'을 활용한 말장난과 닭장도 장이라며 도포를 보관했다고 한 부분, 흰 갓을 연기에 그을려 검게 만들려고 굴뚝에 넣어 두었다고 한 부분에서 해학이 드러난다.

작품 설명 작자 미상, 〈흥부전〉

갈래	고전 소설
제재	양식을 꾸리는 흥부
주제	권선징악, 형제간의 우애
특징	① 해학미가 잘 드러남. ② 판소리의 특징이 남아 있는 판소리계 소설임.

창의·융합·코딩 전략 ❷　　36~37쪽

5 ④　　**6** ③　　**7** ①　　**8** 허생은 과일을 매점매석하여 부당한 이익을 얻었으니 불법에 해당하는 부정적인 행위를 한 것이다.

5 〈보기〉는 멸종 위기에 처한 동식물의 보호를 위해 국제 거래를 가능하게 한 협약을 악용하여 생태계를 위협하는 문제가 발생하고 있음을 제시하고 있다.

오답 풀이
① 〈보기〉의 '반달가슴곰'과 이 시의 '메뚜기'는 모두 멸종 위기에 처한 생명체로, 우리가 지켜야 할 소중한 생명체에 해당한다.
②, ③ 〈보기〉의 '동물 실험'과 '인위적 요인'은 인간이 생명체의 목숨을 빼앗은 행위이다. 이 시에서도 인간이 벼 생산량을 늘리기 위해

6 이 시는 가난 때문에 인간적인 감정마저 포기해야 하는 이웃의 한 젊은이를 위로하려는 의도를 담고 있으며, 편지글은 편의점에서 열심히 일하는 이웃의 형을 위로·응원하고 있다.

7 이인국은 속으로는 '사마귀 같은 일본 놈', '로스케', '양키'라며 상대를 낮잡아 보지만, 겉으로는 시류에 편승하며 처세를 잘하는 인물이다. 〈보기〉는 듣기에 달콤하고 거짓된 말에 대한 경계를 담은 시조로, 이러한 관점에서 이인국에게 진실된 삶을 살라고 조언할 수 있다.

작품 설명 작자 미상, 〈수박같이 두렷한 임아〉

갈래	시조
제재	수박, 참외, 씨동아
주제	멀쩡한 겉모습으로 거짓말을 일삼는 사람에 대한 경계
특징	① 사람의 말과 행동을 수박, 참외, 씨동아와 같은 소재에 빗대어 표현함. ② 번듯한 겉모습으로 듣기만 좋은 거짓말을 하는 사람들을 우스꽝스럽게 표현하여 풍자함.

• 〈수박같이 두렷한 임아〉에 나오는 소재가 비유하는 것
– 수박: 겉만 번듯하고 내실이 없는 사람
– 참외: 맛이 단 채소로, 겉만 번듯한 사람이 하는 듣기에만 좋은 말을 빗댄 것
– 씨동아: 겉으로만 듣기 좋은 말로, 알맹이가 빈 말

8 허생은 나라 안의 과일을 모조리 산 뒤에 처음 값의 열 배를 받고 되팔았다. 이는 〈보기〉의 관점에서 볼 때, '매점매석'을 통해 부당한 이익을 얻는 것으로, 정부가 법률로써 규제하는 행위에 해당한다. 따라서 이 글에 나타난 허생의 행위는 불법에 해당하는 부정적인 행위라고 평가할 수 있다.

평가 기준	확인 ☑
허생이 과일을 매점매석하여 부당한 이익을 얻었음을 씀.	
매점매석은 불법에 해당하므로 부정적인 행위를 했음을 씀.	

2주 문학 (2)

1일 개념 돌파 전략 ❶   41, 43쪽

1-2 ①   2-2 ③   3-2 ③   4-2 ①

1-2 과거의 삶이 반영된 작품을 감상하면서 오늘날에도 변하지 않는 가치 또는 현대인의 관점에서 새롭게 평가할 수 있는 가치를 발견할 수 있다.

2-2 〈흥부전〉의 놀부는 욕심 많고 가난한 동생을 박대하는 인물이다. 제시된 글에서는 이러한 놀부를 재산을 잘 관리한 인물로 긍정적으로 평가하고 있다. 즉 과거의 삶의 모습이 반영된 작품에 나타난 가치를 현대인의 관점에서 새롭게 평가하고 있다.

3-2 문학 작품의 해석은 해석 방법, 독자의 관심이나 경험, 가치관 등에 따라 달라질 수 있다. 이때 문학 작품의 해석 내용이 설득력을 가지려면 그 내용을 뒷받침할 타당한 근거가 제시되어야 한다.

> **오답 풀이**
> ① 자신의 관심사나 경험을 활용하여 주체적인 관점으로 문학 작품을 해석해야 한다.
> ② 문학 작품의 해석은 독자의 배경지식, 관심, 경험 등에 따라 달라질 수 있다.

> 문학 작품의 해석이란 작품의 내용이나 함축적인 의미를 이해하고 풀어내는 것이야.

> 또 문학 작품의 해석은 수동적인 활동이 아니라 그 의미를 독자 스스로 재구성하는 능동적인 과정이야.

4-2 소설의 인물, 사건, 배경은 작품의 내적인 특징에 해당하므로 문학 작품을 작품 자체에 주목하여 감상하였다.

> **오답 풀이**
> ② 작가의 경험이나 생각, 작품 경향, 창작 의도 등을 중심으로 해석하는 방법이다.
> ③ 작품이 독자에게 미친 감동과 교훈, 깨달음 등을 중심으로 해석하는 방법이다.

1일 개념 돌파 전략 ❷   44~45쪽

1 ⑤   2 ⑤   3 ①   4 내용/표현

1 노래 〈보물〉에서 '술래잡기, 고무줄놀이, 말뚝박기, 망까기, 말타기'는 옛날에 즐기던 놀이들로, 이러한 놀이를 친구들과 마을 앞 공터에서 하루 종일 하던 삶의 모습을 짐작할 수 있다.

2 제시된 시조 초장을 통해 과거에는 열이나 되는 형제들이 한 부모에게서 태어났음을 알 수 있고, 종장을 통해 과거에도 욕심 때문에 형제간에 갈등이 생겨 사이가 멀어지기도 했음을 알 수 있다. 오늘날에는 형제 수가 많은 가정이 드물고, 형제 사이가 멀어지는 원인도 가족 간의 교류 시간 부족 등으로 더 다양하게 찾을 수 있다.

> **작품 설명** 이숙량, 〈분천강호가 – 제4수〉
>
> | 갈래 | 평시조, 연시조 |
> | --- | --- |
> | 제재 | 형제간의 우애 |
> | 주제 | 형제간 우애의 중요성 |
> | 특징 | ① 인간의 기본적인 가족 윤리를 강조함.
② 형제 열이 한 몸과 같은 존재임을 깨닫지 못하는 상황을 안타까워함. |

> **자료실** 〈분천강호가 – 제4수〉 현대어 풀이
>
> 형제가 열이라도 처음에는 한 부모에게서 태어났으니
> 하나가 열이 된 줄 다 알면서
> 어찌하여 욕심 때문에 한 몸인 줄 모르게 되었느냐

3 민준이는 작가의 삶에 초점을 맞추어 작품을 해석하고 있다.

> **오답 풀이**
> ② 현서는 시의 구절(작품의 내용)에 주목하여 작품을 감상하고 있다.
> ③ 지우는 시가 창작된 당시(시대적 배경)에 주목하여 작품을 감상하고 있다.
> ④ 민준이는 작가의 삶, 현서는 시의 구절, 지우는 창작 당시를 해석의 근거로 제시하고 있다.
> ⑤ 민준, 현서, 지우는 각자 다른 근거를 들며 시를 주체적으로 해석하고 있다.

4 은주는 시 〈새로운 길〉의 시어 '길'의 의미를 시의 내용과 표현을 바탕으로 해석하였다. 이는 작품 자체의 내적 특징을 중심으로 한 해석 방법이다.

1 이 시에는 할머니의 삶의 모습을 통해 할머니가 소와 교감하며 사는 삶의 가치가 나타난다. 오늘날 반려동물과 반려인의 관계가 점점 돈독해지고 있다는 신문 기사로 보아, 동물과 교감하며 사는 삶의 가치가 오늘날까지 이어지고 있음을 알 수 있다.

할머니는 하루 종일 힘든 일을 했지만, 소와 함께 있어서 삶의 위안을 얻고 있어.

독자

📝 작품 설명	김종삼, 〈묵화〉
갈래	현대시, 자유시
제재	할머니와 소
주제	할머니의 쓸쓸하고 힘겨운 삶과 할머니와 소의 교감
특징	① '-고'라는 연결 어미를 반복하여 운율이 생김. ② 마지막 행을 쉼표로 마무리하여 여운을 줌.

2 철수 어머니는 노새는 도시화·산업화 시대에 맞지 않는 생계 수단이라고 말하면서 시대에 적응하지 못하고 변화한 상황에 맞지 않게 '노새'를 부리는 아버지를 비꼬고 있다.

아버지 — 변화하는 도시의 삶에서 소외됨.

자동차가 증가하는 도시에서 쫓겨날 위기에 처함. — 노새

📝 작품 설명	최일남, 〈노새 두 마리〉
갈래	현대 소설
제재	노새로 연탄 배달을 하는 도시 하층민의 삶
주제	시대 변화에 적응하지 못하는 도시 빈민의 고단한 삶
특징	① 어린아이인 '나'의 시선으로 아버지의 힘든 삶을 객관화하여 보여 줌. (1인칭 관찰자 시점) ② '노새'라는 소재를 통해 대도시에 적응하지 못한 아버지의 삶을 상징적으로 보여 줌.

3 심청이는 자신이 제물로 팔렸다는 것을 아버지가 알면 슬퍼할까 봐 장 승상 댁 수양딸로 가게 되었다고 거짓말을 했고, 아버지인 심 봉사는 그 거짓말을 믿을 뿐이다. 따라서 아버지가 심청이의 죽음 결심을 받아들였다고 볼 수 없다.

오답 풀이

①, ② 심청이의 희생은 효심에서 비롯된 행위이고, 효는 오늘날에도 변하지 않는 가치라는 관점에서 작품을 감상하고 있다.

④, ⑤ 심청이가 눈먼 아버지를 홀로 남게 한 것이 진정한 효도가 아니라는 관점에서 작품을 감상하고 있다.

장 승상 댁 수양딸로 가게 되었어요.

쌀 3백 석을 구해 아버지 눈을 뜨게 하려고 뱃사람들에게 제물로 팔려 가요.

📝 작품 설명	작자 미상, 〈심청전〉
갈래	고전 소설
제재	심청이의 효심
주제	부모에 대한 지극한 효심
특징	① 부모에 대한 '효'를 강조함. ② 현실 세계를 중심으로 한 전반부와 환상적인 이야기를 다루는 후반부로 나눌 수 있음.

가치는 시대나 사회·문화적 배경에 따라 다르게 평가될 수 있어.

과거의 삶이 반영된 작품 중에 오늘날에도 가치 있는 것이 있고, 오늘날의 관점에서 새롭게 평가해야 하는 가치도 있어.

2일 필수 체크 전략 ② 49~51쪽

1 ④ 2 ④ 3 ③ 4 ④ 5 ⑤
6 ③

1 당시에 돼지고기는 흔히 먹을 수 없었던 음식이었기 때문에 화자는 돼지고기를 보고 반가워하였다. 화자는 돼지고기 좀 끊어 왔다는 아버지의 말을 듣고 돼지고기를 살 때의 아버지의 마음을 헤아리고 있으므로 이 시에서 아버지가 가정에서 소외된 모습은 찾을 수 없다.

[오답 풀이]
①, ② 2연에서 어머니는 고기를 연탄불에 볶으며, 고기 냄새가 이웃에 퍼질 것을 걱정하고 있다.
③ 1연에서 아버지가 돼지고기를 사 온 것을 '결단'에 빗댄 것을 볼 때 당시에는 경제적으로 어려워 고기를 먹는 일이 드물었다고 할 수 있다.
⑤ 2연에서 어머니가 한 말, 3연에서 고기 냄새가 새어 나갈까 봐 방문을 꼭꼭 닫는 행동으로 보아 이웃의 평판을 의식했다고 볼 수 있다.

2 화자는 어린 시절 아버지가 돼지고기를 사 오면 가족끼리 연탄불에 고기를 구워 먹던 추억을 떠올리며 그 시절을 그리워하고 있다. 이로 보아 '돼지고기'는 가족의 따뜻한 사랑을 의미한다.

돼지고기는 가족들에게 뜻밖의 즐거움을 주고 가족의 사랑을 느끼게 해 주는 소재예요.

작품 설명 안도현, 〈돼지고기 두어 근 끊어 왔다는 말〉

갈래	현대시, 자유시
제재	돼지고기 한 근
주제	가난하지만 단란했던 가족의 모습과 사랑
특징	① 현재의 화자가 과거를 회상하고 있음. ② 가난하지만 화목했던 과거의 삶의 모습이 드러남.

3 1~3문단을 통해 '그'는 토담집에서 자연과 조화를 이루고 자연의 섭리에 순응하며 살았음을 알 수 있다. 인간이 기술을 통해 자연을 극복한 것은 에어컨과 난방 등으로 계절에서 벗어나서 사는 현재, 아파트에서의 삶의 모습

과 관계있다.

[오답 풀이]
① 3문단에서 비가 온 날 저녁에는 지렁이가 밤새 운다는 것을 알고, 지렁이 울음소리가 들린다고 하였다.
② 3문단의 '봄과 여름과 ~ 삶의 명료했다.'에서 토담집에서의 삶은 사계절과 밤낮의 변화를 분명히 인식했음을 알 수 있다.
④ 1문단에서 '그'의 아버지와 어머니가 손수 지은 집에서 태어났음을 알 수 있다.
⑤ 3문단에서 그는 토담집에서 '낮게 깔리는 굴뚝 연기'와 같은 자연의 모습을 보며 비설거지를 하고 있다.

4 여름에 긴팔 옷을 입고 겨울에 반팔 옷을 입는 것은 자연의 섭리나 이치를 거스르는 모습이다. 과거 토담집이 자연의 섭리에 순응하며 살았던 사람의 삶을 대표하는 공간인 것과 비교해 볼 때, 오늘날의 아파트는 자연의 섭리에 순응하고 조화를 이루며 사는 삶의 가치를 잃어버린 공간이라고 볼 수 있다.

과거의 집(토담집)은 자연의 섭리에 순응하며 살았던 한 사람의 삶의 모든 과정(탄생 → 성장 → 죽음)이 담긴 공간이에요.

작품 설명 공선옥, 〈그 시절 우리들의 집〉

갈래	수필
제재	토담집, 아파트
주제	토담집에서 보낸 자연 친화적인 삶에 대한 그리움
특징	① 대부분 수필 속의 '나'는 글쓴이 자신인 경우가 많지만, 이 글은 글쓴이가 독자에게 '그'의 이야기를 들려줌으로써 객관적 태도를 보여 줌. ② 과거 토담집에 설았던 '그'의 삶과 현재 아파트에 사는 '그'의 아이의 모습을 대비하여 내용을 전개함. ③ '그'에서 '우리'로 확대하면서 '그'의 이야기가 오늘날 '우리' 모두의 이야기라는 점을 효과적으로 드러냄.

자료실 수필에 반영된 과거의 삶과 가치를 파악하는 방법

· 글의 사회·문화적 배경이나 글쓴이의 구체적인 경험을 통해 과거의 삶의 모습 파악하기
· 글쓴이의 생각과 깨달음을 통해 과거에 중시되던 삶의 가치 파악하기
· 주요 소재와 표현에 담긴 의미를 통해 과거의 삶의 가치 이해하기

5 박씨가 '사람의 길흉화복은 하늘에 달린 것이라 인력으로는 어찌할 수 없다.'라고 말한 것을 통해 사람의 운명은 정해져 있어 거스를 수 없다고 여기는 박씨의 가치관을 알 수 있다.

6 상공은 외모가 추하다는 이유로 박씨를 무시하는 부인에게 생김새만 보고 속에 품은 재주는 생각하지 않는다고 나무라고 있다. 즉 상공은 외모보다 인품이나 재주가 중요하다고 생각하고 있으므로, 오늘날 외모로 사람을 평가하는 모습에 비판적인 태도를 보일 것이다.

추한 박씨가 이 자리에 없어서 그런 것입니까? 참으로 우습습니다.

부인은 다만 생김새만 보고 속에 품은 재주는 생각하지 않으시니 그저 답답할 따름이오.

부인 / 이 상공

✏️ **작품 설명** 작자 미상, 〈박씨전〉

갈래	고전 소설
제재	박씨의 삶, 병자호란
주제	박씨의 영웅적 기상과 재주
특징	① 여성을 주인공으로 하여 여성의 능력을 강조하고 남성 중심 사회를 비판하여 당시 여성들에게 대리 만족을 느끼게 함. ② 주인공은 허구적 인물이지만 역사적 실존 인물들(이시백 등)을 등장시켜 작품에 사실성을 높임.

✏️ **자료실** 〈박씨전〉 전체 구성

• 발단: 박씨는 이시백과 혼인하지만 못생겼다는 이유로 박대 받음.
• 전개: 연적을 전해 남편의 과거 급제를 돕고, 허물을 벗어 못생긴 외모에서 벗어남.
• 위기: 박씨가 조선을 침입한 용울대를 물리치자 복수하려고 형인 용골대가 박씨가 머무는 피화당에 침입함.
• 절정: 박씨는 피화당을 침범하려는 용골대를 물리치고 항복을 받아 냄.
• 결말: 박씨는 나라를 구한 공로를 인정받아 정렬부인의 칭호를 받음.

3일 필수 **체크 전략 ❶** 〔52~55쪽〕

1 ①　　**2** ③　　**3** ③　　**4** ④

1 제시된 내용은 글의 내용을 바탕으로 토끼를 평가하고 있으므로 작품 자체에 주목하여 해석하였다.

높은 벼슬을 주겠다는 별주부의 꼬임에 넘어갔으니 토끼는 어리석은 인물이야.
해석한 근거

또 위기 상황에서 꾀를 내어 탈출했으니 토끼는 지혜로운 인물이기도 하지.
해석한 근거

✏️ **작품 설명** 작자 미상, 〈토끼전〉

갈래	고전 소설
제재	용왕의 병, 토끼의 간
주제	• 토끼를 중심으로: 헛된 욕심의 경계와 위기를 극복하는 지혜 • 별주부를 중심으로: 우직한 충성심 강조, 상황에 따른 융통성의 중요성 • 용왕을 중심으로: 자신의 욕심을 채우려고 힘없는 백성을 희생시키는 지배층을 향한 비판
특징	① 동물을 의인화하여 인간 사회를 풍자함. ② 창작 당시의 사회적 배경을 바탕으로 민중의 비판 의식이 드러남.

2 작가에 주목하여 작품을 해석하는 방법은 작가의 경험이나 생각, 작품 경향, 창작 의도 등에 주목하여 해석하는 방법이다. ③은 작가의 삶을 근거로 시어의 의미를 해석하고 있으므로 작가에 주목하여 해석한 방법에 해당한다.

〔오답 풀이〕
①은 독자에게 미치는 영향, ②는 시대적 배경, ④, ⑤는 작품 자체에 주목하여 해석한 내용이다.

✏️ **작품 설명** 이육사, 〈청포도〉

갈래	현대시, 자유시
제재	청포도, 손님
주제	풍요롭고 평화로운 세계에 대한 소망, 조국 광복의 염원
특징	① 상징적 소재를 사용하여 평화로운 삶에 대한 소망을 드러냄. ② 푸른색과 흰색의 색채 대비를 통해 풍요롭고 평화로운 세계에 대한 화자의 소망과 기대를 강조함.

자료실 이육사(1904~1944)

시인, 독립운동가. 조선 중기의 대학자인 퇴계 이황의 후손으로 선비 교육을 철저히 받으며 성장하였다. 중국을 오가며 항일 독립운동을 하다가 베이징 감옥에서 숨졌다. 〈청포도〉, 〈절정〉, 〈광야〉 등 어떤 어려움에도 굽히지 않는 강인한 정신을 노래한 시를 많이 남겼다.

3 ©은 '바람'이 '다급한 사연'을 들고 달려가 '너(봄)'를 흔들어 깨웠다는 내용으로, 민주주의가 오기를 간절히 바라는 마음이 드러난다고 볼 수 있다.

오답 풀이
① 〈보기〉를 참고할 때 화자가 올 것이라 믿는 대상인 '너'는 당시 사람들이 올 것이라고 믿은 민주주의라고 할 수 있다.
② ©에서 '뻘밭', '썩은 물웅덩이'는 '너가 오는 것을 막는 대상이므로, ©은 민주주의가 오는 데 시련이 있음을 드러낸 구절로 볼 수 있다.
④ @에서 화자는 '마침내 올 것이 온다'며, '너(민주주의)'가 올 것임을 강하게 확신하고 있다.
⑤ @에는 '너(민주주의)'를 맞이하여 감격한 화자의 모습이 나타난다.

작품 설명 이성부, 〈봄〉

갈래	현대시, 자유시
제재	봄
주제	자유와 평화의 새 시대에 대한 기다림과 소망
특징	① '봄'을 의인화하여 상징적으로 표현함. ② 신념에 찬 어조로 화자의 믿음을 강조함.

4 〈보기〉는 작품과 독자의 관계를 중심으로 해석하는 방법을 제시하고 있다. ④는 시의 내용과 관련된 독자의 경험을 떠올리고 있으므로 독자에 주목하여 해석하였다.

오답 풀이
①, ⑤ 시인의 삶에 주목하여 해석하였다.
② 작품의 창작 배경에 주목하여 해석하였다.
③ 작품 자체의 내용에 주목하여 해석하였다.

작품 설명 백석, 〈멧새 소리〉

갈래	현대시, 자유시
제재	명태
주제	타향에서의 쓸쓸한 삶
특징	① 평이한 시어로 묘사함. ② '명태'와 화자 자신을 동일시하여 표현함.

3일 필수 체크 전략 ❷ 56~57쪽

1 ② 2 ② 3 ㉠: 통일 ㉡: 시대적 배경/시대적 상황/현실 세계

1 여학생은 지난봄에 나무에 싹이 난 것을 본 경험을 바탕으로 시를 해석하였고, 남학생은 자신의 배경지식을 바탕으로 시를 해석하였다. 이처럼 독자의 경험, 인식 수준이나 배경지식, 관심 등에 따라 작품을 다양하게 해석할 수 있다.

오답 풀이
①, ④ 두 학생 모두 작가에 주목하거나 작품에 반영된 현실을 고려하여 작품을 감상하지 않았으므로, 작가의 생애에 대한 지식이나 작품에 반영된 현실이 감상의 차이를 가져왔다고 볼 수 없다.
③ 두 학생 모두 눈을 녹이는 '봄'의 생명력과 따뜻함에 집중하여 작품을 감상하였으므로, 작가의 의도를 제대로 파악하지 못했다고 보기 어렵다.

2 제시된 글은 '매운 눈보라', '미움의 쇠붙이들', '너그럽고 / 빛나는' 같은 시에 사용된 표현을 중심으로 작품을 해석하였다. 작품이 주는 교훈적 의미를 끌어내어 작품을 해석한 부분은 찾을 수 없다.

3 (나)는 독자가 문학 작품을 쉽게 이해하도록 전문가가 해석하여 쓴 글이다. (나)의 글쓴이는 (가)에 그려진 세계와 실제 시대 상황의 관련성을 비교해 보면서 (가)가 통일을 노래한 시라고 해석하고 있다.

'봄'과 '겨울'이라는 대립적인 특성이 있는 시어를 사용하여 희망을 노래하고 있어요.

화자는 단호한 어조로 봄이 올 것을 확신하고 있어요.

'봄'은 우리 민족의 통일로 해석할 수도 있어요.

작품 설명 ㉮ 신동엽, 〈봄은〉

갈래	현대시, 자유시
제재	봄과 겨울
주제	통일에 대한 염원
특징	① '봄'과 '겨울'의 상징적 시어를 대립해 시상을 전개함. ② 단정적인 어조로 화자의 강한 의지와 소망을 표현함.

4일 교과서 대표 전략 ❶ 58~61쪽

1 ③	2 ②	3 ①	4 ⑤	5 ③
6 ⑤	7 ⑤	8 ②		

1 〈훈민가〉는 조선 시대에 지어진 시조로 당시 사람들이 중요하게 생각했던 덕목들을 알 수 있다. '제4수'에서는 부모님이 살아 계실 때 잘 섬겨야 한다고 권유하고 있고, '제13수'에서는 날이 새면 호미를 메고 나가서 내 논을 다 매면 다른 사람의 논도 매어 주라고 권유하고 있으며, '제16수'에서는 노인의 짐을 들어 주라고 권유하고 있다.

2 '제16수'는 노인에 대한 공경을 말하고 있으며, 제시된 신문 기사 역시 오늘날 노인에 대한 공경을 다루고 있다. 이로 보아 노인 공경은 옛날부터 오늘날까지 중요하게 여기는 가치임을 알 수 있다.

3 밤골 마을에 전기가 들어오고 청년들이 텔레비전을 선전하는 모습을 통해 삶을 편리하게 하는 새로운 문물이 보급되기 시작한 당시의 삶의 모습을 알 수 있다.

④ (다)에서 텔레비전이 마을에 나타났으므로, 텔레비전을 보며 여가를 보내는 모습이 나타날 것이라 추측할 수 있다.

⑤ 제시된 글은 전기가 들어오지 않았던 농촌을 배경으로 하지만, 농촌 사람이 도시로 이동하였는지는 이 글을 통해 알 수 없다.

4 '야릇한 변화'는 밤늦게까지 일을 도와주던 마을 사람들이 텔레비전을 보기 위해 일을 도와주지 않게 된 것으로, 텔레비전이 보급되면서 공동체주의에서 개인주의로 변해 가던 당시의 사회상이 나타난다. 이는 ⑤의 스마트폰 때문에 가족 간의 대화마저 사라지는, 더욱 개인화되고 있는 오늘날의 모습과 관계 깊다.

• 발단: 밤골 마을에 전기가 들어온다는 소식이 전해짐.
• 전개: 정치인들의 공약에 매번 속았던 밤골에 드디어 전기가 들어옴.
• 위기: 텔레비전이 보급되기 시작하면서 텔레비전을 사지 못한 집에서는 갈등이 일어남.
• 절정: 텔레비전이 들어오면서 마을 사람들의 삶의 모습이 변하고, 이웃 간의 빈부 격차가 두드러짐.
• 결말: 텔레비전에 빠져 있던 월전댁은 집에 불이 난 것을 보고 불타는 집으로 뛰어들려 함.

5 (라)에서 '바다'는 냉혹한 현실을, '나비'는 순진한 꿈의 표상을 의미한다고 하였다.

정답과 해설 BOOK 1

①, ② (라)에서 '바다'를 근대 혹은 일제 강점기라는 시대로, '나비'를 시대 앞에서 좌절한 시인 스스로의 자화상으로 해석하였다.

④ (다)에서 '절다'의 사전적 의미에 따라 '어린 날개가 물결에 절어서'라는 시구가 두 가지로 해석된다고 하였다.

⑤ (나)에서 '흰나비'와 '청무우밭', '초생달'과 삼월의 '바다'가 대비를 이루는 흰색과 청색의 시각적 이미지가 선명하다고 하였다.

6 (나)~(라)는 시 (가)에 대해 쓴 비평문이다. (나)는 작가의 작품 경향, (다)는 작품의 표현, (라)는 시가 창작되던 시대적 배경에 주목하여 해석하였다.

작품 설명 ㉮ 김기림, 〈바다와 나비〉

갈래	현대시, 자유시
제재	나비와 바다
주제	새로운 세계에 대한 동경과 좌절
특징	① 흰색과 푸른색의 색채 대비가 드러남. ② '바다'와 '나비'의 상징적 시어를 대비해 주제를 강조함.

제재 설명 ㉯~㉰ 정끝별, 〈나비의 '허리'를 보다〉

갈래	비평문
제재	시 〈바다와 나비〉
주제	시 〈바다와 나비〉에 대한 해석과 감상
특징	① 작품, 작가, 시대적 상황의 해석 방법을 활용함. ② 작품을 해석한 구체적인 근거를 들어 해석의 타당성을 높임. ③ 묻고 답하는 형식을 통해 시 해석에 대한 독자의 이해를 도움.

7 ①~④는 작품 자체의 특징(내용, 형식, 표현 등)을 근거로 작품을 해석하였고, ⑤는 작품이 창작된 시대적 배경을 근거로 작품을 해석하였다.

① 작품의 내용에 주목하여 인물의 성격을 파악하였다.

②, ④ 서술자의 서술 방식 즉 작품의 표현에 중심하여 작품을 감상하였다.

③ 작품의 구성 방식과 주제를 관련지어 작품을 감상하였다.

8 〈보기〉는 작가의 작품 경향과 관련지어 프로방스 주민들의 인간적 면모가 글에 어떻게 나타났는지 살펴보고 있다. 이는 작품과 작가의 관계를 중심으로 작품을 해석한 방법에 해당한다.

풍차 방앗간은 산업 혁명 이전에 자연적인 바람을 이용하여 곡물을 가루로 만들던 곳으로, 전통적인 삶의 방식을 상징해요.

작품 설명 알퐁스 도데, 〈코르니유 영감의 비밀〉

갈래	현대 소설
제재	코르니유 영감의 풍차 방앗간
주제	전통을 지키려고 하는 코르니유 영감의 집념
특징	극적 반전을 통해 주제를 효과적으로 드러냄.

자료실 〈코르니유 영감의 비밀〉 전체 구성

• 도입: 늙은 피리 연주자가 코르니유 영감의 이야기를 들려줌.
• 발단: 풍차 방앗간이 증기 방앗간의 등장으로 몰락함.
• 전개: 코르니유 영감의 풍차 방앗간은 계속 돌아감.
• 위기: 코르니유 영감의 손녀인 비베트와 피리 연주자의 큰아들이 비베트와 결혼하기 위해 코르니유 영감을 찾아감.
• 절정: 풍차 방앗간에 일거리가 떨어졌는데도 일거리가 있는 것처럼 계속 풍차를 돌린 코르니유 영감의 비밀이 밝혀짐.
• 결말: 마을 사람들의 도움으로 코르니유 영감의 풍차 방앗간이 다시 돌아갔으나, 코르니유 영감이 죽자 풍차 방앗간도 영원히 멈추게 됨.

4일 교과서 대표 전략 ❷ 62~63쪽

1 ④ **2** ⑤ **3** ⑤ **4** 조국 광복/조국 독립

1 (가)에서 도시 변두리에 사는 사람들은 모두 그날그날 벌어먹는, 돈을 많이 벌지 못하는 일을 했음을 알 수 있다. 연탄 배달은 그러한 일 중 하나일 뿐 대개 그 일을 했다고 볼 수는 없다.

① (가)에서 사람들이 연탄을 사는 모습을 통해 당시 가정에서는 연탄을 연료로 사용했음을 알 수 있다.

③ (나)에서 새 동네 사람들은 문을 꼭꼭 걸어 잠그고, 구동네 사람들과 어울리려 하지 않았다.

⑤ (다)에서 삼륜차가 등장하면서 '아버지의 말 마차가 위협을 느낌

직도 했고, 사실 일감을 빼앗기기도 했다.'고 하였다.

2 (다)에 나타난 아버지의 고집스러운 태도는 시대나 가치관의 변화에 따라 긍정적 또는 부정적 입장에서 평가할 수 있다. 한편 (라)에서는 시대가 흘러도 변하지 않는, 가족 간의 가치를 발견할 수 있다.

오답 풀이
① (다)에 나타난 아버지의 고집스러운 태도를 긍정적으로 바라보고 있다.
② (다)에 나타난 시대에 적응하지 못하는 아버지의 모습을 부정적으로 바라보고 있다.
③, ④ (라)에서 아버지의 손을 잡고 걸으며 우쭐해하는 '나'의 모습에서 가족애라는 가치를 발견하고, 이를 긍정하고 있다.

3 제시된 내용은 작품의 내용이나 형식 등 작품 자체의 내적 특징을 중심으로 작품을 해석하였다. ⑤는 작품이 독자에게 미친 영향을 중심으로 작품을 해석하였다.

오답 풀이
①은 작품의 형식, ②, ③은 작품의 내용, ④는 작품의 표현과 그 효과를 중심으로 작품을 해석하였다.

4 이 시가 발표될 당시인 1930년대의 시대적 상황을 고려하면 이 시는 조국 광복을 바라는 시라고 해석할 수 있다. 따라서 화자가 간절히 기다리는 '손님'은 '조국 광복'을 의미한다고 볼 수 있다.

누구나 합격 전략 | 64~65쪽

1 ③	2 ㄷ	3 ②	4 ③	5 ㄷ
6 ①	7 ①	8 ②		

1 이 시에서 할머니는 '소'와 서로 위로하고 교감하는 삶의 모습을 보여 주고 있다.

2 이 글에서 심청이는 눈먼 아버지를 위해 자신의 목숨을 희생하고 있다. ㄷ에도 아픈 부모님을 위해 효도하려는 모습이 나타나므로 심청이와 비슷한 인물 유형이라고 볼 수 있다.

3 이 글에 '나'는 자신의 가족을 유일한 노새 가족이라고 생각하며 즐거워하고 있다. 이로 보아 '나'는 가족 간의 사랑이라는 가치를 추구한다고 볼 수 있다.

4 이 글에서는 시백이 좋은 일이 있을 것이니 들어오라는 박씨의 말을 무시하며 화를 내는 모습이 나타나 있다. 이를 통해 여성을 낮게 보고 억압하는 당시 사회의 모습을 엿볼 수 있다.

오답 풀이
① 시백은 박씨의 말을 무시하며 화를 내고 있으므로, 제시된 글을 통해 부부가 서로 존중하며 사랑했다고 보기 어렵다.

5 1970년대 당시 국가가 강한 권력으로 국민을 통제하던 상황을 바탕으로 시를 해석하고 있으므로, '시대적 배경'과 관련지어 작품을 해석하였다.

6 ①은 작품 자체의 특징을 바탕으로 작품을 해석한 내용이다. ②~⑤는 독자에게 미친 영향을 중심으로 작품을 해석한 내용이다.

7 이 글에서는 시인이 살았던 삶을 근거로 하여 시 속의 '명태'가 시인 자신일지도 모른다고 해석하였다.

8 시 〈청포도〉의 작가인 이육사가 독립투사로서의 작가의 삶을 살았음을 중심으로 시를 이해할 때 시어 '손님'은 조국 광복으로 해석할 수 있다. 따라서 이 시의 주제는 '조국 독립의 소망과 믿음'이라고 할 수 있다.

창의·융합·코딩 전략 ❶ | 66~67쪽

1 ① **2** 텔레비전 **3** ⑤ **4** 오늘날 집에는 탄생과 죽음이 없기 때문이다./인간의 삶을 통한 역사가 존재하지 않기 때문이다.

1 이 시의 화자는 아버지가 사 온 '돼지고기'를 맛있게 먹었던 어린 시절의 기억을 떠올리고 있다. 화자의 어린 시절에 아버지가 사 온 '돼지고기'는 평소에 잘 먹지 못하는 음식으로, 뜻밖의 즐거움을 주고 가족의 사랑을 느낄 수 있는 소재이다.

2 글의 내용으로 보아 마을 사람들은 텔레비전이 보급되기 전에는 여름밤이면 당산나무 밑에 모여 모깃불을 지펴 놓고 이야기를 나누거나, 앞개울에서 물놀이를 하고 감자나 옥수수를 추렴하는 나들이를 함께 하였다. 그러나 텔레비전이 보급된 뒤에는 각자의 집에서 텔레비전을 보

고 있다. 따라서 제목 '마술의 손'은 마을 사람들의 삶의 방식과 가치관을 바꾸어 놓은 텔레비전과 같은 새로운 문물을 의미한다고 볼 수 있다.

3 이 글의 아버지는 말 마차를 몰다가 노새로 바꾸어 일을 하는데, 새로 생긴 삼륜차 때문에 일감을 빼앗기고 있다. 이로 보아 '노새'와 '아버지'는 시대의 변화에 적응하지 못하고 고달프고 힘든 삶을 사는 존재라고 할 수 있다.

4 토담집에는 인간의 탄생, 성장, 죽음 등의 역사가 존재하는 데 비해 오늘날의 집에는 이러한 인간의 삶의 역사가 존재하지 않기 때문에 '쓸쓸한 집'이라고 표현하였다.

평가 기준	확인 ☑
'탄생과 죽음이 없음.'('역사가 존재하지 않음.')을 언급함.	
'~ 때문이다.'로 끝맺음.	

창의 · 융합 · 코딩 **전략 ②**   68~69쪽

5 작품 자체에 주목하는 방법으로 해석하였다.   **6** ㄷ

7 ③   **8** ③

5 〈보기〉에서는 '물결에 절어서'라는 구절을 바다의 소금기가 나비의 날개에 젖은 것과 나비가 날개를 저는 것 두 가지 의미로 해석하고 있다.

평가 기준	확인 ☑
'작품 자체 / 작품의 내적 특징'에 주목하였다고 씀.	
한 문장으로 씀.	

6 학생은 시어 '봄'의 의미를 '독재 권력의 시대'를 근거로 해석하고 있으므로 작품의 외적 요소인 시대적 상황과 관련지어 해석하였다.

7 '명태지기'는 시를 통해 궁금한 점이 생겼음을 밝히고 있을 뿐, 작품에 반영된 시인의 삶을 언급하고 있지 않다.

오답 풀이

①, ④, ⑤ '초록처마'는 자신의 경험을, '겨울추위'는 작품의 시대적 배경이라는 자신의 배경지식을 활용하여 서로 다른 감상을 나누고 있다.

② '백석사랑'은 시 구절이 자신에게 끼친 감동을 말하고 있다.

8 〈보기〉에서 시를 작가와 관련지어 이해한 내용은 나타나지 않는다.

오답 풀이

① 시대 상황, 독자의 상황에 따른 시어 '봄'의 의미를 제시하였다.

② '우리가 디딘 / 아름다운 눈밭에서 움튼다.'라는 시구를 인용하였다.

④ '분단된 우리나라'의 상황이라는 시대적 배경과 관련지어 '봄'을 '통일이 이루어지는 시대'로 해석하였다.

⑤ 독자인 학생의 입장에서 '봄'을 '학생들이 추구하는 미래'로 해석하였다.

신유형 · 신경향 · 서술형 **전략**   72~75쪽

1 ②   **2** 일제의 수탈로 가족이 해체된 우리 민족을 의미한다.   **3** ①   **4** ③   **5** 효   **6** 원래 있던 허름한 판잣집에서 생활함.   **7** ②   **8** 작품 자체에 주목하는 방법, 시어나 시구의 의미를 중심으로 작품을 해석하고 있기 때문이다.

1 (가)의 1연에서 화자는 새끼 거미를 무심히 쓸어 버렸지만, 2~3연에서는 큰 거미와 무척 작은 거미 새끼가 가족을 만나기를 바라는 마음에서 그 거미들을 문밖으로 버렸으므로 냉정한 마음에서 내몰았다고 볼 수 없다.

오답 풀이

① 새끼 거미, 큰 거미, 무척 작은 새끼 거미가 헤어진 가족을 찾기 위해 거듭 등장하는 모습에서 거미 가족에 대한 안타까움을 느낄 수 있다.

③, ⑤ 나무가 상처와 겨울바람을 견디며 봄에 이파리를 피우는 모습은 어려움을 인내하고 가치 있는 것을 추구하는 삶의 자세를 상징한다.

④ 숭고함은 뜻이 높고 고상함을 의미하는데, 나무가 어려움을 견디며 이파리를 피우는 모습은 숭고함과 관련이 깊다.

'나'는 거미 새끼, 큰 거미, 무척 작은 거미 새끼를 차례로 문 밖으로 버리고 서러움을 느꼈어요.

✏️ 작품 설명 ㉮ 백석, 〈수라〉

갈래	현대시, 자유시
제재	거미 가족의 헤어짐
주제	가족의 붕괴에 대한 안타까움과 회복에 대한 소망
특징	① 시적 대상인 거미를 의인화하여 표현함. ② 시상의 전개에 따라 시적 정서가 심화됨.

2 제시된 글을 참고할 때 (가)는 가족들끼리 흩어져 혼란에 빠진 거미 가족의 모습을 통해 일제의 수탈로 가족이 해체된 우리 민족의 모습을 표현하고 있다.

평가 기준	확인 ☑
거미 가족이 '우리 민족'을 의미한다고 씀.	
일제의 수탈로 가족이 해체된 상황을 언급함.	

3 (가)의 허생은 양반들이 예법과 명분에 얽매여 실제로 필요한 것을 익히지 않는 현실을 비판하고 있다. ㉡과 ㉢은 양반들이 지키는 기존의 예법이 무용함을 드러내는 부분이며, ㉣과 ㉤은 허생이 행해야 한다고 생각하는 모습에 해당한다. 그러나 ㉠은 허생이 비판하는 당대 양반의 모습 그 자체일 뿐 작가의 실용적인 경향을 드러내고 있는 것은 아니다.

4 (나)의 안유식은 어머니가 돌아가신다는 말을 듣고도 어머니를 걱정하기는커녕 자신에게 이익을 줄 재산의 행방에만 관심을 쏟고 있다. 이를 통해 작가는 자신의 이익과 탐욕만을 추구하는 인간상을 비판하고 있다.

5 (가)에서는 심청이가 자신이 죽는 날까지 혼자 남게 될 아버지를 걱정하는 모습에서 심청이의 효심이 드러나고 있다. 〈보기〉에서는 부모님이 살아 계실 때 잘 섬겨야 한다고 말하고 있다. 따라서 두 작품 모두 '효'라는 가치를 추구하고 있다.

6 (나)에서는 동네에 문화 주택이 들어서면서 원래 있던 허름한 집인 판잣집과 새로 생긴 집들이 골목 하나를 경계로 나누어짐으로써 구동네와 새 동네가 단절된 모습이 나타나 있다.

평가 기준	확인 ☑
허름한 판잣집에서 생활함을 씀.	
글자 수를 지켜 20자 이내로 씀.	

7 희재는 자신의 가치관을 바탕으로 한 감상을 드러냈을

뿐, 시대와 관련지어 감상하고 있지는 않다. 호영이는 자신의 지식을 바탕으로, 준서는 자신의 경험을 바탕으로 작품을 감상하고 있다.

8 (나)는 '청포도'라는 시어와 '먼 데 하늘'이라는 시구의 의미를 근거로 하여 작품을 해석하고 있다. 이는 작품 자체에 주목하여 작품을 해석한 방법에 해당한다.

평가 기준	확인 ☑
작품 자체에 주목한 방법임을 씀.	
시어나 시구의 의미를 중심으로 해석했음을 이유로 씀.	

📋 제재 설명 ㉯ 정호웅, 〈소망과 믿음의 노래, 이육사의 〈청포도〉〉

갈래	비평문
제재	시 〈청포도〉
주제	시 〈청포도〉에 대한 해석과 감상
특징	① 시상의 흐름에 따라 시 〈청포도〉를 해석함. ② 시 〈청포도〉를 시어나 시구를 근거로 들어 해석함.

적중 예상 전략 | 1회   76~79쪽

1 ②	2 ⑤	3 ②	4 매일같이 성실하고 끈

질긴 태도로 자신의 일을 진지하게 한다   **5** ⑤

6 ③	7 ②	8 ⑤

1 1~2행에서 구경꾼들이 꽃이 한창 피고 있는 어린 매화나무가 아닌, 꽃이 지고 있는 고목에 더 몰려 있다고 하였으며, 12행에서는 '꽃구경이 아니라 상처 구경'을 한다고 말했다. 즉 이 시에서 고목에 꽃이 피었는지를 찾아보는 구경꾼들의 행동은 나타나지 않는다.

오답 풀이
③, ④, ⑤ 15~17행에서 나타난 구경꾼들의 모습에 해당한다.

2 이 시의 화자는 사백 년을 견딘 고목의 모습을 통해 상처가 성장을 가져오며 고통을 이겨 낸 상처는 꽃보다 아름답다는 인식을 드러내고 있다. 즉 상처에서 아름다움이라는 가치를 발견하고 있으므로 상처받지 않기 위해 준비하는 자세가 필요하다는 감상은 적절하지 않다.

3 (가)에서 김밥 아줌마는 김밥을 말 때 누가 구경을 하면 화를 내고, '나'에게도 쳐다보고 있으니 김밥 옆구리가 터

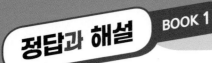

지는 실수를 한다고 신경질을 냈음을 알 수 있다. 김밥 아줌마가 실수를 했을 때 웃는 모습은 나타나지 않는다.

오답 풀이

① (가)의 첫 번째 문단에서 김밥 아줌마는 김밥을 말고 있을 때 말을 시키면 성질을 내며 일손을 놓는다고 하였다.

③ (가)의 두 번째 문단에서 '나'는 김밥 아줌마의 김밥 맛이 환상적이었다고 하였다.

④ (나)에서 '주홍 트럭의 그'는 자신이 파는 물건의 우수함을 손님에게 말하고 있다. 이를 통해 그가 자신이 파는 물건에 대해 이야기하는 것을 좋아함을 알 수 있다.

⑤ (나)의 첫 번째 문단에서 '주홍 트럭의 그'는 손님이 없을 때 늘 자신의 물건을 정리한다고 하였다.

4 (가)의 '김밥 아줌마'는 김밥을 만드는 일에 최선을 다하는 삶의 모습을 보여 주고, (나)의 '주홍 트럭의 그'는 자신이 파는 물건에 자부심이 있고 최고의 품질을 고집하는 모습을 보여 준다. 이와 같은 이들의 삶의 태도는 〈보기〉에서 말한 성실하고 끈질긴 태도로 자신의 진지한 '예술'에 몰두한 모습이라고 할 수 있다.

평가 기준	확인 ☑
'김밥 아줌마'와 '주홍 트럭'의 그가 모두 성실하다는 공통점을 씀.	
한 문장으로 씀.	

5 (나)의 '천만리'는 임(단종)을 떠나보낸 슬픔을 과장되게 표현한 것으로 수양 대군에 대한 거리감을 표현한 것이 아니다.

오답 풀이

① (가)의 '밤'은 수양 대군이 임금의 자리를 빼앗은 부정적인 상황, (나)의 '머나먼 길'은 수양 대군 때문에 단종이 유배 가게 된 상황을 가리킨다.

②, ③ (가)와 (나)의 '임'은 단종을 의미하는데, (가)의 화자는 '일편단심'을 통해 단종에 대한 변함없는 충성심을, (나)의 화자는 '울어'를 통해 단종을 호송하며 느낀 슬픔을 드러내고 있다.

④ (가)의 화자는 까마귀와 달리, 밝고 변함없는 '달'의 속성에 주목하여 자신의 충성심을 표현하였다. (나)의 화자는 소리 내어 흐르는 '물'의 속성에 주목하여 울고 있는 자신의 마음을 표현하였다.

6 (다)의 화자는 '~모르겠는가'라는 표현을 통해 인간으로서 소중한 감정을 느끼지만, 가난 때문에 이를 포기할 수밖에 없는 안타까움을 노래하고 있다.

오답 풀이

① 시각적, 청각적, 촉각적 심상 등을 통해 화자의 정서를 생생하게

표현하였다.

② '두 점을 치는 소리 / 방범대원의 호각 소리'에서 오늘과 달리 늦은 밤에는 통행을 금지했던 당시 사회적 상황이 드러난다.

④ 시의 제목과 7~11행을 통해 화자가 도시 노동자임을 알 수 있다. 화자가 가난 때문에 인간적인 감정을 포기하려는 모습에서 당시 도시 노동자들의 힘겨운 삶을 짐작할 수 있다.

⑤ '이웃의 한 젊은이를 위하여'라는 부제를 통해 시인이 젊은이들을 위로하기 위해 이 시를 창작했음을 알 수 있다.

7 (나)에서 잠꼬대까지 '국어'로 했다는 것에서 '국어'는 일본어를 가리킨다. 이인국은 일제 강점기 때 집 안에서도 일체 일본 말만을 썼으므로 우리말을 지키고자 노력한 것과는 거리가 멀다.

오답 풀이

①, ⑤ 일제 강점기 때 일본 말만을 쓴 것, 황국 신민의 자격을 얻은 것은 이인국이 적극적으로 친일했음을 보여 준다. 이를 통해 이인국이 역사의식이 부족하고, 개인의 이익만을 추구함을 알 수 있다.

③ 의사는 사람의 생명을 살리는 것을 중요시해야 하지만, 이인국은 아픈 환자를 입원시키기를 망설인다. 이를 통해 이인국이 직업 윤리 의식이 부족함을 알 수 있다.

④ (나)에서 이인국이 국민 총력 연맹 지부장에게 치하를 받으며 상을 받는 모습 등을 통해 그가 일본 지배층에게 공손하고 협력적으로 행동했음을 추측할 수 있다. 그러나 (다)에서 일본 사람들은 '일본 놈'들로 지칭하고 있으므로, 이인국은 겉과 속이 다른 인물이라 할 수 있다.

8 이인국은 자신의 이익만을 위해 행동하는 기회주의적 인물로, ⑤의 무례한 행동을 무섭게 꾸짖는 선생님의 모습은 이인국이 보인 기회주의적 행동이라 볼 수 없다.

적중 예상 **전략	2회**				80~83쪽

1 ③　　**2** ④　　**3** ③　　**4** ⑤　　**5** ④

6 ②　　**7** 통일에 대한 염원/통일을 바라는 마음/자주적 통일에 대한 염원　　**8** ⑤　　**9** ④　　**10** ㉠: 청각적 울림 ㉡: 화자와 외부의 소통 가능성을 열어 주는 작은 길

1 (가)의 제목 '묵화'는 먹으로 짙고 엷음을 이용하여 대상을 담담하게 표현하는 그림을 뜻한다. 이 제목과 같이 (가)는 세부적인 묘사 없이 인생의 고단함과 적막함을 절제된 언어로 담담하게 표현하고 있다. 주로 시각적 심상을 사용하여 표현하고 있다.

① '적막하다고,'로 마지막 행을 완전히 마무리하지 않고 끝내어, 할머니와 소가 서로를 위로하며 함께하는 삶이 계속 이어짐을 암시하고 여운을 주고 있다.

②, ④ 할머니와 소가 고된 농사일을 끝내고 서로를 위로하는 모습을 통해 사람과 대상과의 교감이라는 삶의 가치를 전하고 있다.

2 (나)에는 '집'을 삶의 한 부분으로 받아들였던 과거의 삶의 가치가 담겨 있다. 이를 바탕으로 할 때, 집을 재산 증식의 수단으로 여겨 서민들의 삶이 어려워지고 있는 오늘날의 문제점에 대해 집을 재산이 아닌 삶의 한 부분으로 받아들이는 태도가 필요하다는 해결책을 제시할 수 있다.

3 (가)로 보아 시백은 남존여비 사상을 지닌 인물로, 자신에게 도움을 주려는 박씨의 부름에 화를 내고 있다. 따라서 시백이 아내의 사회 진출을 개인적으로 도왔다고 말하는 것은 글의 내용에 맞지 않다.

① 계화는 시백이 '요망한 계집이 장부의 과겟길'을 말린다며 화를 내는 상황을 직접 접하였으므로, 직장 내 남녀 차별이 남아 있는 불합리한 상황에 주목할 것이다.

② 박씨는 상공이 인정할 만큼 뛰어난 능력을 지녔지만, 집안에서 시백에게 박대 당하고 있다. 이를 참고할 때 박씨는 여성들이 직장 생활을 하는 것에 주목하여 이를 긍정할 것이다.

④ 부인은 박씨를 추하다며 비웃었으므로 부인은 성형외과 광고를 보며 자신과 같은 가치관이 여전히 존재한다고 반응할 것이다.

⑤ 상공은 외모로 사람을 평가하는 부인의 가치관을 꾸짖고, 박씨의 인품을 중시하는 모습을 보였다.

4 뱃사람들이 심청이에게 거짓말을 하라고 강요하는 부분은 나타나지 않는다.

5 4연으로 보아 겨울에는 미움의 쇠붙이들이 강산을 덮고 있다. 이에 화자는 봄이 와 미움의 쇠붙이들을 녹이기를 바라고 있다.

① 2연에서 봄의 눈짓이 너그럽고 빛난다고 하였다.

② 2연에서 봄의 눈짓이 우리가 디딘 아름다운 논밭에서 움튼다고 하였다.

③ 3연에서 너그러운 봄이 우리들 가슴속에서 움트리라고 하였다.

⑤ 3연에서 겨울이 바다와 대륙 밖에서 매운 눈보라를 몰고 왔다고 하였다.

6 '미움의 쇠붙이들', '강산을 덮은', '이제 올 너그러운 봄' 등 시구를 중심으로 작품을 해석하고 있으므로 작품 자체에 주목하여 해석하였다.

7 〈보기〉는 이 시를 시대적 상황과 관련지어 해석한 비평문이다. 〈보기〉에서 '봄'의 의미를 통일, 통일이 이루어지는 시대라고 해석한 것을 바탕으로 할 때, 이 시의 주제는 '통일에 대한 염원'으로 볼 수 있다.

평가 기준	확인 ☑
'통일에 대한 염원'이라고 주제를 씀.	
글자 수를 지켜 10자 내외로 씀.	

8 시를 쓴 시인의 경험과 관련지어 작품을 해석한 것은, 작가와 관련지어 작품을 해석한 것에 해당된다.

①, ② 내용과 표현에 근거한 감상으로 작품 자체에 주목하는 해석 방법에 해당한다.

③ 독자의 경험을 고려한 감상으로 독자와 연관지어 작품을 해석하는 방법에 해당한다.

④ 시대적 상황과 관련지어 시어를 해석한 감상으로 시대적 배경에 주목하는 해석 방법에 해당한다.

9 (나)를 참고할 때, (가)의 화자는 멧새 소리가 들리는 적막한 곳에서 꽁꽁 얼어 있는 명태와 같이 누군가를 기다리며 문턱을 서성이고 있다.

10 (나)의 글쓴이는 (가)의 제목인 '멧새 소리'가 명태의 시각적 이미지에 청각적 울림을 더해 주는 한편, '문턱'과 함께 외부와의 소통 가능성을 드러낸다고 해석하였다.

평가 기준	확인 ☑
㉠에 '청각적 울림'이라고 씀.	
㉡에 '화자와 외부의 소통 가능성을 열어 주는 작은 길'이라고 씀.	

제재 설명	❶ 정끝별, 〈시 읽기의 네 갈래 길, 백석의 〈멧새 소리〉〉	
갈래	비평문	
제재	시 〈멧새 소리〉	
주제	시 〈멧새 소리〉에 대한 해석과 감상	
특징	① 작품의 내용과 표현, 작가, 작품에 반영된 현실, 독자에게 전달되는 의미 등을 고려하여 해석함.	
	② 작품을 해석한 구체적인 근거를 제시하여 독자의 이해를 도움.	
	③ 시 〈멧새 소리〉에 관한 감상을 열어 두어 독자에게 여운을 남김.	

정답과 해설 **BOOK 2**

1주 문법

1-2 ③   **2-2** ③   **3-2** ②   **4-2** ②

1-2 단모음을 혀의 최고점의 위치에 따라 구분하면 입천장의 중간 부분을 기준으로 발음할 때, 혀의 최고점이 앞쪽에 있는 전설 모음과 뒤쪽에 있는 후설 모음으로 나뉜다.

2-2 자음은 소리 내는 방법에 따라 파열음, 마찰음, 파찰음, 비음, 유음으로 나뉜다.

자음과 모음을 그 소리의 성질과 분류 기준에 따라 나누거나 표로 정리하면 국어의 음운 체계를 이해할 수 있어.

또 국어를 정확하게 발음할 수 있는 능력도 길러 주지.

3-2 ㉠은 주어와 서술어의 관계가 두 번 이상 나타나는 겹문장으로, 두 문장이 원인을 나타내는 '-아서'로 연결되어 종속적인 의미 관계로 이어진 문장이다.

'-고, -지만, -려고, -아서/-어서'처럼 어간에 붙어 다음 말과 연결되도록 도와주는 문법 요소를 '연결 어미'라고 해.

4-2 남한은 사이시옷을 표기하지만 북한은 표기하지 않는다.

오답 풀이
①남한은 두음 법칙을 인정하지만 북한은 인정하지 않는다.
③비교적 외래어를 많이 사용하는 남한에 비해, 북한은 순우리말로 된 단어를 많이 사용한다.

1 ②   **2** ⑤   **3** ①   **4** 안은문장(관형절을 가진 안은문장)   **5** 두음 법칙

1 단모음은 입술 모양에 따라 원순 모음과 평순 모음, 혀의 최고점의 위치에 따라 전설 모음과 후설 모음, 혀의 높이에 따라 고모음, 중모음, 저모음으로 나뉜다.

2 'ㄱ, ㄲ, ㅇ, ㅋ'은 혀 뒷부분과 여린입천장 사이에서 나는 소리로, 여린입천장소리라고 한다.

3 '화단에 국화가 활짝 피었다.'는 주어 '국화가'와 서술어 '피었다'의 관계가 한 번만 나타나는 홑문장이다.

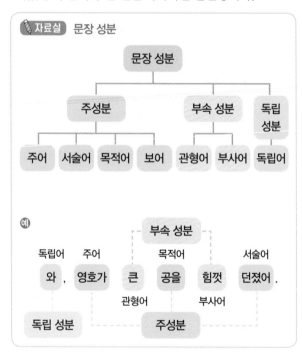

📝 **자료실** 문장 성분

문장 성분
├ 주성분 ─ 주어 · 서술어 · 목적어 · 보어
├ 부속 성분 ─ 관형어 · 부사어
└ 독립 성분 ─ 독립어

예

독립어	주어	목적어(부속 성분)		서술어
와,	영호가	큰 공을	힘껏	던졌어.
독립 성분	주성분	관형어	부사어	

4 '나는 동생이 어지른 방을 치웠다.'는 '나는 방을 치웠다.'와 '동생이 방을 어질렀다.' 두 문장이 결합한 겹문장으로, '동생이 어지른'은 안긴문장으로 전체 문장에서 관형어 역할을 한다.

5 남한의 '이용, 양식, 노동'에 해당하는 단어를 북한에서는 '리용, 량식, 로동'으로 표기한다. 이를 통해 남한과 달리 북한은 두음 법칙을 인정하지 않는다는 것을 알 수 있다.

1 왼쪽은 발음할 때 입술 모양이나 혀의 위치가 변하지 않는 단모음이고, 오른쪽은 발음할 때 입술 모양이나 혀의 위치가 변하는 이중 모음이다. 즉, 단모음과 이중 모음은 발음할 때 입술 모양이나 혀의 위치가 변하는지 변하지 않는지에 따라 나눈 것이다.

2 (가)는 발음할 때 혀의 최고점의 위치가 입천장의 중간점을 기준으로 앞쪽에 있는 전설 모음이다. 'ㅓ, ㅏ, ㅜ, ㅗ'는 모두 발음할 때 혀의 최고점의 위치가 뒤쪽에 있는 후설 모음으로 (나)에 해당한다.

3 제시된 자음들은 모두 혀끝과 윗잇몸 사이에서 소리 나는 잇몸소리이다.

> 자음은 홀로 소리 낼 수 없으니 모음 'ㅡ'를 더하여 '그', '느'처럼 소리 내면 돼.

4 (다)의 자음 'ㅋ, ㅌ, ㅊ'은 거센소리로, 발음할 때 숨이 거세게 나오는 소리다. 반면 (가)는 예사소리로 발음할 때 숨이 약하게 나오는 소리다.

1 말의 뜻을 구별해 주는 소리의 가장 작은 단위를 음운이라 하는데 음운에는 자음, 모음 등이 있다. ③의 '나'와 '너'의 뜻은 모음 'ㅏ'와 'ㅓ'로 구별된다.

> **오답 풀이**
> ① '공'과 '종'의 뜻은 자음 'ㄱ'과 'ㅈ'으로 구별된다.
> ② '곰'과 '솜'의 뜻은 자음 'ㄱ'과 'ㅅ'으로 구별된다.
> ④ '북'과 '불'의 뜻은 자음 'ㄱ'과 'ㄹ'로 구별된다.
> ⑤ '발'과 '밥'의 뜻은 자음 'ㄹ'과 'ㅂ'으로 구별된다.

2 (가)는 단모음, (나)는 이중 모음에 해당한다. 'ㅏ, ㅔ, ㅜ, ㅡ'는 단모음이지만, 'ㅕ'는 발음할 때 혀의 위치가 변하는 이중 모음이다.

3 (가)는 입술을 둥글게 오므리지 않고 발음하는 평순 모음

이다. 평순 모음에는 'ㅣ, ㅔ, ㅐ, ㅡ, ㅓ, ㅏ'가 있다. (나)는 발음할 때 혀의 최고점이 입천장의 중간점을 기준으로 뒤쪽에 있는 후설 모음이다. 후설 모음에는 'ㅡ, ㅓ, ㅏ, ㅜ, ㅗ'가 있다.

4 'ㅈ, ㅉ, ㅊ'은 혓바닥과 센입천장 사이에서 소리 나는 센입천장소리다.

> **오답 풀이**
> ① 'ㄴ, ㄷ, ㅅ, ㅌ'은 혀끝과 윗잇몸 사이에서 소리 나는 잇몸소리다.
> ② 'ㅁ, ㅂ, ㅃ, ㅍ'은 두 입술 사이에서 소리 나는 입술소리다.
> ④ 'ㅎ'은 목청에서 소리 나는 목청소리다.
> ⑤ 'ㄱ, ㄲ, ㅇ, ㅋ'은 혀 뒷부분과 여린입천장 사이에서 소리 나는 여린입천장소리다.

5 'ㄷ'은 공기의 흐름을 막았다가 터뜨리며 소리 내는 파열음이다. 'ㅅ'은 공기가 흐르는 통로를 좁혀 마찰을 일으키며 소리 내는 마찰음이다.

1 ㉠에는 겹문장이 들어가야 한다. ⑤는 '아이들이'가 주어이고, '날리는구나'가 서술어로 주어와 서술어의 관계가 한 번만 나타나는 홑문장이다.

2 ㄴ은 '길이 너무 좁다.'와 '차가 못 지나간다.'의 두 홑문장(절)이 원인을 나타내는 연결 어미 '-아서'를 활용해 종속적으로 이어진문장이다. ㄷ은 '눈이 그치다.'와 '비행기가 이륙할 것이다.'의 두 홑문장(절)이 조건을 나타내는 연결 어미 '-면'을 활용해 종속적으로 이어진문장이다.

3 밑줄 친 부분은 안은문장에서 체언인 '꽃다발'을 꾸며 주는 관형어 역할을 한다.

> **📙 자료실** 안긴문장(절)을 만드는 법
> • 전성 어미는 용언의 어간에 붙어 용언이 다른 품사의 기능을 하도록 만들어 주는 어미이다. 명사절, 관형절, 부사절을 만들 때는 전성 어미를 붙여 만든다.
> • 명사절을 만들 때는 명사형 어미 '-(으)ㅁ', '-기', 관형절을 만들 때는 관형사형 어미 '-(으)ㄴ', '-는', '-(으)ㄹ', '-던', 부사절일 때는 부사형 어미 '-게', '-도록' 등을 붙인다.
> • 인용절을 만들 때는 큰따옴표를 써서 다른 사람의 말을 직접 인용할 때는 조사 '라고'를, 인용하는 사람의 표현으로 바꾸어 간접 인용할 때는 조사 '고'를 붙인다.

4 북한은 상대적으로 남한에 비해 순우리말을 더 많이 쓴다.

오답 풀이
① 제시된 자료를 바탕으로 하여 북한에서 남한보다 띄어쓰기를 많이 하는지는 알 수 없다.
② 북한은 두음 법칙을 인정하지 않고 '료리'와 같이 쓴다.
④, ⑤ 남한과 북한 모두 소리 나는 대로 적되 어법에 맞게 쓴다.

3일	**필수 체크 전략 ②**			22~23쪽
1 ⑤	2 ②	3 ④	4 ⑤	5 ②

1 ㉠은 '하늘이'가 주어, '파랗다'가 서술어로 주어와 서술어의 관계가 한 번만 나타나는 홑문장이다. ㉡은 '언니가 모자를 썼다.'와 '엄마가 모자를 만들었다.'라는 두 문장이 결합한 겹문장(주어와 서술어의 관계가 두 번 이상 나타나는 문장)이다. ㉡에서 주어는 '언니는', '엄마가'이며, 서술어는 '썼다', '만든'이다.

2 제시된 예는 겹문장 중 이어진문장의 연결 방식이다. ②는 대조를 나타내는 '-지만'으로 연결된 이어진문장이다.

오답 풀이
① 서술절(마음씨가 곱다)을 가진 안은문장이다.
③ 명사절(그녀가 떠났음)을 가진 안은문장이다.
④ 부사절(소리도 없이)을 가진 안은문장이다.
⑤ 관형절(그녀가 돌아왔다는)을 가진 안은문장이다.

3 제시된 문장은 두 홑문장이 원인을 나타내는 '-아서'로 연결된 종속적으로 이어진문장이다. ④는 대조를 나타내는 '-나'로 연결된 대등하게 이어진문장이다.

4 〈보기〉는 안긴문장인 '농사가 잘되기'가 조사 '를'과 결합하여 문장에서 목적어 역할을 한다. ⑤의 안긴문장 '그가 돌아왔음'도 조사 '을'과 결합하여 문장에서 목적어 역할을 한다.

오답 풀이
① 안긴문장인 '키가 크다.'는 문장에서 서술어 역할을 한다.
② 안긴문장인 '내가 읽은'은 문장에서 관형어 역할을 한다.
③ 안긴문장인 '그녀가 만든'은 문장에서 관형어 역할을 한다.
④ 안긴문장인 '소리도 없이'는 문장에서 부사어 역할을 한다.

5 '겨울량식'은 남한에서는 '겨울 양식'으로 표기한다. 이는

남한은 두음 법칙을 인정하여 단어 '양식'의 첫머리에 오는 '량(糧)'을 '양'으로 표기하기 때문이다. 이에 비해 북한은 두음 법칙을 인정하지 않는다.

4일	**교과서 대표 전략 ①**			24~27쪽
1 ④	2 ④	3 ③	4 ④	5 ③
6 ④	7 ②	8 ②	9 ③	10 ②
11 ⑤	12 ②	13 ③	14 ④	

1 제시된 설명은 자음에 관한 것인데, ④의 '발'과 '벌'의 뜻은 모음 'ㅏ'와 'ㅓ'로 구별된다.

2 (가)는 단모음, (나)는 이중 모음에 해당한다. 단모음은 'ㅏ, ㅐ, ㅓ, ㅔ, ㅗ, ㅚ, ㅜ, ㅟ, ㅡ, ㅣ'의 10개로 ④는 모두 단모음에 해당한다.

3 단모음에서 발음할 때 혀의 높이가 높은 고모음은 'ㅣ, ㅟ, ㅡ, ㅜ'이다. 이 가운데 입술 모양이 둥글게 오므라지며 발음하는 원순 모음은 'ㅟ, ㅜ'이다.

입을 크게 벌릴수록 혀의 높이가 낮아져. 입이 벌어지는 정도와 혀의 높이를 살펴보며 모음을 발음해 봐.

4 'ㅣ'는 발음할 때 혀의 최고점의 위치가 앞쪽인 전설 모음이고, 'ㅡ'는 발음할 때 혀의 최고점의 위치가 뒤쪽인 후설 모음이다. 두 모음 모두 발음할 때 입술 모양이 둥글게 오므라지지 않는 평순 모음이며, 혀의 높이가 높은 고모음이다.

5 ③은 센입천장소리가 소리 나는 위치로, 'ㅈ, ㅉ, ㅊ'이 이에 해당한다. 'ㅅ'은 잇몸소리로 ②의 위치에서 소리 난다.

6 제시된 내용은 마찰음에 대한 설명으로, 'ㅅ, ㅆ, ㅎ'이 이에 해당한다.

오답 풀이
①, ②, ③ 'ㄱ, ㄷ, ㅂ'은 파열음으로 공기의 흐름을 막았다가 터뜨리면서 소리 낸다.

⑤ 'ㅈ'은 파찰음으로 공기의 흐름을 막았다가 틈을 조금 내어 마찰을 일으키며 내는 소리이다.

7 자음은 발음할 때 입안이나 코안이 울리는지 울리지 않는지에 따라 울림소리와 안울림소리로 나눌 수 있다. 울림소리는 발음할 때 입안의 통로를 막고 코로 공기를 내보내면서 소리 내는 비음(ㄴ, ㅁ, ㅇ)과 혀끝을 잇몸에 가볍게 대었다가 떼거나 잇몸에 댄 채 공기를 혀의 양옆으로 흘려보내면서 소리 내는 유음(ㄹ)이 있다. ②는 안울림소리인 파열음이다.

8 제시된 자음들은 소리 나는 위치는 다르지만 모두 된소리다. 된소리는 성대가 긴장되어 나오는 소리로, 강하고 단단한 느낌을 준다.

9 ㄴ은 '나는(주어) 방을 치웠다(서술어).'는 문장에 '동생이(주어) 방을 어질렀다(서술어).'라는 문장이 관형절로 안겨 있는 안은문장이다. ㄹ은 '바람이(주어) 많이 불다(서술어).'와 '날씨는(주어) 아직 따뜻하다(서술어).'라는 두 문장이 연결 어미 '-지만'으로 연결된 이어진문장이다. 두 문장 모두 주어와 서술어의 관계가 두 번 나타나는 겹문장이다.

10 제시된 문장은 두 문장이 목적을 나타내는 '-려고'로 연결된 종속적으로 이어진문장이다. ②도 원인을 나타내는 연결 어미 '-아서'로 연결된 종속적으로 이어진문장이다.

11 ⑤는 '동생은 김밥을 먹었다.'와 '언니는 김밥을 먹지 않았다.'의 두 문장이 대조를 나타내는 '-지만'으로 연결된 대등하게 이어진문장이다.

[오답 풀이]
① 서술절 '눈동자가 맑다.'를 가진 안은문장이다.
② 부사절 '이가 시리도록'을 가진 안은문장이다.
③ 명사절 '해가 떠오르기'를 가진 안은문장이다.
④ 명사절 '축구팀이 우승하기'를 가진 안은문장이다.

12 ②에서 안긴문장 '땀이 나다.'가 서술어 '뛰었다'를 수식하는 부사어 역할을 한다.

[오답 풀이]
① 안긴문장 '마음씨가 곱다.'가 서술어 역할을 한다.
③ 안긴문장 '농사가 잘되기가 조사 '를'과 결합하여 목적어 역할을 한다.
④ 안긴문장 '아기가 우는'이 관형어 역할을 한다.
⑤ 안긴문장 '지수가 그 일을 해냈음'이 조사 '이'와 결합하여 주어 역할을 한다.

13 ㉠의 두음 법칙 표기 차이로 남한에서 '겨울 양식'으로 표기하는 것을 북한에서는 '겨울량식'으로 쓰고, ㉡의 사이시옷 표기 차이로 남한에서 '툇마루'로 표기하는 것을 북한에서는 '퇴마루'로 씀을 알 수 있다.

14 남한 사람과 북한 사람이 대화할 때는 기본적으로 의사소통이 불가능하지는 않지만 어휘 차이로 오해가 생길 수도 있다. 이때는 의미가 다르게 쓰이는 어휘의 뜻을 서로 알려 주며 이해의 폭을 넓혀 나가야 한다. 어휘를 한쪽 기준에 맞춰 바꿔 말하는 것은 바람직한 방향으로 볼 수 없다.

남한과 북한의 맞춤법은 모두 분단 이전에 만들어진 《한글 맞춤법 통일안 (1933)》을 바탕으로 하고 있어.

하지만 남한과 북한의 언어는 지역, 정치 체제와 이념, 언어 정책 등의 차이로 점차 달라지고 있어.

4일	교과서 대표 전략 ❷		28~29쪽
1 ⑤	2 ⑤ 3 ①	4 ④	5 ②
6 ③	7 목적어 8 ②		

1 '곰'과 '감'의 뜻은 모음 'ㅗ'와 'ㅏ'로 구별되고, '막다'와 '먹다'의 뜻은 모음 'ㅏ'와 'ㅓ'로 구별되며, '불'과 '벌'의 뜻은 모음 'ㅜ'와 'ㅓ'로 구별된다. 즉, 제시된 단어들의 뜻을 구별해 주는 소리는 모두 모음이다.

[오답 풀이]
①, ② 'ㅗ, ㅜ'는 원순 모음, 'ㅏ, ㅓ'는 평순 모음이다.
③ 'ㅗ, ㅏ, ㅜ, ㅓ'는 모두 발음할 때 입술 모양이나 혀의 위치가 변하지 않는 단모음이다.

2 'ㅐ'는 전설 모음으로 발음할 때 혀의 최고점의 위치가 앞쪽에 있고, 'ㅏ'는 후설 모음으로 혀의 최고점의 위치가 뒤쪽에 있다.

①, ② 'ㅐ, ㅏ'는 발음할 때 혀의 높이가 낮은 저모음이며 입술 모양이 평평한 평순 모음이다.
③, ④ 'ㅐ, ㅏ'는 모두 단모음으로 발음할 때 입술 모양이나 혀의 위치가 변하지 않는다.

3 ㉠은 여린입천장소리에 대한 설명으로 'ㄱ, ㄲ, ㅇ, ㅋ'이 해당한다. ㉡은 파열음에 대한 설명으로 'ㄱ, ㄲ, ㄷ, ㄸ, ㅂ, ㅃ, ㅋ, ㅌ, ㅍ'이 해당한다. 제시된 자음 가운데 ㉠, ㉡을 모두 만족하는 것은 'ㄲ'이다.

4 ㉠은 거센소리가 주는 느낌으로 'ㅊ, ㅋ, ㅌ, ㅍ'이 이에 해당한다.

5 ②는 '비가 왔다.'와 '날이 추웠다.'의 두 문장이 이어진 문장으로 겹문장이다. 나머지는 주어와 서술어의 관계가 한 번만 나타나는 홑문장이다.

6 ③은 앞뒤 문장이 원인을 나타내는 연결 어미 '-아서'로 연결되고 있으므로 종속적으로 이어진문장이다.

①, ④ 원인을 나타내는 연결 어미 '-니', 조건을 나타내는 연결 어미 '-면'이 쓰인 종속적으로 이어진문장이다.
②, ⑤ 나열을 나타내는 연결 어미 '-고', 대조를 나타내는 연결 어미 '-지만'이 쓰인 대등하게 이어진문장이다.

7 '나는 해가 떠오르기를 기다린다.'는 '해가 떠오르기'라는 명사절을 가진 안은문장이다. 안긴문장인 '해가 떠오르기'는 조사 '를'과 결합하여 전체 문장에서 목적어 역할을 한다.

8 제시된 글을 통해 남북한 언어의 문장 구조의 차이는 크지 않음을 알 수 있다.

① 남한에서 한자어가 쓰이는 것과 같이 북한에서도 '학생', '소년'과 같은 한자어가 쓰인다.
③ 북한은 '얼마전', '운영되고있는' 등을 붙여 쓰지만 남한에서는 '얼마 전', '운영되고 있는'으로 띄어 쓴다.
④ 북한에서는 '소조', '그쯘하게' 등 남한에서는 쓰지 않는 어휘를 쓴다.

누구나 합격 전략 | 30~31쪽

1 ②	2 ⑤	3 ③	4 ④	5 ⑤
6 ⑤	7 ㄹ, ㅁ	8 ④	9 ㉠: 겨울량식 ㉡: 고간,	
메돼지	10 ①			

1 말의 뜻을 구별해 주는 소리의 가장 작은 단위를 음운이라고 하며, 우리말에는 모음, 자음, 소리의 길이 등이 음운에 해당한다. '물'과 '불'에서 뜻을 구별해 주는 소리는 'ㅁ'과 'ㅂ'이다.

ㄷ. 모음은 발음할 때 공기의 흐름이 발음 기관의 장애를 받지 않고 나오는 소리이다.
ㄹ. '발'과 '살'의 뜻을 구별해 주는 소리는 'ㅂ'과 'ㅅ'이다.

2 발음할 때 입술 모양이나 혀의 위치가 변하지 않는 단모음은 'ㅏ, ㅐ, ㅓ, ㅔ, ㅗ, ㅚ, ㅜ, ㅟ, ㅡ, ㅣ'로 모두 10개이다.

3 발음할 때 입술을 둥글게 오므려 내는 소리인 원순 모음에는 'ㅟ, ㅚ, ㅜ, ㅗ'가 있다.

4 'ㅇ'은 혀 뒷부분과 여린입천장 사이에서 나는 여린입천장소리고, 'ㅎ'은 목청에서 나는 목청소리다.

①, ② 'ㄴ, ㄹ, ㄷ, ㅅ'은 혀끝과 윗잇몸 사이에서 소리 나는 잇몸소리다.
③ 'ㅁ, ㅂ'은 두 입술 사이에서 소리 나는 입술소리다.
⑤ 'ㅈ, ㅊ'은 혓바닥과 센입천장 사이에서 소리 나는 센입천장소리다.

5 자음은 소리의 세기에 따라 예사소리, 된소리, 거센소리로 나눌 수 있다. 'ㄱ, ㄷ, ㅂ, ㅅ'은 성대를 편안히 둔 상태에서 숨을 약하게 내는 예사소리고, 'ㅊ'은 성대 근육이 긴장하면서 숨을 거세게 내는 거센소리다.

6 ⑤는 '길이 너무 좁다.'와 '차가 못 지나간다.'의 두 문장이 이어진 문장으로 겹문장이다. 나머지는 주어와 서술어의 관계가 한 번만 나타나는 홑문장이다.

7 제시된 내용은 이어진문장에 대한 설명이다. ㄹ은 나열을 나타내는 연결 어미 '-고'가 쓰여 대등하게 이어진문장이고, ㅁ은 조건을 나타내는 연결 어미 '-면'이 쓰여 종속적으로 이어진문장이다.

ㄱ. '내가 읽은'이라는 안긴문장이 안은문장에서 관형어 역할을 하는, 관형절을 가진 안은문장이다.
ㄴ. '발에 땀이 나게'라는 안긴문장이 안은문장에서 부사어 역할을 하는, 부사절을 가진 안은문장이다.
ㄷ. 안긴문장이 '혁수의 말이 옳다.'라는 다른 사람의 말을 간접 인용한 것으로, 인용절을 가진 안은문장이다.

8 '승재는 키가 크다.'에서 '키가 크다.'라는 안긴문장이 전체 문장의 서술어 역할을 한다. '승재는 마음씨가 곱다.'도 '마음씨가 곱다.'라는 안긴문장이 전체 문장에서 서술어 역할을 한다. 따라서 두 문장 모두 서술절을 가진 안은문장이다.

9 북한은 남한과 달리 두음 법칙을 인정하지 않기 때문에 남한에서 '겨울 양식'이라고 표기하는 것을 '겨울량식'으로 쓴다. 또 북한에서는 사이시옷을 표기하지 않기 때문에 남한에서 '곳간'이라고 표기하는 것을 '고간'으로, 남한에서 '멧돼지'라고 표기하는 것을 '메돼지'로 쓴다.

10 정윤 씨는 남한에서 흔히 쓰는 외래어인 '클립, 다이어리, 볼펜'의 의미를 알아듣지 못하고 있다. 남한은 외래어를 많이 사용하고, 북한은 외래어를 대체로 순우리말로 순화하여 사용하기 때문에 이런 현상이 나타나는 것이다.

창의·융합·코딩 **전략 ❶**　　　32~33쪽

1 ㉠: ㄷ　㉡: ㄴ　㉢: ㄱ　　**2** ⑤　　**3** ⑤　　**4** ①

1 ㄱ. '발'과 '벌'의 뜻은 모음 'ㅏ'와 'ㅓ'로 구별되므로 ㉢에 해당한다. ㄴ. '달'과 '탈'의 뜻은 자음 'ㄷ'과 'ㅌ'으로 구별되므로 ㉡에 해당한다. ㄷ. 두 '말'의 자음과 모음의 구성이 동일하지만, 소리의 길이에 따라 뜻이 구별되므로 ㉠에 해당한다.

2 입안의 통로를 막고 코로 공기를 내보내면서 내는 소리는 비음으로, 'ㄴ, ㅁ, ㅇ'이 이에 해당한다. 이 가운데 여린입천장소리는 'ㅇ'이다. 또한 발음할 때 입술을 둥글게 오므리고 내는 원순 모음에는 'ㅟ, ㅚ, ㅜ, ㅗ'가 있다. 따라서 이에 해당하는 단어는 자음 'ㅇ'이 쓰였으며 원순 모음 'ㅗ, ㅜ'로만 구성된 '소풍'이다.

오답 풀이
① [산꼴]: 비음 'ㄴ'은 잇몸소리이며, 'ㅏ'는 평순 모음이다.
② [다람쥐]: 비음 'ㅁ'은 입술소리이며, 'ㅏ'는 평순 모음이다.
③ [도토리]: 비음이 쓰이지 않았으며, 'ㅣ'는 평순 모음이다.
④ [점심]: 비음 'ㅁ'은 입술소리이며, 원순 모음이 쓰이지 않았다.

3 마찰음 'ㅅ, ㅆ, ㅎ' 가운데 소리의 세기가 강하고 단단한 느낌을 주는 된소리는 'ㅆ'이다. 저모음이면서 후설 모음은 'ㅏ'이다. 유음은 'ㄹ'이다. 이 세 음운을 결합하면 '쌀'이 된다.

---

4 '언니는 올해 대학생이 되었다.'에서 서술어는 '되었다'이고 서술어의 주체가 되는 주어는 '언니는'이다. '대학생이'는 서술어 '되다/아니다' 앞에 붙는 보어이다. 따라서 문장 '언니는 올해 대학생이 되었다.'는 주어와 서술어의 관계가 한 번만 나타나는 홑문장이다.

창의·융합·코딩 **전략 ❷**　　　34~35쪽

5 ④　　**6** ④　　**7** ④　　**8** ⑤

5 ㉠, ㉢은 대등하게 이어진문장이고, ㉡은 종속적으로 이어진문장이다. 따라서 ㉡은 앞뒤 문장의 순서를 바꾸면 의미가 변한다.

오답 풀이
①, ③ ㉠은 나열을 나타내는 연결 어미 '-고', ㉢은 대조를 나타내는 연결 어미 '-지만'이 쓰였다.
② ㉡은 원인을 나타내는 연결 어미 '-어서'가 쓰였다.

6 ④에서는 '비가 온다'라는 문장이 '비가 오기'라는 명사절로 바뀐 뒤 조사 '를'과 결합하여 전체 문장에서 목적어 역할을 한다.

오답 풀이
①, ② 앞뒤 문장이 원인의 의미 관계를 가지는 종속적으로 이어진 문장이다.
③, ⑤ 안긴문장이 전체 문장에서 관형어 역할을 하고 있다.

7 전체 문장 속 하나의 문장 성분의 역할을 하는 것은 안긴문장으로, ㉠, ㉣이 해당한다. (나)의 ㉡, ㉢은 대등하게 이어진문장을 구성하는 절이다.

오답 풀이
① ㉠은 안긴문장으로 '방'을 꾸며 주는 관형어 역할을 한다.
② ㉡과 ㉢은 나열의 의미 관계로 대등하게 이어져 서로의 순서를 바꾸어도 (나)의 전체 의미에 변화가 없다.
③ ㉣은 명사절 '해가 떠오르기'에 조사 '를'이 결합하여 전체 문장에서 목적어(주성분에 해당) 역할을 한다.
⑤ (가), (다)는 안은문장, (나)는 이어진문장이다.

8 남한과 북한에서 사용하는 언어가 너무 달라지면 서로 점점 더 이해하기 어려워지고 오해가 생겨 갈등이 일어날 수 있다. 따라서 남북한 언어의 차이를 극복해야 하는 필요성을 깊이 인식하고 꾸준히 관심을 가져야 한다.

정답과 해설 BOOK 2

2주 읽기/쓰기/듣기·말하기

1일 개념 돌파 전략 ❶ 39, 41쪽

1-2 ① 2-2 ③ 3-2 ③ 4-2 ①

1-2 구체적인 사례를 바탕으로 일반적인 법칙을 이끌어 내고 있으므로 귀납이 쓰였다.

> 오답 풀이
> ② 연역은 일반적인 법칙에서 구체적이고 개별적인 사실을 이끌어 내는 논증 방법이다.
> ③ 유추는 두 대상이 여러 면에서 비슷하다는 것을 근거로 하여 다른 속성도 비슷할 것이라고 추론하는 논증 방법이다.

2-2 동일한 화제를 다룬 여러 글의 관점과 형식을 비교하며 읽으면 글의 주제를 깊이 있게 이해할 수 있으나 글을 빠르게 읽을 수 있다고 볼 수는 없다.

3-2 남학생은 다양한 가습 방법의 효과를 비교하기 위한 실험 준비물을 살펴보며 실험을 하고 그 내용을 정리하는 글을 쓰려고 한다. 이를 통해 자신이 관찰한 내용을 바탕으로 '보고하는 글(보고서)'을 쓰려고 함을 알 수 있다.

4-2 말하는 이는 '우리 반 출석 현황 통계 자료'를 근거로 들어 문제를 제시하고 있으므로, 통계 자료를 통해 논리적인 방법으로 주장을 뒷받침하고자 한 이성적 설득 전략이 쓰였다.

1일 개념 돌파 전략 ❷ 42~43쪽

1 연역 2 ㉠: 긍정적 ㉡: 편지글 3 ④ 4 ②
5 감성적

1 '물고기는 아가미로 숨을 쉰다.'의 대전제와 '금붕어는 물고기다.'라는 소전제를 근거로 하여 '그러므로 금붕어는 아가미로 숨을 쉰다.'라는 구체적이고 개별적인 사실을 이끌어 내고 있으므로 연역의 논증 방법이 쓰였다.

2 (가)는 채식으로 지구 온난화를 늦출 수 있는 정보를 제공하는 기사문이고, (나)는 친구에게 채식을 하자고 말하는 내용의 편지글이다. 즉 (가)와 (나)는 각각 다른 형식을 통해 채식에 대한 긍정적인 관점을 드러내고 있다.

3 조사한 내용을 목적에 맞게 변형하는 것은 쓰기 윤리를 어기는 태도로, 보고하는 글(보고서)을 쓸 때는 조사의 결과를 변형하거나 왜곡하지 말아야 한다.

4 토론은 찬반으로 나뉘어 자기 측 주장을 논리적으로 제시하고 상대측 주장을 논리적으로 반박하여 상대측을 설득하는 것을 목표로 하는 말하기이다.

5 말하는 이는 듣는 이의 감정에 호소하여 듣는 이의 마음을 자극하고 있으므로 '감성적 설득 전략'이 쓰였다.

2일 필수 체크 전략 ❶ 44~47쪽

1 택배 기사들은 열악한 노동 환경에 처해 있다. 2 ③
3 ④ 4 ②

1 '문제점 ①'과 '문제점 ②'는 택배 기사들의 노동 환경의 문제점을 보여 주는 구체적인 사례들이다. 이 글에서는 이를 바탕으로 '택배 기사들은 열악한 노동 환경에 처해 있다.'는 결론을 제시하고 있다.

> 📝 제재 설명 김용섭, 〈왜 속도를 고민해야 하는가?〉

갈래	주장하는 글(논설문)
제재	택배 기사의 열악한 노동 환경
주제	속도를 지나치게 중요시하지 않았는지 반성하고, 작은 불편은 받아들일 줄 아는 소비자가 되자.
특징	① 논증 방법 중 귀납과 연역을 사용함. ② 통계 자료를 근거로 제시하여 주장의 타당성을 높임.

2 [A]에는 '대전제 – 소전제 – 결론'으로 이루어진 삼단 논법이 사용되었다. 삼단 논법은 연역의 대표적인 방법으로 대전제와 소전제를 근거로 하여 구체적인 사실에 해당하는 결론을 이끌어 낸다. 따라서 ㉠에는 [A]의 두 번째 문장이 들어가야 한다.

> ✏️ **제재 설명** 건강다이제스트 편집부, 〈밤도 대낮처럼 환하게, 인공 빛의 두 얼굴〉
>
> | 갈래 | 주장하는 글(논설문) |
> |---|---|
> | 제재 | 빛 공해가 미치는 나쁜 영향 |
> | 주제 | 건강한 삶을 위해 불필요한 불을 끄자. |
> | 특징 | ① 논증 방법 중 귀납과 연역을 사용함.
② 다양한 사례를 제시하여 빛 공해의 문제점을 드러냄. |

3 '올바른 젓가락질'에 관해 (가)에서는 젓가락질을 가르쳐야 한다고 했으므로 긍정적인 관점을 보여 주고 있고, (나)에서는 젓가락질을 잘 못해도 된다고 했으므로 부정적인 관점을 보여 주고 있다.

> ✏️ **제재 설명** ㉮ 윤상원, 〈젓가락으로 시작하는 밥상머리 교육〉
>
> | 갈래 | 주장하는 글(논설문) |
> |---|---|
> | 제재 | 올바른 젓가락질 |
> | 주제 | 올바른 젓가락질을 가르쳐야 한다. |
> | 특징 | 젓가락질 동작의 숨겨진 힘과 올바른 젓가락질의 효과를 근거로 제시하여 자신의 주장을 뒷받침함. |

> ✏️ **제재 설명** ㉯ 엄지원, 〈젓가락질을 잘해야만 밥 잘 먹나요〉
>
> | 갈래 | 주장하는 글(논설문) |
> |---|---|
> | 제재 | 올바른 젓가락질 |
> | 주제 | 젓가락질을 잘 못해도 괜찮다. |
> | 특징 | 구체적인 근거를 들어 자신의 주장을 뒷받침함. |

4 (나)는 그림과 문구를 활용하여 '잊힐 권리의 법제화가 필요함'을 호소력 있게 전달하고 있다.

오답 풀이

④, ⑤ (가)는 주장을 뒷받침하는 근거를 제시하여 주장의 타당성을 높이고 있다. (나)는 지우고 싶은 과거가 있는 사람들의 사례를 소개한 짧은 문구를 그림과 함께 제시하여 말하고자 하는 바를 한눈에 파악할 수 있게 하고 있다.

> ✏️ **제재 설명** ㉮ 〈잊힐 권리 법제화, 시급해〉
>
> | 갈래 | 주장하는 글(논설문) |
> |---|---|
> | 제재 | 잊힐 권리의 법제화 |
> | 주제 | 잊힐 권리의 법제화가 하루빨리 이루어져야 한다. |
> | 특징 | ① 구체적인 근거를 제시하여 주장을 뒷받침함.
② 현재 시행하고 있는 법의 한계를 지적하며 잊힐 권리의 법제화가 필요함을 주장함. |

> ✏️ **제재 설명** ㉯ 〈나를 지워 주세요〉
>
> | 갈래 | 광고문 |
> |---|---|
> | 제재 | 잊힐 권리의 법제화 |
> | 주제 | 잊힐 권리는 법으로 보장받아야 할 마땅한 권리이다. |
> | 특징 | ① '나를 지워 주세요'라는 문구와 인터넷에 돌아다니는 자신의 정보를 지우는 그림을 함께 제시함.
② 사람들에게 호소하는 듯한 문구를 써서 말하고자 하는 바를 인상 깊게 전달함. |

2일 필수 체크 전략 ❷

48~49쪽

1 ④	**2** ③	**3** ③	**4** ②

1 글쓴이는 퇴락한 행랑채를 수리한 경험에서 얻은 깨달음을 통해 사람은 물론 나라도 잘못을 알면 바로 고쳐야 한다고 말하고 있으므로 ④는 적절하지 않다.

2 글쓴이는 집을 수리한 경험이 사람의 경우, 나라의 경우와 비슷하다고 밝히고 있다. 이처럼 둘 이상의 대상이 여러 가지 면에서 비슷하다는 점을 근거로 다른 속성도 비슷할 것이라고 추론하고 있으므로 유추가 쓰였다.

> ✏️ **작품 설명** 이규보, 〈이옥설〉
>
> | 갈래 | 고전 수필, 설(設) |
> |---|---|
> | 제재 | 집을 수리한 경험 |
> | 주제 | 잘못을 알았을 때 바로 고쳐야 한다. |
> | 특징 | ① 논증 방법 중 유추를 써서 주장을 이끌어 냄.
② 글쓴이의 경험을 먼저 제시하고 이를 통해 얻은 깨달음을 덧붙이는 방식으로 내용을 전개함. |

3 (가)는 인공 빛이 건강에 미치는 부정적인 영향을 다룬 기사문이고, (나)는 인공 빛 때문에 잠을 이루지 못한 도시 쥐가 시골 쥐의 도움으로 잠을 편안히 이루게 되었다

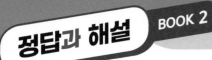

는 내용의 동화이다. 즉 두 글은 모두 밤에 빛나는 인공 빛을 화제로 다루고 있다.

4 (가)는 인공 빛이 건강에 미치는 악영향을 근거로, (나)는 도시 쥐가 밤의 인공 빛 때문에 잠을 이루지 못한 이야기를 통해 인공 빛에 대한 부정적 관점을 드러내고 있다.

<img_오답 풀이>

ㄴ. (가), (나) 모두 객관적인 통계 자료는 나타나 있지 않다.

ㄷ. (나)의 이야기가 설득을 목적으로 한다고 볼 수는 없다.

제재 설명 ② 〈잠들지 않는 도시의 밤, 빛 공해가 심각하다〉

갈래	기사문
제재	빛 공해
주제	빛 공해는 수면을 방해하고 생태계를 교란한다.
특징	빛 공해가 일으키는 문제를 사람, 식물, 동물의 경우를 들어 구체적으로 제시함.

작품 설명 ④ 환경부, 〈시골 쥐와 도시 쥐-빛 공해〉

갈래	동화
제재	빛 공해
주제	빛 공해 때문에 잠을 이룰 수 없었던 도시 쥐는 시골 쥐가 도와주어 잠을 편안히 자게 되었다.
특징	① 이솝 우화 〈시골 쥐와 도시 쥐〉를 재구성한 패러디 동화임. ② 부드러운 말투로 이야기를 전개함.

3일 필수 체크 전략 ❶ 50~53쪽

1 ③ **2** ② **3** ③ **4** ③

1 보고하는 글은 관찰, 조사, 실험의 절차와 결과를 정리하여 보고할 목적으로 쓴 글로, 정확하고 객관적인 사실에 근거하여 제시해야 한다.

2 제시된 설문 조사 자료는 주장과 관련된 내용으로 주장의 내용을 구체적으로 뒷받침해 주는 것이지, 주장의 내용을 요약하여 보여 주는 것은 아니다.

<img_오답 풀이>

주장하는 글에서 근거는 주장과 관련이 있어야 하며, 객관적이고 주장을 타당하게 뒷받침할 수 있어야 한다. 또한 인정이나 권위에 호소하지 않고 믿을 만한 것이어야 한다.

제재 설명 〈신조어를 무분별하게 사용하지 말자〉

갈래	주장하는 글(논설문)
제재	청소년들이 사용하는 신조어
주제	신조어를 무분별하게 사용하지 말자.
특징	① 청소년들이 사용하는 신조어의 다양한 예를 제시하여 독자의 흥미를 일으킴. ② 설문 조사 결과와 전문가 의견 등 다양한 자료를 활용하여 근거를 제시함.

3 토론자가 반박할 때는 상대측 주장과 근거를 비판적으로 분석하여 논리적인 허점이나 오류를 적절하게 지적했는지를 평가해야 한다.

자료실 토론할 때 유의할 점

• 발언 시간과 순서를 지킴.
• 토론 주제에서 벗어난 말은 하지 않음.
• 크고 분명한 목소리로 간단명료하게 말함.
• 상대측의 발언을 끝까지 듣고 의견 차이를 존중함.
• 상대측 토론자에 대한 비방이나 감정적 발언을 삼감.

4 듣는 이는 동계 올림픽에서 금메달을 딴 김연아 선수가 말하는 이라는 점에서 연설 내용에 신뢰감을 느끼게 된다. 이처럼 말하는 이의 됨됨이를 바탕으로 듣는 이에게 신뢰감을 주는 것은 인성적 설득 전략이다.

제재 설명 김연아, 〈평창 동계 올림픽 유치 연설〉

갈래	연설문
제재	평창 동계 올림픽 유치
주제	2018년 동계 올림픽은 평창에서 개최되어야 한다.
특징	① 말하는 이의 경험과 생각을 진솔하게 표현함. ② 올림픽이 많은 젊은이에게 성공과 성취의 기회가 될 것임을 강조함.

1 보고서를 쓸 때는 실험의 내용을 이해하기 쉽도록 정확하고 간결하게 표현해야 한다.

2 실험 내용이나 결과를 과장, 왜곡, 변형, 축소하는 것은 쓰기 윤리에 어긋나는 행동이므로 사실대로 써야 한다.

3 ㉠은 동물원이 교육적이지 않다는 주장을 뒷받침하는 근거로 제시하였으나 개인적인 경험을 성급하게 일반화하여 논리적인 허점과 오류를 드러내고 있어서 타당하지 않다.

4 반대 측 토론자는 권위 있는 기관에서 발표한 보고서와 설문 조사의 내용을 근거로 활용하여 신뢰성을 높였다.

> 오답 풀이
>
> ㅁ. 동물원에서 동물 관련 지식을 얻을 수 있었다는 설문 조사 결과를 근거로 제시하고 있으나, 그 지식의 구체적인 사례를 활용하고 있지는 않다.

1 (가)~(다)에서 택배 기사들에게 교통사고가 많이 발생하는 것, 택배 기사들이 과도한 노동을 하고 있는 것, 택배 기사 개인의 수입은 달라지지 않은 것 등 택배 기사가 겪는 개별적인 문제 상황들을 제시하고, 이를 바탕으로 하여 (라)에서 택배 기사들이 열악한 노동 환경에 처해 있다는 일반적인 사실을 결론으로 이끌어 내고 있으므로 (가)~(라)에는 귀납이 쓰였다.

> 오답 풀이
>
> ①, ②, ③ 일반적인 법칙에서 구체적이고 개별적인 사실을 이끌어 내는 연역이 쓰였다.
> ⑤ 두 대상이 비슷하다는 것을 근거로 하여 다른 속성도 비슷할 것이라고 추론하는 유추가 쓰였다.

2 (마)에서 '모든 노동자는 바람직한 환경에서 일할 권리가 있다.'는 대전제, '택배 기사들은 택배 산업에서 핵심이 되는 노동자들이다.'는 소전제, '따라서 택배 기사들 역시 바람직한 환경에서 일할 권리를 보장받아야 한다.'는 결

론에 해당한다. 이는 '대전제 – 소전제 – 결론'으로 이어지는 삼단 논법으로 연역이 쓰였다.

3 (나)의 첫 문장에서 최근 우리나라에서 잊힐 권리 법제화에 관한 논의가 활발하게 진행되고 있다고 하였다.

4 (가)는 잊힐 권리의 법제화가 필요하다고 주장하는 글이고, (나)는 잊힐 권리의 법제화를 신중히 바라봐야 한다고 주장하는 글이다.

> 제재 설명 ❹ 〈잊힐 권리의 법제화, 신중해야〉
>
> | 갈래 | 주장하는 글(논설문) |
> | --- | --- |
> | 제재 | 잊힐 권리의 법제화 |
> | 주제 | 잊힐 권리의 법제화에 신중히 접근해야 한다. |
> | 특징 | ① 구체적인 근거를 제시하여 주장을 뒷받침함.
② 일상생활에서 일어날 법한 일을 들어 잊힐 권리를 법제화하면 생길 수 있는 문제들을 제시함. |

5 글쓴이는 길거리에 쓰레기통의 수를 늘리자고 주장하고 있으며, (가)에서 질문으로 글을 시작하여 독자의 흥미를 끌고 있다.

> 오답 풀이
>
> ③ (가)에서 문제 상황을 제시하고 있으나 이에 대한 다양한 입장을 소개하고 있지는 않다.
> ④ 주장에 대한 근거를 두 가지로 나누어 제시하고 있다.

6 주장하는 글의 개요를 점검할 때에는 주장과 근거 사이에 연관성이 있는지, 근거가 타당한지, 내용이 논리적으로 전개되는지 등을 점검해야 한다. ②는 쓰레기통이 설치되었을 때 나타날 수 있는 문제점이므로 길거리에 쓰레기통의 수를 늘려야 한다는 주장을 뒷받침하기에 적절하지 않다.

> 제재 설명 〈길거리에 쓰레기통의 수를 늘려야 한다〉
>
> | 갈래 | 주장하는 글(논설문) |
> | --- | --- |
> | 제재 | 길거리 쓰레기통 |
> | 주제 | 길거리에 쓰레기통의 수를 늘리자. |
> | 특징 | ① 주장을 뒷받침하는 타당한 근거를 제시함.
② 첫 문장을 의문문으로 시작하여 독자의 흥미를 끎. |

7 제시된 내용은 연설자가 흑인 인권 운동을 지속적으로 이끌어 온 경험과 전문성이 있는 인물임을 보여 준다. 이러한 점은 연설을 듣는 이에게 신뢰감을 주고 연설자의

주장에 설득력을 더해 준다. 그러나 듣는 이가 동정심을 느끼게 된다는 점은 적절하지 않다.

8 (다)에는 듣는 이의 감정에 호소하여 듣는 이의 마음을 움직이는 감성적 설득 전략이, (라)에는 역사적 사실을 근거로 들어 논리적, 이성적으로 주장을 뒷받침하는 이성적 설득 전략이 쓰였다.

> ✏️ **제재 설명** 마틴 루서 킹, 〈나에게는 꿈이 있습니다〉

갈래	연설문
제재	흑인을 향한 인종 차별 반대
주제	인종과 상관없이 모두가 평등하게 살아갈 수 있도록 다 함께 노력하자.
특징	① 미국의 링컨 대통령의 〈노예 해방 선언〉이나 미국의 '건국 신조' 같은 역사적 사실을 근거로 들어 설득함. ② 흑인이 차별받고 있는 사례를 구체적으로 제시하여 듣는 이의 공감을 이끌어 냄.

4일 교과서 대표 전략 ❷ 60~61쪽

1 귀납 　**2** ④ 　**3** ③ 　**4** 인성적 설득 전략

1 빛 공해가 동물의 생태와 행동에 악영향을 미치는 예와 빛 공해가 식물의 생식에 악영향을 미치는 예를 근거로 들어 빛 공해가 인간과 동식물에 악영향을 미친다고 주장하고 있다. 이처럼 구체적인 사실에서 일반적인 법칙을 이끌어 내는 논증 방법은 귀납이다.

2 (나)는 근거를 들어 주장을 펼치는 주장하는 글(논설문)이고, 제시된 글은 엄마가 현서에게 보내는 편지글이다. 편지글은 수필의 일종으로 자신의 생각을 솔직하고 편안하게 전달할 수 있다.

3 3. 설문 조사 결과에서 스마트폰 사용을 줄여야겠다고 생각한 까닭으로 '학업 문제(40.5%)'가 가장 높게 나왔고, 4. 결과 종합 분석에서도 '학업 문제'가 가장 높았다고 제시했으므로, 설문 조사 결과를 정확하게 분석했음을 알 수 있다.

4 말하는 이의 됨됨이를 바탕으로 하여 내용에 신뢰를 갖게 하는 설득 전략은 인성적 설득 전략이다. (나)의 말하는 이는 자신이 배려와 봉사심을 지녀 학생회장이 될 만한 자질을 갖추었음을 강조하고 있다.

누구나 합격 전략 62~63쪽

1 ① 　**2** 연역 　**3** (가): 긍정적 (나): 부정적
4 ③ 　**5** ④ 　**6** ④ 　**7** ③ 　**8** ⑤

1 빛 공해가 일으키는 구체적인 문제점들을 제시한 다음 이를 근거로 하여 빛 공해가 인간과 동식물에 악영향을 미친다는 결론을 이끌어 내고 있으므로 귀납의 논증 방법이 쓰였다.

2 (가)와 (나)에는 모두 '대전제-소전제-결론'으로 이루어진 연역의 논증 방법이 쓰였다.

3 (가)와 (나)는 모두 '올바른 젓가락질의 필요성'을 화제로 다루고 있다. (가)는 젓가락질 교육이 필요하다는 입장이고, (나)는 올바른 젓가락질을 강조할 필요가 없다는 입장이다. 즉 올바른 젓가락질의 필요성에 대해 (가)는 긍정적, (나)는 부정적 관점을 보이고 있다.

4 (가)는 주장하는 글이고, (나)는 광고문으로, (가), (나) 모두 '잊힐 권리의 법제화'에 대한 긍정적인 관점을 보여 주고 있다.

5 보고서를 쓰는 과정에서 여학생은 조사 결과를 과장하려 하고, 남학생은 조사 결과 중 일부만 제시하여 조사한 내용을 왜곡하려 하고 있다. 조사한 내용을 과장하거나 왜곡하는 것은 쓰기 윤리에 어긋나는 행동으로, 보고서 내용의 신뢰성을 크게 떨어뜨릴 수 있다.

6 제시된 글은 글의 제목이나 ㉠의 앞부분 내용으로 보아 길거리에 쓰레기통의 수를 늘리자는 주장을 담고 있다. ㉠은 이러한 주장과 상관없는 내용이므로 삭제해야 글의 통일성을 해치지 않는다.

7 토론의 입론 단계에서는 논제와 관련된 핵심적인 주장과 근거를 제시한다.

8 제시된 연설의 연설자는 동계 올림픽에서 성과를 거둔 김연아 선수로, 동계 올림픽에 대한 경험과 전문성이 충분하므로 연설 내용을 신뢰하게 하는 효과가 있다. ㉠에는 말하는 이의 사람 됨됨이를 바탕으로 내용에 신뢰를 갖게 하는 '인성적 설득 전략'이 쓰였다.

1 연역 **2** ㉣ **3** ⑤ **4** ⑤

1 〈보기〉를 통해 제시된 광고에는 '대전제 – 소전제 – 결론'의 삼단 논법이 쓰였다. 이는 일반적인 법칙에서 구체적이고 개별적인 사실을 이끌어 내는 연역에 해당한다.

2 ㉠은 연역, ㉡은 귀납, ㉣은 유추이다. 제시된 예에서는 일란성 쌍둥이와 복제 인간의 유사점을 바탕으로 하여 결론을 이끌어 내는 유추의 논증 방법이 쓰였다.

3 (나)는 서울 광화문 네거리의 밤 풍경을 노래한 시로, 도시의 인공조명에 대해 비판적인 태도를 드러내고 있다.

✏️ 작품 설명 ❹ 이문재, 〈광화문, 겨울, 불꽃, 나〉

갈래	현대시, 자유시
제재	광화문 네거리의 밤 풍경
주제	현대 도시의 야간 불빛에 대한 비판
특징	자연에서 인간의 문제로 확대하여 현실을 바라보고 있음.

4 (가)는 주장하는 글이고, (나)는 카드 뉴스로, (가), (나) 모두 기술 도핑과 관련하여 기준 마련을 위한 논의가 필요하다고 보고 있다. (나)는 핵심 정보만 간추려 간결하게 전달하기 때문에 주제를 한눈에 파악하기 쉽다.

✏️ 제재 설명 ㉮ 최성우, 〈첨단 기술의 승리? 신종 도핑 반칙?〉

갈래	주장하는 글(논설문)
제재	기술 도핑
주제	스포츠 정신에 어긋나지 않도록 첨단 스포츠용품의 도입에 바람직한 규범과 합의를 해야 한다.
특징	① 첨단 운동화 등의 사례를 통해 문제를 제기함. ② 다양한 근거를 제시하여 주장을 뒷받침함.

✏️ 제재 설명 ㉯ 〈스포츠 '기술 도핑' 논란〉

갈래	카드 뉴스
제재	기술 도핑
주제	선수들이 사용하는 여러 장비에 과학 기술의 도입을 어디까지 허용해야 할지 논의해야 한다.
특징	① 사진, 그림 등 시각 자료를 활용하여 정보를 전달함. ② 짧은 문구를 여러 장면에 나누어서 제시하고 핵심 정보를 간결하게 요약하여 전달함.

5 ④ **6** ② **7** ④ **8** ㉠: ⓓ ㉡: ⓑ

5 소미는 실제로 경험하지 않은 것을 경험한 것처럼 꾸며 썼다. 사실이 아닌 것을 사실인 것처럼 꾸며 썼으나 주장을 강조하기 위해 과장한 부분은 드러나고 있지 않다.

6 자료에서는 방관자적 태도가 암묵적으로 학교 폭력을 강화하고, 방관자가 방어자로 바뀌었을 때 학교 폭력이 크게 줄어든다는 내용을 다루고 있다. 따라서 자료를 바탕으로 '방관자에서 벗어나야 학교 폭력을 예방할 수 있다.'는 주제로 주장하는 글을 쓸 수 있다.

오답 풀이
④ 자료에서 방관자가 피해 학생을 돕는다면 가해 학생은 가해 행동을 즐기지 못할 것이라고 하였다. 가해 학생이 가해 행동을 즐기지 못하면 학교 폭력이 줄어들 것이라고 말한 것은 맞지만 학교 폭력과 관련하여 자료에서 강조하고 있는 바는 방관자적 태도에서 벗어나는 것이라고 할 수 있다.

7 ㉠에서 근거로 설문 조사 결과를 언급하고 있는데, 설문 조사의 출처를 명확히 밝히지 않았고 설문 결과를 구체적인 수치로 제시하지도 않았기 때문에 신뢰성이 떨어진다고 평가할 수 있다.

8 〈보기〉에서 ⓐ는 인성적 설득 전략, ⓑ는 감성적 설득 전략, ⓓ는 이성적 설득 전략이다. ㉠은 구체적인 수치를 제시하여 듣는 이의 이성적 판단을 유도하므로 '이성적 설득 전략'이 쓰였고, ㉡은 듣는 이의 감정에 호소하고 있으므로 '감성적 설득 전략'이 쓰였다.

1 ③ **2** ③ **3** 'ㄴ, ㄹ'은 혀끝과 윗잇몸 사이에서 소리 나는 잇몸소리이고, 발음할 때 입안이나 코안이 울리는 울림소리라는 공통점이 있다. **4** ② **5** '주인공이 범인임'이라는 안긴문장이 주어 역할을 하는 명사절을 가진 안은문장이다. **6** ⑤ **7** 인간은 다른 동물이나 식물과 마찬가지로 지구상에 살아가는 생명체이다. **8** ① **9** ㉠: 학업 문제 ㉡: 공부에 지장이 있다/학업 수행에 지장이 있다 **10** ④

1 첫 번째 조건은 원순 모음으로 'ㅟ, ㅚ, ㅜ, ㅗ'에 해당한다. 두 번째 조건은 고모음으로 'ㅣ, ㅟ, ㅡ, ㅜ'에 해당한다. 세 번째 조건은 전설 모음으로 'ㅣ, ㅔ, ㅐ, ㅟ, ㅚ'에 해당한다. 따라서 이에 모두 해당하는 단모음은 'ㅟ'이다.

2 〈조건〉에서 설명하는 자음은 거센소리(ㅊ, ㅋ, ㅌ, ㅍ)이다. 자음판에 색칠하면 모음 'ㅜ'의 형태가 된다.

ㅉ	ㅇ	ㄹ
ㅊ	ㅋ	ㅌ
ㅆ	ㅍ	ㅈ
ㄲ	ㅃ	ㅎ

3 '노래'에는 자음 'ㄴ, ㄹ'이 있다. 'ㄴ, ㄹ'은 모두 잇몸소리이면서 울림소리이다.

평가 기준	확인 ☑
소리 나는 위치의 공통점을 씀.	
입안이나 코안이 울리는지 울리지 않는지의 공통점을 씀.	

4 ㉡은 앞뒤 문장이 원인을 나타내는 연결 어미 '-아서'가 쓰여 종속적으로 이어진문장이다. 나머지는 나열을 나타내는 연결 어미 '-고', '-며'가 쓰인 대등하게 이어진문장이다.

5 '주인공이 범인이다.'라는 문장은 안긴문장이 되어 전체 문장에서 주어 역할을 하고 있다. 따라서 전체 문장은 주어 역할을 하는 명사절을 가진 안은문장이라고 할 수 있다.

평가 기준	확인 ☑
전체 문장의 짜임(명사절을 가진 안은문장)을 씀.	
밑줄 친 부분이 전체 문장에서 하는 역할(주어)을 씀.	

6 남북한의 언어 차이가 있지만 (나) 자료를 통해 알 수 있듯이 의사소통이 안 될 정도는 아니다.

오답 풀이
① (나)에서 사이시옷을 표기하지 않는 북한은 '나루배'라고 썼다.
② (나)의 '건널 것이다.'의 띄어쓰기 차이를 통해 알 수 있듯이 남한과 달리 북한은 의존 명사를 띄어쓰지 않는다.
③ 두음 법칙을 인정하지 않는 북한은 (가)에서는 '노동 계급'을 '로동 계급'으로, (나)에서는 '이용'을 '리용'이라고 썼다.
④ (가)의 '동무'가 이에 해당한다.

7 제시된 예에서 ㉠은 소전제에 해당한다. 〈보기〉에서 '인간은 다른 동물이나 식물과 마찬가지로 지구상에 살아가는 생명체이다.'가 소전제에 해당한다.

평가 기준	확인 ☑
㉠이 연역의 소전제임을 파악함.	
〈보기〉에서 두 번째 문장이 소전제임을 씀.	

8 (가)는 소금의 역할을 설명하며 소금에 대해 긍정적 관점을 드러내고 있다. (나)는 소금에 대해 부정적 관점을 드러내고 있다. (나)의 내용으로 보아 ㉠에는 소금을 적게 먹어야 한다는 내용이 들어가는 것이 적절하다.

✎ **제재 설명 ㉮ 장인용, 〈소금 없인 못 살아〉**

갈래	설명하는 글(설명문)
제재	소금
주제	소금은 우리 생활에 없어서는 안 될 중요한 존재이다.
특징	① 소금을 역할을 체계적으로 정리하여 쉽게 전달함. ② 구체적인 예를 제시하여 독자의 이해를 도움.

✎ **제재 설명 ㉯ 식품 안전 정보 포털, 〈식단은 짜지 않게! 인생은 짧지 않게〉**

갈래	광고문
제재	소금
주제	과다한 소금 섭취의 위험성 경고
특징	① 그림을 활용하여 정보를 제공함. ② 짧은 글과 핵심 단어를 반복하여 사용함.

9 '3. 설문 조사 결과'의 원그래프를 보면 스마트폰 사용을 줄여야겠다고 생각한 까닭으로 '학업 문제'의 응답 비율이 가장 높다. '4. 결과 종합 분석'에서 스마트폰 사용 시간을 줄여야겠다고 생각하는 까닭으로 학업 문제가 가장 높게 나온 것을 통해 스마트폰 사용으로 공부에 지장이 있음을 짐작할 수 있다고 하면서 이 내용이 다른 기관의 조사 결과와도 비슷하다고 했다. 그러므로 ㉡에는 '공부에 지장이 있다'가 들어가는 것이 적절하다.

평가 기준	확인 ☑
㉠에 2어절로 '학업 문제'라고 씀.	
㉡에 '공부에 지장이 있다/학업 수행에 지장이 있다'고 한 문장으로 씀.	

10 학생들이 논리적으로 토론하기 위해 준비한 자료에는 '쟁점 2'인 '동물원은 교육적인가?'와 관련하여 상대측 주장과 근거를 예상한 내용은 제시되어 있지 않다.

적중 예상 **전략** | 1회 74~77쪽

1 ④   **2** ①   **3** ②   **4** ②   **5** 'ㄴ, ㅁ, ㅇ'
은 입안의 통로를 막고 코로 공기를 내보내면서 소리 내는 비음
이다.   **6** ⑤   **7** ③   **8** ③   **9** ㉠은 '나
열'의 의미 관계로 대등하게 이어진문장이고, ㉡은 '원인'의 의
미 관계로 종속적으로 이어진문장이다.   **10** ⑤
11 ④   **12** ③   **13** ①   **14** ①   **15** ②
16 ㉠: 툇마루-사이시옷을 표기하지 않는다. ㉡: 양식-두음 법
칙을 인정하지 않는다.

1 제시된 내용은 모음에 대한 설명으로, ④의 '나'와 '너'의
뜻은 모음 'ㅏ'와 'ㅓ'로 구별된다. 나머지는 모두 자음으
로 말의 뜻이 구별된다.

2 'ㅟ, ㅚ, ㅜ, ㅗ'는 원순 모음이고, 'ㅣ, ㅔ, ㅐ, ㅡ, ㅓ, ㅏ'는
평순 모음이다. 이는 발음할 때 입술 모양에 따라 분류한
것이다.

3 단모음은 입천장의 중간점을 기준으로 하여 발음할 때
혀의 최고점의 앞뒤 위치에 따라 전설 모음과 후설 모음
으로 나누므로, ㉠에는 '전설'이 들어가야 한다. ㉡에는
중모음이면서 후설 모음, 평순 모음인 'ㅓ'가 들어가야 한다.

4 ㉡은 혀끝과 윗잇몸 사이에서 소리 나는 잇몸소리이다.

5 'ㄴ, ㅁ, ㅇ'은 발음할 때 입안이나 코안이 울리는 울림소
리 중 비음에 해당한다. 'ㄴ, ㅁ, ㅇ'은 입안의 통로를 막
고 코로 공기를 내보내면서 소리를 낸다.

평가 기준	확인 ☑
입안의 통로를 막고 코로 공기를 내보낸다고 씀.	
비음임을 씀.	
"ㄴ, ㅁ, ㅇ은 ~이다.'의 형식으로 씀.	

6 ㉠의 예사소리와 ㉡의 된소리는 둘 다 숨이 거세게 나오
지 않는다. ㉢의 거센소리는 성대 근육이 긴장하면서 숨
을 거세게 내는 소리이다.

7 ③은 '눈이 오다.'와 '기온이 높다.'의 두 문장이 대조를 나
타내는 연결 어미 '-나'로 연결되어 대등하게 이어진문
장이다.

8 '바람이 심하게 불고 비가 몹시 내린다.'는 나열의 의미
관계로 대등하게 이어진문장으로, ③도 앞뒤 문장이 나
열의 의미 관계로 대등하게 이어진문장이다. 나머지는
종속적으로 이어진문장이다.

오답 풀이

①, ② 앞뒤 문장이 원인과 결과의 의미 관계로 종속적으로 이어진
문장이다.

④ 앞 문장이 뒤 문장의 목적에 해당하는 종속적으로 이어진문장이다.

⑤ 앞뒤 문장이 양보(가정을 인정하면서도 구애받지 않는 경우)의
의미 관계로 종속적으로 이어진문장이다.

9 ㉠은 두 문장을 대등하게 잇는 연결 어미 '-고'가 사용되
어 나열의 의미 관계를 나타내고 있고, ㉡은 두 문장을
종속적으로 잇는 연결 어미 '-아서'가 사용되어 원인의
의미 관계를 나타내고 있다.

평가 기준	확인 ☑
㉠, ㉡의 겹문장의 종류를 씀.	
연결된 문장의 의미 관계를 중심으로 ㉠, ㉡ 차이를 씀.	
'㉠은 ~이고, ㉡은 ~이다.'의 형식으로 씀.	

10 ㉠은 대조를 나타내는 연결 어미 '-으나'가 쓰여 대등하
게 이어진문장이고 ㉡은 안은문장이다. ㉡은 '은우가 노
래를 부르는'이라는 안긴문장이 체언을 꾸며 주는 관형
어 역할을 하는, 관형절을 가진 안은문장이다.

11 ④는 안긴문장 '기회가 오기'가 조사 '를'과 결합하여 문장
에서 목적어 역할을 하는, 명사절을 가진 안은문장이다.

오답 풀이

① 안긴문장 '키가 크다.'가 문장에서 서술어 역할을 하는, 서술절을
가진 안은문장이다.

② 안긴문장 '이가 시리도록'이 문장에서 부사어 역할을 하는, 부사
절을 가진 안은문장이다.

③ 안긴문장 '동생이 (방을) 어지른'이 문장에서 관형어 역할을 하는,
관형절을 가진 안은문장이다.

⑤ "저도 이제 중학생이에요."가 조사 '라고'와 결합하여 문장에서 인
용절 역할을 하는, 인용절을 가진 안은문장이다.

12 제시된 문장에서 안긴문장 '소리도 없이'는 문장에서 부
사어 역할을 하고 있다. ③에서 안긴문장 '발에 땀이 나
게'는 문장에서 부사어 역할을 하고 있다.

오답 풀이

① 안긴문장 '앞발이 짧다.'는 문장에서 서술어 역할을 한다.

② 안긴문장 '내가 여행 왔던'은 문장에서 관형어 역할을 한다.

④ 안긴문장 '아빠가 (모자를) 선물한'은 문장에서 관형어 역할을 한다.
⑤ 안긴문장 '언니가 오기'는 조사 '를'과 결합하여 문장에서 목적어 역할을 한다.

13 (가)와 (나)를 비교할 때 남한 언어는 북한 언어에 비해 외래어를 많이 사용하는 것을 알 수 있다.

14 ①은 북한의 방언을 문화어로 삼은 어휘의 예이다.

오답 풀이
②, ④ 북한에서 분단 이후 새로 만들어 쓰고 있는 어휘에 해당한다.
② 말다듬기 운동으로 한자어와 외래어를 다듬어 쓴 말이다.
④ 북한 특유의 사상과 제도를 반영하여 만든 말이다.
③, ⑤ 북한에서 남한과 다른 뜻으로 쓰는 어휘의 예이다.

15 제시된 상황에서 남한 사람과 북한 사람은 일상에서 사용하는 표현이 달라 의사소통에 어려움을 겪고 있다. 즉 남한 사람이 말한 '식사하자'라는 인사말을 북한 사람은 직접적인 의미로 받아들여서 문제가 생긴 것이다.

16 ㉠은 사이시옷 표기가 적용되지 않은 것으로, 남한에서는 사이시옷을 표기하므로 '툇마루'로 쓴다. ㉡은 두음 법칙을 인정하지 않은 것으로, 남한에서는 두음 법칙을 인정하여 '양식'으로 쓴다.

평가 기준	확인 ☑
㉠, ㉡을 남한의 표기에 맞게 고쳐 씀.	
㉠, ㉡으로 알 수 있는 북한 언어의 특징을 각각 씀.	

적중 예상 전략 | 2회
78~81쪽

1 ①   **2** ①   **3** ⑤   **4** 〈보기〉는 잊힐 권리가 법으로 보장받아야 할 권리라고(법제화되어야 한다고) 말하며 (가)와 같이 잊힐 권리의 법제화에 대해 긍정적 관점을 드러내고 있다.   **5** ⑤   **6** ①   **7** ⑤   **8** ③
9 객관적 사실(구체적 사례)에 해당하는 자료를 근거로 제시하는 이성적 설득 전략이 사용되었다.

1 (가)는 글의 서론 부분으로, 배달 속도는 빠른 것이 당연하다는 사람들의 생각에 문제를 제기하고 있다.

2 ㉠에는 일반적인 법칙을 바탕으로 구체적인 사실을 이끌어 내는 연역이 쓰였다. ①에서 '모든 사람은 죽는다.'는 대전제에, '소크라테스는 사람이다.'는 소전제에, '그러므로 소크라테스는 죽는다.'는 결론에 해당한다.

오답 풀이
②, ③, ④ 구체적인 사실을 바탕으로 일반적인 결론을 이끌어 내는 귀납이 쓰였다.
⑤ 지구와 화성의 비슷한 점을 바탕으로 다른 속성도 비슷하다고 추론하는 유추가 쓰였다.

3 (나)의 글쓴이는 잊힐 권리를 법제화하면 문제가 생길 수 있으므로 신중하게 접근해야 한다고 주장하며 표현의 자유가 침해될 수 있다는 점을 근거로 내세웠다.

4 (가)는 잊힐 권리의 법제화로 개인 정보 자기 결정권을 보장할 수 있으므로 잊힐 권리를 법제화해야 한다고 말하고 있고, 〈보기〉는 '나를 지워 주세요', '이제는 법으로 보장받아야 할 권리'와 같은 표현을 통해 잊힐 권리의 법제화가 필요하다는 관점을 드러내고 있다.

평가 기준	확인 ☑
〈보기〉의 주제가 '잊힐 권리를 법제화해야 한다.'임을 씀.	
(가)와 〈보기〉는 화제에 대해 모두 긍정적 관점임을 씀.	

5 보고하는 글을 쓸 때는 조사의 절차와 결과를 구체적으로 써야 하며, 그 내용은 반드시 사실에 근거해야 한다.

6 면담 조사한 선생님의 사진은 조사 결과의 내용을 효과적으로 전달하는 매체 자료로 볼 수 없다.

7 토론에서 논리적으로 반박(논박)할 때는 상대측 주장과 근거의 신뢰성, 타당성, 공정성 등을 비판적으로 분석하며 논리적 허점이나 오류에 관해 근거를 들어 말해야 한다.

8 이 토론에서 찬성 측은 동물원을 폐지해야 한다고 입장을 밝히며 동물원이 동물을 제대로 보호하지 못하기 때문이라고 말하고 있다. ③은 찬성 측의 주장과 근거에 대해 반대 측에서 반론을 펼치며 제시하고 있는 근거이다.

9 (다)에서는 동물원의 호랑이가 신발을 먹고 죽은 사례, 죽은 물범의 배 속에서 동전이 나온 사례, 야생과 동물원 돌고래의 수명 비교 등 객관적인 사실을 근거로 제시하고 있다. 듣는 이에게 객관적인 사실을 제시하여 이성적 판단을 이끌어 내는 것은 '이성적 설득 전략'에 해당한다.

평가 기준	확인 ☑
객관적 사실에 해당하는 자료를 근거로 제시했음을 씀.	
이성적 설득 전략이 사용되었음을 씀.	
제시한 문장 형식에 맞게 씀.	

☑ 필수 개념어와 어휘를 뜻과 예로 익혀 봐요!
☑ 여러 유형의 문제를 쉽고 빠르게 풀어 봐요!
☑ 필수 어휘 테스트에서 틀린 문제가 있다면
  필수 어휘 모음에서 뜻을 확인하여 완벽하게 마무리해요!

필수 어휘 체크 전략

필수 어휘 체크 전략

필수 어휘 모음

심미

❶ ⬚ 을 살펴 찾음.

예 독자는 문학 작품을 읽으며 다양한 심미적 체험을 하게 된다.

인식

사물을 분별하고 판단하여 앎.

예 인간과 세계를 아름다움의 관점에서 보는 것을 심미적 인식이라고 한다.

비장하다

슬프면서도 그 감정을 억눌러 씩씩하고 장하다.

예 부하들의 죽음을 겪고도, 슬픔을 억누르고 전쟁터로 나가는 장군의 표정이 비장하다.

숭고하다

❷ ⬚ 이 높고 훌륭하다.

예 우리는 독립운동가들의 숭고한 정신을 잊지 않을 것이다.

우스꽝스럽다

말이나 행동, 모습 등이 특이하여 우습다.

예 수호가 엉거주춤한 자세로 춤을 추는 모습이 무척 우스꽝스러웠다.

성찰

스스로를 **❸** ⬚ 하고 살핌.

예 수영이는 겨울 방학 동안의 생활을 되돌아보며 자기 성찰을 하였다.

❹ ⬚

어떤 분야에 대하여 뛰어난 지식과 능력이 있어 자기 나름대로 경지나 체계를 이룬 사람의 독특한 생각이나 의견.

예 미식가인 우리 누나는 요리 분야에 **❹** ⬚ 이 있다.

답 | ❶ 아름다움 ❷ 뜻 ❸ 반성
  ❹ 일가견

선회하다

둘레를 빙글빙글 돌다.

예 인공위성은 매일 빠른 속도로 지구를 선회한다.

한데

사방, 상하를 덮거나 가리지 아니한 곳. 집채의 ❶⬚을 이른다.

예 추운 겨울날 한데 돌아다녔다가 감기에 걸리고 말았다.

❷⬚

오래된 큰 나무.

예 어느 마을의 자랑이던 ❷⬚이 태풍으로 쓰러지고 말았다는 뉴스를 보았다.

둥치

큰 나무의 밑동.

예 우리는 줄기를 베어 낸 둥치에 걸터앉아 쉬었다.

의연하다

❸⬚가 굳세어서 끄떡없다.

예 부모님은 어려운 일이 생겨도 내 앞에서는 늘 의연한 모습을 보이려고 하셨다.

의젓하다

말이나 행동 따위가 점잖고 무게가 있다.

예 아이는 어린 나이에도 의젓해 보였다.

적막하다

아무 소리 없이 조용하고 ❹⬚.

예 밤이 되자 시장에 손님들의 발길이 끊겨 적막했다.

답 | ❶ 바깥 ❷ 고목 ❸ 의지
❹ 쓸쓸하다

불길하다

운이 좋지 않고 나쁜 일이 생길 것 같은 느낌이 있다.

예 나는 대회에서 실수를 할 것 같은 불길한 예감이 들었다.

고요하다

시끄럽거나 어지럽지 않고 **❶** ⬚.

예 깊은 산속에 있는 절은 사람이 많지 않아 고요하다.

일편단심

한 조각의 붉은 마음이라는 뜻으로, 진심에서 우러나오는 변치 아니하는 마음을 이르는 말.

예 할아버지는 평생 동안 할머니를 일편단심으로 아끼고 사랑하셨다.

수류탄

손으로 던져 터뜨리는 작은 **❷** ⬚.

예 수류탄이 땅에 떨어진 뒤 몇 차례 구르더니 쾅 하는 소리를 내며 폭발했다.

군의관

❸ ⬚에서 다친 군인들을 치료해 주는 의사의 일을 하는 장교(육군, 해군, 공군의 소위 이상의 군인).

예 군의관이 전쟁 중에 부상을 당한 병사들을 치료했다.

❹ ⬚

한 개의 통나무로 놓은 좁은 다리.

예 "원수는 **❹** ⬚에서 만난다."라는 속담이 있다.

공습

비행기에서 총을 쏘거나 폭탄을 떨어뜨려 적을 공격함.

예 전투기의 공습에 주민들은 모두 지하 대피소에 숨었다.

답 | ❶ 조용하다 ❷ 폭탄 ❸ 군대
❹ 외나무다리

❶ [   ]

일상적으로 씀.

예 우리나라는 불과 이십 년 만에 컴퓨터와 인터넷 ❶ [   ] 이 이루어졌다.

처세

사람들과 사귀며 세상을 살아감. 또는 그런 일.

예 이모는 처세에 밝지 못해 사회 생활이 어려웠다.

해방

1945년 8월 15일에 대한민국이 일본 제국주의의 지배에서 벗어난 일.

예 일본의 항복으로 우리는 해방을 맞았다.

왜정

❷ [   ] 이 침략하여 강제로 지배하고 다스리던 정치.

예 36년간의 왜정은 우리나라의 굴욕적 역사이다.

피란민

❸ [   ] 를 피하여 가는 사람.

예 두 나라의 군사적 충돌이 격해지면서 고향을 떠나는 피란민이 늘어났다.

포성

❹ [   ] 를 쏠 때 나는 소리.

예 거리에 갑자기 포성이 울려 시민들이 대피하는 소동이 벌어졌다.

노독

먼 길에 지치고 시달려서 생긴 피로나 병.

예 노독을 풀 사이도 없이 다시 먼 길을 떠나야 했다.

답 | ❶ 상용 ❷ 일본 ❸ 난리 ❹ 대포

필수 어휘 테스트

01 단어에 해당하는 뜻풀이를 바르게 연결하시오.

(1) 심미 •

(2) 인식 •

(3) 성찰 •

• ㉠ 아름다움을 살펴 찾음.

• ㉡ 스스로를 반성하고 살핌.

• ㉢ 사물을 분별하고 판단하여 앎.

02 뜻풀이에 해당하는 단어를 ┌보기┐에서 찾아 쓰시오.

┌ 보기 ┐
비장하다   선회하다   숭고하다   우스꽝스럽다

(1) (   ): 뜻이 높고 훌륭하다.

(2) (   ): 말이나 행동, 모습 등이 특이하여 우습다.

(3) (   ): 슬프면서도 그 감정을 억눌러 씩씩하고 장하다.

03 빈칸에 알맞은 단어를 쓰시오.

(1) 할아버지는 어떤 어려움에도 항상   을 잃지 않으셨다.
   의지가 굳세어서 끄떡없음.

(2) 찬희는 나보다 나이가 어린데도 제법   행동하였다.
   말이나 행동 따위가 점잖고 무게가 있게.

04 ┌보기┐의 뜻풀이를 참고하여 (   ) 안에 들어갈 단어를 쓰시오.

┌ 보기 ┐
어떤 분야에 대하여 뛰어난 지식과 능력이 있어 자기 나름대로 경지나 체계를 이룬 사람의 독특한 생각이나 의견.

실수라면 나 역시 (   )이 있는 사람이다. 언젠가 비구니들이 사는 암자에서 하룻밤을 묵은 적이 있다. 다음 날 아침 부스스해진 머리를 정돈하려고 하는데 빗이 마땅히 눈에 띄지 않았다. (중략) 그러던 중에 마침 노스님 한 분이 나오시기에 나는 아무 생각도 없이 이렇게 여쭈었다.
"스님, 빗 좀 빌릴 수 있을까요?"

– 나희덕, 〈실수〉에서

답 | 01 (1) ㉠ (2) ㉢ (3) ㉡ **02** (1) 숭고하다 (2) 우스꽝스럽다 (3) 비장하다
03 (1) 의연함 (2) 의젓하게
04 일가견

05 뜻풀이에 해당하는 단어를 고르시오.

(1) (상용 , 처세): 일상적으로 씀.

(2) (공습 , 포성): 대포를 쏠 때 나는 소리.

(3) (왜정 , 해방): 일본이 침략하여 강제로 지배하고 다스리던 정치.

06 보기 를 참고하여 ( ) 안에 들어갈 알맞은 단어를 고르시오.

┌ 보기 ┐
- 적막하다: 아무 소리 없이 조용하고 쓸쓸하다.
- 불길하다: 운이 좋지 않고 나쁜 일이 생길 것 같은 느낌이 있다.

(1) 어젯밤에 이가 빠지는 (적막한 , 불길한) 꿈을 꾸었다.

(2) 저녁이 돼도 집에 아무도 오지 않아 (적막하여 , 불길하여) 음악을 크게 틀었다.

07 빈칸에 알맞은 단어를 쓰시오.

까마귀 눈비 맞아 희는 듯 검노매라
야광명월(夜光明月)이 밤인들 어두우랴
임 향한   이야 변할 줄이 있으랴

한 조각의 붉은 마음. 진심에서 우러나오는 변치 아니하는 마음을 이르는 말.

– 박팽년의 시조

08 ( ) 안에 들어갈 알맞은 단어를 보기 에서 고르시오.

┌ 보기 ┐
거주민　　　귀화민　　　이주민　　　피란민

포성과 포성의 사이사이를 뚫고 (   )의 행렬이 줄지어 밀어닥쳤고, 마을에서 잠시 머물며 노독(路毒)을 푸는 동안에 그들은 옷가지나 금붙이 따위 물건을 식량하고 바꾸었다. 바꿀 만한 물건이 없는 사람들은 동냥을 하거나 훔치기도 했다.

– 윤흥길, 〈기억 속의 들꽃〉에서

필수 어휘 체크 전략

필수 어휘 모음

반영

다른 것에 영향을 받아 어떤 현상이 나타남. 또는 어떤 현상을 나타냄.

> 예) 박물관은 과거의 삶이 반영된 물건이나 자료 중에서 가치 있는 것을 모아 전시하는 곳이다.

주체적

어떤 일을 하는 데 스스로의 ❶ _____ 에 따라 처리하는 성질이 있는. 또는 그런 것.

> 예) 학생들이 교내 문제를 주체적으로 해결하려는 움직임이 일어났다.

가치

사물이 지니고 있는 쓸모.

> 예) 우리나라의 자연은 외국인에게 자랑할 만한 가치가 있다.

❷ _____

사람이 어떤 것의 가치에 대하여 가지는 태도나 판단의 기준.

> 예) 나와 지수는 인생에 대한 ❷ _____ 이 너무 달라서 종종 서로를 오해하였다.

능동적

자기 스스로 판단하여 적극적으로 움직이는 것.

> 예) 현주는 능동적인 성격이라 학급 활동에 적극적이다.

삼륜차

바퀴가 ❸ _____ 개 달린 차. 바퀴가 앞에 한 개, 뒤에 두 개 달려 있는데 주로 짐을 실어 나른다.

> 예) 할아버지는 삼륜차 사진을 보면서 옛 시절을 떠올리셨다.

대처

사람이 많이 살고 상공업이 ❹ _____ 한 번잡한 지역.

> 예) 친구들도 하나둘 대처로 떠나고 이제는 고향에 나 혼자 남게 되었다.

답 | ❶ 의지 ❷ 가치관 ❸ 세
❹ 발달

지극하다

어떤 것에 대하여 쏟는 관심이나 사랑 등이 더할 수 없이 정성스럽다.

예 내 친구 준수는 키우는 강아지들에 대한 사랑이 지극하다.

❶ ▢

지극한 정성.

예 부모는 감기에 걸린 딸을 밤새 ❶ ▢ 으로 돌보았다.

가련하다

마음이 아플 정도로 ❷ ▢ .

예 병상에 누워 고통스러워하는 어린아이의 모습이 가련했다.

달포

한 달이 조금 넘는 기간.

예 아끼는 지갑을 잃어버린 지도 벌써 달포가 넘은 듯하다.

근

무게의 ❸ ▢ . 한 근은 고기나 한약재의 무게를 잴 때는 600그램에 해당한다.

예 퇴근길에 시장에 들러 돼지고기 두 근을 샀다.

연민

불쌍하고 가엾게 여김.

예 아빠는 밤새 숙제하는 나를 연민의 눈빛으로 바라보셨다.

토담집

❹ ▢ 으로만 쌓아 만든 담 위에 지붕을 덮어 지은 집.

예 토담집은 추위와 더위에 잘 견딘다.

답 | ❶ 지성 ❷ 불쌍하다 ❸ 단위
❹ 흙

비설거지

비가 오려고 하거나 올 때, 비에 맞으면 안 되는 물건을 치우거나 덮는 일.

예 천둥소리가 들리자 할머니께서는 장독대를 닫으며 비설거지를 하셨다.

박대

❶ 을 들이지 않고 아무렇게나 하는 대접.

예 어릴 적에, 식당 주인이 식당에 혼자 온 손님을 박대하는 모습을 본 적이 있다.

독수공방

아내가 남편 없이 혼자 지내는 것.

예 아빠가 출장에서 돌아오시는 내일이면 엄마의 독수공방 생활도 끝이네요.

길흉화복

좋은 일과 나쁜 일, 불행한 일과 **❷** 한 일.

예 지영이는 자신의 길흉화복을 궁금해했다.

❸

이미 해 놓은 일이나 짓.

예 경찰은 이번 사건을 주변 사람의 **❸** 으로 보고 수사하고 있다.

만경창파

만 이랑의 푸른 물결이라는 뜻으로, 한없이 넓고 넓은 **❹** 를 이르는 말.

예 끝없이 펼쳐진 동해의 만경창파를 보니까 가슴이 탁 트이고 참 좋았어.

주저리주저리

물건이 어지럽게 많이 달린 모양.

예 네 책가방에 주저리주저리 달린 것들이 뭐니?

답 | ❶ 정성 ❷ 행복 ❸ 소행 ❹ 바다

청포

푸른 빛의 도포(옛날 조선 시대에 남자들이 예복으로 입던, 소매가 넓고 길이가 긴 겉옷).

예 선비는 갓을 쓰고 청포를 입으며 나갈 준비를 했다.

❶ ☐

지붕의, 바깥쪽으로 나와 있는 부분.

예 갑자기 소나기가 퍼부어 ❶ ☐ 밑에서 비를 피했다.

파리하다

몸이 마르고 얼굴이나 피부에 핏기가 전혀 없다.

예 찬영이의 얼굴색이 파리하다 못해 종잇장 같았다.

공염불

실천이나 내용이 따르지 않는 주장이나 말을 비유적으로 이르는 말.

예 아무리 좋은 말을 해도 진수에게는 공염불로 들릴 뿐이었다.

수심

강이나 바다, 호수 등의 물의 ❷ ☐ .

예 아이들이 수심이 얕은 바닷가에서 물놀이하고 있다.

냉혹하다

성격이 몹시 차갑고 ❸ ☐ 이 없다.

예 대한이는 내 부탁을 냉혹하게 거절하였다.

풍차

❹ ☐ 의 힘으로 날개를 회전시켜 생기는 힘을 이용하는 장치.

예 사람들은 풍차를 이용해 지하에서 물을 끌어올리기도 하고 방아를 찧기도 했다.

답 | ❶ 처마 ❷ 깊이 ❸ 인정 ❹ 바람

필수 어휘 테스트

01 밑줄 친 단어에 해당하는 뜻풀이를 |보기|에서 찾아 기호로 쓰시오.

┌ 보기 ┐

ㄱ. 사람이 어떤 것의 가치에 대하여 가지는 태도나 판단의 기준.

ㄴ. 어떤 일을 하는 데 스스로의 의지에 따라 처리하는 성질이 있는 것.

ㄷ. 다른 것에 영향을 받아 어떤 현상이 나타남. 또는 어떤 현상을 나타냄.

(1) 문학 작품은 독자의 인식 수준, 관심, 경험, 가치관 등에 따라 다양하게 해석된다.

(2) 독자는 자신이 사는 시대의 가치나 관점을 바탕으로 작품을 주체적으로 수용해야 한다.

(3) 시대상이 드러난 소재나 인물 간의 대화 등을 통해 작품에 반영된 당시 삶의 모습을 추측할 수 있다.

02 ( ) 안에서 글의 흐름에 잘 어울리는 단어를 고르시오.

(1) 나를 속인 별주부, 네 (덕행 , 소행)을 생각하면 분한 마음뿐이구나.

(2) (건성 , 지성)으로 불공하면 앞을 못 보시는 아버지가 눈을 뜬다고 하였다.

03 |보기|의 뜻풀이를 참고하여 ( ) 안에 공통으로 들어갈 단어를 쓰시오.

┌ 보기 ┐

몸이 마르고 얼굴이나 피부에 핏기가 전혀 없는.

명태는 길다랗고 (   ) 물고긴데
꼬리에 길다란 고드름이 달렸다
해는 저물고 날은 다 가고 볕은 서러웁게 차갑다
나도 길다랗고 (   ) 명태다

– 백석, 〈멧새 소리〉에서

04 밑줄 친 단어를 대신하여 쓸 수 있는 것은?

아, 우리 같은 노새는 어차피 이렇게 비행기가 붕붕거리고, 헬리콥터가 앵앵거리고, 자동차가 빵빵거리고, 자전거가 씽씽거리는 <u>대처</u>에서는 발붙이기 어려운 것인가 하는 생각이 들었다.

– 최일남, 〈노새 두 마리〉에서

① 고향   ② 도시   ③ 지방

④ 타지   ⑤ 한데

답 | 01 (1) ㄱ (2) ㄴ (3) ㄷ
02 (1) 소행 (2) 지성 03 파리한
04 ②

05 한자 성어에 해당하는 뜻풀이를 바르게 연결하시오.

(1) 길흉화복 ·

(2) 독수공방 ·

(3) 만경창파 ·

· ㉠ 한없이 넓고 넓은 바다.

· ㉡ 아내가 남편 없이 혼자 지내는 것.

· ㉢ 좋은 일과 나쁜 일, 불행한 일과 행복한 일.

06 초성을 참고하여 뜻풀이에 알맞은 단어를 쓰시오.

(1) ㅅ ㄹ ㅊ : 바퀴가 세 개 달린 차.

(2) ㅌ ㄷ ㅈ : 흙으로만 쌓아 만든 담 위에 지붕을 덮어 지은 집.

(3) ㅍ ㅊ : 바람의 힘으로 날개를 회전시켜 생기는 힘을 이용하는 장치.

07 밑줄 친 단어와 바꿔 쓰기에 적절하지 <u>않은</u> 것은?

"그간 서방님은 한번도 부인께 정을 주지 않으셨고, 대부인의 박대마저 심해 이렇게 밤낮으로 홀로 지내고 계십니다."

– 작자 미상, 〈박씨전〉에서

① 괄대 ② 냉대 ③ 홀대
④ 우대 ⑤ 푸대접

08 빈칸에 알맞은 단어를 쓰시오.

밤골 사람들이 전기가 들어온다는 사실에 하나같이 설마를 앞세웠던 것은 그동안 여러 번 속아 왔기 때문이었다. 시키면 그을음이 오르는 석유 등잔 신세를 이제야 면하는가 보다고 잔뜩 벼르다 보면 이 되곤 했었다.

실천이나 내용이 따르지 않는 주장이나 말을 비유적으로 이르는 말. – 조정래, 〈마술의 손〉에서

답 | 05 (1) ㉢ (2) ㉡ (3) ㉠
06 (1) 삼륜차 (2) 토담집 (3) 풍차
07 ④ 08 공염불

필수 어휘 체크 전략

필수 어휘 모음

발음 기관

말소리를 내는 데 쓰는 신체의 각 부분. 성대, 목젖, 이, 잇몸, 혀 따위가 있다.

예 성대나 이, 혀 등의 발음 기관에 문제가 생기면 말소리가 제대로 나오지 않는다.

장애

어떤 사물의 ❶□□□ 을 가로막아 거치적거리게 하거나 충분한 기능을 하지 못하게 함. 또는 그런 일.

예 모음은 공기의 흐름이 발음 기관의 장애를 받지 않고 나는 소리이다.

평순

발음할 때에 둥글게 오므리지 않는 ❷□□.

예 평순 모음에는 'ㅣ, ㅔ, ㅐ, ㅡ, ㅓ, ㅏ'가 있다.

원순

발음할 때에 둥글게 오므리는 입술.

예 원순 모음에는 'ㅟ, ㅚ, ㅜ, ㅗ'가 있다.

❸□□□

가장 높은 지점.

예 단모음은 발음할 때 입술 모양, 혀의 높이, 혀의 ❸□□□의 위치를 기준으로 나뉜다.

입천장

입의 천장을 이루는 부분으로 코안과 입안을 나누는 부분.

예 혀의 최고점이 입천장의 중간점을 기준으로 앞쪽에 놓이는 전설 모음과 뒤쪽에 놓이는 후설 모음으로 나뉜다.

센입천장

입천장 ❹□□ 의 단단한 부분. 두꺼운 점막으로 덮여 있고, 앞쪽에 뼈가 있다.

예 센입천장소리에는 'ㅈ, ㅉ, ㅊ'이 있다.

답 | ❶ 진행 ❷ 입술 ❸ 최고점 ❹ 앞쪽

여린입천장

입천장 ❶⬚의 연한 부분. 점막 밑에 가로무늬근이 있어 코로 음식물이 들어가는 것을 막으며, 뒤 끝 중앙에 목젖이 있다.

예 여린입천장소리에는 'ㄱ, ㄲ, ㅋ, ㅇ'이 있다.

목청

목구멍 가운데에 있는, 소리를 내는 기관.=성대.

예 아이들은 목청이 터져라 외치며 친구들을 응원했다.

성대

목구멍의 가운데에 있는, 내쉬는 숨에 의해 떨려서 소리를 내는 주름 모양의 기관.=목청.

예 동생이 성대를 다쳐서 한동안 목소리를 낼 수 없었다.

❷⬚

두 물체가 서로 닿아 문질러지거나 비벼짐. 또는 그렇게 함.

예 합성 섬유를 ❷⬚하면 정전기가 잘 발생한다.

울림소리

발음할 때, ❸⬚이 떨려 울리는 소리.

예 국어의 모든 모음은 울림소리에 속한다.

문장

❹⬚이나 감정을 말과 글로 표현할 때 완결된 내용을 나타내는 가장 작은 언어 형식.

예 글을 다 쓰고 난 뒤 문법에 어긋난 문장을 고쳤다.

문장 성분

주어, 서술어, 목적어와 같이 한 문장을 구성하는 요소.

예 문장 성분 가운데 문장을 이루는 데 기본적으로 필요한 요소를 주성분이라고 한다.

답 | ❶ 뒤쪽 ❷ 마찰 ❸ 목청 ❹ 생각

필수 어휘 체크 전략

대등하다

어느 한쪽의 힘이나 능력이 낮거나 못하지 않고 서로 ❶   .

예 두 사람의 실력이 대등해서 경기 결과를 예측하기 어렵다.

종속적

어떤 것에 딸려 붙어 있는 것.

예 종속적인 관계에서 벗어나 자주적으로 살기로 결심했다.

❷

차례대로 죽 벌여 늘어놓음.

예 이 보고서에는 사실들이 단순히 ❷   만 되어 있고 생각이 담겨 있지 않군요.

원인

어떤 일이 일어나게 하거나 어떤 사물의 상태를 바꾸는 근본이 된 일이나 사건.

예 전문가들은 화재의 정확한 원인을 파악하고 있다.

연결 어미

용언의 ❸   에 붙어 다음 말에 연결하는 기능을 하는 어미.

예 대등적 연결 어미에는 '-고', '-(으)며', '-지만', '-(으)나', '-거나', '-든지' 등이 있다.

전성 어미

용언의 어간에 붙어 동사나 형용사가 명사, 관형사, 부사와 같은 다른 품사의 기능을 하게 하는 어미.

예 명사형 전성 어미에는 '-(으)ㅁ', '-기', 관형사형 전성 어미에는 '-(으)ㄴ', '-는' 등이 있다.

절

주어와 ❹   를 갖추었지만 단독으로 쓰이지 못하고 문장의 일부분으로 쓰이는 단위.

예 안은문장에 절의 형태로 들어가 하나의 문장 성분처럼 쓰이는 문장을 안긴문장이라고 한다.

답 | ❶ 비슷하다 ❷ 나열 ❸ 어간 ❹ 서술어

북한 이탈 주민

❶ 에 주소, 가족 등을 두고 있는 사람으로서 북한을 벗어난 후 외국의 국적을 취득하지 아니한 사람.

예 나는 북한 이탈 주민의 하루를 다룬 다큐멘터리를 재미있게 보았다.

두음 법칙

일부 소리가 단어의 **❷** 에 발음되는 것을 꺼려 나타나지 않거나 다른 소리로 발음되는 일.

예 북한과 달리 남한에서는 두음 법칙을 인정하여 단어 첫머리에 오는 'ㄹ'을 'ㅇ'이나 'ㄴ'으로 바꾸어 적는다.

사이시옷

한글 맞춤법에서, 사잇소리 현상이 나타났을 때 쓰는 'ㅅ'의 이름.

예 '초'와 '불'이 어울려 합성어가 될 때 사이시옷을 받치어 '촛불'과 같이 적는다.

한자어

❸ 에 기초하여 만들어진 말.

예 우리말에는 한자어로 된 어휘가 꽤 많다.

외래어

다른 나라에서 들어온 말로 국어에서 널리 쓰이는 단어.

예 현재 쓰이는 외래어 중에는 버스나 컴퓨터처럼 영어에 기원을 두고 있는 것이 많다.

극복

나쁜 조건이나 힘든 일 따위를 이겨 냄.

예 사람은 시련을 극복하는 과정에서 성장해 나간다.

❹

일을 처리하거나 해결하여 나갈 방법이나 계획.

예 문제에 대한 해결 **❹** 이 좀처럼 떠오르지 않았다.

답 | ❶ 북한 ❷ 첫머리 ❸ 한자
❹ 방안

필수 어휘 테스트

01 ( ) 안에 들어갈 알맞은 단어를 「보기」에서 찾아 쓰시오.

┌─ 보기 ─────────────────────────────────────┐
│   원순   평순   여린입천장   센입천장   │
└───┘

(1) ( )은 입천장 뒤쪽의 연한 부분으로 연구개라고도 한다.
(2) ( )은 입천장 앞쪽의 단단한 부분으로 경구개라고도 한다.
(3) 발음할 때 입술을 평평하게 하여 소리 내는 모음은 ( ) 모음이다.
(4) 발음할 때 입술을 둥글게 오므려 소리 내는 모음은 ( ) 모음이다.

02 ( ) 안에서 글의 흐름에 잘 어울리는 단어를 고르시오.

(1) 발음할 때 공기의 흐름이 발음 기관의 (장애 , 마찰)을/를 받느냐 받지 않느냐에 따라 자음과 모음으로 나뉜다.
(2) 혀의 (최고점 , 최저점)이 입천장의 중간점을 기준으로 앞쪽에 놓이느냐 뒤쪽에 놓이느냐에 따라 전설 모음과 후설 모음으로 나뉜다.

03 빈칸에 알맞은 단어를 쓰시오.

(1) 'ㅎ'은 [ ] 사이에서 소리 나는 자음이다.
　　목구멍 가운데에 있는, 소리를 내는 기관.
(2) 'ㅅ'은 공기가 흐르는 통로를 좁혀 [ ]을 일으키며 소리 내는 자음이다.
　　두 물체가 서로 닿아 문질러지거나 비벼짐.

04 '이것'에 해당하는 단어는?

┌───┐
│ '이것'은 생각이나 감정을 말과 글로 표현할 때 완결된 내   │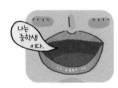
│ 용을 나타내는 가장 작은 언어 형식을 말한다. 우리는 '이것' │
│ 을 다양하게 사용하여 생각이나 감정을 나타낸다.   │
└───┘

① 절　　　　　　　　② 문장　　　　　　　　③ 입천장
④ 문장 성분　　　　　⑤ 발음 기관

답 | 01 (1) 여린입천장 (2) 센입천장
　　(3) 평순 (4) 원순 02 (1) 장애 (2) 최
　　고점 03 (1) 목청 (2) 마찰 04 ②

05 뜻풀이에 해당하는 단어를 │ 보기 │에서 찾아 쓰시오.

┌─ 보기 ┐

| 대등하다 | 방안 | 사이시옷 | 종속적 |

(1) ( ): 어떤 것에 딸려 붙어 있는 것.

(2) ( ): 어느 한쪽의 힘이나 능력이 낮거나 못하지 않고 서로 비슷하다.

06 빈칸에 알맞은 단어를 차례대로 쓰시오.

 이어진문장의 종류를 설명해 줄래?

 이어진문장에는 절이 ' [ ] , 대조, 선택' 등의 의미 관계로 대등하게 이어

차례대로 죽 벌여 늘어놓음.

지는 문장과 절이 ' [ ] , 조건, 목적(의도)' 등의 의미 관계로 종속적으로

어떤 일이 일어나게 하거나 어떤 사물의 상태를 바꾸는 근본이 된 일이나 사건.

이어지는 문장이 있어.

07 밑줄 친 단어와 바꿔 쓰기에 적절한 것은?

우리 모두가 남북한 언어 차이로 생기는 어려움을 <u>극복해야</u> 하는 필요성을 깊이 인식해야 해요. 남북한 언어에 꾸준히 관심을 가지면 통일 이후에 발생할 수 있는 문제들에 대비할 수 있을 거예요.

① 달라져야   ② 마련해야   ③ 생각해야
④ 이겨 내야   ⑤ 지켜 내야

08 │ 보기 │를 참고하여 ( ) 안에 공통으로 들어갈 단어를 2어절로 쓰시오.(어절은 문장을 구성하고 있는 각각의 마디로 '물이 맑다.'는 2어절, '물이 매우 맑다.'는 3어절임.)

┌─ 보기 ┐

일부 소리가 단어의 첫머리에 발음되는 것을 꺼려 나타나지 않거나 다른 소리로 발음되는 일.

남한에서는 ( )을 인정해 '이용(利用)'이라고 표기하지만, 북한에서는 ( )을 인정하지 않기 때문에 '리용(利用)'이라고 표기한다.

필수 어휘 체크 전략

필수 어휘 모음

❶

어떤 문제와 관련하여 근거를 들어 결론을 이끌어 내는 논리적 전개 과정.

예) ❶ 의 방법에는 대표적으로 귀납과 연역이 있다.

근거

어떤 일이나 의논, 의견에 그 근본이 됨. 또는 그런 까닭.

예) 한 시민 단체는 봉사 활동 실적을 성적에 반영하면 학생들이 진정한 봉사 정신을 기르기 어렵다는 근거를 들어 봉사 활동 점수화에 반대했다.

전제

논증에서 결론을 이끌어 내는 데 근거가 되는 판단.

예) 한 시민 단체가 봉사 활동 점수화를 폐지하자고 주장하는 데에는, 이익을 얻기 위한 봉사 활동은 바람직하지 않다는 전제가 깔려 있다.

개별적

❷ 씩 따로 나뉘어 있는 것.

예) 이벤트에 당첨되신 분께는 개별적으로 연락을 드리겠습니다.

일반적

일부에 한정되지 않고 두루 해당될 수 있는 것.

예) 이 가게에서 파는 물건들은 일반적으로 매우 비싼 편이다.

타당하다

사물의 이치에 맞아 ❸ .

예) 현지의 주장은 매우 타당하고 합리적이었다.

공정하다

한쪽으로 치우치지 않고 ❹ 이고 올바르다.

예) 위원회에서는 심판의 판정이 편파적이고 공정하지 못했다고 판단했다.

답 | ❶ 논증 ❷ 하나 ❸ 올바르다 ❹ 객관적

보고

일에 관한 내용이나 결과를 말이나 글로 **❶　　　**.

예 우리 조가 조사한 결과의 보고는 지민이가 맡았다.

설문

조사를 하거나 통계 자료 따위를 얻기 위하여 어떤 주제에 대하여 문제를 내어 물음. 또는 그 문제.

예 신제품의 기능에 대한 고객의 반응을 살피기 위해 설문을 실시하였다.

절차

일을 처리하는 데 거쳐야 하는 **❷　　　**나 방법.

예 공항에서 여러 절차를 거쳐 무사히 비행기에 탑승하였다.

인용

남의 말이나 글을 자신의 말이나 글 속에 끌어 씀.

예 적절한 인용을 하면 네 주장에 설득력을 높여 줄 거야.

출처

사물이나 말 따위가 생기거나 나온 근거.

예 동생의 주머니에서 나온 돈의 출처를 동생에게 캐물었다.

왜곡

**❸　　　**과 다르게 해석하거나 그릇되게 함.

예 너는 왜 늘 내 말을 왜곡해서 받아들이니?

절레
절레

**❹　　　**

시나 글, 노래 등을 지을 때 남의 작품의 일부를 몰래 따다 씀.

예 신인 가수의 곡이 외국 곡의 일부와 멜로디가 같다는 **❹　　　** 시비에 휘말렸다.

답 | ❶ 알림 ❷ 순서 ❸ 사실 ❹ 표절

쟁점

토론에서 논제와 관련하여 찬성 측과 반대 측의 의견이 엇갈리는 내용.

예 토론을 준비할 때 쟁점을 설정하면 논제와 관련된 찬성 측과 반대 측의 의견 차이를 잘 이해할 수 있다.

❶

어떤 주장이나 의견에 대하여 그 잘못된 점을 조리 있게 공격하여 말함.

예 반대 측 토론자는 상대측 주장에 대해 결정적인 근거를 들어 ❶ □□ 을 하였다.

전략

정치, 경제 따위의 사회적 활동을 하는 데 필요한 방법과 ❷ □□.

예 이번 중간고사를 잘 보기 위해서 전략을 세워 공부하였다.

이성

올바른 가치와 지식을 가지고 논리에 맞게 생각하고 판단하는 능력.

예 나는 이성을 되찾고 냉정하게 상황을 파악해 보았다.

됨됨이

어떠한 사람의 행동과 성격, 인격, 성품.

예 광수는 예의도 바르고 됨됨이가 좋아서 친구들에게 인기가 많다.

논리적

말이나 글에서 사고나 추리 등을 ❸ □□ 에 맞게 이끌어 가는 과정이나 원리에 맞는. 또는 그런 것.

예 아빠의 주장에 대한 엄마의 반박은 매우 논리적이었다.

호소

자신의 어렵거나 억울한 사정을 다른 사람에게 알려 ❹ □□ 을 청함.

예 태서가 간곡하게 호소하기에 나는 태서의 부탁을 들어주었다.

답 | ❶ 논박 ❷ 계획 ❸ 이치 ❹ 도움

필수 어휘 테스트

01 뜻풀이에 해당하는 단어를 바르게 연결하시오.

(1) 논증에서 결론을 이끌어 내는 데 근거가 되는 판단. • • ㉠ 논증

(2) 어떤 문제와 관련하여 근거를 들어 결론을 이끌어 내는 논리적 전개 과정. • • ㉡ 전제

02 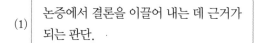 를 참고하여 ( ) 안에 들어갈 알맞은 단어를 고르시오.

┌ 보기 ┐
• 개별적: 하나씩 따로 나뉘어 있는 것.
• 일반적: 일부에 한정되지 않고 두루 해당될 수 있는 것.

(1) 귀납은 (개별적 , 일반적)인 사실에서 보편적인 법칙을 이끌어 내는 논증 방법이다.
(2) 연역은 (개별적 , 일반적)인 법칙에서 구체적인 사실을 이끌어 내는 논증 방법이다.

03 보기 를 참고하여 ( ) 안에 공통으로 들어갈 단어의 기본형으로 쓰시오.(기본형은 '–다'의 형태로 쓰는 것임.)

┌ 보기 ┐
사물의 이치에 맞아 올바르다.

• 토론에서 상대의 의견을 논박할 때는 ( ) 근거를 들어야 한다.
• 주장하는 글을 쓸 때는 주장하는 내용에 맞는 ( ) 근거를 제시해야 한다.
• 주장이 명확한지, 주장과 근거가 연관성이 높은지 등으로 어떤 논증이 ( ) 논증임을 판단할 수 있다.

04 빈칸에 알맞은 단어를 쓰시오.

(1) 보고서는 관찰, 조사, 실험 등의 절차와 결과를 정리하여 ▢▢▢를 목적으로 쓴 글이다.
일에 관한 내용이나 결과를 말이나 글로 알림.

(2) 보고서는 관찰, 조사, 실험의 ▢▢▢와 결과가 잘 드러나게 써야 한다.
일을 처리하는 데 거쳐야 하는 순서나 방법.

답 | 01 (1) ㉡ (2) ㉠ 02 (1) 개별적
(2) 일반적 03 타당하다 04 (1) 보고
(2) 절차

05 뜻풀이에 해당하는 단어를 ⌐보기┐에서 찾아 쓰시오.

┌ 보기 ┐
| 왜곡 | 인용 | 출처 | 표절 |

(1) (　　　　): 사실과 다르게 해석하거나 그릇되게 함.

(2) (　　　　): 남의 말이나 글을 자신의 말이나 글 속에 끌어 씀.

(3) (　　　　): 시나 글, 노래 따위를 지을 때 남의 작품의 일부를 몰래 따다 씀.

06 (　　) 안에 들어갈 단어를 ⌐보기┐에서 찾아 쓰시오.

┌ 보기 ┐
| 근거 | 논리적 | 됨됨이 | 호소 |

(1) 감성적 설득 전략은 듣는 이의 감정에 (　　　　)하여 듣는 이의 마음을 움직이는 전략이다.

(2) 인성적 설득 전략은 말하는 이의 (　　　　)을/를 바탕으로 듣는 이가 내용에 신뢰를 갖게 하는 전략이다.

(3) 이성적 설득 전략은 말하는 이가 (　　　　)이고 이성적인 방법으로 자신의 주장을 뒷받침하는 전략이다.

07 초성과 뜻풀이를 참고하여 (　　) 안에 알맞은 단어를 쓰시오.

┌─────────────────────────────────────┐
　(　　　　) 조사 결과, 전문가의 의견 등 다양한 자료를 근거로 활용하면 주장하는 글의 설득력을 높일 수 있다.
└─────────────────────────────────────┘

ㅅ ㅁ : 조사하거나 통계 자료 등을 얻기 위하여 어떤 주제에 대해 문제를 내어 물음.

08 다음 설명에 해당하는 단어는?

┌─────────────────────────────────────┐
　토론에서 논제와 관련하여 찬성 측과 반대 측이 서로 의견이 엇갈리는 내용으로, 논점이라고도 한다.
└─────────────────────────────────────┘

① 공정　　　　　　② 논박　　　　　　③ 이성

④ 전략　　　　　　⑤ 쟁점

고득점을 예약하는 내신 대비서

국어전략

중학3

시험에 잘 나오는

개념BOOK 1

천재교육

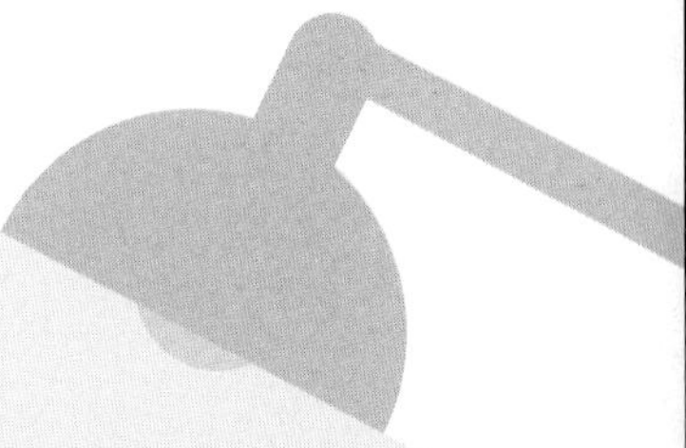

국어전략

중학3

시험에 잘 나오는

개념BOOK 1

개념BOOK 하나면
국어 공부 끝!

go! go!

차례

1 문학 작품을 통한 심미적 체험

뜻

독자가 문학 작품을 읽으며 그 내용과 표현을 두고 **❶** , 추하다, 숭고하다, 비장하다, 조화롭다, 우스꽝스럽다 등과 같이 느끼는 것.

특징

- 작가는 의미 있는 경험이나 정서를 작품으로 표현하여 독자와 심미적 체험을 공유함.
- 독자는 문학 작품을 읽으며 내용을 파악하고 자신의 입장에서 해석하면서 심미적 체험을 할 수 있음.
- 독자는 문학 작품을 읽으며 작가 또는 다른 독자와 심미적 체험을 공유하고 소통함으로써 인간과 세계를 깊이 이해하고 삶의 의미를 **❷** 할 수 있음.

예

이상국 시인의 〈봄나무〉를 읽어 봤니? 나무를 사람처럼 표현해서 아픔을 극복하고 이파리를 피워 내는 나무의 모습을 생생하게 나타내었어.

너는 그 시를 감상하면서 시의 표현에서 아름다움을 느꼈구나.

❶ 아름답다 ❷ 성찰

바로 확인

㉠에 들어갈 알맞은 말을 한 단어로 쓰시오.

독자는 문학 작품을 읽으며 그 내용과 표현을 두고 아름답다, 추하다, 비장하다, 우스꽝스럽다 등과 같이 느끼는데, 이를 독자의 (㉠) 체험이라 한다.

답 | 심미적

내가 그의 이름을 불러 주기 전에는
　　대상을 인식하기 전
그는 다만 / 하나의 몸짓에 지나지 않았다.
　　　　의미 없는 존재

내가 그의 이름을 불러 주었을 때
존재에 의미를 부여하여 대상을 인식하는 행위
그는 나에게로 와서 / 꽃이 되었다.
　　　　　　　의미 있는 존재

내가 그의 이름을 불러 준 것처럼

나의 이 빛깔과 향기에 알맞는
　　대상의 개성적이고 본질적인 가치
누가 나의 이름을 불러 다오.

그에게로 가서 나도 / 그의 꽃이 되고 싶다.

우리들은 모두 / 무엇이 되고 싶다.
　　　　　서로에게 의미 있는 존재
너는 나에게 나는 너에게

잊혀지지 않는 하나의 눈짓이 되고 싶다.
　　　　　서로에게 의미 있는 존재

≫ 이 시는 의미 있는 진정한 관계를 맺고 싶어 하는 소망을 노래한 작품이다. '몸짓', '꽃', '눈짓'
과 같은 시어와 점층적인 시상 전개를 통해 존재의 특성을 인식하는 과정을 나타내고 있다.
'이름을 부른다'는 의미를 부여하여 '그(대상)'를 인식하는 행위이고, '꽃이 된다'는 '그'가 '나'
에게 '꽃'이라는 의미 있는 존재가 된다는 뜻이다.

바로 확인

이 시를 통해 느낄 수 있는 아름다움으로 적절하지 않은 것은?

① 의미 있는 존재를 '꽃'으로 표현

② 끊임없는 노력을 통해 시련을 극복하겠다는 주제

③ 이름을 부르는 행위가 대상에게 의미를 부여한다는 발상

답 | ②

나를 멈추게 하는 것들
– 속도에 대한 명상 13 | 반칠환

보도블록 틈에 핀 씀바귀꽃 한 포기가 나를 멈추게 한다
작고 연약하지만 생명력을 지닌 식물

어쩌다 서울 하늘을 선회하는 제비 한두 마리가 나를 멈추게 한다
작고 보잘것없지만 꿋꿋이 살아가는 동물

육교 아래 봄볕에 탄 까만 얼굴로 도라지를 다듬는 할머니의 옆모습이 나를 멈
평범한 존재로 굳세게 살아가는 사람
추게 한다

굽은 허리로 실업자 아들을 배웅하다 돌아서는 어머니의 뒷모습은 나를 멈추
평범하지만 감동을 주는 사람
게 한다

나는 언제나 나를 멈추게 한 힘으로 다시 걷는다
사소한 대상에서 화자가 발견한 삶의 가치와 의미

》 이 시는 어느 봄날 길을 걷다가 사소하고 일상적이지만 가치 있는 대상들을 발견하고, 걸음
을 멈추게 한 대상들을 통해 얻은 깨달음을 담은 작품이다. 화자는 씀바귀꽃 한 포기, 제비
한두 마리, 할머니, 어머니와 같이 우리 주위에서 흔히 마주치는 평범한 대상에서 아름다움
을 발견하고 삶의 위안과 가치를 깨닫고 있다.

바로 확인

이 시를 통해 시인이 전달하고자 하는 바로 적절한 것은?

① 일상의 평범한 대상들이 주는 삶의 위안
② 열심히 노력하여 성공을 이룬 삶의 기쁨
③ 약자와 함께 살아가는 공동체의 배려 의식

답 | ①

봄나무 | 이상국

㉠나무는 몸이 아팠다
나무를 사람처럼 표현함.(의인법)
눈보라에 상처를 입은 곳이나
나무의 몸을 아프게 한 존재 ①
빗방울들에게 얻어맞았던 곳들이 / 오래전부터 근지러웠다
나무의 몸을 아프게 한 존재 ②
㉡땅속 깊은 곳을 오르내리며 / 겨우내 몸을 덥히던 물이

이제는 갑갑하다고

한사코 나가고 싶어 하거나

살을 에는 바람과 외로움을 견디며
겨울 동안 나무가 견뎌 낸 시련
봄이 오면 정말 좋은 일이 있을 거라고
희망을 잃지 않는 나무의 모습
스스로에게 했던 말들이

그를 못 견디게 들볶았기 때문이다

그런 마음의 헌데 자리가 아플 때마다
나무가 이파리를 피워 내는 자리: 상처 입은 곳
㉢그는 하나씩 이파리를 피웠다
아픔을 겪으면서도 가치 있는 것을 추구하는 나무의 모습

≫ 이 시는 겨울 산에서 추위를 견디는 나무의 모습을 보며 이러한 시련을 견디어야 봄에 새잎을 낼 수 있다는 사실에서 감동을 느끼고 쓴 작품이다. 시련을 견디며 이파리를 피워 내는 나무의 모습에서 숭고함의 정서가 드러나며, 나무의 모습을 사람처럼 표현하여 생생함을 전하고 있다.

바로 확인

㉠~㉢을 감상한 내용으로 적절하지 <u>않은</u> 것은?

① ㉠: 나무의 모습을 사람처럼 표현하여 참신하네.

② ㉡: 추운 겨울 동안 나무를 따뜻하게 보살핀 화자의 모습이 아름다워.

③ ㉢: 시련을 견디고 끝내 이파리를 피워 낸 나무의 모습이 숭고하게 느껴져.

답ㅣ②

상처가 더 꽃이다 | 유안진 　　　　　　　　미래엔

어린 매화나무는 꽃 피느라 한창이고 / 사백 년 고목은 꽃 지느라 한창인데
　　　　　　　　　어린 매화나무와 고목의 모습을 대조함.
구경꾼들 고목에 더 몰려섰다 /[둥치도 가지도 꺾이고 구부러지고 휘어졌다
　　　　　　　　　　　　　　큰 나무의 밑동.
갈라지고 뒤틀리고 터지고 또 튀어나왔다

진물은 얼마나 오래 고여 흐르다가 말라붙었는지

주먹만큼 굵다란 혹이며 패인 구멍들이 험상궂다

거무죽죽한 혹도 구멍도 모양 굵기 깊이 빛깔이 다 다르다]
[ ]: 고목의 거친 모습
새 진물이 번지는가 개미들 바삐 오르내려도

의연하고 의젓하다 / 사군자 중 으뜸답다

꽃구경이 아니라 상처 구경이다
　　　　　상처가 시련을 견뎌 낸 증거이기 때문에
상처 깊은 이들에게는 훈장(勳章)으로 보이는가

상처 도지는 이들에게는 부적(符籍)으로 보이는가

백 년 못 된 사람이 매화 사백 년의 상처를 헤아리랴마는
　　　　　　　인간과 고목이 살아온 시간을 비교하여 상처의 깊이를 강조함.
감탄하고 쓸어 보고 어루만지기도 한다 / 만졌던 손에서 향기까지 맡아 본다

진동하겠지 상처의 향기 / 상처야말로 더 꽃인 것을.
　　　　　　　　　역설을 사용하여 주제 의식을 드러냄.

>> 이 시는 꽃을 피우고 있는 어린 매화나무가 아닌 꽃이 지고 있는 고목에 구경꾼들이 더 몰려
선 모습을 보며, 고목이 가진 아름답고 고귀한 상처를 강조한 작품이다. 시인은 제목을 통해
고통을 이겨 낸 '상처'가 '꽃'보다 더 아름답다는 역설적이고도 참신한 발상을 드러내고 있다.

바로 확인

이 시를 쓴 시인이 아름답게 느낀 대상으로 적절한 것은?

① 한창 꽃을 피워 낸 어린 매화나무

② 둥치도 가지도 꺾이고 구부러진 사백 년 된 고목

③ 매화 고목의 수명에 감탄하며 나무를 어루만지는 구경꾼들

답 | ②

수라 | 백석

아수라. 싸움 따위로 혼잡하고 어지러운 상태에 빠진 곳이나 그러한 상태를 말함.

거미 새끼 하나 방바닥에 나린 것을 나는 아무 생각 없이 문밖으로 쓸어 버린다
　　　　　　　'나'가 무심코 거미 새끼 하나를 문밖으로 쓸어 버림.

차디찬 밤이다 //

언제인가 새끼 거미 쓸려 나간 곳에 큰 거미가 왔다

나는 가슴이 짜릿한다
큰 거미를 새끼 거미의 어미라고 생각함.
나는 또 큰 거미를 쓸어 문밖으로 버리며

찬 밖이라도 새끼 있는 데로 가라고 하며 서러워한다 //

이렇게 해서 아린 가슴이 싹기도 전이다

어데서 좁쌀알만 한 알에서 가제 깨인 듯한 발이 채 서지도 못한 무척 작은 새끼
　　　　　　　　　'갓', '방금'의 평안도 방언.
거미가 이번엔 큰 거미 없어진 곳으로 와서 아물거린다

나는 가슴이 메이는 듯하다 / 내 손에 오르기라도 하라고 나는 손을 내어미나
무척 작은 새끼 거미가 어미를 찾고 있다고 생각하며 안타까움을 느낌.
분명히 울고불고 할 이 작은 것은 나를 무서우이 달어나 버리며 나를 서럽게 한다

나는 이 작은 것을 고이 보드러운 종이에 받어 또 문밖으로 버리며
　　　새끼 거미가 두려움을 느끼지 않게 하려고 배려하는 모습이 돋보임.
이것의 엄마와 누나나 형이 가까이 이것의 걱정을 하며 있다가 쉬이 만나기나
　　　　　　　거미 가족이 다시 만나 공동체 삶을 회복하기를 소망함.
했으면 좋으련만 하고 슬퍼한다

>> 이 시는 일제 강점기 때 창작되었는데, 거미 가족이 서로 흩어져 혼란에 빠진 모습을 통해 일제의 수탈로 가족이 해체된 우리 민족의 슬픔을 표현했다. 화자가 거미 가족이 다시 만나기를 바라는 모습에서 우리 민족이 공동체 삶을 회복하기를 바라는 소망을 느낄 수 있다.

바로 **확인**

이 시를 읽은 독자의 반응으로 적절하지 않은 것은?

① 창작 시기를 생각하니 거미 가족이 우리 민족의 모습 같았어.

② 거미 가족의 모습에서 슬픔을 느꼈지만 그 슬픔에서 아름다움을 느꼈어.

③ 무척 작은 새끼 거미마저 내버리는 '나'에게서 사람의 잔인함을 느낄 수 있었어.

답 | ③

(가) 내 마음 베어 내어 |정철
(나) 개를 여남은이나 기르되 |작자 미상

가 내 마음 베어 내어 저 달을 만들고자
임에 대한 그리움, 사랑, 충성 '마음'이라는 추상적인 대상을 구체적 대상인 '달'로 드러내려 함.
구만 리 먼 하늘에 번듯이 걸려 있어
　　임이 계신 곳
고운 임 계신 곳에 가 비추어나 보리라
　　사랑하는 임 또는 임금

나 개를 여남은이나 기르되 요 개같이 얄미우랴
　열이 조금 넘는 수.　　　　화자의 감정을 직설적으로 표현함.
[미운 임 오면은 꼬리를 홰홰 치며 치뛰락 내리뛰락 반겨서 내닫고 고운 임
[　]: 개가 얄미운 까닭이 나타남.
오면은 뒷발을 버둥버둥 무르락 나락 캉캉 짖어서 도로 가게 하느냐]

쉰밥이 그릇그릇 난들 너 먹일 줄이 있으랴
　　　　　　　　개에 대한 원망을 나타냄.

》 (가)는 임에 대한 그리움, 변함없는 사랑과 충성을 표현한 시조이다. 자신의 마음을 달로 만들어 임을 비추겠다는 표현에서 임을 향한 화자의 지극한 애정과 표현의 아름다움을 느낄 수 있다. 한편 이 시조를 쓴 정철이 정치적 다툼 때문에 벼슬을 그만두고 고향에 머물면서 나라의 정치를 걱정하고 임금을 그리워하였다는 창작 배경으로 보아 '고운 임'은 임금을 의미한다.

》 (나)는 임을 그리워하고 기다리는 마음을 노래한 사설시조이다. 화자는 개가 미운 임은 반기고 고운 임은 쫓아 버린다며 얄미워하고 있는데, 사실 화자는 임이 오지 않는 상황을 원망하는 것이다. 엉뚱한 대상인 개에게 화풀이하는 발상이 웃음을 자아낸다.

바로 확인

(가)와 (나)에 대한 설명으로 적절하지 않은 것은?

① (가)와 (나)는 임에 대한 그리운 마음을 표현하고 있다.

② (가)와 (나)는 화자의 마음을 자연물에 빗대어 드러내고 있다.

③ (가)는 자신의 마음을 담담하게, (나)는 직설적으로 표현하고 있다.

답 |②

길모퉁이에서 만난 사람 | 양귀자   천재(박)

김밥 아줌마는 작품을 만들 때 사람들이 보고 있으면 막 화를 낸다. 누군가 쳐다보면 마음이 흔들려서 실패작만 나온다는 것이다. 김밥을 말고 있을 때는 누가 무슨 말을 해도 들은 척을 하지 않는다. <u>한 번 더 말을 시키면 여지없이 성질을 내며</u>
김밥 아줌마가 김밥 만드는 일에 집중함.

일손을 놓아 버린다. 그이는 파는 일엔 전혀 관심이 없고 오직 김밥을 만드는 그
창작에 몰두하는 예술가 같은 모습

행위에만 몰두해 있는 사람처럼 보인다.

언젠가 나도 무심히 김밥 마는 것을 구경하고 있다가 당했다. 쳐다보고 있으니까 김밥 옆구리가 터지는 실수를 다 한다고 신경질을 내는 그이가 무서워서 주문한 김밥을 싸는 동안 멀찌감치 떨어져 있었다. 그러나 집에 돌아와서 먹어 본 김밥은 그이에게 당한 것쯤이야 까맣게 잊어버리고도 남을 만큼 그 맛이 환상적이
김밥 아줌마가 만든 김밥의 맛에 감동을 받음.

었다. 그 김밥은 돈 몇 푼의 이익을 위해 말아진 그런 김밥이 아니었다. 나는 그래
예술가인 김밥 아줌마가 최선을 다해 만든 김밥이므로

서 그이의 김밥을 서슴지 않고 '작품'이라 부른다.

» 이 소설은 우리 주변의 평범한 이웃들을 관찰하고, 이들의 삶에서 의미와 아름다움을 찾아 표현한 작품이다. 이 장면은 서술자인 '나'가 김밥 아줌마를 지켜보며 김밥 아줌마는 '작품'을 만든다고 생각하는 부분이다. 김밥 아줌마는 돈 몇 푼의 이익을 바라며 김밥을 만드는 것이 아니라, 창작에 몰두하는 예술가처럼 김밥을 마는 행위 자체에 최선을 다하기 때문이다.

바로 **확인**

이 글에서 '나'가 김밥 아줌마를 통해 전달하고자 하는 바로 적절한 것은?

① 김밥을 만드는 행위에 슬픔과 고통이 담겨 있다는 것

② 맛있는 김밥을 만들려면 여러 단계를 거쳐야 한다는 것

③ 정성을 다해 김밥을 마는 김밥 아줌마의 모습이 아름답다는 것

답 | ③

우리가 잠든 시간에 고독과 침묵 속에서 신비로운 세상이 깨어난다는 것을 말
<small>생명력이 넘치는 자연의 모습</small>
이죠. 그럴 때 샘물은 낮보다 한결 또랑또랑한 소리로 노래하듯 흐르고, 연못은
<small>의인법을 통해 샘물과 연못의 모습을 생생하게 표현함.</small>
작은 불꽃들을 밝히지요. 산의 모든 정령들이 자유로이 왔다 갔다 하고요. [허공

중에는 뭔가 삭삭 스치는 듯한 소리, 알아들을 수 없는 소리들이, 마치 나뭇가지
[ ]: 직유법을 통해 자연의 소리를 실감 나게 표현함.
가 자라나고 풀들이 쑥쑥 커 오르는 소리처럼 들려온다니까요.] 낮 시간은 존재들

의 삶이지만, 밤은 사물들의 삶입니다. 이런 걸 익숙하게 접해 보지 않았다면 무
<small>대구법을 통해 생명력이 넘치는 자연의 밤 풍경을 표현함.</small>
섭기 마련이지요……. 그러니 우리 아가씨도 오들오들 떨면서 작은 소리만 들려

도 나한테 꼭 달라붙었지요. (중략) 바로 그 순간 예쁜 별똥별 하나가 우리 머리

위에서 같은 방향으로 휙 스쳐 가는 겁니다. 마치 우

리가 방금 들은 그 울음소리가 빛과 함께 움직인 것

처럼 말이죠. / "저게 뭐지?"

스테파네트 아가씨가 작은 소리로 내게 물었어요.
<small>양치기</small>
"천국으로 들어가는 영혼이랍니다, 아가씨."
<small>'나'가 '별똥별'에 대해 설명한 말임.</small>

➤ 이 소설은 아가씨를 향한 양치기의 순수하고 아름다운 사랑을 담고 있는 작품이다. 이 장면
은 깜깜한 밤의 역동적이고 생기 있는 모습을 의인법, 직유법, 대구법 등을 사용하여 묘사한
부분이다. 자연의 신비롭고 생명력 넘치는 묘사와 아가씨를 순수하게 사랑하는 양치기의 모
습에서 아름다움을 느낄 수 있다.

바로 확인

이 글에 나타난 심미적 표현에 대한 설명으로 적절하지 않은 것은?

① 반어법을 사용하여 샘물과 연못의 모습을 표현하였다.

② 직유법을 사용하여 자연의 소리를 생동감 있게 표현하였다.

③ 대구법을 사용하여 생명력 넘치는 자연의 밤 풍경을 표현하였다.

답 | ①

연 | 이청준

<u>상급 학교 진학을 단념한 대신 아들놈은 그 철 늦은 연날리기 놀이를 시작했</u>
가정 형편이 어려워 상급 학교에 진학하지 못한 답답한 마음을 연날리기를 통해 달래려고 함.
다. 연실 마련이 어려워서 제철에는 남의 집 애들 연 띄우는 거나 곁에서 늘 부러
집안 형편이 가난했음을 알 수 있음.
워해 오던 녀석이었다. / 어머니는 큰맘 먹고 연실을 마련해 냈고, <u>아들놈은 그때</u>

<u>부터 하고한 날 연에만 붙어 지냈다.</u>
연날리기에 열중하며 속상한 마음을 달램.
봄이 되어 제 또래 아이들이 모두 마을을

떠나 읍내 상급 학교로 가 버린 다음에도

아들놈은 혼자서 그 파란 봄 보리밭 위로

하루같이 연만 띄워 올리고 있었다. 아침나절에 띄워 올린 연이 해 질 녘까지 마

을의 하늘을 맴돌았다. / 어머니는 언제 어디서나 그 아들의 연을 볼 수 있었다.

<u>연을 보면 아들의 얼굴을 보는 것 같았고, 아들의 마음을 보는 것 같았다.</u>
어머니가 '연'을 보며 아들의 존재를 느낌.
<u>연은 언제나 머나먼 하늘 여행을 꿈꾸고 있는 작은 새처럼 보였고, 그래서 언</u>
'연'이 어머니의 마음을 불안하게 하는 이유가 나타남.
젠가는 실줄을 끊고 마을의 하늘을 떠나가 버릴 것처럼 어머니의 마음을 불안하

게 했다. / 하지만 연이 그렇게 하늘에 떠올라 있는 동안엔 어머니도 아직은 마음

을 놓을 수 있었다.

≫ 이 소설은 '연'을 소재로 방황하는 아들을 바라보는 어머니의 마음을 그린 작품이다. 이 장면
은 상급 학교에 진학하지 못한 아들이 매일 연을 날리는 모습과 이를 지켜보는 어머니의 불안
한 마음이 나타난 부분으로 연날리기로 아들이 위로받기를 바라는 어머니의 마음을 엿볼 수 있다.

바로 확인

'연'의 상징적 의미를 바르게 파악하지 못한 것은?

① '연'은 어머니 입장에서 '아들'을 상징해.

② '연'은 도회지를 향한 아들의 '동경과 희망'을 상징해.

③ '연'은 어머니를 향한 아들의 '따뜻한 사랑'을 상징해.

답 | ③

실수 | 나희덕

"스님, 빗 좀 빌릴 수 있을까요?"

스님은 갑자기 당황한 얼굴로 나를 바라보셨다. 그
제야 파르라니 깎은 스님의 머리가 유난히 빛을 내며
<u>글쓴이는 머리카락이 없는 스님에게 빗을 빌리려는 실수를 저지름.</u>
내 눈에 들어왔다. (중략)

나는 그 빗으로 머리를 빗으면서 자꾸만 웃음이 나오는 걸 참을 수가 없었다.

절에서 빗을 찾은 나의 엉뚱함도 우물가에서 숭늉 찾는 격이려니 와, 빗이라는 말
<u>속담을 인용하여 내용을 효과적으로 전달함.</u>
한마디에 그토록 당황하고 어리둥절하던 노스님의 표정이 자꾸 생각나서였다.

그러나 그 순간 나는 보았다. 시간을 거슬러 올라가 검은 머리칼이 있던, 빗을 썼
던 그 까마득한 시절을 더듬고 있는 그분의 눈빛을. 이십 년 또는 삼십 년, 마치
물길을 거슬러 올라가는 연어 떼처럼 참으로 오랜 시간이 그 눈빛 위로 스쳐 지나
<u>비유를 통해 스님이 과거를 떠올리는 모습을 생생하게 표현함.</u>
가는 듯했다. 그 순식간에 이루어진 회상의 끄트머리에는 그리움인지 무상함인
지 모를 묘한 미소가 반짝하고 빛났다. 나의 실수 한마디가 산사(山寺)의 생활에
<u>'실수'의 의미에 대한 새로운 인식을 드러냄.</u>
익숙해져 있던 그분의 잠든 시간을 흔들어 깨운 셈이니, 그걸로 작은 보시는 한
<u>자비심으로 남에게 재물이나 불법을 베풂.</u>
셈이라고 오히려 스스로를 위로해 보기까지 했다.

» 이 수필은 스님에게 빗을 빌리려던 경험을 통해 실수가 오히려 삶에 신선한 충격과 여유를
가져다줄 수 있다는 깨달음을 전하는 작품이다. 이 장면은 글쓴이가 스님에게 빗을 빌리려
했던 경험이 나타난 부분으로, 자신의 실수가 오히려 산사의 생활에 익숙해져 있던 스님의
잠든 시간을 흔들어 깨웠다고 하면서 실수에 대한 새로운 인식을 보여 주고 있다.

바로 확인

이 글을 읽고 인상적인 부분을 말한 내용으로 적절한 것은?

① '나'가 자신의 실수를 애써 감추려는 모습이 슬프게 느껴졌어.

② 우물가에서 빗을 찾는 '나'의 엉뚱한 모습에서 저절로 웃음이 났어.

③ 과거를 회상하는 스님의 눈빛을 연어 떼에 빗대어 표현하여 생동감을 느꼈어.

답 | ③

작품으로 개념 확인   어머니는 왜 숲속의 이슬을 털었을까 | 이순원

"자, 이제 이걸 신어라." / 거기서 어머니는

품속에 넣어 온 새 양말과 새 신발을 내게 갈
_{이슬에 젖을 것을 예상하고 준비함.}
아 신겼다. 학교 가기 싫어하는 아들을 위해

아주 마음먹고 준비해 온 것 같았다.

"앞으로는 매일 떨어 주마. 그러니 이 길로 곧장 학교로 가. 중간에 다른 데로
_{아들을 위해 매일 아침 이슬을 떨어 주겠다고 말함. – '나'를 향한 어머니의 애정과 헌신이 드러남.}
새지 말고." / 그 자리에서 울지는 않았지만 왠지 눈물이 날 것 같았다.
_{어머니의 헌신과 애정에 감동함.}

"아니, 내일부터 나오지 마. 나 혼자 갈 테니까."

다음 날도 그다음 날도 어머니가 매일 이슬을 떨어 준 것은 아니었다. 그러나

어떤 날 가끔 어머니는 그렇게 내 등굣길의 이슬을 떨어 주었다. 또 새벽처럼 일
_{아들을 위해 애쓰는 어머니의 사랑이 나타남.}
어나 그 길의 이슬을 떨어 놓고 올 때도 있었다. (중략) 그때부터 나는 학교를 결
_{'나'가 어머니의 마음을 깨닫고 변화함.}
석하지 않았다. / 어른이 된 지금도 나는 그렇게 생각한다. 그때 어머니가 이슬을

떨어 주신 길을 걸어 지금 내가 여기까지 왔다고. 돌아보면 꼭 그때가 아니더라도
_{어른이 된 '나'가 자신을 위해 묵묵히 애써 온 어머니의 사랑을 깨달음.}
어머니는 내가 지나온 길 고비마다 이슬 떨이를 해 주셨다.

≫ 이 수필은 '나'가 어렸을 때 어머니의 헌신적인 사랑을 느낀 경험을 쓴 작품이다. 이 장면은
학교에 가기 싫어하는 아들을 위해 어머니가 등굣길을 함께하며 이슬을 떨어 주는 부분으
로, 어른이 된 '나'는 자신이 어려움에 처했을 때마다 어머니가 사랑과 헌신으로 자신을 이끌
어 주었음을 깨닫고 있다.

바로 확인

이 글에서 독자에게 감동을 주는 인물의 모습으로 적절한 것은?

① 어머니가 아들을 위해 등굣길의 이슬을 떨어 주는 모습

② 어린 '나'가 어머니의 도움 없이 혼자서 씩씩하게 등교하는 모습

③ 어른이 된 '나'가 어렸을 적 학교 가기 싫어했던 자신을 떠올리는 모습

답 | ①

2 작품의 사회·문화적 배경

뜻 작품에 담긴 어떤 시대의 사회 환경과 문화, 사상, 제도 등 그 시대의 전반적인 상황과 모습.

특징
- 시는 화자가 처한 **❶   **, 작품의 창작 시기가 드러난 소재, 시어의 상징적 의미 등을 살펴 사회·문화적 배경을 파악함.
- 소설은 인물의 말과 행동, 인물들 간의 관계, 다양한 사건 등을 바탕으로 작품에 반영된 사회·문화적 배경을 파악함.
- 작품이 창작된 사회·문화적 배경을 알면 작가의 **❷   ** 의도와 작품의 전체 의미를 잘 이해할 수 있음.

예

소설의 한 장면	소설의 사회·문화적 배경
• 이날이야말로 동소문 안에서 인력거꾼 노릇을 하는 김 첨지에게는 오래간만에도 닥친 운수 좋은 날이었다. • "설렁탕을 사다 놓았는데 왜 먹지를 못하니, 왜 먹지를 못하니? 괴상하게도 오늘은 운수가 좋더니만……." – 현진건, 〈운수 좋은 날〉에서	• 주인공 김 첨지가 인력거를 끄는 일을 직업으로 하는 데에서 작품의 사회·문화적 배경이 1920년대로 일제 강점기 이야기임을 알 수 있음. • 설렁탕을 먹지 못하고 죽은 김 첨지의 아내는 당시 우리 민족이 비참하게 살았음을 보여 줌.

❶ 상황 ❷ 창작

바로 확인

⊙, ⓒ에 들어갈 알맞은 말을 각각 한 단어로 쓰시오.

- 소설을 읽을 때 (⊙)의 말과 행동, 다양한 사건 등을 잘 파악하면 작품에 반영된 당시의 사회·문화적 배경을 확인할 수 있다.
- 작품이 창작된 사회·문화적 배경을 이해하면 (ⓒ)가 작품을 창작한 의도를 좀 더 잘 파악할 수 있다.

답 | ⊙: 인물 ⓒ: 작가

가난한 사랑 노래

천재(노), 금성

– 이웃의 한 젊은이를 위하여 | 신경림

가난하다고 해서 외로움을 모르겠는가 → '가난하다고 해서 ……겠는가'의 반복
질문 형식을 통해 화자의 정서를 강조함.
너와 헤어져 돌아오는 / 눈 쌓인 골목길에 새파랗게 달빛이 쏟아지는데.

가난하다고 해서 두려움이 없겠는가
[ ]: 당시의 사회·문화적 배경을 알 수 있음.
[두 점을 치는 소리 / 방범대원의 호각 소리 메밀묵 사려 소리에
새벽 두 시로 통행금지를 알리던 소리   통행금지를 어긴 사람들을 단속함.
눈을 뜨면 멀리 육중한 기계 굴러가는 소리.]
도시의 기계 문명을 상징함.
가난하다고 해서 그리움을 버렸겠는가

어머님 보고 싶소 수없이 뇌어 보지만
고향에 갈 수 없는 화자의 상황을 알 수 있음.
집 뒤 감나무에 까치밥으로 하나 남았을

새빨간 감 바람 소리도 그려 보지만.

가난하다고 해서 사랑을 모르겠는가

내 볼에 와 닿던 네 입술의 뜨거움

사랑한다고 사랑한다고 속삭이던 네 숨결

돌아서는 내 등 뒤에 터지던 네 울음. / 가난하다고 해서 왜 모르겠는가
사랑하지만 헤어져야 하는 슬픔을 표현함.
가난하기 때문에 이것들을 / 이 모든 것들을 버려야 한다는 것을.
가난 때문에 외로움, 두려움, 그리움, 사랑 같은 감정을 버려야 할 정도로 화자는 힘겨운 상황임.

≫ 이 시는 고향을 떠나 도시 노동자로 살아가는 가난한 젊은이의 삶을 노래한 작품이다. '이웃
의 한 젊은이를 위하여'라는 부제를 통해 시의 창작 의도를 드러내었으며, 1970~1980년대
산업화 시기 노동자들을 대표하는 화자를 내세워 이들에 대한 안타까움을 표현하고 있다.

바로 확인

이 시의 부제에서 말하는 '이웃의 한 젊은이'에 해당하는 인물로 적절한 것은?

① 가난 때문에 힘겹게 살아가는 산업화 시기의 도시 노동자

② 감나무에 까치밥을 남기며 자연과 환경을 생각하는 농사꾼

③ 밤늦게까지 호각을 불며 안전한 삶을 위해 노력하는 방범대원

답 | ①

들판이 적막하다 | 정현종

가을 햇볕에 공기에
가을날의 아름다운 경치
익는 벼에
가을날의 풍요로운 모습
눈부신 것 천지인데,

그런데,

아, 들판이 적막하다—
당연히 있어야 할 메뚜기 소리가 없음을 인식함.
메뚜기가 없다!

오 이 불길한 고요—

생명의 황금 고리가 끊어졌느니……
생태계 파괴의 현실을 자각함.

≫ 이 시는 적막한 가을 들판에서 메뚜기가 없다는 것을 깨닫는 상황을 통해 생태계의 위기를 노래한 작품으로, 쉽고 간결한 시어를 통해 주제 의식을 효과적으로 전달하고 있다. 화자는 들판에서 메뚜기가 사라진 사실에 안타까워하고 있으며, 이를 통해 시인은 생태계의 조화를 생각하지 않고 인간의 이익만을 위해 환경을 파괴하고 있는 사회를 비판하고 있다.

바로 확인

이 시가 창작된 사회·문화적 배경으로 적절한 것은?

① 농촌에 사는 사람들이 일자리를 찾아 도시로 이동하는 상황

② 농작물의 생산량을 늘리려고 사용한 농약 때문에 생태계가 파괴된 상황

③ 최신 기술을 통해 품종을 개량하여 품질이 좋은 작물이 대량 생산된 상황

답 | ②

까마귀 눈비 맞아 | 박팽년 〔천재(박)〕

까마귀 눈비 맞아 희는 듯 검노매라

야광명월(夜光明月)이 밤인들 어두우랴
한밤중에도 빛나는 밝은 달.
임 향한 일편단심(一片丹心)이야 변할 줄이 있으랴
임금, 단종 진심에서 우러나오는 변하지 않는 마음.

△: 부정적 존재 - 세조의 왕위 찬탈에 동조한 이들, 간신
○: 긍정적 존재 - 단종 복위를 꾀하던 이들, 충신

» 이 시조의 사회·문화적 배경: 1455년 수양 대군(세조)은 어린 조카인 단종의 왕위를 빼앗고 왕이 된다. 이때 세조의 왕위 찬탈에 동조한 이들도 있었지만 그렇지 않은 사람들도 있었는데, 박팽년은 후자에 속했던 인물이다. 그는 두 임금을 섬길 수 없다는 신념으로 성삼문 등과 함께 단종 복위를 꾀한다. 그러나 이것이 발각되어 혹독한 고문에 시달린다. 박팽년은 세조의 회유에도 자신의 뜻을 굽히지 않고 맞서다가 결국 옥에서 죽는다.

» 이 시조는 수양 대군에게 왕위를 빼앗긴 단종의 복위를 꾀하다 발각되어 옥에 갇히게 된 박팽년이 세조의 회유를 거절하며 지은 작품으로 알려져 있다. 이 시조에서 화자는 세상이 어지러워 충신과 간신의 경계가 불분명하지만, 자신은 언제나 빛나는 야광명월처럼 한결같다고 하며 단종에 대한 충성심을 드러내고 있다.

바로 확인

이 시조가 창작된 시기로 보아 시인이 말하고자 한 바로 적절하지 않은 것은?

① 세조의 왕위 찬탈에 대한 비판

② 어린 단종에 대한 변함없는 충성의 마음

③ 세조가 단종의 왕위를 빼앗는 데 동조한 신하들에 대한 안타까움

답 | ③

천만리 머나먼 길에 | 왕방연　　　 지학사

천만리 머나먼 길에 고운 임 여의옵고
　　　영월로 유배 간 '단종'을 의미함.
내 마음 둘 데 없어 냇가에 앉았으니
　　임과 이별한 후 슬픔을 느끼는 화자의 모습
㉠저 물도 내 안 같아서 울어 밤길 예놋다
　　　슬픈 마음을 '물'에 이입함.

» 이 시조의 사회·문화적 배경: 1455년 수양 대군(세조)은 어린 조카인 단종의 왕위를 빼앗고 왕이 된다. 이때 세조의 왕위 찬탈에 동조한 이들도 있었지만 그렇지 않은 사람들도 있었는데, 이들은 두 임금을 섬길 수 없다는 신념으로 단종의 복위를 꾀한다. 그러나 이것이 발각되어 단종을 영월로 유배 보낸다. 이때 왕방연은 단종을 유배지로 호송하는 임무를 맡았다.

» 이 시조는 단종을 유배지로 호송했던 왕방연이 안타까운 마음을 담아 지은 작품이다. 화자는 임과 이별하고(단종을 호송한 뒤) 돌아오면서 느낀 슬픔, 죄책감 등을 드러내고 있으며, 종장에서 '저 물도 내 마음과 같아서 울면서 밤길을 흘러가는구나.'라고 하여 자신의 슬픈 마음을 '물'에 이입하여 드러내고 있다.

바로 **확인**

이 시조의 창작 배경을 고려할 때 ㉠에 나타난 화자의 정서로 적절한 것은?

① 왕위를 강제로 빼앗은 세조에 대한 존경과 부러움

② 단종 복위 운동을 다시 펼치겠다는 강인한 희망과 의지

③ 단종을 유배지에 보내고 돌아오는 길에 느끼는 상실감과 안타까움

답 | ③

기억 속의 들꽃 | 윤흥길

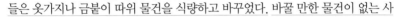

곧이어 포성이 울렸다. <u>돌산을 뚫느라고 멀리서 터뜨</u>
대포를 쏠 때 나는 소리.
<u>리는 남포의 소리처럼 은은한 포성이 울릴 때마다</u> 집 안
전쟁 때 포격으로 인해 집이 흔들리는 모습을 구체적으로 나타냄.
의 기둥이나 서까래가 울고 흙벽이 떨었다. 포성과 포성

의 사이사이를 뚫고 피란민의 행렬이 줄지어 밀어닥쳤

고, 마을에서 잠시 머물며 노독(路毒)을 푸는 동안에 그
전쟁 때문에 식량이 귀해짐.
들은 옷가지나 금붙이 따위 물건을 식량하고 바꾸었다. 바꿀 만한 물건이 없는 사

람들은 동냥을 하거나 훔치기도 했다. (중략)
상황이 어려워지자 피란민들이 보인 모습임.
　어느 마을이나 다 사정이 비슷했지만 특히 우리 마을로 유난히 피란민들이 많

이 몰리는 것은 만경강 다리 때문이었다. 북쪽에서 다리를 건너 남쪽으로 내려오
전라북도 북부를 흐르는 강.
다 보면 자연 우리 마을을 통과하도록 되어 있었다. 우리가 알기로는 세상에서 제

일 긴 그 다리가 폭격에 의해 아깝게 끊어진 뒤에도 피란민들은 거룻배를 이용하

여 계속 내려왔다. <u>인민군한테 앞지름을 당할 때까지 피란민들의 발길은 그치지</u>
인민군을 피해 북에서 남으로 내려가는 피란민들의 모습이 나타남.
<u>않았다.</u>

> 이 소설은 6·25 전쟁을 겪으며 사람들이 인간성을 상실해 가는 모습을 보여 주는 작품이다.
> 북에서 남으로 내려가는 피란민들이 자신들의 물건을 식량과 바꾸기도 하고, 바꿀 만한 물
> 건이 없으면 동냥을 하거나 훔치기도 하는 모습 등에서 6·25 전쟁을 겪는 피란민들의 힘든
> 삶이 드러나고 있다.

바로 확인

이 글에 나타난 당시 사회·문화적 상황으로 적절하지 않은 것은?

① 전쟁으로 피란 가는 사람들이 많아졌다.

② 피란민들은 식량을 구할 수 없으면 동냥이나 도둑질을 했다.

③ 피란민들은 폭격으로 만경강 다리가 끊어지자 피란 가기를 포기했다.

답 | ③

꺼삐딴 리 | 전광용

응접실에 안내된 이인국 박사는 주인이 나오기를 기다리면서 방 안을 둘러보았
브라운, 미국인으로 이인국과 각별한 사이임.
다. 대사관으로는 여러 번 찾아갔지만 집으로 찾아온 것은 이번이 처음이다.

삼 년 전 딸이 미국으로 갈 때부터 신세 진 사람이다.
이인국은 6·25 전쟁이 끝난 뒤 딸을 미국으로 유학 보냄.
[벽 쪽 책꽂이에는《이조실록(李朝實錄)》,《대동야승(大東野乘)》등 한적(漢籍)
[ ]: 자신의 이익을 위해 문화재를 외국인들에게 자발적으로 바친 사람들이 많았음을 의미함.
이 빼곡히 차 있고 한쪽에는 고서(古書)의 질책(帙冊)이 가지런히 쌓여 있다.
여러 권으로 한 권을 이루는 책.
맞은편 책상 위에는 작은 금동 불상(金銅佛像) 곁에 몇 개의 골동품이 진열

되어 있다. 십이 폭 예서(隷書) 병풍 앞 탁자 위에 놓인 재떨이도 세월의 때 묻

㉠ 은 백자다.]/ 저것들도 다 누군가가 가져다준 것이 아닐까 하는 데 생각이 미
자신뿐만 아니라 다른 남한 사람들도 6·25 전쟁 이후 미국 측에 잘 보이려고 함을 알게 됨.
치자 이인국 박사는 얼굴이 화끈해졌다.

그는 자기가 들고 온 상감 진사(象嵌辰砂) 고려청

자 화병에 눈길을 돌렸다. 사실 그것을 내놓는 데는

얼마간의 아쉬움이 없지 않았다. 국외로 내보낸다는
국가의 보물을 외국인에게 넘겨주는 것에 대한 자책감을 느끼지 않음.
자책감 같은 것은 아예 생각해 본 일이 없는 그였다.

>> 이 소설은 일제 강점기와 소련군 주둔 시기, 6·25 전쟁을 겪으며 권력자에게 아첨해 개인의
이익만을 추구한 이인국의 삶을 담은 작품이다. 이인국이 브라운 씨에게 고려청자를 뇌물로
주는 장면에서 역사의식이 없고 개인의 출세만을 중요시하는 이인국의 모습이 잘 드러난다.
또한 브라운 씨 집에 가득한 우리나라의 문화재를 통해 당시 미국 측에 잘 보이려는 사람들
이 많았음을 알 수 있다.

바로 확인

㉠을 통해 작가가 말하고자 하는 바로 적절한 것은?

① 개인의 이익을 위해 민족을 배신하는 반민족적 인물에 대한 비판

② 세계적으로 널리 우수성을 인정받는 우리나라의 문화재에 대한 예찬

③ 어려운 역경을 극복하며 가까스로 목숨을 유지하는 인물에 대한 연민

답 | ①

수난이대 | 하근찬   교학사, 금성, 지학사

"진수야!"

"예."

"니 우짜다가 그래 댔노?"

"전쟁하다가 이래 안 댔심니꼬, 수류탄 쪼가
6·25 전쟁 때 전투를 하다가 다리를 잃었음.
리에 맞았심더."

"수류탄 쪼가리에?"

"예." / "음……."

"얼른 낫지 않고 막 썩어 들어가기 땜에 군의관이 짤라 버립띠더. 병원에서예."
다리를 자를 수밖에 없었던 상황을 말함.

"……." / "아부지!" / "와?" / "이래 가지고 우째 살까 싶습니더."

"우째 살긴 뭘 우째 살아. 목숨만 붙어 있으면 다 사능 기다. 그런 소리 하지 마라."
삶에 대한 강한 의지가 나타남.

"……."

"나 봐라. 팔뚝이 하나 없어도 잘만 안 사나. 남 봄에 좀 덜 좋아서 그렇지. 살기
아버지 만도가 아들 진수를 위로하고 있음. - 만도는 일제 강점기 때 강제 징용되어 폭탄에 맞아 팔을 잃음.
사 왜 못 살아."

>> 이 소설은 일제 강점기 때 징용에 끌려가 한쪽 팔을 잃은 아버지 만도와 6·25 전쟁에 참전하
여 한쪽 다리를 잃은 아들 진수의 상처를 다룬 작품이다. 이 장면은 진수가 전쟁 중에 수류탄
파편에 맞아 다리를 잃었음을 만도에게 말하고, 만도가 진수를 위로하는 부분이다. 장애를
입은 부자의 모습은 징용과 전쟁으로 고통을 겪은 당시 사람들을 대표한다.

바로 확인

아버지와 아들의 대화를 통해 알 수 있는 당시 시대적 상황으로 적절한 것은?

① 6·25 전쟁에 참전했다가 부상을 입고 돌아온 이들이 있었다.

② 6·25 전쟁을 겪으며 가족끼리 뿔뿔이 헤어지게 되어 이산가족이 생겨났다.

③ 6·25 전쟁 이후 남북의 권력층은 서로를 적대시하며 자신의 권력을 강화하였다.

답|①

허생전 | 박지원

"선비들은 청나라에서 과거를 보도록 하고 장사치

들은 멀리 강남에까지 들어가 그들의 실정을 정탐
중국 양쯔강의 남쪽 지역을 이르는 말.
하게 하는 거요. 그러면서 그곳의 호걸들과도 사귀
지혜와 용기가 뛰어나고 기개와 풍모가 있는 사람.
게 한다면, 그때 비로소 천하를 도모하여 병자호란
어떤 일을 이루기 위하여 대책과 방법을 세워.
의 치욕을 씻을 수 있을 것이오." (중략)

"그 사대부란 놈들이 도대체 어떤 놈들이냐?[의복은 온통 희게만 입으니 이것은
[ ]: 예법에 얽매여 있는 양반의 모습을 비판함.
상을 당한 사람의 옷차림이요, 머리털을 한데 묶어 송곳처럼 상투를 트니 이것은

남쪽 오랑캐들의 풍습이 아니냐? 그러면서 무슨 예법이네 어쩌네 하면서 주둥이

를 놀린단 말이냐?]그뿐이냐? 장차 말타기, 칼 쓰기, 창찌르기, 활쏘기에 돌팔매질
병자호란의 치욕을 씻기 위해 배워야 할 실용적인 것들
까지도 익혀야 할 판국에 그 넓은 소매 옷을 고쳐 입을 생각은 않고 예법만 찾는단
허례허식에 얽매여 실제적으로 필요한 것들은 배우지 않는 양반의 모습을 비판함.
말이냐? 내가 벌써 세 가지씩이나 그 방도를 일러 주었는데 한 가지도 행하지 못

한다니, 그러면서도 네가 신임받는 신하라고 할 수 있느냐? 너 같은 자는 당장 목

을 베어야 마땅하리라." / 허생은 좌우를 돌아보며 칼을 찾아 찔러 죽일 태세였다.

이 대장은 엉겁결에 놀라 일어나서 뒷문을 차고 나가 뒤도 안 돌아보고 달아났다.

>> 이 소설은 실리를 중시하며, 비상한 능력이 있는 지식인 허생을 내세워 조선 후기의 경제 체
제의 취약함과 당시 집권층의 무능함을 드러낸 작품이다. 허생이 이 대장에게 화를 내는 부
분을 통해 기존의 예법과 명분에 얽매인 사대부들의 무능함, 허례허식 등을 비판하고 있다.

바로 확인

허생의 말에서 알 수 있는 당시 양반의 모습으로 적절한 것은?

① 병자호란의 치욕을 씻으려고 넓은 소매 옷을 고쳐 입었다.

② 허례허식에 얽매여 실제적으로 필요한 것은 배우지 않았다.

③ 남쪽 오랑캐에 대항하여 나라를 지키기 위해 말타기, 활쏘기 등을 익혔다.

답 | ②

오아시스 세탁소 습격 사건 | 김정숙

염소팔: 내 이번 한 번만 봐주믄 다시는 도와 달라고 하지 않을 팅게 지발 덕분에 우리 엄니랑 두 다리 뻗고 잘 집 한 칸 마련하게 도와주십시오. (확인하듯이) 집 한 칸, 아가씨 데려다 앉히고 엄니 모시러 가고……. 엄니, 내는 이자부터 도둑 놈입니다.
자신의 행동이 잘못된 것임을 알고 있음.

서옥화: 누구든 찾기만 해라. 내가 쪽쪽 다 빨아먹어 줄 테니. 서옥화 팔자 한번 바꾸어 보드라고!
물질에 눈먼 모습이 나타남.

장민숙: (이를 악물며) 나두 하구 싶은 거 있는 사람이
돈으로 무엇이든 할 수 있다는 물질 만능주의의 사고방식이 나타남.
야. 이젠 다 하구 살게, 아야! 아우, 혀 깨물었다! (중략)

그들은 강태국의 뒤에서, 밑에서, 앞에서 숨어서 마치 임무를 수행하는 첩보원 들처럼 검은 복색 일색으로 우스꽝스럽게 꾸며 입고 세탁소에 잠입하여 서로가
탐욕스러운 사람들을 우스꽝스럽게 나타냄.
모르려니 제 생각만 하고 옷들을 뒤지기 시작한다. 서로의 소리에 놀라면 야옹거 리고, 서로의 그림자에 놀라면 찍찍거려 숨으며, 서로 스쳐 지나가면서도 돈에
돈에 눈이 멀어 우스꽝스러운 행동을 하는 사람들의 모습을 비판함.
눈이 가리어 알아보지 못한다.

› 이 희곡은 할머니의 재산을 차지하려고 탐욕스럽게 행동하는 현대인을 비판하는 작품이다. 이 장면은 할머니가 맡긴 옷에 유산을 찾을 수 있는 단서가 있다고 생각한 사람들이 세탁소 에 잠입하여 이곳저곳을 샅샅이 뒤지는 부분이다. 돈에 눈먼 사람들의 모습을 우스꽝스럽게 묘사하여 비판하고 있다.

바로 확인

이 글에서 사람들을 우스꽝스럽게 나타낸 까닭으로 적절한 것은?

① 물질 만능주의가 지배하는 당시의 세태를 비판하기 위해서

② 사람들의 유쾌한 모습을 통해 삶의 소중한 가치를 전하기 위해서

③ 세탁소에서 숨바꼭질하는 사람들의 모습을 재미있게 나타내기 위해서

답 | ①

3 과거의 삶이 반영된 작품 감상

뜻 작품에 반영된 과거의 삶과 오늘날의 삶을 비교해 보고, 자신이 사는 시대의 가치나 관점을 바탕으로 **❶**   으로 받아들이는 것.

특징
- 시대의 변화 속에서도 오늘날까지 변하지 않는 가치나 오늘날의 관점에서 새롭게 평가할 수 있는 가치를 발견할 수 있음.
- 과거의 삶을 돌아보며 오늘날의 삶을 **❷**   할 수 있고, 인간의 삶에 대한 이해를 넓힐 수 있음.
- 시대상이 반영된 소재나 인물 간의 대화 등에 주목하여 작품에 반영된 과거의 삶을 파악할 수 있음.

예

시조		시조에 담긴 삶의 모습
형제가 열이라도 처음은 한 몸이라 하나가 열인 줄을 뉘 아니 알랴마는 어쩌다 욕심에 걸려 한 몸인 줄 모르는가 – 이숙량, 〈분천강호가–제4수〉	⇨	• 과거에는 오늘날에 비해 형제의 수가 많았음. • 형제간의 우애는 오늘날까지도 중요한 가치임.

> 변하지 않는 삶의 가치를 가치의 보편성, 오늘날에 달라진 삶의 가치를 가치의 특수성이라고 하지.

❶ 주체적 ❷ 성찰

바로 확인

다음 설명이 맞으면 ○, 틀리면 X 표 하시오.

(1) 시대적 배경이 드러나는 소재나 인물의 대화를 통해 작품에 반영된 당시의 삶의 모습을 추측할 수 있지만, 오늘날의 삶과 비교할 수는 없다. (   )

(2) 문학 작품을 감상하면서 시대의 변화 속에서도 변하지 않는 보편적인 가치를 발견하며 오늘날의 삶을 성찰할 수 있다. (   )

답 | (1) X (2) ○

돼지고기 두어 근 끊어 왔다는 말 | 안도현 (천재(노))

어릴 때, 두 손으로 받들고 싶도록 반가운 말은 저녁 무렵 아버지가 돼지고기
_{아버지가 가족들을 위해 어려운 형편에도 돼지고기를 사 오심.}
두어 근 끊어 왔다는 말

정육점에서 돈 주고 사 온 것이지마는 칼을 잡

고 손수 베어 온 것도 아니고 잘라 온 것도 아닌데

신문지에 둘둘 말린 그것을 어머니 앞에 툭 던

지듯이 내려놓으며 한마디, 고기 좀 끊어 왔다는 말

가장으로서의 자랑도 아니고 허세도 아니고 애정이나 연민 따위 더더구나 아니

고 다만 반갑고 고독하고 왠지 시원시원한 어떤 결단 같아서 좋았던, 그 말
_{돼지고기를 자주 먹기 어려울 만큼 경제적으로 어려웠던 시절임.}

남의 집에 세 들어 살면서 이웃에 고기 볶는 냄새 퍼져 나가 좋을 거 없다. 어머
_{고기 먹는 일이 특별한 일로 여겨질 만큼 어려운 시절로, 이웃의 평판을 신경 씀.}
니는 연탄불에 고기를 뒤적이며 말했지

그래서 냄새가 새어 나가지 않게 방문을 꼭꼭 닫고 볶은 돼지고기를 씹으며 입
_{돼지고기를 먹으면서 행복을 느낌.}
안에 기름 한입 고이던 밤

≫ 이 시는 돼지고기를 조금 사는 일에도 결단이 필요할 만큼 어려운 살림에도 가족을 생각하
는 아버지의 모습과 고기를 볶으면서도 냄새가 퍼질 것을 걱정하는 어머니의 모습을 그린
작품이다. 집안 형편이 많이 어려웠지만, 단란한 가정 속에서 가족의 사랑을 받으며 행복하
게 지내는 화자의 과거 삶의 모습이 잘 나타나 있다.

바로 확인

이 시에 나타난 어릴 적 화자의 삶의 모습으로 적절하지 않은 것은?

① 아버지가 사 온 돼지고기를 먹으며 소박한 행복을 느꼈다.

② 남의 집에 세 들어 살면서 집주인 때문에 많은 서러움을 느꼈다.

③ 돼지고기를 먹는 일이 특별한 일로 여겨질 만큼 집안 형편이 어려웠다.

답ㅣ②

물먹는 소 목덜미에

할머니 손이 얹혀졌다.
  소를 위로하는 할머니의 모습
이 하루도

함께 지났다고,
할머니와 소가 함께 살아가는 모습이 나타남.
서로 발잔등이 부었다고,
힘든 농사일을 하느라 발등이 부은 모습
서로 적막하다고,
소가 할머니의 유일한 벗임을 알 수 있음.

» 이 시는 할머니와 소가 힘든 농사일을 함께하며 고단한 하루하루의 삶을 함께 나누는 모습을 그린 작품이다. 주변 대상과 함께 삶을 보내면서 정서적으로 교감하며 사는 삶의 가치를 나타내고 있다. 또한 소와 할머니가 동고동락하는 모습을 통해 자연을 살아 있는 것으로 대하며 자연과 공존하던 과거 우리 민족의 삶의 모습을 잘 표현하고 있다.

바로 **확인**

이 시에 나타난 오늘날까지 이어지는 삶의 가치로 적절한 것은?

① 자연이 지닌 신비로운 힘을 숭상하며 사는 삶의 가치

② 과학 기술이 발달하여 자연을 정복하며 사는 삶의 가치

③ 자연과 공존하면서 서로 위로하고 교감하며 사는 삶의 가치

답 | ③

노새 두 마리 | 최일남

미래엔, 비상

아버지가 돌아온 것은 통행금지 시간이 거의 되어서였다. 예상
_{국가가 야간에 사람들의 이동을 금지하던 제도.}
한 일이지만 아버지는 빈 몸이었고 형편없이 힘이 빠져 있었다.

(중략) 아버지를 보고도 아무도 말을 하지 않았다. 다만 할머니만

이 말을 걸었다. / "이제 오니?" / "네."

그뿐, 아버지는 더는 말이 없었다. 그리고는 어머니가 보아 온
_{잃어버린 노새를 찾지 못해 상심한 아버지의 모습이 나타남.}
밥상을 한옆으로 밀어 놓고는 쓰러지듯 방 한가운데 드러눕고 말았다. 아버지는

지금 내일부터 당장 벌이를 나갈 수 없는 아픔보다도 길들여 키워 온 노새가 가여

워서 저러는지도 모를 일이었다. 아버지는 원래가 마부였다. 서울에 올라오기 전
_{아버지의 삶을 요약하여 보여 줌.}
시골에서도 줄곧 말 마차를 끌었다. 어쩌다가 소달구지를 끄는 적도 있기는 했으

나 얼마 가지 않아서 도로 말 마차로 바꾸곤 했다. 그런 아버지였으므로 서울에

올라와서는 내내 말 마차 하나로 버텨 나왔었는데 어떻게 마음먹었는지 노새로

바꾸고 만 것이다. 노새나 말이나 요즘은 그놈의 삼륜차 때문에 아버지의 일감이
_{아버지가 산업화, 기계화라는 시대의 변화에 적응하지 못해 생계가 어려워짐.}
자칫 줄어드는 듯하기도 했다.

≫ 이 소설은 1970년대 산업화·도시화 시대에 고향을 떠나 도시로 이주한 가족이 겪는 일을 다
룬 작품이다. 이 장면은 아버지가 잃어버린 노새를 찾지 못하고 집에 돌아온 부분으로, 아버
지는 삼륜차가 등장했음에도 여전히 노새를 끄는 인물로, 시대 변화에 소외된 사람들을 대
표한다. '통행금지', '노새', '삼륜차' 등의 소재에서 시대적 배경을 알 수 있다.

바로 확인

이 글에 반영된 당시 삶의 모습으로 적절하지 않은 것은?

① 도시화와 산업화가 빠르게 진행되었다.
② 가족을 중심으로 하는 공동체 삶이 무너졌다.
③ 사람들이 야간에 통행하는 것을 국가가 통제하였다.

답 | ②

마술의 손 | 조정래   (동아)

[텔레비전 바람은 좀처럼 잠잘 줄을 모른 채
[ ]: 텔레비전이 보급되기 시작함.
더러 가정불화까지 일으키며 꾸역꾸역 밤골
을 먹어 가더니만, 3개월쯤 지난 7월이 되어
서는 100개가 넘는 안테나가 서게 되었다.]

지난해와는 달리 무더운 밤인데도 당산나무
밑에는 모깃불이 지펴지지 않았다. 어둠속에서 담뱃불이 빨갛게 타고, 어른들이 나누
집집마다 텔레비전 앞에 매달려 있어 과거처럼 함께 모이지 않음.
는 이야기 소리가 개구리 울음소리에 섞여 두런두런 들리던 밤이 없어졌다. (중략)

가을로 접어들면서 잔칫집이 생겼지만 일손이 예전과 같지 않았다. 누구도 예
전과 같이 밤늦게까지 일을 도와주려 들지 않았다. 날이 어둑어둑해지자 이런저
텔레비전이 보급되기 전에는 다른 사람의 일을 밤늦게까지 도와주었음.
런 이유를 대며 슬슬 자리를 뜨기 시작한 것이다. 주인의 입장에서는 품삯을 주는
것도 아닌데 붙들어 앉힐 수 없는 노릇이었다.
그동안 자발적으로 도와준 것이므로
주인은 전에 없던 ㉠이 야릇한 변화를 얼핏 알아차리지 못했고, 평소에 앙큼한
짓 잘하던 어린 딸년이 텔레비전 때문이라고 일깨워서야 그렇구나 싶었고, 텔레
사람들이 저녁에 자리를 뜬 이유는 집에 가서 텔레비전을 보기 위해서임.
비전 없는 집만 골라 일손을 모아야 했다.

≫ 이 소설은 시골 마을에 텔레비전이 보급되면서 생겨나는 삶의 변화를 드러내는 작품이다.
이 장면은 많은 집에서 텔레비전을 사면서 마을 사람들이 모여 이야기 나누고 밤늦게까지
일을 도와주던 공동체 삶의 모습이 사라지고, 개인주의가 생겨났음을 보여 주고 있다.

바로 확인

㉠이 의미하는 당시의 시대 변화로 적절한 것은?

① 전기가 보급되어 인간의 노동력을 무시하는 현상이 나타남.
② 공동체 삶의 모습이 사라지고 개인주의 삶의 모습이 생겨남.
③ 사회가 빠르게 변하여 세대 간에 갈등이 심해지는 모습이 나타남.

답 | ②

박씨전 | 작자 미상　　　　　

연못에 다가가니 과연 꽃 아래에 연적이 놓여 있는데, 꿈속에서 본 바로 그 연적이었다. 반가운 마음에 연적을 방에 갖다 놓고 계화를 불렀다.

"급히 가서 서방님을 모셔 오너라." / 이 말을 들은 시백은 정색을 하며 꾸짖었다.

<u>연적을 전해 주어 시백의 과거 시험에 도움을 주기 위해</u>

　ㄱ"무슨 일이 있기에 감히 장부의 과것길을 지체케 한단 말이냐?"

　　　　　　　　　<u>여성을 무시하는 사고방식이 담겨 있음.</u>

추상(秋霜)같이 고함을 지르니 계화가 무안

<u>호령 등이 위엄이 있고 서슬이 푸르게.</u>

한 마음으로 돌아와 박씨에게 그 말을 전했다.

"잠깐만 들어오시면 좋은 일이 있을 것이니,

한 번의 수고를 아끼지 마시라 전해라."

시백은 이 말을 듣고 더 크게 화를 냈다.

ㄴ"요망한 계집이 장부의 과것길을 말리다니, 이런 당돌한 일이 어디 있겠는가?"

　　　　　　<u>여성을 억압하고 차별하는 과거 삶의 모습이 나타남.</u>

얼굴이 붉으락푸르락하더니 계화를 잡아서 매 삼십 대를 때려 물리쳤다. 계화

가 돌아와 매 맞은 이야기를 하자 박씨가 하늘을 우러르며 눈물을 흘렸다.

> 이 소설은 조선 시대에 실제로 일어난 병자호란을 배경으로 박씨의 영웅적인 모습을 그린
> 작품으로, 박씨가 못생겼다는 이유로 가정에서 박대받는 앞부분과 전쟁에서 활약을 펼치는
> 뒷부분으로 나뉜다. 남편 이시백이 박씨의 말을 무시하고 박씨의 몸종인 계화를 혼내는 부
> 분에서 당시 남성이 여성보다 우위에 있다는 사고방식과 억압받고 차별받는 여성들의 모습
> 이 나타난다.

바로 확인

ㄱ, ㄴ에 나타난 당시 여성들의 삶의 모습으로 적절한 것은?

① 신분제 사회 속에서 결혼을 통해 신분 상승을 노리는 여자들이 많았다.

② 남성이 여성보다 우위에 있다는 사고방식 때문에 억압받고 차별당했다.

③ 겉모습으로 사람을 평가하는 사회 분위기 때문에 외모 가꾸기를 중요시했다.

답 | ②

심청전 | 작자 미상 　　　　　　　　　 지학사

"제가 못난 딸자식으로 아버지를 속였어요. 공

자신이 인당수 제물로 팔려 죽게 되었음을 아버지에게 사실대로 말함.
양미 3백 석을 누가 저에게 주겠어요. 남경 뱃

사람들에게 인당수 제물로 몸을 팔아 오늘이

떠나는 날이니 저를 마지막 보셔요."

심 봉사가 이 말을 듣고,

"참말이냐, 참말이냐? 애고 애고, 이게 웬말인고? 못 가리라, 못 가리라. 네가

날더러 묻지도 않고 네 마음대로 한단 말이냐? 네가 살고 내가 눈을 뜨면 그는

마땅히 할 일이나, 자식 죽여 눈을 뜬들 그게 차마 할 일이냐? [너의 어머니 늦
　　　　　　　　심청의 죽음에 대한 아버지의 입장을 이야기함.
게야 너를 낳고 초이레 안에 죽은 뒤에, 눈 어두운 늙은것이 품 안에 너를 안고
　　　　　매달의 일곱째 날.　　　　　　　　　심 봉사 자신을 가리킴.
이 집 저 집 다니면서 구차한 말 해 가면서 동냥젖 얻어 먹여 이만치 자랐는데,]
[　]: 심청의 출생과 성장 과정을 요약하여 제시함.
내 아무리 눈 어두우나 너를 눈으로 알고, 너의 어머니 죽은 뒤에 걱정 없이 살

았더니 이 말이 무슨 말이냐? 마라 마라, 못 하리라. 아내 죽고 자식 잃고 내 살
　　　　　　　　　　　　　　　　심청의 죽음이 심 봉사에게 큰 상처가 된다는 것을 알 수 있음.
아서 무엇하리? 너하고 나하고 함께 죽자."

≫ 이 소설은 심청이 아버지를 극진히 모시는 모습을 통해 '효'를 강조하는 작품이다. 이 장면은
심청이 아버지에게 자신이 인당수 제물로 팔려 죽게 되었다고 말하는 부분이다. 심청이 아
버지의 눈을 뜨게 하기 위해 자신의 목숨을 바치는 모습은 당시의 유교적 사상으로 '효'라고
볼 수 있으나, 오늘날 삶에 비추어 볼 때는 다양하게 해석될 수 있다.

바로 확인

심청이의 행동을 오늘날의 관점에서 평가한 내용으로 적절하지 않은 것은?

① 자신의 이익을 위해 아버지를 속인 행동은 용서받을 수 없어.

② 앞 못 보는 아버지를 홀로 두고 죽는 것은 옳지 않은 행동이야.

③ 아버지의 눈을 뜨게 하려고 애쓰는 마음 자체는 진정한 효라고 할 수 있어.

답 | ①

호질 | 박지원

범(호랑이)의 꾸짖음.

"네가 말하는 천만 마디 말이 오륜을 벗어나지 않고, 남을 훈계하고 권면할 때
[　　]: 말로만 오륜과 예의를 중시하는 모습을 지적함.
는 으레 예의염치를 들추어 대지만, 도성의 거리에는 형벌을 받아 코 떨어진
놈, 발뒤꿈치 없는 놈, 이마에 문신을 하고 돌아다니는 놈들이 있으니, 이들은
모두 오륜을 지키지 못한 망나니가 아니더냐.] / 형벌을 주는 도구인 포승줄과
　　　　　　　　　　　　　　　　　　　　　　　　　 죄인을 잡아 묶는 노끈.
먹실, 도끼와 톱을 날마다 쓰기에 바빠 겨를이 없는데도 사람들의 죄악을 막지
먹물을 묻히거나 칠한 실.
못하고 있도다. 그러나 우리 범의 세계에는 이런 형벌이란 것이 본디부터 없
다. 이로써 본다면 범의 성품이 또한 사람의 성품보다 어질지 않으냐?
　　　　　　　　　　 범의 성품이 사람의 성품보다 어질다는 것을 강조함.
　 우리 범은 풀이나 과일 따위를 입에 대지 않고, 벌레나 생선 같은 것을 먹지
않으며, 누룩 국물(술) 같은 어긋나고 어지러운 음식을 좋아하지 않고, 새끼 가
진 짐승이나 알 품은 짐승이나 하찮은 것들은 차마 건드리지 않는다. / 산에 들
　　　　　　　　　　　 부도덕한 일은 하지 않음.
면 노루나 사슴 따위를 사냥하고 들에 나가면 마소를 잡아먹되, 아직까지 입과
배를 채울 끼닛거리 때문에 남에게 비굴해지거나 음식 따위로 남과 다투어 본 적
　　　　　　　　　　　　　　　 인간의 탐욕스러움을 비판함.
이 없다. 이러하니 우리 범의 도덕이 어찌 광명정대하지 않다고 할 수 있는가?"
　　　　　　　　　　　　 말이나 행실이 떳떳하고 정당함.

» 이 소설은 호랑이를 의인화하여 당시 조선 사회를 풍자한 작품이다. 이 장면은 호랑이가 북
곽 선생을 꾸짖는 부분으로, 말로는 윤리와 도덕을 외치지만 실제로는 부도덕한 모습을 보
이는 인간의 위선적인 면을 비판하고 있다. 특히 사람들의 부도덕함과 호랑이의 광명정대함
을 대비하여 물질을 위해 비굴한 태도를 보이거나 남과 다투는 인간의 탐욕을 지적하고 있다.

바로 확인

이 글의 '범'이 현대인을 꾸짖는다고 할 때, 대상으로 적절하지 않은 사람은?

① 자신의 탐욕을 채우기 위해 다른 사람과 싸우는 사람

② 생계를 유지하는 것보다 오륜을 지키는 것을 중요시하는 사람

③ 자신의 분수에 맞는 것과 맞지 않는 것을 구분하지 못하는 사람

답 | ②

그 시절 우리들의 집 | 공선옥 지학사

석양의 북새, 혹은 낮게 깔리는 굴뚝 연기를 보고 그
'북풍'의 방언.
는 비설거지를 했다. 그런 다음 날은 틀림없이 비가 올
비가 오려고 하거나 비가 올 때 비에 맞으면 안 되는 물건을 치우거나 덮는 일.
것이므로. 비가 온 날 저녁에는 또 지렁이가 밤새 운다

는 것을 그는 알고 있었다. 똑또르 똑또르 하는 지렁이

울음소리. 냄새와 소리와 맛과 색깔과 형태들이 그 집에서는 선명했다. 모든 것

들이 말이다. 왜냐하면 봄과 여름과 가을과 겨울과 아침과 낮과 저녁과 밤이

㉠그 집에서는 뚜렷했으므로. 자연이 그러한 것처럼 사람들의 삶이 명료했다.
사람들이 자연과 마찬가지로 명료한 삶을 살고 있음.
이제 그 집을 떠난 그에게는 모든 것이 불분명하다. 아침과 저녁이 불분명하고

사계절이 불분명하고 오감이 불분명하다. 병원에서 태어나 수십 군데 이사를 다
현재의 집에서는 자연의 변화를 느끼기 어려움.
니고 나서 겨우 장만한 ㉡아파트. 그 사각진 콘크리트 벽 속에 살고 있는 그의 아
'그'의 아이는 자연의 이치를 거스르며 살고 있음.
이는 여름에 긴팔 옷을 입고 겨울에 반팔 옷을 입는다.

돈은 은행에서 나고 먹을 것은 슈퍼에서 나는 것으로 아는 아이는, 수박이 어

느 계절의 과일인지 분간하지 못하는 아이는 그래서 봄 여름 가을 겨울을 알지 못
아파트에 사는 아이는 자연의 이치를 알지 못함.
한다. 아침저녁의 냄새와 소리와 맛과 형태와 색깔이 어떻게 다른지 알지 못한다.

》 이 수필은 과거 토담집에 살았던 기억을 떠올리면서 '집'에 담긴 의미를 이야기하는 작품이
다. 이 장면은 토담집에서의 삶의 모습과 아파트에서의 삶의 모습을 대조하여 나타낸 부분
으로, 독자들이 집의 본질적인 기능과 의미를 생각해 보게 하고 있다.

바로 확인

㉠과 ㉡의 차이점으로 적절하지 않은 것은?

① ㉠과 달리 ㉡에서는 자연의 변화를 느낄 수 없다.

② ㉠과 달리 ㉡에서는 자연의 이치를 거스르며 살고 있다.

③ ㉠과 달리 ㉡에서는 사람들이 자연에 따라 명료한 삶을 살고 있다.

답 | ③

전쟁의 잔혹함과 인정의 아름다움 | 박동규 (비상)

6월이 왔다. 나는 이때가 되면 처절했던 1950년 6월을 기억하게 된다. 밤나무
6·25 전쟁 당시
가지를 꺾어 철모에 꽂고 가슴 한가운데 말라 버린 잎사귀를 붙이고는 장총을 들
'나'가 과거의 기억을 떠올리고 있음.
고 내 앞에 서 있던 인민군의 낯선 얼굴을 떠올리게 된다.

1950년 6월 나는 원효로 3가 전차 종점에 살고 있었다. 초등학교 6학년이었던
나는 아버지 혼자 국군을 따라 남쪽으로 내려가 버린 후 어머니와 어린 두 동생과
함께 인민군 치하에 남아 있었다. 우리 동네를 둘러싸고 개울 건너에는 용산 철도
청이 있었고 조금 남쪽으로 한강 철교가, 그리고 뒤쪽으로 조폐 공사가 있어서 폭
격이 시작되면 온 동네가 하늘이 까맣게 되고 파편이 비 오듯 쏟아지곤 했다.
당시 사회의 모습 ①: 사람이 사는 마을에 폭격을 퍼부음.
그때 우리 동네 언덕에 있는 성당에 인민군이 들어왔다. 전쟁이 나기 전에는
성당 입구 수위실에 수녀들이 간단한 치료 약을 준비해 놓아서 동네 아이들이 다
치거나 하면 쫓아가서 붉은 약을 무릎에 발라 주거나 버짐 같은 병이 나면 하얀
고약을 칠하고 거즈로 붙여 주곤 했다. 그런데 이 수위실에 난데없이 인민군이 보
당시 사회의 모습 ②: 민간인이 사는 동네에 인민군이 돌아다님.
초를 서기 시작한 것이었다.

>> 이 수필은 6·25 전쟁 당시 어린 시절을 보냈던 글쓴이의 추억이 담긴 작품이다. 이 장면은
'나'가 살던 동네에 들어왔던 인민군을 회상하는 부분이다. 전쟁 중에 폭격이 시작되어 온 동
네의 하늘이 까맣게 되는 모습이나 성당 입구 수위실에 난데없이 인민군이 보초를 서기 시
작하는 모습 등에서 당시 상황이 드러나고 있다.

바로 확인

이 글에 나타난 당시 사회의 모습으로 적절하지 않은 것은?

① 민간인이 사는 동네에 인민군이 총을 들고 돌아다녔다.
② 인민군과 마을 사람들 사이에 몸싸움이 종종 발생하였다.
③ 전쟁 중인 상황으로 사람들이 사는 마을에 폭격이 있었다.

답 | ②

4 문학 작품 해석의 다양성

뜻 문학 작품은 **①** [ ] 방법이나 독자의 지식, 관심, 경험, 가치관 등에 따라 다양하게 해석할 수 있음.

특징
- 해석 방법: 작품 자체, 작가, 시대적 배경, 독자 등에 주목하여 다양하게 해석할 수 있음.
- 독자의 지식: 작품 내용이나 작가와 관련된 독자의 배경지식을 말함.
- 독자의 경험: 작품 내용과 관련된 독자의 경험을 말함.
- 독자의 **②** [ ]: 대상의 가치를 판단하는 독자의 관점과 태도를 말함.

예

이육사 시인의 〈청포도〉를 읽고 화자가 '손님'을 간절히 기다리듯 군대 갔던 형을 기다렸던 경험이 떠올랐어.

난 이육사 시인이 독립운동가 삶을 살았기 때문에 '손님'은 독립을 뜻한다고 생각했어.

❶ 해석 ❷ 가치관

바로 확인

다음과 같은 문학 작품 해석에 영향을 미친 요소로 적절한 것은?

이육사 시인의 삶에 관한 지식이 많은 사람과 그렇지 않은 사람이 이육사의 시 〈청포도〉를 해석하는 데 차이가 있을 수 있다.

① 독자의 경험   ② 독자의 지식   ③ 독자의 가치관

답 | ②

5 문학 작품의 해석 방법

뜻
문학 작품의 내용이나 의미 등을 이해할 때 작품, 작가, 시대적 배경, 독자 등에 따라 다양하게 해석할 수 있음.

특징
- **❶** 중심: 작품 자체의 내용이나 구조, 표현 등을 중심으로 해석함.
- 작가 중심: 작가의 경험이나 생각, 작품 경향, 창작 의도 등을 중심으로 해석함.
- **❷** 적 배경 중심: 작품의 배경이 되는 시대적 상황을 중심으로 해석함.
- 독자 중심: 작품이 독자에게 주는 즐거움, 감동, 교훈 등을 중심으로 해석함.

예

문학 작품 해석의 예		해석 방법
이 소설에는 산업화라는 시대적 상황이 나타나 있어.	➡	시대적 배경 중심
시인이 독립운동가라는 점을 고려할 때, 이 시어는 '광복'으로 해석할 수 있어.	➡	작가 중심
이 시조를 읽으니, 부모님께 효도하는 것이 중요함을 깨달을 수 있었어.	➡	독자 중심
이 장면은 달빛이 하얀 메밀밭에 뿌려지는 모습을 시각적으로 아름답게 묘사하고 있어.	➡	작품 중심

❶ 작품 ❷ 시대

바로 확인

( ) 안에 들어갈 알맞은 말을 고르시오.
(1) 문학 작품을 내용이나 구조, 표현 등을 중심으로 해석한 것은 (작가 , 작품)에 주목한 방법이다.
(2) 문학 작품을 작품을 둘러싸고 있는 시대적 상황을 고려하여 해석한 것은 (독자 , 시대적 배경)에 주목한 방법이다.

답 | (1) 작품 (2) 시대적 배경

멧새 소리 | 백석

처마 끝에 명태(明太)를 말린다
　　　　화자가 본 일상적 상황
명태(明太)는 꽁꽁 얼었다

[명태(明太)는 길다랗고 파리한 물고긴데
　[ ]: 명태의 모습을 시각적으로 묘사함.
꼬리에 길다란 고드름이 달렸다]

해는 저물고 날은 다 가고 볕은 서러웁게 차갑다
　　　　　　　　　역설을 통해 화자의 서러운 마음을 드러냄.
나도 길다랗고 파리한 명태(明太)다
　　　　화자가 자신을 명태와 같다고 인식함.
문(門)턱에 꽁꽁 얼어서
화자가 문턱을 오래 서성였음이 드러남.
가슴에 길다란 고드름이 달렸다
　　　화자의 외로움, 쓸쓸함 등을 나타냄.

❯❯ 이 시는 화자가 처마 끝에 명태를 말리고 있는 모습을 보며 쓴 작품으로, 자신도 기다랗고 파리한 명태라고 하며 자신의 처지를 '명태'에 비유하여 나타내고 있다. 화자와 '명태'는 둘 다 꽁꽁 얼어붙어 있는 존재로, 가슴이나 꼬리에 고드름이 달려 있다. 따라서 '명태'는 화자의 분신인 동시에 화자의 자화상이라고 할 수 있다.

바로 **확인**

이 시에서 '명태'와 화자의 관계로 적절한 것은?

① '명태'는 화자에게 시련을 주는 존재이다.

② '명태'는 화자가 자신과 동일시하는 대상이다.

③ '명태'는 화자의 마음을 다른 사람에게 전달하는 수단이다.

답 | ②

〈멧새 소리〉해석 | 정끝별 〔지학사〕

　이 시는 백석의 여러 시 중 드물게 짧고 간결한 시다. 시는 어느 집 처마 끝에 고

드름을 매단 채 꽁꽁 얼어붙어 있는 명태를 그리고 있다. 명태는 기다란 데다 얼
　　　　　　시의 주된 이미지: 시각적 이미지

기까지 했고, 꼬리에 기다란 고드름을 매달고 있어서 더더욱 파리해 보인다. 게다
　　　　　　　　자신의 해석을 뒷받침하기 위해 시구를 근거로 제시함.

가 "해는 저물고 날은 다" 간 저물녘의 겨울 볕이니 서럽도록 차갑기도 할 것이다.

'볕이 차갑다'라는 모순되는 감각의 이미지는 이런 맥락에서 생성되었다. 한 컷의

흑백 사진을 보는 듯한 탁월한 이미지이다.
시 〈멧새 소리〉가 탁월한 이미지를 구사하고 있다고 해석함.

　이 시의 놀라움은 제목 '멧새 소리'에서 나온다. 시 본문에는 멧새 소리는커녕

멧새의 흔적조차 나오지 않는다. 명태의 시각적 묘사에만 집중하고 있을 뿐이다.

그래서 시를 다 읽고 나면, 왜 제목이 '멧새 소리'일지 한참을 생각하게 한다. 그러

나 이 멧새 소리는 시에서 결정적인 역할을 한다. "길다랗고 파리한" 명태의 시각

적 이미지에 깨끗하고 맑은 청각적 울림을 더해 줄 뿐 아니라, 시의 의미를 풍요
　　　　　　　　시의 제목인 '멧새 소리'가 주는 효과를 구체적으로 설명함.

롭게 해 준다.

- 〈시 읽기의 네 갈래 길, 백석의 〈멧새 소리〉〉에서

≫　이 글은 백석의 시 〈멧새 소리〉에 대한 해석과 근거를 제시한 비평문이다. 글쓴이는 시 〈멧새
　소리〉가 탁월한 이미지를 구사하고 있으며, '멧새 소리'라는 제목이 명태의 시각적 이미지에
　청각적 울림을 더하며 시의 의미를 더욱 풍요롭게 한다고 말하고 있다. 즉 이 부분에서 글쓴
　이는 작품 자체의 특징을 근거로 하여 작품을 해석하고 있다.

바로 확인

이 글에 대한 설명으로 적절하지 않은 것은?

① 시에 반영된 시대적 배경과 관련지어 작품을 해석하고 있다.

② 시에 나타난 이미지를 중심으로 작품의 내적 의미를 해석하고 있다.

③ 백석의 시 〈멧새 소리〉에 대해 글쓴이가 해석한 내용을 적은 글이다.

답 | ①

바다와 나비 | 김기림 (동아)

아무도 그에게 수심(水深)을 일러 준 일이 없기에

흰나비는 도무지 바다가 무섭지 않다.
순수하고 연약한 존재   시련의 공간

청(靑)무우밭인가 해서 내려갔다가는
나비가 동경하는 세계
어린 날개가 물결에 절어서

공주처럼 지쳐서 돌아온다.
비유를 통해 흰나비가 세상 물정을 잘 모른다는 것을 강조함.

삼월달 바다가 꽃이 피지 않아서 서글픈

나비 허리에 새파란 초생달이 시리다.
　냉혹한 현실로 인해 좌절된 나비의 꿈을 표현함.

》 이 시는 새로운 세계에 대한 동경과 좌절감을 노래한 작품이다. 이 시는 '흰나비'와 '청무우밭', '초생달'과 삼월의 '바다'가 선명한 색채 대비를 이루고 있다. 또한 거대하고 냉혹한 바다와 바다의 무서움을 모르고 다가갔던 한 마리의 조그맣고 연약한 나비의 이미지를 대조하여 상징적 의미를 부여하고, 시상을 전개하고 있다.

바로 **확인**

이 시에 나타난 표현의 특징으로 적절하지 않은 것은?

① 직유법을 통해 나비의 강한 의지를 강조하고 있다.

② 선명한 색채 대비를 통해 시의 회화적 특성을 강조하고 있다.

③ 상징적 시어를 통해 시의 주제 의식을 효과적으로 나타내고 있다.

답 | ①

〈바다와 나비〉해석 | 정끝별

이 시는 1930년대 한국 문단의 모더니즘을 주도하면서 서구 문명 지향의 '새로
_{사상, 형식, 문체 따위가 전통적인 기반에서 급진적으로 벗어나려는 창작 태도.}
운 생활'을 동경하였던 김기림 시인의 대표작이다. 이미지를 중시한 1930년대 모
_{작가의 작품 경향을 소개함.}　　　　　　　　　　　_{작가의 작품 경향과 관련지어 시를 해석함.}
더니스트의 시답게 '흰나비'와 '청무우밭', '초생달'과 삼월의 '바다'가 대비를 이

루는 흰색과 청색의 시각적 이미지가 선명하다.

　사실 흰나비는 청산이라면 몰라도 바다와는 어울리지 않는다. 한데 이 시에서
　　　　　　　　　_{나비의 주된 활동 공간은 바다가 아니라 산이나 숲이므로}
흰나비는 수심조차 알 수 없는 바다와 대면하고 있다. 이 시의 새로움은 여기에서

부터 발생한다. 끝 모를 바다에 비해 흰나비는 얼마나 작고 여리고 가냘픈가. 이
　　　　　　　　　_{넓은 바다와 작은 나비가 대비를 이룸.}
나비는 바다를 본 적이 없다. 수심이라든가 물살에 대해 들은 적도 없다. 그런 나

비에게 푸르게 펼쳐진 것이란 모두 청무밭이고, 그렇게 푸른 것들은 무꽃을 피워

야 마땅할 것이다. 이는 흰나비가 삼월의 푸른 바다를 청무밭인 줄 아는 까닭이

고, 그 바다에서 무꽃을 꿈꾸는 까닭이다.

– 〈나비의 '허리'를 보다〉에서

» 이 글은 김기림의 시 〈바다와 나비〉에 대한 해석과 근거를 제시한 비평문이다. 글쓴이는 시
〈바다와 나비〉가 1930년대 한국 문단의 모더니즘을 주도했던 김기림 시인의 대표작이라고
소개하면서, 이 시가 모더니스트의 시답게 시각적 이미지가 선명하다는 점을 강조하고 있
다. 즉 작가의 작품 경향을 근거로 제시하여 작품 해석의 타당성을 높이고 있다.

바로 확인

이 글의 글쓴이가 시 〈바다와 나비〉를 해석한 방법으로 적절한 것은?

① 시가 창작된 당시의 시대적 상황을 근거로 해석하였다.

② 도전을 앞둔 독자에게 이 시가 용기를 준다는 것을 근거로 해석하였다.

③ 모더니스트로서 이미지를 중시한 시인 김기림의 작품 경향을 근거로 해석하였다.

답 | ③

[기다리지 않아도 오고
　[ ] : 계절 순환의 이치에 따라 '봄'은 당연히 온다는 것을 의미함.
기다림마저 잃었을 때에도 너는 온다.]
　　　　　　　　　　　　　　봄

어디 뻘밭 구석이거나
△ : '봄'이 오는 것을 막는 장애물
썩은 물웅덩이 같은 데를 기웃거리다가

한눈 좀 팔고, 싸움도 한판 하고,

지쳐 나자빠져 있다가

다급한 사연 들고 달려간 바람이
　　　　　　　화자의 소망을 '봄'에게 전달하는 매개체
흔들어 깨우면 / 눈 부비며 너는 더디게 온다.

더디게 더디게 마침내 올 것이 온다.
　　　　　　'봄'이 올 것이라는 화자의 확신이 나타남.
너를 보면 눈부셔 / 일어나 맞이할 수가 없다.

입을 열어 외치지만 소리는 굳어

나는 아무것도 미리 알릴 수가 없다.

가까스로 두 팔을 벌려 껴안아 보는 / 너, 먼 데서 이기고 돌아온 사람아.
　　　　　　　　　　　　　　　　'봄'에 대한 화자의 예찬이 나타남.

≫ 이 시는 언젠가 '봄'이 올 거라는 강한 믿음과 소망을 나타낸 작품으로, '너'로 의인화된 '봄'을 통해 주제 의식을 나타내고 있다. 겨울이 끝나면 봄이 오는 자연의 이치처럼 화자가 기다리는 대상도 반드시 올 것이라는 희망을 드러내고 있다.

바로 확인

이 시에서 '봄'이 의미하는 바로 적절하지 않은 것은?

① 화자가 간절하게 기다리는 대상
② 화자의 소망을 전달하는 매개체
③ 계절의 흐름에 따라 당연히 올 것이라고 확신하는 존재

답 | ②

〈봄〉해석 | 학생 비평문 　　　　　　　　　비상

　　이성부가 이 시를 지었을 당시인 <u>1970년대는 군사력을 등에 업은 독재 정권이</u>
　　　　　　　　　　　　　　　작품이 창작될 시기의 시대적 상황 ①
<u>강한 권력으로 국민을 통제하던 시기였다.</u> 그러한 정부에 반대하던 많은 사람들
　　　　　　　　　　　　　　　　　　　　작품이 창작될 시기의 시대적 상황 ②
<u>은 민주주의를 외치다가 감옥에 갇히기도 했다.</u>

　　이러한 시대적 상황이 이 시에 반영되어 있다고 볼 때, '봄'은 그 시대 사람들이

<u>간절하게 원했던 '민주주의', 혹은 '자유'를 상징한 것이라고 볼 수 있다.</u> 겨울이
　　　작품이 창작된 시기의 시대적 상황을 바탕으로 시어 '봄'의 의미를 해석함.
지나면 반드시 봄이 오듯이, 이 시는 '민주주의'나 '자유' 역시 언젠가 반드시 우리

에게 올 것이라는 믿음을 노래했던 것이다.

　　　　　　　　　　　　　　　　　　　　　　　　– 〈자유를 꿈꾸는 시, 이성부의 〈봄〉〉에서

≫　이 글은 이성부의 시 〈봄〉에 대한 해석과 근거를 제시한 비평문이다. 글쓴이는 '봄'의 의미를
　　'민주주의' 또는 '자유'로 해석하고 있는데, 그것은 시인이 이 시를 지은 1970년대는 독재 정
　　권이 강한 권력으로 국민들을 통제하던 시기이고, 그러한 시대 상황이 이 시에 반영되어 있
　　다고 생각했기 때문이다. 따라서 작품이 창작된 시대적 배경에 주목하여 작품을 해석하고 있다.

바로 확인

이 글에 대해 나눈 대화 내용으로 적절하지 않은 것은?

① 1970년대라는 시대적 배경을 중심으로 작품을 해석하고 있어.

② '봄'의 의미를 '민주주의'로 해석한 것은 작품 자체의 내적 의미에 주목한 거야.

③ 시인이 작품을 통해 민주주의나 자유가 반드시 올 것이라는 믿음을 노래했다고
　보았어.

답 | ②

봄은 | 신동엽 　　　　　　　　　　　　　　　　미래엔

봄은
진정한 통일과 화해의 시대를 상징함.
남해에서도 북녘에서도
└ 외세를 의미함. ┘
오지 않는다.

너그럽고 / 빛나는

봄의 그 눈짓은, / 제주에서 두만까지
　　　　　　　　　　　　우리나라
우리가 디딘 / 아름다운 논밭에서 움튼다.
　　　자주적 역량에 기반한 통일이어야 함을 강조함.
　　　　　　외세를 의미함.
겨울은, / 바다와 대륙 밖에서
'민족의 분단'을 의미하며, '봄'과 대립적인 관계를 형성함.
그 매운 눈보라 몰고 왔지만 / 이제 올

너그러운 봄은, 삼천리 마을마다
　　　　　　　　우리나라
우리들 가슴속에서 / 움트리라.
단정하는 말투를 통해 강한 의지와 소망을 표현함.

움터서, / 강산을 덮은 그 미움의 쇠붙이들
　　　　　　　　　　　군사적 대립과 긴장
눈 녹이듯 흐물흐물 / 녹여 버리겠지.

» 이 시는 통일에 대한 뜨거운 염원을 비유와 상징을 사용하여 노래한 작품이다. '봄'과 '겨울'의 대립적이고 상징적인 이미지를 바탕으로 시상을 전개하며, 우리 민족이 주체가 되어 자주적이고 평화적인 통일을 이루기를 바라는 간절한 소망을 담고 있다.

바로 **확인**

이 시에 대한 설명으로 적절하지 <u>않은</u> 것은?

① 단정하는 말투로 화자의 강한 의지를 드러내고 있다.
② '봄'과 '겨울'이 가진 상징적인 대립을 바탕으로 시상을 전개하고 있다.
③ 청각적 심상을 사용하여 대상이 지닌 속성을 생생하게 나타내고 있다.

답 | ③

〈봄은〉 해석 | 김흥규   미래엔

<u>시인이 노래하는 '봄'이란 곧 통일, 또는 통일이 이루어지는 시대를 의미한다.</u>
_{시어 '봄'의 의미를 시대적 상황과 관련지어 해석함.}
봄은 '남해에서도 북녘에서도 / 오지 않는다.'라고 시인은 분명하게 말한다. '남

해'와 '북녘'은 모두 한반도를 둘러싼 외부의 힘이다. 그러면 봄은 어디에서 오는

가? 그것은 '제주에서 두만까지 / 우리가 디딘 / 아름다운 논밭에서', 즉 우리 민

족이 살고 있는 바로 이 땅에서 이루어지는 것이다.

제3연에서 시인은 그 필연성을 노래한다. 분단된 민족으로서 우리가 겪고 있는

괴로움, <u>'겨울'은 어디에서부터 온 것인가? 그는 '바다와 대륙 밖에서' 온 것으로</u>
_{시어 '겨울'의 의미를 한반도를 둘러싼 국제 정치 상황과 관련지어 해석함.}
생각한다. 분단은 우리가 원해서가 아니라 한반도를 둘러싼 국제 정치의 상황,

즉 제2차 세계 대전이 끝나면서 한반도에 들어온 미국과 소련 사이의 대립에 따

른 결과였다. 그러니 이제 봄을 그 밖으로부터 바란다는 것은 어리석은 일일 따름

이다. 이제 올 봄은, '삼천리 마을마다 / 우리들 가슴속에서' 움터야만 한다. 민족

<u>의 분단에 의한 고통은 바로 그 고통을 겪는 사람들 스스로의 힘에 의해서만 풀릴</u>
_{시 〈봄은〉은 우리의 주체적인 통일을 바라는 마음을 담은 시라고 해석함.}
<u>수 있기 때문이다.</u>

                                         – 《한국 현대시를 찾아서》에서

≫ 이 글은 신동엽의 시 〈봄은〉에 대한 해석과 근거를 제시한 비평문이다. 글쓴이는 '봄'이 나타
내는 '희망'의 의미를 우리의 분단 현실과 관련지어 해석하여 통일을 이룰 수 있는 주체는 다
름 아닌 우리 민족임을 강조하였다. 즉 글쓴이는 우리나라의 분단 현실이라는 시대적 상황
과 관련지어 '봄', '겨울', '삼천리 마을마다' 등의 시어나 시구를 해석하고 있다.

바로 확인

글쓴이가 시 〈봄은〉을 시대와 관련지어 해석했다고 볼 수 있는 이유가 <u>아닌</u> 것은?

① 시 〈봄은〉에서 시어 '겨울'을 국제 정치 상황과 관련지어 해석했으므로
② 시 〈봄은〉이 독자인 우리에게 희망적인 메시지를 준다고 해석했으므로
③ 시 〈봄은〉을 우리 민족의 주체적인 통일을 주제로 다룬 시라고 해석했으므로

답 | ②

작품으로 개념 확인

청포도 | 이육사

천재(노), 천재(박)

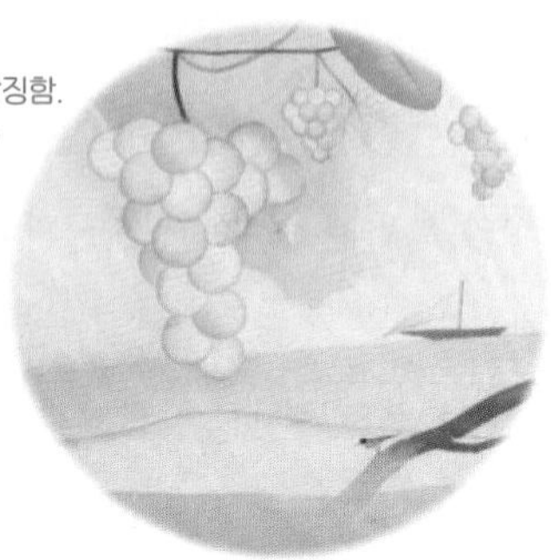

내 고장 칠월은 / 청포도가 익어 가는 시절
푸른색의 이미지, 풍요롭고 아름다운 고향의 삶을 상징함.

이 마을 전설이 주저리주저리 열리고

먼 데 하늘이 꿈꾸려 알알이 들어와 박혀
푸른색 이미지, 이상이나 희망을 상징함.

하늘 밑 푸른 바다가 가슴을 열고
푸른색 이미지

흰 돛단배가 곱게 밀려서 오면
흰색 이미지

내가 바라는 손님은 고달픈 몸으로 / 청포를 입고 찾아온다고 했으니
화자가 간절히 기다리는 대상   푸른색 이미지

내 그를 맞아 이 포도를 따 먹으면 / 두 손은 함뿍 적셔도 좋으련
                    흰색 이미지

[아이야 우리 식탁엔 은쟁반에 / 하이얀 모시 수건을 마련해 두렴]
[ ]: '손님'을 맞기 위해 정성스럽게 준비함.   흰색 이미지

➤ 이 시는 청포도를 소재로 풍요로운 미래 세계를 소망하는 마음을 노래한 작품이다. 화자는 '청포도'를 '손님'과 함께 먹고 싶어 하며, '은쟁반'과 '모시 수건'을 정성껏 준비한다. 따라서 '청포도'에는 꿈과 소망이 담겨 있다. 더불어 '청포도', '하늘', '바다', '청포'의 푸른색과 '흰 돛단배', '은쟁반', '모시 수건'의 흰색을 대비하여 화자의 희망을 선명하게 표현하고 있다.

바로 확인

이 시를 읽고 다음과 같이 해석할 때 ㉠에 들어갈 말로 적절한 것은?

나는 이 시를 읽으면서 소망을 이루려면 정성껏 준비해야 한다는 깨달음을 얻었어. 이런 관점에서 이 시는 우리에게 기다림의 자세를 생각하게 해. ➡ (㉠)와 관련지어 문학 작품을 해석하고 있다.

① 작가   ② 시대   ③ 독자

답 | ③

〈청포도〉 해석 | 정호웅

1~2연에서는 한여름 들어 본격적으로 '익어 가는' 청포도의 특별한 의미에 관해 말한다. 이 시에서의 청포도는 단순한 과일이 아니다. 청포도 송이송이는 마을의 역사와 이곳에서 살아온 사람들의 삶 그리고 그들의 꿈을 품고 있는 '전설'
<small>작품의 내적 표현을 근거로 '청포도'가 매우 가치 있는 대상임을 밝힘.</small>
이 열린 것이니 매우 가치 있는 존재이다. ㉠게다가 청포도알 하나하나에는 희망을 상징하는 '먼 데 하늘'이 '들어와 박혀' 있으니 그 가치는 더욱 커진다. 그 희망에는 풍요롭고 평화로운 세계에 관한 기대가 담겨 있을 것이다.

3~4연에서는 '내가 바라는 손님'이 언젠가는 찾아오리라는 믿음을 말한다. 3연은 그 손님이 찾아오는 날의 정경을 상상하여 그린 것이다. 잔잔한 바다 위로
<small>정서를 자아내는 경치.</small>
순풍을 타고 돛단배가 미끄러지듯 다가오고 있는 풍경인데 험한 시절은 끝나고 소망하던 평화의 때가 온 것을 잘 보여 준다. 오랜 세월 힘든 싸움을 계속하느라 지쳐 '고달픈 몸'으로 돌아오는 이 풍경의 주인공인 '손님'은 해방된 조국을 상징
<small>'일제 강점기'라는 시대적 상황과 관련지어 시어의 의미를 해석함.</small>
한다. 그러니까 3~4연에서는, 지금은 물결 드높고 바람 거센 고통의 때이지만 언젠가는 조국 해방의 날이 올 것임을 믿는 마음을 말하는 것이다.

– 〈소망과 믿음의 노래, 이육사의 〈청포도〉〉에서

≫ 이 글은 이육사의 시 〈청포도〉에 대한 해석과 근거를 제시한 비평문으로, 각 연의 중심 내용을 중심으로 작품의 의미를 해석하고 있다. 1문단에서 '청포도'의 특별한 의미를 통해 작품의 내적 의미를 해석하고 있으며, 2문단에서 작품이 창작된 시대적 배경이 일제 강점기라는 점과 관련지어 '손님'을 해방된 조국이라고 해석하고 있다.

바로 확인

㉠에 대한 설명으로 적절하지 않은 것은?

① '청포도'의 의미를 중심으로 작품의 의미를 해석하고 있다.

② 시인의 작품 경향과 관련지어 시어의 의미를 해석하고 있다.

③ 시어가 불러일으키는 이미지와 상징적 의미를 바탕으로 내용을 해석하고 있다.

답 | ②

국어전략

고득점을 예약하는 내신 대비서

국어전략

중학3

시험에 잘 나오는

개념BOOK 2

천재교육

국어전략
중학 3

시험에 잘 나오는
개념BOOK 2

개념BOOK 하나면
국어 공부 끝!

go! go!

차례

① 음운

뜻
말의 뜻을 구별해 주는 ❶ ▢ 의 가장 작은 단위.

특징
- 우리말의 음운에는 자음과 모음, 소리의 ❷ ▢ 등이 있음.
- 형태가 똑같은 단어라 하더라도 소리의 길이가 길고 짧음에 따라 단어의 뜻이 구별되는 경우가 있어 소리의 길이도 음운의 역할을 한다고 볼 수 있음.

예
- 자음과 모음:

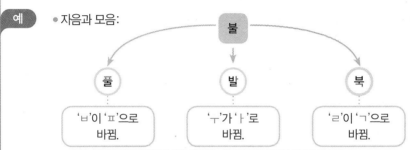

볼

풀 / 발 / 북

풀	발	북
'ㅂ'이 'ㅍ'으로 바뀜.	'ㅗ'가 'ㅏ'로 바뀜.	'ㄹ'이 'ㄱ'으로 바뀜.

→ 자음, 모음이 바뀔 때 단어의 뜻이 달라지는 것으로 보아 자음과 모음은 음운임.

- 소리의 길이:　　말[말]　　　　말[말ː]　→ 긴 소리는 [ ] 안에 'ː' 표시를 함.

→ 소리의 길이에 따라 단어의 뜻이 달라지는 것으로 보아 소리의 길이는 음운임.

❶ 소리 ❷ 길이

바로 확인

'발'과 '볼'의 뜻을 구별해 주는 음운을 각각 쓰시오.

 발　　　볼

답 ㅏ, ㅗ

2 모음과 자음

뜻

- 모음: 발음할 때 공기의 흐름이 발음 기관의 장애를 받지 않고 나는 소리.
- 자음: 발음할 때 공기의 흐름이 발음 기관의 장애를 **❶** 나는 소리.

특징

- 우리말에는 **❷** 개의 모음이 있음.

> ㅏ, ㅐ, ㅑ, ㅒ, ㅓ, ㅔ, ㅕ, ㅖ, ㅗ, ㅘ, ㅙ, ㅚ, ㅛ, ㅜ, ㅝ, ㅞ, ㅟ, ㅠ, ㅡ, ㅢ, ㅣ

- 우리말에는 19개의 자음이 있음.

> ㄱ, ㄲ, ㄴ, ㄷ, ㄸ, ㄹ, ㅁ, ㅂ, ㅃ, ㅅ, ㅆ, ㅇ, ㅈ, ㅉ, ㅊ, ㅋ, ㅌ, ㅍ, ㅎ

예

아

바

→ '아'의 'ㅏ'는 발음할 때 공기의 흐름이 발음 기관의 방해를 받지 않지만, '바'의 'ㅂ'은 방해를 받음.

→ 첫소리에 오는 'ㅇ'은 소릿값이 없이 표기에만 쓰이므로 음운이 아님.('양'처럼 끝소리 'ㅇ'은 소릿값이 있는 음운임.)

❶ 받고 ❷ 21

바로 확인

( ) 안에 들어갈 알맞은 말을 고르시오.

(1) '가'의 'ㅏ'는 발음할 때 공기의 흐름이 발음 기관의 장애를 (받고 , 받지 않고) 나는 소리이다.

(2) '가'의 'ㄱ'은 발음할 때 공기의 흐름이 발음 기관의 장애를 (받고 , 받지 않고) 나는 소리이다.

답 | (1) 받지 않고 (2) 받고

3 ## 단모음과 이중 모음

뜻
- 단모음: 발음할 때 **❶ [   ]** 모양이나 혀의 위치가 변하지 않는 모음.
- 이중 모음: 발음할 때 입술 모양이나 혀의 위치가 변하는 모음.

특징
- 우리말에는 10개의 단모음이 있음.

> ㅏ, ㅐ, ㅓ, ㅔ, ㅗ, ㅚ, **❷ [   ]**, ㅟ, ㅡ, ㅣ

- 우리말에는 11개의 이중 모음이 있음.

> ㅑ, ㅒ, ㅕ, ㅖ, ㅘ, ㅙ, ㅛ, ㅝ, ㅞ, ㅠ, ㅢ

예

ㅗ   ㅘ

(ㅗ) → (ㅗ)   (ㅗ)   (ㅏ)

→ 'ㅗ'는 발음할 때 입술 모양이나 혀의 위치가 변하지 않는 단모음이고, 'ㅘ'는 입술 모양이나 혀의 위치가 변하는 이중 모음임을 알 수 있음.

❶ 입술 ❷ ㅜ

바로 확인

제시된 모음들을 입술 모양이나 혀의 위치에 따라 바르게 연결하시오.

(1) [ㅏ, ㅜ, ㅣ] •

(2) [ㅑ, ㅖ, ㅢ] •

• ㉠ 발음할 때 입술 모양이나 혀의 위치가 변함.

• ㉡ 발음할 때 입술 모양이나 혀의 위치가 변하지 않음.

답 | (1) ㉡ (2) ㉠

단모음의 분류①-입술 모양

 뜻
- 발음할 때 [❶] 모양을 기준으로 원순 모음과 평순 모음으로 나눔.
- 원순 모음은 입술을 둥글게 오므려 발음하는 모음이고, 평순 모음은 입술을 둥글게 오므리지 않고 발음하는 모음임.

분류

입술을 둥글게 오므려 발음함. (원순 모음)	입술을 둥글게 오므리지 않고 발음함.(평순 모음)
ㅟ, ㅚ, ㅜ, ❷	ㅣ, ㅔ, ㅐ, ㅡ, ㅓ, ㅏ

예

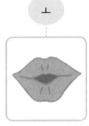

ㅗ

ㅣ

→ 'ㅗ'는 입술을 둥글게 오므려 발음하는 원순 모음이고, 'ㅣ'는 입술을 둥글게 오므리지 않고 발음하는 평순 모음임을 알 수 있음.

❶ 입술 ❷ ㅗ

바로 확인

'수박'에 사용된 모음을 원순 모음과 평순 모음으로 나누시오.

수박

답| 원순 모음: ㅜ, 평순 모음: ㅏ

5 단모음의 분류②-혀의 높이

뜻

- 발음할 때 **❶** 의 높이를 기준으로 고모음, 중모음, 저모음으로 나눔.
- 고모음은 혀의 높이가 높은 모음이고, 중모음은 혀의 높이가 중간인 모음이고, 저모음은 혀의 높이가 **❷** 모음임.

분류

혀의 높이가 높음. (고모음)	혀의 높이가 중간임. (중모음)	혀의 높이가 낮음. (저모음)
ㅣ, ㅟ, ㅡ, ㅜ	ㅔ, ㅚ, ㅓ, ㅗ	ㅐ, ㅏ

예

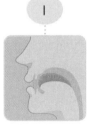

ㅣ   ㅓ   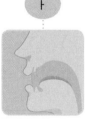 ㅏ

→ 발음할 때 혀의 높이에 따라 'ㅣ'는 고모음, 'ㅓ'는 중모음, 'ㅏ'는 저모음임을 알 수 있음.
→ 혀의 위치가 높으면 입이 작게 벌어지고, 혀의 위치가 낮으면 입이 크게 벌어지게 됨.

❶ 혀 **❷** 낮은

바로 확인

제시된 모음들을 혀의 높이에 따라 바르게 연결하시오.

(1) ㅐ ・   ・ ㉠ 발음할 때 혀의 위치가 높음.

(2) ㅔ ・   ・ ㉡ 발음할 때 혀의 위치가 중간임.

(3) ㅣ ・   ・ ㉢ 발음할 때 혀의 위치가 낮음.

답 | (1) ㉢ (2) ㉡ (3) ㉠

단모음의 분류③-혀의 최고점의 위치

뜻

- 발음할 때 **❶** 의 최고점 위치를 기준으로 전설 모음과 후설 모음으로 나눔.

- 전설 모음은 혀의 최고점이 입천장의 중간점을 기준으로 앞쪽에 놓이고, 후설 모음은 **❷** 에 놓임.

분류

입천장의 중간점을 기준으로 혀의 최고점의 위치가 앞쪽임. (전설 모음)	입천장의 중간점을 기준으로 혀의 최고점의 위치가 뒤쪽임. (후설 모음)
ㅣ, ㅔ, ㅐ, ㅟ, ㅚ	ㅡ, ㅓ, ㅏ, ㅜ, ㅗ

예

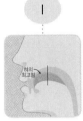

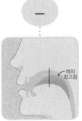

→ 발음할 때 혀의 최고점의 위치에 따라 'ㅣ'는 전설 모음, 'ㅡ'는 후설 모음임을 알 수 있음.

후설 모음은 '뜨겁다 우동!'
으로 외울 수 있어.

❶ 혀 **❷** 뒤쪽

바로 확인

다음과 같이 단모음을 분류한 기준으로 적절한 것은?

ㅣ, ㅔ, ㅐ, ㅟ, ㅚ	ㅡ, ㅓ, ㅏ, ㅜ, ㅗ

① 입술 모양   ② 혀의 높이   ③ 혀의 최고점의 위치

답 | ③

7 발음 기관

뜻 말소리를 내는 데 쓰는 신체의 각 부분으로 목청, 목젖, 입천장, **❶**[   ], 잇몸, 혀, 입술, 코 등이 있음.

위치

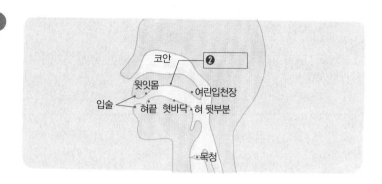

❶ 이 ❷ 센입천장

바로 확인

㉠에 해당하는 발음 기관을 쓰시오.

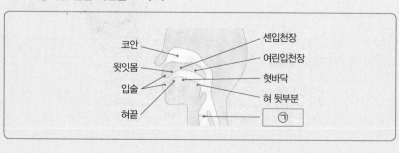

답 | 목청

8 자음의 분류①-소리 나는 위치

뜻
자음은 소리 나는 **①**[   ]에 따라 입술소리, 잇몸소리, 센입천장소리, 여린입천장소리, 목청소리로 나눔.

분류

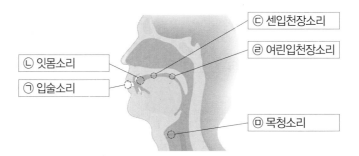

ⓒ 센입천장소리
ⓔ 여린입천장소리
ⓛ 잇몸소리
ⓖ 입술소리
ⓜ 목청소리

ⓖ 두 입술 사이에서 나는 소리.	ㅁ, ㅂ, ㅃ, ㅍ
ⓛ 혀끝과 윗잇몸 사이에서 나는 소리.	ㄴ, ㄷ, ㄸ, ㄹ, ㅅ, ㅆ, ㅌ
ⓒ 혓바닥과 센입천장 사이에서 나는 소리.	ㅈ, ㅉ, ㅊ
ⓔ 혀 뒷부분과 여린입천장 사이에서 나는 소리.	**②**[ ], ㄲ, ㅇ, ㅋ
ⓜ 목청 사이에서 나는 소리.	ㅎ

❶ 위치 ❷ ㄱ

바로 확인

ⓖ~ⓜ 중 'ㄴ'과 'ㄷ'이 소리 나는 위치는?

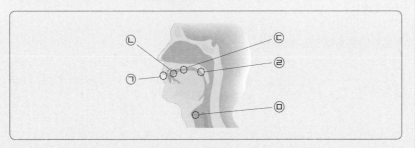

ⓛ
ⓒ
ⓔ
ⓖ
ⓜ

답 | ⓛ

9 자음의 분류②-소리 내는 방법(안울림소리)

뜻

자음은 소리 내는 ❶ [　　　]에 따라 '파열음, 마찰음, 파찰음, 유음, 비음'으로 나누며, 이때 파열음, 마찰음, 파찰음은 발음할 때 입안이나 코안이 울리지 않는 안울림소리에 해당함.

분류

㉠ 공기의 흐름 ➡ 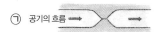 ➡　　공기의 흐름을 막았다가 터뜨리면서 내는 소리.

㉡ 공기의 흐름 ➡ ➡　　공기가 흐르는 통로를 좁혀 ❷ [　　　]을 일으키며 내는 소리.

㉢ 공기의 흐름 ➡ ➡　　공기의 흐름을 막았다 틈을 조금 내어 마찰을 일으키며 내는 소리. → 처음 발음할 때는 파열음처럼 발음하고, 끝에서는 마찰음처럼 발음함.

㉠ 파열음	ㄱ, ㄲ, ㄷ, ㄸ, ㅂ, ㅃ, ㅋ, ㅌ, ㅍ
㉡ 마찰음	ㅅ, ㅆ, ㅎ
㉢ 파찰음	ㅈ, ㅉ, ㅊ

❶ 방법 ❷ 마찰

바로 확인

다음과 같은 방법으로 소리 내는 자음은?

공기의 흐름 ➡ 　　공기의 흐름을 막았다 틈을 조금 내어 마찰을 일으키며 내는 소리.

① ㄱ　　　② ㅈ　　　③ ㅎ

답 | ②

10 자음의 분류② - 소리 내는 방법(울림소리)

뜻
비음은 코안에서, 유음은 입안에서 공기를 흘려보내며 발음하는 자음으로 입안이나 코안이 울리는 **❶**　　　　에 해당함.

특징
- 울림소리는 소리가 부드럽고 이어지는 느낌임.
- 비음은 코를 막으면 정상적으로 발음되지 않는 반면, 유음은 정상적으로 발음됨.

분류

비음 (콧소리)	입안의 통로를 막았다가 **❷**　　　　로 공기를 내보내면서 내는 소리.	ㄴ, ㅁ, ㅇ
유음 (흐름소리)	혀끝을 잇몸에 가볍게 대었다가 떼거나, 혀끝을 윗잇몸에 댄 채 공기를 그 양옆으로 흘려보내면서 내는 소리.	ㄹ

울림소리는
'노란 양말(ㄴ, ㄹ, ㅇ, ㅁ)'로
기억하면 쉽게 익힐 수 있어.

❶ 울림소리 ❷ 코

바로 확인

비음이 사용된 단어를 두 개 찾아 쓰시오.

| 사과 | 바나나 | 딸기 | 감 | 귤 |

답 | 바나나, 감

11 자음의 분류③-소리의 세기

뜻

안울림소리인 '파열음, 마찰음, 파찰음'은 소리의 ❶ [   ]에 따라 예사소리, 된소리, 거센소리로 나눔.

분류

예사소리	• 성대를 편안히 둔 상태에서 숨을 약하게 내는 소리. • 약하고 부드러운 느낌.	ㄱ, ㄷ, ㅂ, ㅅ, ㅈ
된소리	• 성대 근육이 긴장하면서 숨을 약하게 내는 소리. • 강하고 단단한 느낌.	ㄲ, ㄸ, ㅃ, ㅆ, ㅉ
거센소리	• 성대 근육이 긴장하면서 숨을 거세게 내는 소리. • 거세고 거친 느낌.	❷ [ ], ㅌ, ㅍ, ㅊ

예

잘랑 짤랑 찰랑

예사소리 된소리 거센소리

된소리는 예사소리보다 강하고 단단한 느낌을 주고, 거센소리는 된소리보다 더 거세고 거친 느낌을 주지.

❶ 세기 ❷ ㅋ

바로 확인

( )안의 단어 가운데 거세고 거친 느낌을 주는 것을 고르시오.

(1) 다리가 (뚱뚱 , 퉁퉁) 부었다.

(2) 팽이가 (빙빙 , 핑핑) 돌았다.

(3) 마른 잎을 밟자 (바삭 , 파삭) 소리가 났다.

답 | (1) 퉁퉁 (2) 핑핑 (3) 파삭

12 단모음 체계표와 자음 체계표

단모음

혀의 최고점의 위치	전설 모음		후설 모음	
입술 모양 혀의 높이	평순 모음	원순 모음	평순 모음	원순 모음
고모음	ㅣ	ㅟ	ㅡ	ㅜ
중모음	ㅔ	**❶**	ㅓ	ㅗ
저모음	ㅐ		ㅏ	

자음

	소리 나는 위치 소리 내는 방법		입술 소리	잇몸 소리	센 입천장 소리	여린 입천장 소리	목청 소리
안울림 소리	파열음	예사소리	ㅂ	ㄷ		ㄱ	
		된소리	ㅃ	ㄸ		ㄲ	
		거센소리	ㅍ	ㅌ		ㅋ	
	마찰음	예사소리		ㅅ			
		된소리		ㅆ			**❷**
		거센소리					
	파찰음	예사소리			ㅈ		
		된소리			ㅉ		
		거센소리			ㅊ		
울림 소리	비음		ㅁ	ㄴ		ㅇ	
	유음			ㄹ			

❶ ㅚ ❷ ㅎ

바로 확인

다음 설명이 맞으면 ○, 틀리면 X표 하시오.

(1) 단모음은 입술 모양, 혀의 높이, 혀의 최고점의 위치에 따라 나눈다. (   )

(2) 자음은 소리 내는 방법에 따라 입술소리, 잇몸소리, 센입천장소리, 여린입천장
소리, 목청소리로 나눈다. (   )

답 | (1) ○ (2) X

13 문장의 기본 구조

뜻

문장은 생각이나 감정을 완결된 내용으로 표현하는 최소한의 언어 형식으로, 우리말 문장의 기본 구조는 **❶** ⎥ 가지 유형으로 나눌 수 있음.

특징

→ 대상의 **❷** ⎥ 을 나타냄.
→ 대상의 상태나 성질을 나타냄.
→ 대상을 지정함.

누가/무엇이 → 주어
어찌하다 → 서술어

예

→ 강아지의 움직임을 나타냄.
→ 시냇물의 상태나 성질을 나타냄.
→ 이것을 가리키어 확실하게 정함.

> 문맥에 따라 생략되기도 하지만
> 주어와 서술어는 문장의 뼈대를 이뤄.

❶ 세 ❷ 움직임

바로 확인

문장의 기본 구조가 <u>다른</u> 하나는?

① 날씨가 춥다.
② 고양이가 귀엽다.
③ 하은이가 공부한다.

답 | ③

⑭ 문장 성분①-주성분

뜻
문장 성분 가운데 문장을 이루는 데 기본적으로 필요한 성분으로 **❶ ⬚**,
문장 안에서 일정한 문법적 기능을 하는 부분.
서술어, 목적어, 보어가 있음.

특징

주어	• 동작이나 작용, 상태나 성질의 주체가 되는 문장 성분. • '누가/무엇이'에 해당함.
서술어	• 주어의 동작이나 작용, 상태나 성질 등을 풀이하는 문장 성분. • '어찌하다/어떠하다/무엇이다'에 해당함.
목적어	• 서술어가 나타내는 행위의 대상이 되는 문장 성분. • '무엇을'에 해당함.
보어	• 서술어 '**❷ ⬚**/아니다' 앞에서 의미를 보충하는 문장 성분. • '무엇이'에 해당함.

예

우리는	밥을	먹는다.	수지는	반장이	아니다.
누가	무엇을	어찌하다	누가	무엇이	어떠하다
⬇	⬇	⬇	⬇	⬇	⬇
주어	목적어	서술어	주어	보어	서술어

❶ 주어 **❷** 되다

바로 확인

밑줄 친 부분의 문장 성분이 주성분이 아닌 것은?

① <u>토끼가</u> 깡충깡충 뛴다.
② <u>탁자에</u> 우유를 쏟았다.
③ <u>함박눈이</u> 펑펑 쏟아진다.

답 | ②

문장 성분②-부속 성분과 독립 성분

뜻

- 부속 성분: 주성분의 내용을 자세하게 꾸며 주는 역할을 하는 문장 성분으로, **❶**〔　　〕와 부사어가 있음.
- 독립 성분: 어느 문장 성분과도 직접적인 관련이 없는 문장 성분.

특징

부속 성분	관형어	• 체언(명사, 대명사, 수사)을 꾸며 줌.
	부사어	• 주로 용언(동사, 형용사)을 꾸며 줌. • 때로는 관형어나 다른 부사어를 꾸며 주기도 하고, 문장 전체를 꾸며 주기도 함.
독립 성분	독립어	• '부름, 응답, **❷**〔　　〕' 등을 나타내는 말이 이에 해당함.

예

어떤　　　　어떻게

우야, 범수가 모든 유리창을 깨끗이 닦았네!

독립어　　관형어　　부사어

다른 문장 성분을 꾸며 주는 문장 성분이 바로 부속 성분이야.

❶ 관형어 ❷ 감탄

바로 확인

다음 문장에서 관형어, 부사어, 독립어를 각각 찾아 쓰시오.

찬미야, 새 모자가 잘 어울린다.

관형어: (　　) 부사어: (　　) 독립어: (　　)

답 | 관형어: 새, 부사어: 잘, 독립어: 찬미야

16 홑문장과 겹문장

뜻
- 홑문장: 주어와 서술어의 관계가 한 번만 나타나는 문장.
- 겹문장: 주어와 서술어의 관계가 **❶**　　　번 이상 나타나는 문장.

특징
- 하나의 문장에서 '주어-서술어'의 관계가 등장하는 **❷**　　　를 기준으로 나눔.
- 겹문장은 둘 이상의 홑문장이 결합하는 방식에 따라 이어진문장과 안은문장으로 나눌 수 있음.

예
- 버스가 종점으로 달린다.

　　주어　　　　서술어

　→ 주어와 서술어가 한 번만 나타난 홑문장임.

홑문장인지 겹문장인지 헷갈릴 때는 먼저 용언이 몇 번 나오는지 확인해.

- 나는 그림을 그리고, 동생은 노래를 부른다.

　주어　　서술어　　주어　　　서술어

　→ 주어와 서술어가 두 번 나타난 겹문장임.

- 나는 동생이 어지른 방을 치웠다.

　　주어　　　　서술어

　주어　　　　　　　　서술어

　→ 주어와 서술어가 두 번 나타난 겹문장임.

❶ 두 **❷** 횟수

바로 확인

다음 문장이 홑문장인지 겹문장인지 고르시오.

(1) 제비꽃은 정말 예쁘다.　　　　　　　　　　　　(홑문장 , 겹문장)

(2) 나는 어제 극장에서 친구를 만났다.　　　　　　(홑문장 , 겹문장)

(3) 지아는 비가 그치기를 간절히 바랐다.　　　　　(홑문장 , 겹문장)

답|(1) 홑문장 (2) 홑문장 (3) 겹문장

이어진문장①-대등하게 이어진문장

뜻

둘 이상의 홑문장이 나란히 이어진 겹문장을 이어진문장이라고 하는데, 그중 겹문장을 이루는 두 홑문장이 나열, ❶ [   ], 선택 등의 의미 관계로 대등하게 이어진 문장.

특징

● 이어진문장을 구성하는 두 홑문장을 위치에 따라 앞 절과 뒤 절로 구분함.

주어와 서술어를 갖추었지만 혼자서 쓰이지 못하고 문장의 일부분으로 쓰임.

● 홑문장을 ❷ [   ]하게 연결하는 어미에는 '-고', '-(으)며', '-지만', '-(으)

나열   대조

나', '-거나', '-든지' 등이 있음.

선택

예

●

나열

비가 온다. + 바람이 분다.

→ 비가 오고 바람이 분다.

●

대조

동생은 김밥을 먹었다. +

언니는 김밥을 먹지 않았다.

→ 동생은 김밥을 먹었지만 언니는 김밥을 먹지 않았다.

❶ 대조 ❷ 대등

바로 확인

빈칸에 들어갈 알맞은 말을 쓰시오.

'바람이 심하게 불고 비가 몹시 내린다.'는 두 홑문장이 나열의 의미 관계로
'(   ) 이어진문장'이다.

답 | 대등하게

18 이어진문장②-종속적으로 이어진문장

뜻
둘 이상의 홑문장이 나란히 이어진 문장 중에서 두 홑문장이 원인, **❶**[　　], 목적(의도) 등의 의미 관계로 종속적으로 이어진 문장.

특징
• 홑문장을 **❷**[　　]으로 연결하는 어미에는 '-아서/어서', '-(으)니', '-(으)
　　　　　　　　　　　　　　　　　　　　　　　　　원인
면', '-거든', '-(으)러', '-(으)려고' 등이 있음.
　　조건　　　목적(의도)

예

원인과
결과

비가 왔다. + 우리는 소풍을 연기했다.

→ 비가 와서 우리는 소풍을 연기했다.

조건

비가 그치다. + 지수는 외출할 것이다.

→ 비가 그치면 지수는 외출할 것이다.

먹- + -다
먹- + -고
먹- + -으면

'-다', '-고', '-으면'처럼 형태가
변하는 부분을 어미라고 해.

❶ 조건 ❷ 종속적

바로 확인

빈칸에 들어갈 알맞은 말을 쓰시오.

'길이 너무 좁아서 차가 못 지나간다.'는 두 홑문장이 원인과 결과의 의미 관계로 '(　　　　) 이어진문장'이다.

답 | 종속적으로

19 안은문장과 안긴문장

뜻

안은문장은 한 문장이 다른 홑문장을 하나의 문장 성분으로 안고 있는 문장이며, 이때 안은문장 속에서 하나의 문장 성분처럼 쓰이는 문장을 **❶** [   ] 이라고 함.

특징

- 안긴문장은 주어와 서술어를 가진 절의 형태로 **❷** [   ]에 포함됨.
- 안긴문장에는 명사절, 관형절, 부사절, 서술절, 인용절이 있음.
- 안은문장은 어떤 절(안긴문장)을 안고 있느냐에 따라 명사절을 가진 안은문장, 관형절을 가진 안은문장, 부사절을 가진 안은문장, 서술절을 가진 안은문장, 인용절을 가진 안은문장으로 나뉨.

예

우리는 **무엇을 바란다.** + **민서가 돌아오다.**

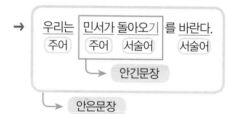 

❶ 안긴문장 ❷ 안은문장

바로 확인

안은문장에 해당하는 것은?

① 바람이 매우 차다.

② 나는 해가 떠오르기를 기다린다.

③ 형은 대학생이고 누나는 고등학생이다.

답 | ②

명사절을 가진 안은문장

뜻

문장에서 안긴문장이 [❶   ] 처럼 쓰이는 문장으로, 안은문장에서 주어, 목적어 등의 역할을 함.

특징

- 명사처럼 쓰이기 위해 안긴문장의 서술어가 '-(으)ㅁ', '-기' 등의 형태로 바뀜.
  → 명사절을 만드는 어미
- 대체로 안긴문장 뒤에 '이/가', '을/를'과 같은 [❷   ] 가 결합함.

예

- 마지막 회에서 <u>무엇이</u> 밝혀지겠지? + <u>주인공이 범인이다.</u>

  → 마지막 회에서 | 주인공이 범인임 | 이 밝혀지겠지?
      └→ 주어
      → 안긴문장에 '이'가 붙어 주어 역할을 함.

- 나는 <u>무엇을</u> 기다렸다. + <u>드라마가 시작한다.</u>

  → 나는 | 드라마가 시작하기 | 를 기다렸다.
      └→ 목적어
      → 안긴문장에 '를'이 붙어 목적어 역할을 함.

❶ 명사 ❷ 조사

바로 확인

밑줄 친 문장을 안긴문장으로 바꾸어 ㉠에 쓰고, 안긴문장의 문장 성분을 ㉡에 쓰시오.

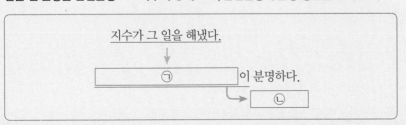

<u>지수가 그 일을 해냈다.</u>
↓
[㉠   ] 이 분명하다.
    └→ [㉡]

답 | ㉠ 지수가 그 일을 해냈음 ㉡ 주어

21 관형절을 가진 안은문장

뜻

문장에서 안긴문장이 ❶ [　　　] 처럼 쓰이는 문장.

특징

● 관형어처럼 쓰이기 위해 안긴문장의 서술어가 '-(으)ㄴ, -는, -(으)ㄹ, -던'
→ 관형절을 만드는 어미
등의 형태로 바뀜.

● 안긴문장이 뒤에 이어지는 ❷ [　　　] (명사, 대명사, 수사)을 꾸며 줌.
→ 문장에서 관형어 역할을 함.

예

민호는 <u>어떤</u> 꽃다발을 들었다. + <u>친구가 꽃다발을 만들었다.</u>

→ 민호는 [친구가 만든] 꽃다발을 들었다. → '꽃다발'이 공통되어
안긴문장에서 생략함.

↳ 관형어

→ 안긴문장이 체언 '꽃다발'을 꾸며 줌.

안긴문장이 꾸며 주는 말의 품사가 무엇인지 생각해 봐.

❶ 관형어 ❷ 체언

바로 확인

다음 문장에 대한 설명이 맞으면 ○, 틀리면 X표 하시오.

> 바람개비를 든 아이가 달렸다.

(1) '아이가 달렸다.'라는 문장이 '아이가 바람개비를 들었다.'라는 문장을 하나의 문장 성분처럼 안고 있는 안은문장이다. ( )

(2) 관형절 '바람개비를 든'이 '아이'를 꾸며 주고 있다. ( )

답 | (1) ○ (2) ○

22 **부사절을 가진 안은문장**

뜻 문장에서 안긴문장이 **❶** [   ]처럼 쓰이는 문장.

특징
- 부사어처럼 쓰이기 위해 안긴문장의 서술어가 '–게, –도록' 등의 형태로 바뀜.
  → 부사절을 만드는 어미
- 안긴문장이 뒤에 이어지는 **❷** [   ](동사, 형용사)을 꾸며 줌.
  → 문장에서 부사어 역할을 함.

예

누군가 <mark>어떻게</mark> 동생에게 다가왔다. + <mark>소리도 없다.</mark>

→ 누군가 [소리도 없이] 동생에게 다가왔다.
　　　　　　　┗→ **부사어**

　　→ 안긴문장이 용언 '다가왔다'를 꾸며 줌.

문장이 다른 문장의 성분(주어, 목적어, 부사)으로 쓰일 때는 대개 문장의 형태가 달라지는구나.

❶ 부사어 ❷ 용언

바로 확인

( ) 안에 들어갈 알맞은 말을 고르시오.

'민후는 땀이 나게 뛰었다.'에서 안긴문장 '땀이 나게'는 안은문장에서 (관형어 , 부사어) 역할을 한다.

답 | 부사어

23 서술절을 가진 안은문장

뜻

문장에서 안긴문장이 ❶[　　　　]처럼 쓰이는 문장.

특징

- 대체로 '누가/무엇이 어떠하다.'의 구조로 이루어진 문장에서 '어떠하다'에
  해당하는 부분이 '주어＋서술어'로 이루어짐. → 문장에서 서술어 역할을 함.

- 겉보기에는 서술어 1개에 ❷[　　　　]가 2개인 것으로 나타남. 다시 말해서
  서술절을 가진 안은문장은 [주어＋(주어＋서술어)]의 형태를 취함.
  → 전체 문장에서 '어떠하다'에 해당함.

예

승재는 **어떠하다**. ＋ **마음씨가 곱다.**

→ 승재는 [마음씨가 곱다.]
　　　　　　　↳ 서술어

→ 안긴문장이 문장에서 서술어 역할을 함.

> 서술절을 가진 안은문장은
> '주어＋(주어＋서술어)'의 구조로
> 이루어진다는 점을 잊지 마.

> 예를 들어 '옷이 소매가 길다.'에서
> 주어는 '옷이'고 이에 대한
> 서술어는 '소매가 길다.'야.

❶ 서술어 ❷ 주어

바로 확인

서술절을 가진 안은문장이 <u>아닌</u> 것은?

① 민호는 키가 크다.

② 토끼는 앞발이 짧다.

③ 철수는 반장이 되었다.

답 | ③

24 인용절을 가진 안은문장

뜻 문장에서 안긴문장이 다른 사람의 말이나 글을 **❶**⬚ 하는 문장.

특징
- 직접 인용을 하는 경우에는 인용 부호로 큰따옴표(" ")가 사용되고, 인용한 말 뒤에 조사 '**❷**⬚'가 사용됨.
- 간접 인용을 하는 경우에는 인용 부호 없이 인용하고, 인용한 말 뒤에 조사 '고'가 사용됨.

예

민재

- 민재는 "혁수의 말이 옳다."라고 말하였다.
  → 직접 인용
- 민재는 혁수의 말이 옳다고 말하였다.
  → 간접 인용

조사를 살펴보면 직접 인용인지 간접 인용인지 쉽게 구분할 수 있구나.

❶ 인용 ❷ 라고

바로 확인

밑줄 친 안긴문장이 어떤 절에 해당하는지 쓰시오.

- 남주는 "할아버지께서 취미로 화초를 기르신다."라고 말하였다.
- 남주는 할아버지께서 취미로 화초를 기르신다고 말하였다.

답 | 인용절

25 문장의 짜임표

홑문장	주어와 서술어의 관계가 한 번만 나타나는 문장.			
❶	주어와 서술어의 관계가 두 번 이상 나타나는 문장.			
	이어진문장	대등하게 이어진문장	둘 이상의 홑문장이 나열, 대조, 선택 등의 의미 관계로 대등하게 이어진 문장.
		종속적으로 이어진문장	둘 이상의 홑문장이 원인, 조건, 목적(의도) 등의 의미 관계로 종속적으로 이어진 문장.
	❷	안은문장	한 문장이 다른 홑문장을 하나의 문장 성분처럼 안고 있는 문장.
		안긴문장	안은문장 속에서 하나의 문장 성분처럼 쓰이는 문장.

> 명사절을 가진 안은문장
> 관형절을 가진 안은문장
> 부사절을 가진 안은문장
> 서술절을 가진 안은문장
> 인용절을 가진 안은문장

❶ 겹문장 ❷ 안은문장

바로 확인

다음 설명이 맞으면 ○, 틀리면 X표 하시오.

(1) 문장은 주어와 서술어의 관계가 몇 번 나타나느냐에 따라 홑문장과 겹문장으로 나눈다. ( )

(2) 겹문장은 이어진문장과 안은문장으로 나눈다. ( )

(3) 이어진문장은 안은문장과 안긴문장으로 나눈다. ( )

답|(1)○ (2)○ (3)X

26 문장의 짜임에 따른 표현 효과

특징

● 홑문장은 내용을 **①** 하고 명확하게 전달할 수 있으며, 내용이 빠르게

진행되는 느낌을 줌.

● 겹문장은 내용을 집약적으로 전달할 수 있으며, 사건이나 사실의 **②**

인 관계가 잘 드러남.

예

홑문장	겹문장
스마트폰을 손에서 놓으세요. 주변을 돌아보세요. 친구들과 대화를 나누세요. 가족들과 눈을 맞춰 보세요. 스마트폰 속 세상에서 벗어나세요. 진짜 세상을 만날 수 있습니다.	스마트폰을 손에서 놓고 주변을 돌아보세요. 친구들과 대화를 나누고 가족들과 눈을 맞춰 보세요. 스마트폰 속 세상에서 벗어나면 진짜 세상을 만날 수 있습니다.

⬇ | ⬇

| 홑문장을 사용해 속도감이 느껴짐. | 겹문장을 사용해 의미 관계를 파악하기 쉬움. |

❶ 간결 ❷ 논리적

바로 확인

( ) 안에 들어갈 알맞은 말을 고르시오.

(홑문장 , 겹문장)을 주로 사용하면 내용이 빠르게 진행되는 느낌을 줄 수

있다.

답 | 홑문장

27 남북한 언어의 공통점

뜻

남북한은 한 민족으로서 같은 **❶** ☐ 배경을 가지고 있고, 남북으로 분단

되기 이전부터 오랫동안 같은 말과 글을 사용하고 있음.

특징

- 의사소통이 안 될 정도로 남북한 언어문화의 차이가 크지 않음.

- 남북한이 사용하는 문장 **❷** ☐ 가 같음.

- 남북한이 사용하는 단어(어휘)에 큰 차이가 없음.

- 남북한 모두 소리 나는 대로 적는 표기와 형태를 밝혀 적는 표기를 사용함.
  → 남북한의 맞춤법은 1933년 조선어 학회가 제정한 '한글 맞춤법 통일안'을 뿌리로 하고 있음.

예

퐁퐁 튀여라 새빨간 공아
잘도 튄다 퐁퐁 참말 신이 나누나
퐁퐁 하나둘 퐁퐁 둘셋
공치기 퐁퐁 재미 재미나누나
퐁퐁 튀여라 새빨간 공아
너도 나도 퐁퐁 공 잘 치는 선수다
퐁퐁 셋셋 퐁퐁 넷다섯
공치기 퐁퐁 재미 재미나누나
　　　　– 북한 동요 〈퐁퐁 튀여라〉

→ 남한 사람들이 북한 동요를 이해하는 데 어려움이 없을 정도로 남북한 언어는 동질성을 유지하고 있음.

❶ 역사적 **❷** 구조

바로 확인

다음 설명이 맞으면 ○, 틀리면 X표 하시오.

(1) 남북한은 한 민족으로서 역사적 배경이 같아서 언어문화의 차이가 크지 않다.

（　　）

(2) 남북한이 사용하는 문장의 구조 차이는 크다. （　　）

답 | (1) ○ (2) X

28 남북한 언어의 차이점

뜻

분단 이후 오랫동안 교류 없이 서로 다른 사회 체제에서 각자 다른 방식으로 언어를 사용함으로써 남북한의 언어가 서로 다른 모습으로 변하고 차이가 생김.

특징

- 남한은 두음 법칙을 따르고 북한은 따르지 않음.
- 남한은 ❶ 　　　　을 표기하지만 북한은 표기하지 않음.
- 남한은 의존 명사를 띄어 쓰지만 북한은 띄어 쓰지 않음.
- 형태는 같지만 의미가 다른 어휘가 있어 의사소통에 문제가 생김.
- 남한은 외래어를 많이 사용하지만 북한은 외래어를 순화해 사용함.
- 남한은 완곡하고 우회적인 표현을, 북한은 직설적인 표현을 많이 사용함.

예

	남한	북한
두음 법칙	이용, 여자, 노동	리용, 녀자, 로동
사이시옷(ㅅ)	나룻배, 바닷가	❷ 　　　, 바다가
띄어쓰기	건널 것이다	건널것이다
어휘	일없다: 소용이나 필요가 없다.	일없다: 괜찮다.
	노크, 패스, 나이프	손기척, 연락, 밥상칼
표현	밥 한번 먹어요.: 인사말	밥 한번 먹어요.: 식사 약속

❶ 사이시옷 ❷ 나루배

바로 확인

( ) 안에 들어갈 알맞은 말을 고르시오.

(1) 남한은 두음 법칙을 인정하여 (녀자 , 여자)로 표기하지만, 북한은 인정하지 않아 (녀자 , 여자)로 표기한다.

(2) 북한은 순우리말을 주로 사용하기 때문에 외래어 '노크'를 (손기척 , 손소리) (으)로 다듬어 표현한다.

답 | (1) 여자, 녀자 (2) 손기척

29 논증

뜻
어떤 주제에 대해 **❶** 를 들어 자신의 주장을 펼치는 방법.

특징
● 대표적인 논증 방법에는 귀납, 연역, 유추가 있음.
● 논증에서 근거를 '**❷** '라고도 하고, 주장을 '결론'이라고도 함.
● 논증 방법을 파악하며 글을 읽으면 글의 전개 방식이나 구조 등을 체계적으
로 이해할 수 있음.
● 논증 방법을 파악하며 글을 읽으면 글의 타당성을 판단하는 데 도움이 됨.

예

→ 2개의 전제가 결론을 충분히 뒷받침하
고 있음. 따라서 논증 과정이 타당함.

→ 일부 사례만으로 결론을 내리고 있음.
눈이 크지만 겁이 없는 사람도 있을
수 있으므로 타당한 논증이라 할 수
없음.

❶ 근거 ❷ 전제

바로 확인

빈칸에 들어갈 알맞은 말을 쓰시오.

어떤 주제에 대해 근거를 들어 자신의 주장을 펼치는 방법을 (　　　　)이
라고 한다.

답 | 논증

30 논증 방법①-귀납

뜻
구체적이고 개별적인 사실에서 **❶** 인 법칙이나 원리를 이끌어 내는 논증 방법.

특징
- 추론의 방향: 특수한 것에서 일반적으로 것으로 나아감.
- 전제와 결론의 관계: 전제가 참이면 대체로 결론도 참이지만, 결론이 **❷** 일 수도 있음.

예

근거 1 | 알렉산더도 죽었다. 셰익스피어도 죽었다. 아인슈타인도 죽었다. ···· 구체적 사실

↓

근거 2 | 알렉산더, 셰익스피어, 아인슈타인은 모두 사람이다. ···· 구체적 사실

↓

주장 | 그러므로 사람은 모두 죽는다. ···· 일반적 법칙

귀납은 사례가 충분할수록 타당할 가능성이 높아져.

❶ 일반적 ❷ 거짓

바로 확인

다음에서 설명하는 논증 방법을 쓰시오.

구체적이고 개별적인 사실에서 일반적인 법칙이나 원리를 이끌어 내는 논증 방법으로, 전제가 참이라도 결론이 항상 참인 것은 아니다.

답 | 귀납

31 논증 방법②-연역

뜻

일반적인 법칙이나 원리에서 구체적이고 **❶** 인 사실을 이끌어 내는 논증 방법. 참인 대전제를 사용하는 삼단 논법이 대표적임.

'대전제, 소전제, 결론'으로 이루어짐.

특징

● 추론의 방향: 일반적인 것에서 특수한 것으로 나아감.

● 전제와 결론의 관계: 전제가 참이면 결론이 반드시 **❷** 일 수밖에 없음.

예

| 대전제 | 모든 생물은 영양을 섭취해야 살 수 있다. | ··· 일반적 법칙 |

⬇

| 소전제 | 사람은 생물이다. |

⬇

| 결론 | 그러므로 사람은 영양을 섭취해야 살 수 있다. | ··· 구체적 사실 |

연역은 이미 잘 알려진 법칙이나 이미 알고 있는 사실에서 출발해.

❶ 개별적 ❷ 참

바로 확인

빈칸에 들어갈 알맞은 말을 쓰시오.

　　일반적인 법칙이나 원리에서 구체적이고 개별적인 사실을 이끌어 내는 논증 방법을 연역이라고 한다. 연역에서 전제가 (　　　　)이면 결론도 반드시 참이다.

답 | 참

논증 방법③-유추

뜻   두 대상이 여러 면에서 비슷하다는 것을 근거로 하여 다른 속성도 ❶ [　　　] 할 것이라고 결론을 내리는 논증 방법.

특징
- 알고 있는 ❷ [　　　]에 근거하여 모르는 사실을 추측하는 논증 방법임.
- 구체적 사례들을 검토한 뒤, 그 결론으로 사실을 이끌어 낸다는 점에서 귀납 논증에 속함.

예

지구 는 대기와 물이 존재 하기 때문에 생명체가 살고 있다.
→ 알려진 사실

대상   유사성

화성 에도 대기와 물이 존재 한다.

그러므로 화성에도 생명체가 살고 있을 것이다.
→ 모르는 사실 추측

유추는 비교하는 대상의 속성이 더 비슷할수록 논증이 타당할 가능성이 높아지지!

❶ 비슷 ❷ 사실

바로 확인

( ) 안에 들어갈 알맞은 말을 고르시오.

두 대상이 여러 면에서 비슷하다는 것을 근거로 하여 다른 속성도 비슷할 것이라고 추론하는 논증 방법을 (귀납 , 연역 , 유추)(이)라고 한다. 이 논증 방법은 구체적인 사실을 검토한 뒤, 그 결론으로 사실을 이끌어 낸다는 점에서 (귀납 , 연역)에 속한다.

답ㅣ유추, 귀납

비교하며 읽기① – 관점 비교하기

뜻
- 글의 관점이란 글쓴이가 글에서 다루는 화제에 관해 갖는 기본적인 ❶ [　　] 나 방향 또는 처지를 말함.
- 동일한 화제를 다룬 글이라도 글쓴이의 관점에 따라 내용이나 주제가 달라질 수 있으므로 이를 비교하며 읽는 것임.

특징
- 글에 대해 긍정적 관점, ❷ [　　] 관점, 중립적 관점 등이 있음.
- 다양한 글을 폭넓게 읽으며, 화제를 창의적으로 이해할 수 있음.
- 글쓴이와 자신의 관점을 비교하면서 화제를 바라보는 시각을 기를 수 있음.

예

> 화제: 디지털 치매

〈디지털 치매, 걱정할 일 아니다〉
디지털 기술 의존 현상은 인간의 진화와 문명 발전 과정에서 나타나는 자연스러운 현상이다.

↓

긍정적

〈디지털 치매, 당신도 노린다〉
디지털 기기에 지나치게 의존하면 집중력 감소 현상과 디지털 피로감이 생긴다.

↓

부정적

❶ 태도 ❷ 부정적

바로 확인

제목을 참고하여 '젓가락질 교육'에 대한 (가)와 (나)의 관점을 각각 고르시오.

(가) 〈젓가락으로 시작하는 밥상머리 교육〉	젓가락질 교육	(나) 〈젓가락질 잘해야만 밥 잘 먹나요〉
→ (긍정적 , 부정적)		→ (긍정적 , 부정적)

답 | (가) 긍정적 (나) 부정적

비교하며 읽기②-형식 비교하기

** 뜻**

- 동일한 화제를 다룬 글이라도 설명문, 광고, 편지글 등의 다양한 형식으로 표현될 수 있음.
- 동일한 **❶** 를 다룬 여러 글을 읽고 글의 형식에 따라 어떠한 효과가 나타나는지 비교하며 읽는 것임.

특징

- 설명문은 대상에 대한 정보를 체계적으로 전달하는 효과가 있음.
- 광고는 짧은 시간 안에 내용을 알기 쉽게 전달하는 효과가 있음.
- 편지글은 특정 대상에게 글쓴이의 마음을 친근하게 전달하는 효과가 있음.

예

화제: 젓가락질

광고	**❷**
젓가락으로 우리 문화를 집어 올려요.	사랑하는 현서에게 엄마는 네가 젓가락질도 잘 하고 밥도 잘 먹는 건강한 사람이 되면 좋겠어. – 엄마가

❶ 화제 ❷ 편지글

바로 확인

다음 설명이 맞으면 ○, 틀리면 X표 하시오.

(1) 동일한 화제에 관한 글이라도 다양한 형식으로 표현될 수 있다. ( )

(2) 광고는 간결한 표현으로 내용을 빠르게 전달하는 효과가 있고, 편지글은 정보를 체계적으로 전달하는 효과가 있다. ( )

답 | (1) ○ (2) X

35 보고하는 글(보고서)

뜻 어떤 주제에 대해 실시한 관찰·조사·실험 등의 절차와 **❶** 를 정리하여 보고할 목적으로 쓴 글.

특징
- 정확한 **❷** 에 근거한 객관적인 글임.
- 목적, 대상과 기간, 방법, 내용, 결과, 출처 등의 구성 요소가 포함됨.
- 자료 조사, 설문 조사, 현장 조사, 면담 조사 등의 조사 방법이 있음.
- 대상을 관찰하고 정리한 관찰 보고서, 대상의 실태를 조사하고 정리한 조사 보고서, 실험의 절차와 결과를 정리한 실험 보고서가 있음.

예

우리 학교 학생들의 스마트폰 사용 실태
– 스마트폰 사용 실태와 스마트폰 사용에 관한 인식 조사

조사자	강성국, 이예지, 장재혁, 황희영
조사 목적	우리 학교 학생들의 스마트폰 사용 실태와 스마트폰 사용에 관한 인식을 파악한다.
조사 대상	○○중학교 3학년 학생 220명
조사 기간	20○○년 10월 12일~10월 20일

⋮

❶ 결과 ❷ 사실

바로 확인

다음과 같은 특징을 지닌 글에 해당하는 것은?

> 정확한 사실에 근거한 객관적인 글이며, 관찰·조사·실험 등의 내용과 결과를 보고하기 위해 쓴 글이다.

① 건의하는 글 　　② 보고하는 글 　　③ 주장하는 글

답 | ②

보고하는 글을 쓰는 과정

과정

계획하기	• 관찰·조사·실험할 ❶ _____ 와 목적 정하기. • 대상과 기간, 조사 방법 등을 정하기.

⬇

자료 수집하기	자료 조사, 설문 조사, 현장 조사, 면담 조사 등을 통해 자료 수집하기.

⬇

자료 정리하고 분석하기	관찰·조사·실험한 내용을 정리하고 그 결과를 분석하기.

⬇

내용 구성하기	보고하는 글의 구성 요소에 따라 개요 짜기.

⬇

보고서 쓰기	주제와 목적, 절차와 결과가 잘 드러나게 작성하기.

유의점

- 자료를 선정할 때는 자료가 글의 목적과 주제에 맞는지, 신뢰할 만한지 살펴봄.

- 그림, 사진, 도표 등 ❷ _____ 자료를 활용하면 내용을 효과적으로 전달할 수 있음.

- 관찰·조사·실험한 내용을 왜곡하거나 과장하지 않고 사실에 근거하여 써야 함.

- 참고 자료의 출처를 밝히는 등의 쓰기 윤리를 지켜 책임감 있게 써야 함.

❶ 주제 ❷ 매체(시각)

바로 확인

보고하는 글을 쓰기 위해 가장 먼저 해야 할 일로 적절한 것은?

① 내용 구성하기

② 자료 정리하고 분석하기

③ 글의 주제와 목적 정하기

답 | ③

③⑦ 쓰기 윤리

뜻 글쓴이가 글을 쓰는 과정에서 준수해야 할 윤리적 **❶ [　　　]**.

특징
- 관찰·조사·실험 결과를 과장, 축소, 변형, 왜곡하지 않고 사실 그대로 제시해야 함.
- 다른 사람이 생산한 생각이나 자료, 글은 허락을 받은 후 **❷ [　　　]**를 분명히 밝히고 사용해야 함.

쓰기 윤리를
지키지 않으면 ⇨
- 글의 사실성과 신뢰성이 떨어짐.
- 다른 사람의 저작권을 침해하여 법적 처벌의 대상이 됨.
- 잘못된 정보를 전달하여 독자와 사회에 부정적인 영향을 미칠 수 있음.

예

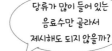
문제를 강조하려면 학생들이 일주일에 음료수를 마시는 횟수를 부풀려서 제시해야 할 것 같아.

당류가 많이 들어 있는 음료수만 골라서 제시해도 되지 않을까?

→ 내용을 과장하거나 왜곡하는 것은 쓰기 윤리에 어긋남.

❶ 규범 ❷ 출처

바로 확인

쓰기 윤리를 지키는 태도로 적절하지 않은 것은?

① 인용한 자료나 글의 출처를 밝히고 사용한다.
② 권위 있는 전문가가 작성한 자료나 글을 인용한다.
③ 결과를 돋보이게 하려고 자료를 수정하여 사용한다.

답 | ③

38 주장하는 글

뜻

어떤 주제에 관하여 자기의 생각이나 **❶** 을 체계적으로 밝혀, 읽는 이를 설득하기 위해 쓴 글.

특징

- 주장이 분명하게 드러나야 함.
- 구체적이고 타당한 **❷** 를 들어 주장을 뒷받침함.
- '서론 – 본론 – 결론'의 형식에 맞게 논리적으로 구성함.

예

청소년들이 신조어를 무분별하게 사용함으로써 여러 가지 문제가 생기게 된다. 가장 큰 문제는 청소년들의 무분별한 신조어 사용 때문에 세대 간 의사소통이 어려워진다는 것이다. 한 단체가 청소년들이 많이 쓰는 신조어의 인지도를 알아보려고 설문 조사를 하였는데, '노잼'의 경우에는 응답자 가운데 60대 이상은 3.7퍼센트, 50대는 16.7퍼센트만이 그 뜻을 알고 있었다. 청소년들의 부모 세대인 40대에서도 그 뜻을 아는 사람은 41.5퍼센트에 그쳤다.

→ 신조어를 무분별하게 사용하면 여러 가지 문제가 생긴다고 주장함.

→ 주장을 뒷받침하기 위해서 청소년들이 신조어를 무분별하게 사용하면 생길 수 있는 문제를 근거로 제시함.

→ 청소년들의 신조어 사용으로 세대 간 의사소통에 문제가 생길 수 있음을 보여 주는 설문 조사 결과를 제시함.

❶ 주장 **❷** 근거

바로 확인

다음 설명이 맞으면 ○, 틀리면 X표 하시오.

(1) 주장하는 글은 대상에 대한 정보를 제시한 글이다. ( )

(2) 주장하는 글은 '서론 – 본론 – 결론'의 형식으로 구성된다. ( )

(3) 주장하는 글은 생각이나 주장을 근거를 들어 체계적으로 밝힌 글이다. ( )

답 | (1) X (2) ○ (3) ○

주장하는 글을 쓰는 과정

과정

주장 정하기	문제 상황에 대해 자신의 **❶** 을 명확하게 정하기.

근거 마련하기	• 책, 신문, 인터넷 등 여러 매체에서 자신의 주장을 뒷받침하는 **❷** 찾아보기. • 수집한 자료가 주장을 타당하게 뒷받침할 수 있는지 평가하여 정리하기.

내용 조직하기	• '서론 – 본론 – 결론'의 형식에 따라 개요 짜기.

서론	문제 상황을 제시함.
본론	주장과 근거를 제시함.
결론	주장을 강조하고 당부를 덧붙임.

주장하는 글 쓰기	개요를 바탕으로 주장과 근거가 잘 드러나게 쓰기.

유의점

• 주장과 근거 사이에 연관성이 있어야 함.

• 주장을 뒷받침하는 근거가 믿을 만한 것이어야 함.

• 주장을 뒷받침하는 근거가 정확하고 객관적이어야 함.

• 주장과 근거가 사회·문화적 맥락에서 받아들일 만한 것이어야 함.

❶ 주장 ❷ 근거

바로 확인

주장을 뒷받침하는 근거를 마련할 때 생각할 점으로 적절하지 <u>않은</u> 것은?

① 주장과 근거 사이에 연관성이 있는가?

② 주장을 뒷받침하는 근거가 주관적인가?

③ 주장을 뒷받침하는 근거가 정확하고 믿을 만한가?

답 | ②

40 토론

뜻

어떤 **①** 에 대해 찬성·반대하는 입장으로 나뉘어 논리적인 근거를 바
토론에서 논의하거나 의견을 나누는 제목, 주제.
탕으로 상대방을 설득하는 말하기.

특징

• 주장의 근거가 구체적이고, 논리적이며, 객관적이고, 타당한지에 따라 토론
의 성공과 실패가 판가름 남.

• 상대측 주장과 근거의 신뢰성, 타당성, 공정성 등을 비판적으로 분석하고
이를 근거로 들어 논리적 허점이나 오류를 밝혀 논박할 수 있어야 함.

②	믿을 만한 자료를 바탕으로 주장하고 있는지 판단하는 것.
타당성	주장과 근거가 관련있는지, 근거가 주장을 논리적으로 뒷받침하는지 판단하는 것.
공정성	정의롭고 공평한 주장을 펼치고 있는지 판단하는 것.

예

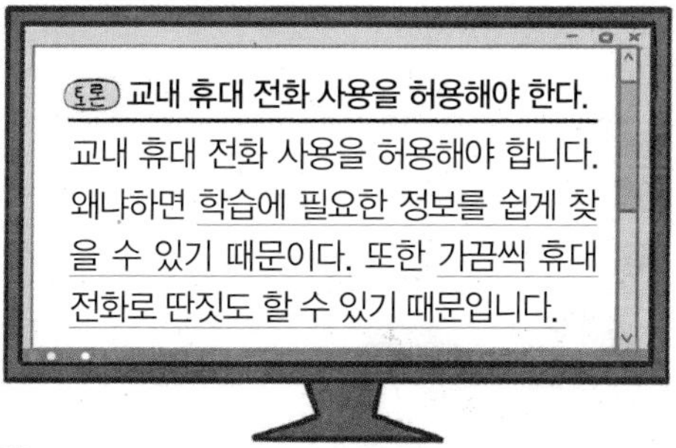

> **논제** 교내 휴대 전화 사용을 허용해야 한다.
>
> 교내 휴대 전화 사용을 허용해야 합니다. 왜냐하면 학습에 필요한 정보를 쉽게 찾을 수 있기 때문이다. 또한 가끔씩 휴대 전화로 딴짓도 할 수 있기 때문입니다.

→ '교내 휴대 전화 사용을 허용해야 한다.'는 논제로 토론함.
→ '교내 휴대 전화 사용을 허용해야 한다.'는 주장에 대한 근거로 수업 시간에 휴대 전화로 딴짓도 할 수 있다고 제시했는데, 이는 주장을 논리적으로 뒷받침하지 못해 타당성에 문제가 있음.

① 논제 **②** 신뢰성

바로 확인

빈칸에 공통으로 들어갈 알맞은 말을 한 단어로 쓰시오.

• ( )은 논리적인 근거를 바탕으로 상대방을 설득하는 말하기이다.
• ( )은 상대측의 주장과 근거의 타당성, 신뢰성, 공정성을 비판적으로 분석하는 말하기이다.

답| 토론

41 토론의 준비 과정

과정

| 논제와 입장 정하기 | 우리 주변이나 사회에서 토론하고 싶은 문제를 찾아 **❶** 를 정한다. |

⬇

| 쟁점 설정하기 | • 논제와 관련된 쟁점을 설정한다.
• 쟁점에 대하여 찬성과 반대 측의 입장을 모두 정리한다. |

⬇

| 근거 마련하기 | 자료를 수집하고 정리하여 **❷** 별로 근거를 마련한다.
논제와 관련하여 찬성 측과 반대 측의 의견이 엇갈리는 내용. |

⬇

| 토론 계획하기 | 찬성 · 반대의 입장을 정하고, 입론과 반론을 계획한다. |

⬇

| 토론하기와 평가하기 | • 토론의 절차에 따라 토론한다.
• 사회자의 진행과 배심원의 판단을 존중한다. |

사회자는 토론의 절차와 규칙을 정확히 알아 두어야 해.

토론자는 상대측에서 제시할 가능성이 있는 근거를 예상해 보거나 미리 조사해야 해.

❶ 논제 ❷ 쟁점

바로 확인

다음과 관계 깊은 토론의 준비 과정은?

인터넷이나 신문 등을 살펴보면서 논제와 관련된 쟁점을 설정한다.

① 논제 정하기　　　② 쟁점 설정하기　　　③ 근거 마련하기

답 | ②

토론의 절차

절차		예
논제 제시	사회자가 논제를 제시하고 토론의 진행 절차를 안내하는 단계.	사회자: 지금부터 '동물원을 폐지해야 한다.'라는 논제로 토론을 시작하겠습니다. 찬성 측과 반대 측이 '입론 – 반론 – 최종 변론'의 순서로 토론한 뒤 배심원들이 판정하도록 하겠습니다. …
입론 (순서: 찬성 측 → 반대 측)	논제와 관련하여 쟁점별로 찬성 측과 반대 측이 근거를 들어 ❶ 을 펼치는 단계.	찬성 측: 저희는 '동물원을 폐지해야 한다.'에 찬성합니다. 그 첫 번째 이유는 동물원이 동물을 제대로 보호하지 못하기 때문입니다. …
반론 (순서: 반대 측 → 찬성 측)	상대측 주장의 논리적인 ❷ 이나 오류를 지적하고 자신의 주장을 강조하는 단계.	반대 측: 찬성 측에서는 동물들이 극심한 스트레스를 받는다는 이유를 들어 동물원이 동물을 제대로 보호하지 못한다고 했습니다. 그러나 야생의 동물들도 천적의 위협이나 …
최종 변론 (순서: 반대 측 → 찬성 측)	자기 측의 발언 내용을 요약정리하고, 주장과 근거를 다시 한번 강조하는 단계.	반대 측: 동물원이 동물을 보호하고 종을 보존하는 역할을 하고 있으며, 동물원을 방문한 관람객은 동물과 관련된 지식을 얻고 동물을 사랑하는 태도를 기를 수 있습니다. …

❶ 주장 ❷ 허점(문제점)

바로 확인

( ) 안에 들어갈 알맞은 토론 단계를 고르시오.

(1) (입론 , 반론 , 최종 변론)은 자기 측의 기본적인 주장을 수립하는 단계다.

(2) (입론 , 반론 , 최종 변론)은 자기 측의 주장과 근거를 다시 한번 강조하는 단계다.

(3) (입론 , 반론 , 최종 변론)은 상대측의 주장이나 근거의 문제점을 지적하고 논제에 대해 자신들의 주장을 강조하는 단계다.

답 | (1) 입론 (2) 최종 변론 (3) 반론

43 설득 전략①-이성적 설득 전략

뜻 논리적이고 ❶ [   ]인 방법으로 주장을 뒷받침하는 설득 전략.
　　　　　말하는 이가 듣는 이를 설득하여 개인의 태도나 변화를 이끌어 낼 수 있는 전략.

특징
- 논리적인 근거나 ❷ [   ]인 근거(역사적인 사실, 구체적인 자료나 수치) 를 제시하여 듣는 이를 설득함.
- 연역, 귀납, 유추와 같은 논증 방법을 활용하여 듣는 이의 이성적 판단을 유도함.
- 이성적 설득 전략을 지나치게 사용하면 듣는 이가 지루함이나 거부감을 느낄 수 있음.

예

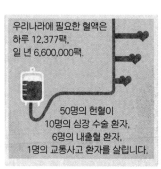

우리나라에 필요한 혈액은
하루 12,377팩,
일 년 6,600,000팩.

50명의 헌혈이
10명의 심장 수술 환자,
6명의 내출혈 환자,
1명의 교통사고 환자를 살립니다.

→ 객관적인 수치를 제시하여, 헌혈의 필요성을 느끼도록 시청자를 설득함.

❶ 이성적 ❷ 객관적

바로 확인

다음에서 설명하는 설득 전략을 쓰시오.

- 논리적이고 이성적인 방법으로 주장을 뒷받침하는 전략이다.
- 통계 자료나 전문가의 의견, 역사적 사실 등을 근거로 들어 듣는 이를 설득한다.
- 논리적이고 체계적인 설명을 통해 듣는 이를 설득하는 효과가 있다.

답 | 이성적 설득 전략

설득 전략②-감성적 설득 전략

뜻

듣는 이의 욕망과 분노, 자긍심, 동정심 등과 같은 **❶**〔　　　〕에 호소하여 듣는 이의 마음을 움직이는 설득 전략.

특징

- 유머를 사용하여 **❷**〔　　　〕을 주거나, 공포심을 자극하여 문제점을 강조하거나, 듣는 이의 욕망이나 동정심 같은 감정을 불러일으켜 설득력을 높임.
- 감성적 설득 전략을 지나치게 사용하면 감정에 호소하는 오류를 저질러 오히려 역효과가 생길 수 있음. → 먼저 설득의 논리를 갖추고, 그것을 강화하기 위해 감성적 설득 전략을 사용할 필요가 있음.

예

여러분의 헌혈은 누군가에게

다시 뛸 수 있는 희망.
다시 말할 수 있는 희망.
다시 공부할 수 있는 희망이 됩니다.

→ 헌혈이 누군가에게 희망을 줄 수 있다는 내용으로 감정을 자극하여 헌혈의 필요성을 설득함.

❶ 감정 **❷** 즐거움

바로 확인

다음에서 설명하는 설득 전략을 쓰시오.

- 듣는 이의 욕망과 분노, 자긍심, 동정심 등과 같은 감정에 호소하여 듣는 이의 마음을 움직이게 하는 전략이다.
- 유머를 사용하여 즐거움을 주거나, 두려움을 자극하여 문제점을 강조하거나, 듣는 이의 욕망이나 동정심 같은 감정을 불러일으켜 설득력을 높인다.

답| 감성적 설득 전략

45 설득 전략③-인성적 설득 전략

뜻

말하는 이의 사람 됨됨이나 태도를 바탕으로 내용을 ❶ [   ]하게 하는 설득 전략.

특징

- 듣는 이가 말하는 이에게 신뢰를 줄 수 있는 품성이나 인격을 갖추어야 말하는 이의 설득이 신뢰감을 줄 수 있음.
- 말하는 이가 설득하려는 내용과 관련하여 충분한 경험과 전문성을 갖추고 성실하고 진지한 자세로 이야기할 때 ❷ [   ]을 높일 수 있음.
  → 동계 올림픽 금메달리스트였던 사람이 경험과 전문성을 바탕으로 동계 올림픽 유치를 위해 연설하는 것이 일반인이 연설하는 것보다 더 효과적임.

예

"헌혈은 제 삶의 기쁨입니다."
헌혈 명예 대장 한영재(헌혈 횟수 300회)

→ 헌혈을 생활 속에서 실천하고 있는 사람을 말하는 이로 등장시켜 시청자에게 헌혈의 필요성을 설득함.

❶ 신뢰 ❷ 설득력

바로 확인

(   ) 안에 들어갈 알맞은 말을 고르시오.

(1) 인성적 설득 전략은 말하는 이의 (됨됨이나 태도 , 외모나 목소리)를 바탕으로 듣는 이가 내용에 신뢰를 갖게 하는 방법이다.

(2) 인성적 설득 전략에서 말하는 이가 주제와 관련하여 충분한 (경험과 전문성 , 관심과 자율성)을 갖추고 있을 때 듣는 이의 신뢰를 얻을 수 있다.

답 | (1) 됨됨이나 태도 (2) 경험과 전문성

국어전략